Astuce et compagnie

Agathe Carrières • Colette Dupont • Doris Cormier

2ᵉ année du premier cycle
Module 16

Guide d'enseignement C et D

CEC

LES ÉDITIONS CEC INC.

Directrice de l'édition

Carole Lortie

Directrice de la production

Danielle Latendresse

Directrice de la coordination

Isabel Rusin

Chargées de projet

Ginette Rochon

Isabel Rusin

Correctrices d'épreuves

Marielle Chicoine

Ginette Rochon

Rédacteurs

Lise Labbé (moyens d'évaluation)

Michelle Leduc (activités d'animation littéraire)

André Roux (TIC)

**Conception graphique
et réalisation technique**

Axis communication

Productions Fréchette et Paradis inc.

Illustration de la couverture

Nicolas Debon

Les auteurs désirent remercier Chantal Harbec, enseignante à l'école Des-Quatre-Vents de la commission scolaire Marie-Victorin, Lise Labbé, consultante en didactique du français et en évaluation des apprentissages, et Ginette Vincent, conseillère pédagogique à la commission scolaire Marie-Victorin, pour leurs précieuses remarques et suggestions en cours de rédaction.

Dans cet ouvrage, la féminisation des titres de fonctions et des textes est conforme aux règles d'écriture proposées par l'Office de la langue française dans le guide *Au Féminin*, produit par Les publications du Québec, 1991.

Les Éditions CEC inc. remercient le gouvernement du Québec de l'aide financière accordée à l'édition de cet ouvrage par l'entremise du Programme de crédit d'impôt pour l'édition de livres, administré par la SODEC.

© 2002, Les Éditions CEC inc.

8101, boul. Métropolitain Est

Anjou, QC, H1J 1J9

Dépôt légal : 1er trimestre 2002

Bibliothèque nationale du Québec

Bibliothèque nationale du Canada

ISBN 2-7617-1581-0

Imprimé au Canada

1   2   3   4   5   05   04   03   02   01

Table des matières

En ce qui concerne L'ÉVALUATION, la section « Matériel reproductible » de votre guide d'enseignement vous propose plusieurs moyens et outils d'évaluation.

NOTE : Les passages soulignés dans le présent guide d'enseignement constituent une mise en relief des étapes les plus importantes du déroulement pédagogique.

travail individuel

travaux personnels

travail en équipes

activités d'enrichissement

travail collectif

technologies de l'information
et de la communication (TIC)

activités d'animation littéraire

PRÉSENTATION

Grandir… Étendre bras et jambes comme des pointes d'étoile dans cette formidable expression de la vitalité.

Sentir que son regard porte plus loin que l'horizon et réaliser qu'il faut moins d'une enjambée pour joindre ceux que l'on aime.

Développer ses neurones et accéder aux idées avec la délectation de qui découvre un territoire inconnu. Rayonner aussi avec son cœur, aimer très fort, dispenser ses richesses intérieures ici, tout près, et là-bas, à l'autre bout du monde. Vivre parmi les siens dans l'heureuse insouciance de qui se sait protégé. Voir blanchir grand-papa et grand-maman, et sentir qu'à travers l'enfance, on tend de toutes ses forces vers l'adolescence et l'âge adulte.

Grandir… serait-ce la merveilleuse aventure du papillon qui s'élance inexorablement vers la lumière?

COMPÉTENCES DISCIPLINAIRES, COMPÉTENCES TRANSVERSALES ET DOMAINES GÉNÉRAUX DE FORMATION CIBLÉS DANS CE MODULE

COMPÉTENCES DISCIPLINAIRES

Français	Science et technologie
L Lire des textes variés	**S** Explorer le monde de la science et de la technologie
E Écrire des textes variés	**Univers social**
C Communiquer oralement	**U** Construire sa représentation de l'espace, du temps et de la société
A Apprécier des œuvres littéraires	

COMPÉTENCES TRANSVERSALES

Ordre méthodologique

▶ Exploiter les technologies de l'information et de la communication **T**

Ordre personnel et social

▶ Structurer son identité

Ordre de la communication

▶ Communiquer de façon appropriée

DOMAINE GÉNÉRAL DE FORMATION

Santé et bien-être

▶ Amener l'élève à adopter une démarche réflexive dans le développement de saines habitudes de vie sur le plan de la santé, du bien-être, de la sexualité et de la sécurité

TABLEAU SCHÉMATIQUE DES COMPÉTENCES EN FRANÇAIS ET DE LEURS COMPOSANTES

Légende

S renvoie à la situation d'apprentissage concernée.
P renvoie au projet.
F renvoie à la rubrique *Fais le point avec Astuce* (F1 = partie 1 / F2 = partie 2).
A renvoie à une activité d'animation littéraire (A1 = activité 1 / A2 = activité 2 / A3 = activité 3).

COMPÉTENCE 1 :
Lire des textes variés

COMPOSANTE A : *Construire du sens à l'aide de son bagage de connaissances et d'expériences*
▶ P, S1, A1, S2 à S6, F1, S7, S8, F2

COMPOSANTE B : *Utiliser le contenu des textes à diverses fins*
▶ P, S1 à S6, F1, S7, S8, F2

COMPOSANTE C : *Réagir à une variété de textes lus*
▶ S1 à S4, S6, S7

COMPOSANTE D : *Utiliser les stratégies, les connaissances et les techniques requises par la situation de lecture*
▶ P, S1, A1, S2 à S6, F1, S7, S8, F2

COMPOSANTE E : *Évaluer sa démarche de lecture en vue de l'améliorer*
▶ P, S1 à S6, F1, S7, S8, F2

COMPÉTENCE 2 :
Écrire des textes variés

COMPOSANTE A : *Recourir à son bagage de connaissances et d'expériences*
▶ P, S2, A2, S4, S5, F1, F2

COMPOSANTE B : *Explorer la variété des ressources de la langue écrite*
▶ P, S2, S4, S5, F1, F2

COMPOSANTE C : *Exploiter l'écriture à diverses fins*
▶ P, S2, A2

COMPOSANTE D : *Utiliser les stratégies, les connaissances et les techniques requises par la situation d'écriture*
▶ P, S2, A2, S4, S5, F1, F2

COMPOSANTE E : *Évaluer sa démarche d'écriture en vue de l'améliorer*
▶ P, S2, S4, S5, F1, F2

COMPÉTENCE 3 :
Communiquer oralement

COMPOSANTE A :   *Explorer verbalement divers sujets avec autrui pour construire sa pensée*
▶ *P, S3, S6 à S9*

COMPOSANTE B :   *Partager ses propos durant une situation d'interaction*
▶ *P, S3, S6 à S9*

COMPOSANTE C :   *Réagir aux propos entendus au cours d'une situation de communication orale*
▶ *P, S3, S6 à S9*

COMPOSANTE D :   *Utiliser les stratégies et les connaissances requises par la situation de communication*
▶ *P, S3, S6 à S9*

COMPOSANTE E :   *Évaluer sa façon de s'exprimer et d'interagir en vue de les améliorer*
▶ *P, S3, S6 à S8*

COMPÉTENCE 4 :
Apprécier des œuvres littéraires

COMPOSANTE A :   *Explorer des œuvres variées en prenant appui sur ses goûts, ses intérêts et ses connaissances*
▶ *A1, A2, S7, A3*

COMPOSANTE B :   *Recourir aux œuvres littéraires à diverses fins*
▶ *S1, A1, A2, S4, S6, S7, S9, A3*

COMPOSANTE C :   *Porter un jugement critique ou esthétique sur les œuvres explorées*
▶ *A1, A2, S7, A3*

COMPOSANTE D :   *Utiliser les stratégies et les connaissances requises par la situation d'appréciation*
▶ *A1, A2, S7, A3*

COMPOSANTE E :   *Comparer ses jugements et ses modes d'appréciation avec ceux d'autrui*
▶ *A1, A2, S7, A3*

TABLEAU DE PLANIFICATION DES APPRENTISSAGES

LÉGENDE
R renvoie à une feuille reproductible.
AC renvoie à une activité complémentaire.

	FRANÇAIS					SUGGESTIONS				
	Sons	Lire des textes variés	Écrire des textes variés	Communiquer oralement	Apprécier des œuvres littéraires	ACTIVITÉS DE SOUTIEN	ACTIVITÉS DE CONSOLIDATION	TRAVAUX PERSONNELS	ACTIVITÉS D'ENRICHISSEMENT	TIC
1 Et si on chantait... **L A U** Manuel, p. 12 Guide, p. 19		Exploration et utilisation du vocabulaire en contexte (univers social : les étapes de la vie).			Texte : littéraire qui met en évidence le choix des mots, des images et des sonorités (**chanson**); Supports : manuel scolaire, disque ou audiocassette.			X	X	X
Activité d'animation littéraire 1 **L A** Guide, p. 80		Lecture (titre, quatrième de couverture, table des matières, index ou titres des chapitres, extraits, etc.) permettant d'associer des livres de la sélection avec chaque couplet de la chanson du module.			Textes : littéraires et courants; Support : livres proposés pour le module; Expérience : classe ou bibliothèque.					
2 Une personne, un corps **L E S** R-16.1 Manuel, p. 19 Guide, p. 67		Exploration et utilisation du vocabulaire en contexte (science et technologie : caractéristiques externes du corps humain). Stratégies : reconnaissance instantanée de mots; recours aux indices sémantiques, syntaxiques et morphologiques; recours au contexte; visualisation du contenu; relecture de passages (manuel, p. 142). Termes à expliquer : *identiques, arbre généalogique et génération*.	Rédaction de phrases complètes sur les ressemblances et les différences entre soi et une autre personne. Rappel des stratégies d'écriture.				R-16.2 AC-53		X	X

Semaine 1

#	Activité		Contenus	Contenus	Textes / Supports	Codes			
3	Pour bien grandir **L C U** Manuel, p. 6 Guide, p. 30		Exploration et utilisation du vocabulaire en contexte (les différents besoins des humains). Rappel des stratégies.	Discussions en équipes. Vocabulaire relatif à l'univers social (les besoins et les règles de fonctionnement des différents groupes). Respect du français québécois oral standard. Ajustement du volume de la voix. Articulation nette.		AC-54		X	X
🖉	Activité d'animation littéraire 2 **E A** Guide, p. 81			Adaptation d'un jeu de société en utilisant des indices d'ordre littéraire. Renseignements liés aux différents livres à écrire au verso des cartes.	Textes : littéraires qui racontent (**récits**); Supports : livres, exemplaires du *Jeu des familles*.				X
4	Lire pour rire **L E A** Manuel, p. 7 Guide, p. 35			L'histoire de Coquin avant son arrivée dans *Astuce et compagnie*. Rappel des diverses étapes du processus d'écriture et de l'importance de toutes les faire. Terminologie : les classes de mots - l'adjectif (leçon de grammaire).	Texte : littéraire qui raconte (**bande dessinée**); Support : manuel scolaire.				
5	Le cerveau, cette merveille! **L E S U** Manuel, p. 8 Guide, p. 41	Consonne + lettre r	Exploration et utilisation du vocabulaire en contexte (science et technologie : le cerveau). Rappel et prise de conscience des stratégies : insistance sur la visualisation du contenu et la relecture de passages.	Récit d'un souvenir. Élaboration individuelle du contenu du texte (planification des idées). Vocabulaire relatif à l'univers social (ajout d'évènements de la vie de l'élève sur sa ligne du temps). ...		R-16.3 R-16.4	R-16.5 R-16.6 AC-55	X	X X

Semaine 1

Semaine 2

TABLEAU DE PLANIFICATION DES APPRENTISSAGES

	SUGGESTIONS					FRANÇAIS				
	TIC	ACTIVITÉS D'ENRICHISSEMENT	TRAVAUX PERSONNELS	ACTIVITÉS DE CONSOLIDATION	ACTIVITÉS DE SOUTIEN	Sons	Lire des textes variés	Écrire des textes variés	Communiquer oralement	Apprécier des œuvres littéraires
							Liens entre les connaissances avant et après la lecture du texte.			
Projet – Étape 1 [L] [E] [C] [S] Manuel, p. 27 Guide, p. 17							Exploration et utilisation du vocabulaire en contexte (grandir = changer = vieillir).		Vocabulaire relatif à la science et à la technologie (croissance et vieillissement du corps humain). Formulation de questions.	
Le sommeil de Samuel [L] [C] [A] Manuel, p. 10 Guide, p. 48	X						Repérage de « belles expressions » utilisées par l'auteure. Termes à expliquer : *à les éliminer, pondre une famille, songeuse, murmure Florence, il sent ses paupières s'alourdir, flottent autour de son cœur, désormais.*		Récit d'un rêve. Vocabulaire nécessaire à l'expression des émotions ressenties dans ce rêve. Formes du français québécois oral standard (maintien du timbre de la voyelle, genre des mots commençant par une voyelle ou un *h* muet).	Texte : littéraire qui raconte (**récit**); Support : manuel scolaire.
Fais le point avec Astuce [L] [E] Manuel, p. 12 Guide, p. 52					R-16.7	Révision Consonne + lettre *r* [ɑ̃] – **an, en** [o] – **o, au, eau** [ɔ̃] – **on** [iʀ] – **ir** [ø] – **eu** mots avec un *e* muet	Compréhension de texte.	Orthographe d'usage : mots de la liste, stratégies d'acquisition (manuel, p. 139).	Compréhension de texte.	

Semaine 2

			Vocabulaire	Textes / Supports / Expérience			
7 — Le livre et moi **L C A U** R-16.8 Manuel, p. 15 Guide, p. 58	Consonne + lettre /	Rappel de la démarche de visualisation, d'utilisation de stratégies et de relecture. Repérage de « belles expressions » et de « beaux mots » utilisés par l'auteure.	Vocabulaire nécessaire à la présentation d'un livre au choix et à l'expression de sentiments. Formes du français québécois oral standard. Ajustement du volume de la voix. Articulation nette.	Textes : littéraires qui racontent ou qui mettent en évidence le choix des mots, des images et des sonorités; Supports : manuel scolaire, autres livres dont ceux d'Henriette Major; Expérience : bibliothèque.			X
Projet – Étape 2 **L E C S** Manuel, p. 27 Guide, p. 17		Exploration et utilisation du vocabulaire en contexte (grandir = vieillir).	Formulation d'une hypothèse de réponse à une question. Prise de notes sur les éléments (avec la source) qui peuvent servir de réponse à la question traitée. Respect des étapes du processus d'écriture.	Vocabulaire relatif à la science et à la technologie (croissance et vieillissement du corps humain). Partage de l'information trouvée.			
8 — L'histoire d'une vie en cinq épisodes **L C U** Manuel, p. 17 Guide, p. 63		Exploration et utilisation du vocabulaire en contexte (*Ma famille en cinq épisodes*).		Vocabulaire relatif à l'univers social (les différentes étapes de la vie). Formes du français québécois oral standard (maintien du timbre de la voyelle). Ajustement du volume de la voix. Articulation nette. Vocabulaire précis et varié.	X	X	
Projet – Étape 3 **L E C S** Manuel, p. 27 Guide, p. 18			Classement de la documentation et formulation de la réponse.	Vocabulaire relatif à la science et à la technologie (croissance et vieillissement du corps humain).			

TABLEAU DE PLANIFICATION DES APPRENTISSAGES

FRANÇAIS

SUGGESTIONS

	Sons	Lire des textes variés	Écrire des textes variés	Communiquer oralement	Apprécier des œuvres littéraires	Activités de soutien	Activités de consolidation	Travaux personnels	Activités d'enrichissement	TIC
9 Une histoire à écouter **C A U** R-16.9 Manuel, p. 19 Guide, p. 67				Vocabulaire relatif à l'univers social (espace : nord, sud, est, ouest; la Corée du sud et son peuple : climat, habitation, nourriture, paysages, etc.).	Texte : littéraire qui raconte (**conte traditionnel**); Supports : manuel scolaire, mappe-monde ou globe terrestre, documentation sur la Corée.		AC-56			X
Projet – Étape 4 **L E C S** Manuel, p. 27 Guide, p. 18			Organisation des résultats de la recherche dans des phrases simples.	Présentations vivantes des résultats. Formes du français québécois oral standard. Ajustement du volume de la voix. Articulation nette. Vocabulaire précis et varié.						
Activité d'animation littéraire 3 **A** Guide, p. 82					Texte : littéraire qui raconte (**récit**); Support : livre *Julia et le chef des Pois* par Christiane Duchesne.					
Fais le point avec Astuce **L E** Manuel, p. 23 Guide, p. 72	Révision Consonne + lettre / [u] – **ou** [i] – **i, y** [s] – **s, c doux** [ɑ̃] – **en, an, em, am** [e] – **é, er** mots avec un e muet	Compréhension de texte Rappel de la démarche de lecture.	Orthographe d'usage : mots de la liste, stratégies d'acquisition (manuel, p. 139). Retour sur la leçon de grammaire du module (les classes de mots : l'adjectif). Énumération et explication des diverses étapes du processus d'écriture.							

Semaine 4

À l'ordinateur
avec Marilou
L **T**
Manuel, p. 26
Guide, p. 78

NOTE : Ce tableau de planification est proposé seulement à titre indicatif. Les activités *À l'ordinateur avec Marilou* peuvent être réalisées au moment qui vous convient.

Notes personnelles

Projet

GRANDIR, C'EST VIEILLIR UN PEU

Grandir, c'est poser un regard différent sur les choses, c'est s'asseoir moins près de la table pour ne pas se retrouver les coudes dans la soupe, c'est changer de taille de vêtements plus vite qu'on ne les use, en fait, c'est vieillir peu à peu.

SAVOIRS ESSENTIELS DES DIFFÉRENTES COMPÉTENCES

L **LIRE DES TEXTES VARIÉS**
E **ÉCRIRE DES TEXTES VARIÉS**
C **COMMUNIQUER ORALEMENT**

Connaissances liées au texte :

▶ Exploration et utilisation d'éléments caractéristiques de différents genres de textes ;
▶ Prise en compte des éléments de la situation de communication : intention, contexte, formes du registre standard ;
▶ Prise en compte d'éléments de cohérence : idées rattachées au sujet.

Connaissances liées à la phrase :

▶ Recours à la ponctuation : point ;
▶ Reconnaissance et utilisation du groupe du nom : Pronom, Nom, Dét. + Nom ;
▶ Accords dans le groupe du nom : Dét. + Nom ;
▶ Exploration et utilisation du vocabulaire en contexte ;
▶ Utilisation de l'orthographe conforme à l'usage.

Stratégies de lecture :

▶ Stratégies de reconnaissance et d'identification des mots d'un texte ;
▶ Stratégies de gestion de la compréhension ;
▶ Stratégies d'évaluation de sa démarche.

Stratégies d'écriture :

▶ Stratégies de planification ;
▶ Stratégies de mise en texte ;
▶ Stratégies de révision ;
▶ Stratégies de correction ;
▶ Stratégies d'évaluation de sa démarche.

Stratégies de communication orale :

▶ Stratégies d'exploration ;
▶ Stratégies de partage ;
▶ Stratégies d'écoute.
▶ Stratégies d'évaluation.

Stratégies liées à la gestion et à la communication de l'information :

▶ Inventorier et organiser ses questions portant sur le sujet à traiter ;
▶ Sélectionner des éléments d'information utiles (réponses aux questions, nouvelles informations, etc.) ;
▶ Regrouper ou classifier les éléments d'information retenus ;
▶ Choisir un mode de présentation pertinent (ex. : affiche, exposé, etc.) ;
▶ Présenter oralement ou par écrit les résultats de sa démarche.

Techniques :

▶ Apprentissage de la calligraphie ;
▶ Utilisation de manuels de référence.

S **EXPLORER LE MONDE DE LA SCIENCE ET DE LA TECHNOLOGIE**

Connaissances liées à la science et à la technologie :

▶ Univers vivant : caractéristiques externes, croissance et vieillissement du corps humain.

> Ce projet permet d'aborder des connaissances relevant du domaine des arts, plus spécifiquement de la discipline **arts plastiques**. Toutefois, aucune compétence dans ce domaine ne sera développée.

BUTS

• Inciter les enfants à verbaliser certaines questions concernant le fonctionnement du corps dans le processus de vieillissement.

• Développer une certaine démarche scientifique menant à la confirmation ou à l'infirmation d'une hypothèse de solution.

ORGANISATION DE LA CLASSE

Collectif, équipes de quatre, individuel

MATÉRIEL NÉCESSAIRE

• Par élève : manuel D (pages 27 et 28)

• Par équipe : documentation sur le sujet de la recherche, grand carton pour y inscrire les étapes de la recherche

À FAIRE

• Mettre en réserve des livres et des revues accessibles aux élèves et portant sur des sujets liés au vieillissement du corps.

• Relever des adresses de sites Internet où les élèves pourraient trouver des réponses à leurs interrogations à ce chapitre.

TEMPS SUGGÉRÉ

330 min réparties en quatre étapes

Notes personnelles

Un projet en classe

Grandir, c'est vieillir un peu

Sans trop t'en rendre compte, tu grandis. Ton corps change. Pense un instant à tout ce que tu as appris depuis ta naissance. Grandir, c'est vieillir un peu chaque jour. Au cours de ce projet, tu devras répondre à une question que tu te poses sur les changements de ton corps.

En grand groupe

Quelles questions vous posez-vous sur les changements de votre corps? Que voulez-vous connaître? Qu'est-ce qui vous intéresse?

Voici quelques-unes des questions soulevées dans la classe de Marilou et d'Ali.

> Pourquoi la peau ride-t-elle?
> Pourquoi je perds mes dents?
> Pourquoi meurt-on un jour?
> Pourquoi j'ai de plus en plus de taches de rousseur?
> Pourquoi mon père a-t-il des cheveux blancs?

Formez des petites équipes en fonction de votre intérêt pour une des questions soulevées dans votre classe.

27

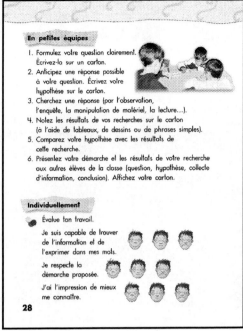

En petites équipes

1. Formulez votre question clairement. Écrivez-la sur un carton.
2. Anticipez une réponse possible à votre question. Écrivez votre hypothèse sur le carton.
3. Cherchez une réponse (par l'observation, l'enquête, la manipulation de matériel, la lecture...).
4. Notez les résultats de vos recherches sur le carton (à l'aide de tableaux, de dessins ou de phrases simples).
5. Comparez votre hypothèse avec les résultats de cette recherche.
6. Présentez votre démarche et les résultats de votre recherche aux autres élèves de la classe (question, hypothèse, collecte d'information, conclusion). Affichez votre carton.

Individuellement

Évalue ton travail.

Je suis capable de trouver de l'information et de l'exprimer dans mes mots.

Je respecte la démarche proposée.

J'ai l'impression de mieux me connaître.

28

Étape 1 : Congrès de chercheurs sur des questions savantes

(Après la situation d'apprentissage 5. Durée suggérée : 50 min)

- Faites ouvrir le manuel aux pages 27 et 28. Lisez et commentez le texte d'introduction. Invitez aussi les enfants à exprimer leurs observations et leurs points de vue sur l'équation : grandir = changer = vieillir.

Demandez aux enfants de prendre quelques minutes pour réfléchir à des questions qui leur traversent parfois l'esprit, qui sont souvent faites de «pourquoi» et de «comment».

Invitez-les à énoncer ces questions. Notez-les au tableau au fur et à mesure qu'elles sont formulées. Si les enfants éprouvent des difficultés à amorcer cette phase de questions, lisez avec eux celles que se sont posées les élèves de la classe de Marilou et Ali.

Une fois le remue-méninges terminé, faites regrouper les questions notées au tableau par thème (ex. : questions portant sur diverses caractéristiques corporelles [les cheveux, les yeux, les dents]).

Demandez à chaque élève de choisir l'une des questions notées au tableau. Invitez les élèves à se grouper selon leur équipe de base. Si plusieurs élèves ont opté pour le même thème, doublez les équipes qui le traiteront.

Étape 2 : À question savante, recherche savante

(Après la situation d'apprentissage 7. Durée suggérée : 90 min)

- Une fois la question choisie, invitez les coéquipiers à suivre la démarche suggérée dans leur manuel, à la page 28.

Rappelez que cette production doit suivre les étapes connues de la démarche d'écriture : planification, rédaction, révision, correction, transcription, lecture finale, puis diffusion et autoévaluation.

Expliquez aux enfants que lorsqu'on suggère une réponse à une question, on exprime ce qu'on pense être la vérité, mais qu'aucun ni aucune scientifique ne se risquera à affirmer avoir découvert la vraie réponse tant qu'il ou elle ne l'aura pas déduite de ses lectures, de ses études, de ses recherches ou de ses expériences. Dites aussi qu'il arrive que la vérité se conforme partiellement à l'hypothèse de départ. Si celle-ci s'avère la bonne, le ou la scientifique la confirme ; il ou elle l'infirme dans le cas contraire.

Invitez les enfants à formuler une hypothèse de réponse à leur question. Rappelez-leur qu'ils peuvent et doivent consulter à cette fin livres, revues et sites Internet. Par ailleurs, ils ne doivent pas hésiter à se renseigner auprès des adultes, parents ou éducateurs, de leur entourage. En travaillant en projet, les équipes partagent leurs découvertes (lecture) tout au long du module.

Circulez parmi les équipes pour encourager, conseiller, remettre sur la voie les uns ou les autres. Chaque fois qu'une expérience tangible peut permettre de démontrer une vérité, incitez les élèves à la faire (ex.: examen d'un cheveu au microscope).

Demandez aux élèves de prendre des notes sur les éléments découverts, qui peuvent servir de réponse à la question traitée. Invitez-les à inscrire le titre du livre ou de la revue (et son code) dans lequel ils ont puisé leur information ou le nom de la personne qui la leur a fournie.

Invitez les coéquipiers à communiquer à la classe, à tour de rôle, leurs trouvailles sur le sujet de recherche.

Étape 3 : À recherche savante, réponse savante
(Après la situation d'apprentissage 8. Durée suggérée : 90 min)

- Faites classer la documentation obtenue sur une même question: réponses de même nature, réponses complémentaires, réponses divergentes.

Demandez aux élèves de formuler la réponse dans leurs propres mots. S'il existe des points de vue contradictoires au regard d'une même question, dites aux élèves qu'ils doivent en faire mention dans le compte rendu de la recherche.

Demandez aux élèves de comparer la réponse proposée avant l'amorce de la recherche à celle qu'ils soutiennent maintenant.

Faites faire la mise au propre des données sur le carton.

Étape 4 : Grand symposium sur le thème « Grandir, c'est vieillir un peu »
(Après la situation d'apprentissage 9. Durée suggérée: 100 min)

- Invitez les coéquipiers à organiser leurs résultats dans des phrases simples, avec des illustrations ou des dessins à l'appui.

Demandez à chaque équipe de présenter ses résultats. Faites expliquer la démarche observée.

Insistez pour que la présentation soit vivante, l'articulation nette, le volume de la voix bien ajusté. Encouragez vos élèves à s'exprimer dans un français oral de registre standard, et à utiliser un vocabulaire précis et varié.

Prévoyez après chaque présentation une période de questions. Signalez aux élèves qu'il n'y a pas nécessairement une réponse scientifique à chaque question.

Faites procéder individuellement à l'évaluation de l'activité réalisée, en retournant à la page 28 du manuel.

BUT

Découvrir une chanson du répertoire folklorique et dresser une ligne du temps personnelle.

ORGANISATION DE LA CLASSE

Collectif, équipes de quatre ou cinq, individuel

MATÉRIEL NÉCESSAIRE

* *Par élève: manuel D (pages 2 et 3), feuille blanche*

* *Pour la classe: disque ou cassette de la chanson*

TEMPS SUGGÉRÉ

100 min

ET SI ON CHANTAIT...

Tous les jours viennent au monde des Jean de la Lune et des Jeanne de la Lune. À l'instar de tous les humains, ces personnages grandissent, vieillissent puis finissent par mourir. S'en vont-ils alors se percher sur la Lune?

SAVOIRS ESSENTIELS DES DIFFÉRENTES COMPÉTENCES

L **LIRE DES TEXTES VARIÉS**
A **APPRÉCIER DES ŒUVRES LITTÉRAIRES**

Connaissances liées au texte:

▶ Exploration et utilisation d'éléments caractéristiques de différents genres de textes;
▶ Exploration de quelques éléments littéraires à des fins d'utilisation ou d'appréciation: expressions - jeux de sonorités - figures de style (répétition, rimes);
▶ Prise en compte des éléments de la situation de communication: intention, contexte, formes du registre standard;
▶ Prise en compte d'éléments de cohérence: idées rattachées au sujet, reprise de l'information en utilisant des termes substituts (pronoms).

Stratégies de lecture:

▶ Stratégies de reconnaissance et d'identification des mots d'un texte;
▶ Stratégies de gestion de la compréhension;
▶ Stratégies d'évaluation de sa démarche.

Stratégies liées à l'appréciation d'œuvres littéraires:

▶ S'ouvrir à l'expérience littéraire;
▶ Établir des liens avec ses expériences personnelles;
▶ Se représenter mentalement le contenu;
▶ Échanger avec d'autres personnes.

Techniques:

▶ Utilisation de manuels de référence.

U **CONSTRUIRE SA REPRÉSENTATION DE L'ESPACE, DU TEMPS ET DE LA SOCIÉTÉ**

Connaissances liées à l'univers social (ici et ailleurs, hier et aujourd'hui):

▶ Faits;
▶ Personnes (les étapes de la vie);
▶ Groupes (les conditions de vie).

Techniques relatives à l'univers social:

▶ Temps: lecture, utilisation de repères (ligne du temps, calendrier), situation de faits de la vie de l'élève et de celle de ses proches.

> Cette situation d'apprentissage permet d'aborder des connaissances relevant du domaine des arts, plus spécifiquement de la discipline **musique**. Toutefois, aucune compétence dans ce domaine ne sera développée.

Notes personnelles

C O R R I G É

MANUEL D, PAGE 3

▼ 1 **Il y a plusieurs réponses possibles.**

▼ 2 **Il y a plusieurs réponses possibles.**

Préparation

- Invitez les élèves à survoler le module avec vous. Arrêtez-vous d'abord à la page-titre. Laissez-leur le temps d'examiner ce qu'ils voient, puis d'émettre quelques opinions à ce sujet.

  Faites lire le titre et invitez ceux qui le désirent à formuler quelques hypothèses sur le contenu global du module.

  Feuilletez ensemble les pages du manuel. Laissez les enfants émettre les commentaires que leur inspirent ces pages (contenu, activités à réaliser).

  Demandez-leur de vous dire à quelle page du manuel ils ont le plus hâte d'arriver et pourquoi.

  Revenez à la page-titre pour faire observer avec plus d'attention le dessin de Catherine Chayer. Signalez que cette artiste en herbe s'est inspirée de Jean-Paul Riopelle pour réaliser son travail.

  Inspirez-vous de ces quelques notes sur Jean-Paul Riopelle pour présenter l'artiste à la classe.

  Ce peintre abstrait est né à Montréal, en 1923. Il fut l'un des principaux représentants du tachisme, style dans lequel les tableaux se composent de taches de couleurs appliquées sur la toile de façon

spontanée et aléatoire. Riopelle est l'auteur de toiles qui constituent de véritables improvisations picturales. Dans certaines d'entre elles, d'épaisses bandes de peinture, appliquées directement du tube, forment des motifs comparables à ceux d'une mosaïque. Riopelle a réalisé également des sculptures et des œuvres gravées. Il a offert à Maurice Richard, le légendaire joueur de hockey, une porte sur laquelle il a exécuté une œuvre peinte.

Demandez aux élèves de dire quel lien ils peuvent faire entre le style de Riopelle et le dessin de Catherine Chayer. Invitez-les à donner leur appréciation de cette façon de dessiner et à s'en expliquer.

 Réalisation

• Faites ouvrir le manuel aux pages 2 et 3.

Invitez les élèves à faire un survol selon la démarche connue (lecture du titre, observation des illustrations, anticipation du contenu, reconnaissance de mots.

Faites-leur émettre des hypothèses sur le contenu de la chanson.

Demandez aux enfants s'ils savent ce qu'on appelle une chanson folklorique, une danse folklorique, un costume folklorique. (Ce sont des aspects de la culture propres à un peuple.) Faites mentionner des éléments connus du folklore québécois : ceinture fléchée, tuque de laine, cabane à sucre, musique traditionnelle avec violoneux, gigues et danses carrées, parade de la Saint-Jean-Baptiste, etc.

Rappelez aux enfants que les éléments du folklore d'un peuple sont souvent objets de curiosité pour les autres peuples.

Si vous comptez dans votre classe des enfants de communautés ethniques, demandez-leur de mentionner des éléments propres à leur folklore. S'ils ne sont pas à même de répondre, invitez-les à s'en informer auprès de leurs parents de façon à pouvoir transmettre

ces nouvelles connaissances à leurs camarades. S'il y a lieu, invitez certains parents à venir en classe pour en discuter avec vos élèves.

Informez les enfants que la chanson *Jean de la Lune* est issue du folklore québécois. Certains la connaissent peut-être. Si c'est le cas, faites-la-leur chanter.

Ajoutez que cette chanson nous présente Jean de la Lune à divers épisodes de sa vie, ce que la lecture du texte permettra de découvrir.

Invitez les enfants à penser à eux, à leurs frères et sœurs, à leurs parents et grands-parents. Demandez-leur, ce faisant, par quel événement commence la vie d'un être humain et par quel autre elle prend fin.

À partir de la réflexion précédente, proposez aux élèves de représenter sur une ligne du temps tracée au tableau les grandes étapes de la vie d'une personne (naissance, enfance, adolescence, âge où l'on est parent, puis grand-parent, puis arrière-grand-parent, décès).

Certains élèves vous diront sans doute qu'on ne meurt pas seulement quand on est très vieux. Profitez-en pour mener une petite réflexion sur les circonstances où la mort survient prématurément (maladie, accident).

 (ou cinq)

Répartissez les élèves en cinq équipes et attribuez à chacune un des couplets de la chanson.

Invitez chaque membre de l'équipe à lire individuellement le couplet attribué à son équipe.

Demandez aux membres de l'équipe de résumer ce qu'ils ont compris.

En suivant l'ordre des couplets de la chanson, demandez à un ou une porte-parole de chaque équipe de présenter l'étape de la vie de Jean de la Lune dont il est question dans son couplet.

2

ACTION
EN CLASSE
(SUITE)

Faites écouter la chanson et invitez les enfants à la chanter tout en suivant le texte dans le manuel.

 Intégration et réinvestissement

- Proposez aux enfants d'inscrire, sur la ligne du temps de leur vie, des dates importantes. Ce pourrait être des événements qui les ont touchés personnellement ou qui sont survenus dans leur milieu au cours des sept ou huit années de leur existence.

Invitez les enfants à prendre une feuille blanche et à la placer de façon que le côté le plus long soit à l'horizontale. Demandez-leur de proposer un titre qui figurera au centre, dans la partie supérieure (ex.: Ma ligne du temps – Événements importants de ma vie).

Faites tracer une ligne du temps sur toute la largeur de la feuille, à environ 4 cm ou 5 cm du bord supérieur. Demandez aux enfants de la diviser en sept ou huit segments égaux.

Faites inscrire «naissance» à l'extrémité gauche, puis 1, 2, 3, 4, 5, 6, 7 et 8 ans vis-à-vis des traits qui indiquent les âges.

Sous chaque âge, demandez aux enfants d'écrire l'événement qui a été le plus marquant pour eux à ce moment-là.

Voici des pistes pour ceux qui ne trouveraient pas: le premier jour d'école, la naissance d'un petit frère ou d'une petite sœur, un déménagement, une hospitalisation, un accident, un voyage, la perte d'un animal, etc. Invitez-les à apporter la feuille à la maison, et à la montrer à leurs parents afin d'en discuter le contenu et de la compléter au besoin.

Suggérez aux enfants de demander à leurs parents de mentionner des événements de leur vie au verso de la feuille. La ligne du temps pourrait être divisée en épisodes de vie: naissance, enfance, adolescence, âge adulte. Plusieurs événements pourraient y être consignés. Invitez les enfants à se faire raconter l'un ou l'autre de ces événements.

Au retour, invitez les enfants à identifier l'événement qui les a le plus marqués et à dire pourquoi. Proposez à ceux qui le désirent d'en faire part à la classe. Profitez de cette occasion pour sensibiliser les enfants aux diverses réactions que suscitent des événements de même nature, selon les personnes qui les vivent.

Conseillez aux enfants de conserver soigneusement leur ligne du temps; ils devront y recourir à la situation d'apprentissage 5, alors qu'ils seront invités à raconter par écrit un événement vécu.

3

RETOUR
SUR
L'ENSEIGNEMENT

- Vos élèves ont-ils apprécié le dessin fait à la manière de Riopelle? Sur quelles raisons ont-ils fondé leur appréciation?

Cette chanson a-t-elle plu? Vos élèves avaient-ils une idée de ce qu'est le folklore? Savent-ils désormais que c'est là une des manifestations de la culture d'un peuple?

La lecture du texte a-t-elle semblé facile? À quoi pouvez-vous l'affirmer?

Les enfants ont-ils bien intégré le modèle de la ligne du temps? Ont-ils pu baliser leur existence à l'aide d'événements signifiants?

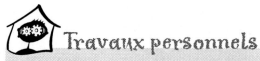

Travaux personnels

Invitez les enfants à trouver des photos ou à esquisser des dessins pouvant illustrer leur ligne du temps (ex.: la photo d'un animal de compagnie reçu à Noël, d'un petit frère ou d'une petite sœur qui leur tombe du ciel, d'un lieu visité en voyage, d'un cadeau qu'ils n'espéraient pas), dans la mesure où ils y ont consigné ces circonstances.

Astuce et suggestions (ENRICHISSEMENT)

Évolution...

Demandez aux enfants d'apporter des photos d'eux, de leurs frères et sœurs, parents, grands-parents et arrière-grands-parents à différents âges de leur vie. Faites ressortir les différences et les ressemblances dans l'apparence physique à diverses étapes de la vie.

TIC

Je vieillis

Pour réaliser cette activité, vous devez avoir un numériseur. Il est préférable que vos élèves soient accompagnés par un ou une élève d'une classe supérieure. Demandez à vos élèves d'apporter des photos d'eux à différents âges.

Donnez les consignes suivantes aux élèves pour chaque photo à numériser :

1. Mettez le numériseur sous tension.

2. Placez la photo à numériser sur la plaque sensible.

3. Numérisez.

4. Copiez la photo.

5. Ouvrez un éditeur vectoriel et collez-y la photo.

6. Répétez la même démarche pour chaque photo à numériser.

7. À l'aide de l'outil d'écriture, écrivez un court commentaire sous chaque photo.

8. Imprimez votre travail.

Activité 1

Notes personnelles

_____
_____
_____
_____
_____
_____
_____
_____
_____
_____

Situation d'apprentissage 2

UNE PERSONNE, UN CORPS

Tu es comme moi mais tu n'es pas moi. Je suis comme lui mais sans être lui. Elle est comme nous, mais entre elle et nous, que de différences ! Et si nous étions tout à la fois semblables et uniques ?

SAVOIRS ESSENTIELS DES DIFFÉRENTES COMPÉTENCES

L LIRE DES TEXTES VARIÉS

E ÉCRIRE DES TEXTES VARIÉS

Connaissances liées au texte :

▶ Exploration et utilisation d'éléments caractéristiques de différents genres de textes ;

▶ Prise en compte des éléments de la situation de communication : intention, contexte, formes du registre standard ;

▶ Prise en compte d'éléments de cohérence : idées rattachées au sujet, reprise de l'information en utilisant des termes substituts (pronoms).

Connaissances liées à la phrase :

▶ Recours à la ponctuation : point ;

▶ Reconnaissance et utilisation du groupe du nom : Pronom, Nom, Dét. + Nom ;

▶ Accords dans le groupe du nom : Dét. + Nom ;

▶ Exploration et utilisation du vocabulaire en contexte ;

▶ Utilisation de l'orthographe conforme à l'usage.

Stratégies de lecture :

▶ Stratégies de reconnaissance et d'identification des mots d'un texte ;

▶ Stratégies de gestion de la compréhension ;

▶ Stratégies d'évaluation de sa démarche.

Stratégies d'écriture :

▶ Stratégies de planification ;

▶ Stratégies de mise en texte ;

▶ Stratégies de révision ;

▶ Stratégies de correction ;

▶ Stratégies d'évaluation de sa démarche.

Techniques :

▶ Apprentissage de la calligraphie ;

▶ Utilisation de manuels de référence.

S EXPLORER LE MONDE DE LA SCIENCE ET DE LA TECHNOLOGIE

Connaissances liées à la science et à la technologie :

▶ Univers vivant : caractéristiques externes du corps humain.

BUT

Découvrir les ressemblances et les différences entre les humains.

ORGANISATION DE LA CLASSE

Collectif, équipes de deux, individuel

MATÉRIEL NÉCESSAIRE

• *Par élève : manuel D (pages 4 et 5), feuille reproductible 16.1*

• *Pour la consolidation : feuille reproductible 16.2, activité complémentaire 53*

À FAIRE

Photocopier la feuille reproductible 16.1 (une copie par élève).

TEMPS SUGGÉRÉ

100 min

Notes personnelles

ACTIVITÉS DE
CONSOLIDATION

• *Feuille repro-
ductible 16.2 :
Mon arbre
généalogique*

– *Remplir les cases
de l'arbre généa-
logique de sa
famille.*

▸ *L'élève reconnaît
des groupes
auxquels il ou
elle appartient.*

*Cette activité
s'adresse à des
élèves issus de
familles tradi-
tionnelles. Elle
peut s'avérer
difficile pour les
élèves vivant au
sein de familles
reconstituées.*

• *Activité complé-
mentaire 53 :
Lucien le
dalmatien*

– *Écouter une his-
toire et inventer
une suite.*

▸ *L'élève établit
des liens entre
des valeurs et
les compor-
tements qui y
sont associés.*

Lis le texte pour découvrir
en quoi tu es unique.

Une personne, un corps

Enfants et adultes, garçons et filles sont tous des êtres humains. Leurs corps sont faits de la même façon, mais ils sont tous différents. Deux personnes ne sont jamais exactement pareilles.

Les êtres humains n'ont pas tous la même taille, ni le même visage ou la même couleur de peau. Les corps sont comparables les uns aux autres tout en étant différents. Personne n'est exactement comme toi.

La couleur de nos cheveux, de notre peau ou de nos yeux, la forme de nos oreilles, de notre nez ou de notre menton font que nous nous distinguons les uns des autres.

4

Les membres d'une même famille se ressemblent plus que les autres. Ils ont souvent les cheveux ou les yeux de la même couleur. Les jumeaux ou jumelles identiques se ressemblent beaucoup.

Un arbre généalogique montre toutes les générations d'une même famille. Une génération est composée de personnes d'à peu près le même âge.

5

 Préparation

• Demandez aux élèves de réaliser les étapes préparatoires à la lecture. Au besoin, faites-les nommer et expliquer : survol (lecture du titre, observation des illustrations), reconnaissance de mots, émission d'hypothèses quant au contenu du texte.

Mentionnez que ce texte a pour objectif de démontrer que chaque être humain est unique. Faites énoncer une intention de lecture : découvrir ce qui fait que chaque individu est unique.

Invitez les élèves à mentionner les stratégies de construction de sens : reconnaissance instantanée de certains mots, recours aux indices sémantiques, syntaxiques et morphologiques, recours aux indices graphophonologiques, recours au contexte, visualisation du contenu, relecture de certains passages. Suggérez-leur de consulter *Astuce et la lecture* dans leur manuel D, à la page 142.

 Réalisation

• Demandez aux élèves de lire indivi-duellement le texte des pages 4 et 5 du manuel.

Préalablement, écrivez les trois mots suivants au tableau : *identiques* (1er paragr.), *arbre généalogique* et *génération* (2e paragr.), et assurez-vous que les élèves en comprennent bien le sens.

Regroupez autour de vous les élèves susceptibles d'éprouver des difficultés en pratique autonome.

Une fois la lecture terminée, demandez aux élèves d'identifier, d'une part, ce qui est semblable chez tous les humains, et, d'autre part, ce qui les distingue les uns des autres. Notez ces éléments au tableau, sous deux colonnes : ressem-blances, différences.

Si des enfants savent qu'il y a un arbre généalogique dans leur famille, invitez-les à se le faire expliquer de façon à pou-voir en parler en classe.

Remettez à chaque élève une copie de la feuille reproductible 16.1.

Lisez collectivement les consignes don-nées sur la feuille reproductible. Deman-dez aux enfants d'indiquer des aspects

---

2

ACTION
EN CLASSE
(SUITE)

sur lesquels peut porter la comparaison entre soi et une autre personne (couleur, longueur et texture des cheveux ; couleur et forme des yeux ; forme et grosseur du nez ; forme du visage ; taille et poids de la personne ; couleur de la peau ; etc.). Faites relever par ailleurs quelques-unes des caractéristiques communes à tous les êtres humains (un cœur qui pompe le sang ; des poumons pour respirer ; un cerveau pour penser et diriger nos actions ; un système digestif pour assimiler ce que nous mangeons ; etc.).

Écrivez le nom des élèves de la classe sur de petits bouts de papier et invitez chaque élève à tirer un nom.

Faites rappeler les étapes du processus de correction : planification, rédaction, révision, transcription, lecture finale, diffusion et autoévaluation.

Invitez les enfants à observer l'élève dont ils ont tiré le nom et à indiquer les différences et les ressemblances entre eux deux. Faites rédiger des phrases complètes, comme dans les exemples donnés sur la feuille reproductible 16.1.

Une fois l'activité d'écriture achevée, invitez chaque élève à lire son texte.

 Intégration et réinvestissement

- Demandez aux élèves s'ils croient que les humains diffèrent uniquement dans leur apparence physique. Faites prendre conscience de l'existence de différences dans les gestes, les actions et les réactions émotives, par exemple, d'un individu à l'autre.

Partez d'un événement survenu à l'école, en classe, dans la cour de récréation ou dans l'environnement immédiat de l'école (paroisse, village, quartier), d'un événement de l'actualité régionale ou nationale dont tout le monde parle, d'une découverte scientifique susceptible de toucher les enfants de 7 ou 8 ans.

Faites nommer et décrire l'événement ou le fait par quelques élèves. Invitez ensuite chacun et chacune à dire comment il ou elle y réagit. Faites prendre conscience de la diversité des réactions, des attitudes, des opinions au regard de cet événement.

Poursuivez la réflexion en amenant les enfants à chercher les raisons de cette diversité. Faites réaliser que chaque personne a sa vision propre d'un événement donné, et qu'elle y réagit d'une façon qui lui est personnelle. Et pour tout individu, la vision d'une chose résulte de quantité de facteurs, dont le vécu et le bagage d'expériences personnels.

Faites prendre conscience qu'on peut échanger des points de vue et ne pas partager nécessairement la même façon de voir. Dites aussi que d'admettre qu'il existe des différences aide à ne pas porter de jugement sur les opinions ou les réactions des autres. Sans vouloir moraliser, rappelez aux élèves que bien des disputes seraient évitées si on tentait de comprendre ce que d'autres pensent et font au lieu de les condamner *a priori*. Il en va parfois ainsi des guerres que se déclarent des groupes ou des pays.

3

RETOUR
SUR
L'ENSEIGNEMENT

- Les élèves vous ont-ils fait savoir qu'ils avaient éprouvé des difficultés à lire le texte de cette situation d'apprentissage ?

Les étapes du processus d'écriture sont-elles bien comprises et appliquées ?

Croyez-vous que la réflexion quant à la diversité des opinions a permis de régler certains petits conflits entre les élèves ?

Astuce et suggestions (ENRICHISSEMENT)

1. Observations

Déterminez un laps de temps précis (ex. : 10 min au retour de la récréation) pour amener les élèves à observer tout ce qui se passe autour d'eux : les gens (démarche, vêtements, attitudes, actions), les bruits, les déplacements, la nature de l'éclairage, le paysage vu de la fenêtre (oiseaux, nuages), etc. Invitez ensuite les enfants, en équipes de deux ou trois, à écrire une courte phrase sur ces observations. Relevez au hasard une des phrases produites, écrivez-la au tableau et proposez à la classe de l'embellir.

2. Empreintes spéciales

Faites réaliser cette activité à la maison ou dans le local d'arts plastiques, en petits groupes. Faites rassembler le matériel suivant : boîte à chaussures, sable et plâtre. Remplissez la boîte de sable et faites-le humidifier avec un peu d'eau. Demandez aux enfants d'y enfoncer un pied de façon à y laisser une empreinte nette. Faites remplir l'empreinte avec du plâtre dilué. Laissez sécher, retirez l'empreinte de la boîte. Conseillez de la brosser pour enlever le sable, puis de la poncer pour lui donner un fini lisse (étape facultative).

TIC

Les gens importants pour moi

Cette activité fait appel à la même démarche que celle utilisée dans la situation d'apprentissage 1 de ce module. Demandez aux élèves d'apporter en classe des photos des gens qui sont importants pour eux (père, mère, frère, sœur, ami ou amie, etc.). Si vous avez une caméra numérique, la tâche n'en sera que plus facile. Vous pourrez envoyer vos élèves à la chasse aux photos.

Donner les consignes suivantes aux élèves :

1. Numérisez chaque photo ou prenez une photo avec la caméra numérique.

2. Copiez la photo.

3. Ouvrez un éditeur vectoriel et collez-y la photo.

4. Répétez la même démarche pour chaque photo à numériser.

5. Écrivez un court commentaire sous chaque photo.

6. Imprimez votre travail.

Notes personnelles

_____
_____
_____
_____
_____
_____
_____
_____
_____
_____
_____

Situation d'apprentissage 3

Planification de l'enseignement

BUT

Connaître et classer les besoins fondamentaux des humains et des groupes d'humains.

ORGANISATION DE LA CLASSE

Collectif, équipes de quatre, individuel

MATÉRIEL NÉCESSAIRE

- *Par élève : manuel D (pages 6 et 7)*
- *Pour la consolidation : activité complémentaire 54*

TEMPS SUGGÉRÉ

90 min

POUR BIEN GRANDIR

Que de besoins à combler pour le bonheur de l'être humain : confort pour le corps, réconfort pour le cœur, connaissances pour l'intelligence, idéal pour l'esprit. Et ce, dans un lieu et une durée où s'écoule la vie, puisqu'elle s'inscrit pour chaque individu dans le temps et dans l'espace.

SAVOIRS ESSENTIELS DES DIFFÉRENTES COMPÉTENCES

L LIRE DES TEXTES VARIÉS
C COMMUNIQUER ORALEMENT

Connaissances liées au texte :

- ▶ Exploration et utilisation d'éléments caractéristiques de différents genres de textes ;
- ▶ Prise en compte des éléments de la situation de communication : intention, contexte, formes du registre standard ;
- ▶ Prise en compte d'éléments de cohérence : idées rattachées au sujet, reprise de l'information en utilisant des termes substituts (pronoms).

Stratégies de lecture :

- ▶ Stratégies de reconnaissance et d'identification des mots d'un texte ;
- ▶ Stratégies de gestion de la compréhension ;
- ▶ Stratégies d'évaluation de sa démarche.

Stratégies de communication orale :

- ▶ Stratégies d'exploration ;
- ▶ Stratégies de partage ;
- ▶ Stratégies d'écoute ;
- ▶ Stratégies d'évaluation.

Techniques :

- ▶ Utilisation de manuels de référence.

U CONSTRUIRE SA REPRÉSENTATION DE L'ESPACE, DU TEMPS ET DE LA SOCIÉTÉ

Connaissances liées à l'univers social (ici et ailleurs) :

- ▶ Groupes (les besoins et les règles de fonctionnement).

2

ACTION EN CLASSE

ACTIVITÉ DE CONSOLIDATION

Activité complémentaire 54 :
Les besoins des enfants du monde *(équipes de trois)*

− *Lire des phrases et associer des situations à des pays.*

▶ *L'élève vérifie, à l'aide du système grapho-phonologique, les mots anticipés dans le texte.*

 Préparation

• <u>Demandez aux enfants s'ils croient que les humains ont des besoins vitaux.</u>

<u>Invitez-les à énumérer ces besoins que vous écrivez au tableau.</u> Une fois nommés les besoins physiques fondamentaux (nourriture, eau, sommeil, oxygène, chaleur), orientez la recherche vers des besoins d'ordre affectif, intellectuel et spirituel (affection, amour, amitié, connaissance, réflexion, action).

Certains enfants énonceront sans doute comme des besoins certains éléments qui constituent des désirs. Profitez-en pour faire la distinction entre les uns et les autres.

<u>Faites prendre conscience de la nécessité</u>

CORRIGÉ
MANUEL D, PAGE 7

▼ 1 **Il y a plusieurs réponses possibles.**

<u>pour tous les enfants de la terre de voir ces besoins satisfaits.</u> Animez une réflexion dans laquelle les élèves seront amenés à réaliser que les conditions de vie dans certains pays ne permettent pas toujours, cependant, de répondre aux besoins fondamentaux des enfants; famine, sécheresse, guerre sont des facteurs qui empêchent de les combler.

<u>Invitez les enfants à ouvrir leur manuel aux pages 6 et 7. Demandez-leur de survoler le texte, et lisez-leur l'intention de lecture au-dessus du titre.</u>

Réalisation

- Rappelez aux élèves que le recours aux stratégies de construction de sens, la visualisation du contenu du texte de même que la relecture de certains passages sont des moyens de comprendre le texte.

<u>Invitez-les à faire une lecture individuelle du texte.</u> Regroupez auprès de vous les élèves susceptibles d'avoir besoin de votre aide ou que vous devrez motiver à lire.

<u>Procédez à une mise en commun des besoins énumérés dans le texte : toit, nourriture, eau, respect, amitié, câlins.</u>

Demandez aux élèves si la lecture leur a causé quelques difficultés et, si c'est le cas, comment ils s'y sont pris pour les résoudre.

<u>Formez des équipes de quatre.</u> Si vous optez pour des équipes aléatoires, servez-vous d'un jeu de cartes. Les quatre élèves qui tirent la même couleur de carte ou des cartes de même valeur se regroupent pour la discussion qui suit. Revenez éventuellement à vos équipes de base.

Rappelez aux élèves que les rôles doivent être attribués par rotation lorsqu'on travaille à partir de l'équipe de base.

<u>Premier sujet de discussion : demandez aux enfants s'ils croient qu'au Québec, certains enfants ne voient pas tous leurs besoins essentiels comblés,</u> même s'il n'y a ni guerre, ni famine, ni sécheresse. Quelles pourraient en être les causes? (Ex. : La pauvreté qui sévit dans certains milieux, dans certaines couches de la société. Le manque d'amour et de respect dont sont victimes les enfants dans les familles où règne la violence.)

<u>Deuxième sujet de discussion : demandez aux coéquipiers de parler de la nécessité pour les enfants de développer de saines habitudes de vie pour préserver leur santé, leur bien-être et leur sécurité.</u> Faites trouver des exemples (en mangeant sainement, en dormant au moins huit heures par jour, en n'acceptant pas que quiconque leur manque de respect par des gestes ou des paroles d'agression).

Soutenez les élèves lors des discussions et fournissez-leur la documentation nécessaire.

<u>Faites asseoir les enfants par terre et demandez aux porte-parole des équipes de faire face au groupe. Animez la mise en commun des discussions d'équipes.</u> Insistez pour que chacun et chacune s'exprime dans un français oral de registre standard et en utilisant un vocabulaire précis et varié. Rappelez que pour être clairement entendu et compris, il faut articuler avec netteté et ajuster le volume de sa voix à une intensité agréable pour l'auditoire.

<u>Si le ou la porte-parole semble avoir omis, dans son compte rendu, certains aspects du sujet de discussion traité par son équipe, invitez ses coéquipiers à les faire valoir.</u>

Notez au tableau les points forts apportés par les équipes en les ajoutant à ce qui figure déjà.

 Intégration et réinvestissement

- Profitez de ce moment privilégié pour amener les enfants à réfléchir à la façon dont ils réagissent en classe, dans certaines circonstances (ex. : quand ils n'obtiennent pas ce qu'ils désirent [livres, équipiers, partie de tâche, etc.]). Invitez-les à prendre position face à ces réactions et à évaluer leurs progrès par rapport à des réactions antérieures (ex. : l'an dernier, à la maternelle, au début de l'année).

<u>Invitez les enfants à nommer les groupes d'appartenance auxquels ils s'identifient : famille, classe, école, équipe sportive, quartier, village, groupe ethnique.</u>

2 ACTION EN CLASSE (SUITE)

<u>Faites énumérer des besoins inhérents à ces groupes</u> (besoins de respect, d'harmonie). Faites ressortir l'importance des règles de vie ou des règlements qui assurent ce respect et cette harmonie. (Ex. : heures des repas en famille, du coucher et du lever, heures des jeux ou d'écoute de la télévision ; code de vie en classe et dans l'école ; règlements dans les disciplines sportives ; respect de la vie des gens du quartier, du village ; respect des coutumes des groupes ethniques.)

3 RETOUR SUR L'ENSEIGNEMENT

- La lecture s'est-elle déroulée de façon satisfaisante à votre point de vue ?

  Est-ce que les élèves parviennent à identifier les éléments d'information dans le texte ?

  La discussion en équipes a-t-elle fait émerger des idées nouvelles et originales ?

  Croyez-vous les élèves plus conscients de la nécessité de règles de fonctionnement pour assurer le respect et l'harmonie au sein des groupes d'appartenance ?

  Cette lecture leur a-t-elle fait mesurer la diversité des réactions de tout un chacun à un moment ou l'autre, et la nécessité de maîtriser les débordements d'humeur ?

Astuce et suggestions (ENRICHISSEMENT)

1. Bouquet de gentillesses

Afin de répondre à ce besoin d'amour, de respect et d'harmonie, demandez aux élèves qui le désirent de composer un bouquet de petits textes gentils, destinés à un ou une élève de la classe qui vit des moments difficiles, qui a besoin d'encouragement, de stimulation ou de motivation. Faites-lui remettre ces témoignages d'amitié. Cette activité pourrait être reprise régulièrement, de sorte que chaque élève pourra recevoir un bouquet dans une circonstance donnée. Ces mots pourraient être destinés aussi à une personne de l'école (surveillant ou surveillante, concierge, bibliothécaire, directeur ou directrice, secrétaire, enseignant ou enseignante) ou de l'extérieur de l'école (brigadier ou brigadière, chauffeur ou chauffeuse d'autobus scolaire, parent ou grand-parent).

2. Des petits riens

Sur une fiche, faites écrire par les élèves des petits riens qui leur procureraient du bonheur (ils pourraient exprimer le souhait d'aller s'asseoir à votre bureau, d'emprunter pour une journée le crayon d'un ou d'une camarade, d'apporter la marionnette Astuce à la maison pour la joie de l'avoir à eux une fois, etc.).

Sur une autre fiche, faites écrire ces autres petits riens qui pourraient causer du chagrin, afin d'éviter qu'ils ne se produisent (ils pourraient exprimer la crainte de se retrouver seuls dans la cour de récréation sans personne pour jouer avec eux, de perdre leurs amis, etc.).

TIC

Les droits des enfants

Pour réaliser cette activité, vous devrez préalablement créer une banque de signets (favoris) pour les différents sites sur les droits des enfants et les moteurs de recherche (voir la bibliographie des sites Internet, page 89).

Donnez les consignes suivantes aux élèves :

1. Ouvrez le fureteur.

2. Choisissez un moteur de recherche.

3. Inscrivez « Déclaration des droits de l'enfant » dans le champ prévu à cet effet. Attention ! Il est important de mettre ce texte entre guillemets.

4. Choisissez un site.

5. Lisez les déclarations.

6. Choisissez l'article jugé le plus important.

7. Discutez en classe des choix que vous avez faits.

Activité 2

Notes personnelles

_____
_____
_____
_____
_____
_____
_____
_____
_____
_____
_____
_____
_____
_____
_____
_____
_____
_____
_____
_____
_____
_____
_____
_____

PLANIFICATION DE L'ENSEIGNEMENT

BUT
Décrire ce que fut Coquin avant de devenir un héros de bande dessinée.

ORGANISATION DE LA CLASSE
Collectif, équipes de deux, individuel

MATÉRIEL NÉCESSAIRE
Par élève :
manuel D (page 7)

TEMPS SUGGÉRÉ
90 min

Situation d'apprentissage 4

LIRE POUR RIRE

Vous avez été nombreux à écrire pour nous dire le plaisir que vous avez chaque fois de le retrouver en bas de page ! Le revoici donc, le rusé Coquin !

SAVOIRS ESSENTIELS DES DIFFÉRENTES COMPÉTENCES

L LIRE DES TEXTES VARIÉS
E ÉCRIRE DES TEXTES VARIÉS
A APPRÉCIER DES ŒUVRES LITTÉRAIRES

Connaissances liées au texte :
▶ Exploration et utilisation d'éléments caractéristiques de différents genres de textes ;
▶ Exploration de quelques éléments littéraires à des fins d'utilisation ou d'appréciation : personnages, expressions - jeux de sonorités - figures de style (onomatopée) ;
▶ Prise en compte des éléments de la situation de communication : intention, contexte, formes du registre standard ;
▶ Prise en compte d'éléments de cohérence : idées rattachées au sujet, reprise de l'information en utilisant des termes substituts (pronoms).

Connaissances liées à la phrase :
▶ Recours à la ponctuation : point ;
▶ Reconnaissance et utilisation du groupe du nom : Pronom, Nom, Dét. + Nom ;
▶ Accords dans le groupe du nom : Dét. + Nom ;
▶ Exploration et utilisation du vocabulaire en contexte ;
▶ Utilisation de l'orthographe conforme à l'usage.

Stratégies de lecture :
▶ Stratégies de reconnaissance et d'identification des mots d'un texte ;
▶ Stratégies de gestion de la compréhension ;
▶ Stratégies d'évaluation de sa démarche.

Stratégies d'écriture :
▶ Stratégies de planification ;
▶ Stratégies de mise en texte ;
▶ Stratégies de révision ;
▶ Stratégies de correction ;
▶ Stratégies d'évaluation de sa démarche.

Stratégies liées à l'appréciation d'œuvres littéraires :
▶ S'ouvrir à l'expérience littéraire ;
▶ Établir des liens avec ses expériences personnelles ;
▶ Échanger avec d'autres personnes.

Techniques :
▶ Apprentissage de la calligraphie ;
▶ Utilisation de manuels de référence.

Notes personnelles

 ou **Préparation**

- Invitez les enfants à prendre connaissance du récit qu'offre la bande dessinée, au bas de la page 7.

Avec leur coéquipier ou coéquipière, ou avec le groupe selon le cas, demandez aux élèves de faire part de leur compréhension du texte. Demandez-leur de nommer le trait caractéristique de Coquin dans cette bande dessinée. (coquin, rusé, astucieux)

Demandez aux élèves s'ils connaissent l'âge de Coquin. Ce personnage existait-il déjà dans le matériel de l'an dernier? Faites compter le nombre de mois entre septembre de l'an dernier et février de cette année. (18 mois) Coquin était-il un chiot ou déjà un chien adulte au début du premier manuel de 1re année? (C'était déjà un chien adulte.) Quel âge pouvait-il avoir au moment où il a été adopté par les auteures d'*Astuce et compagnie*? (Environ un an, puisqu'il était adulte.) Faites déduire l'âge actuel de Coquin. (environ deux ans et demi [un an + 18 mois])

Informez les élèves qu'ils vont écrire l'histoire de Coquin de sa naissance à maintenant. N'oublions pas qu'il a cessé de grandir, comme son maître le lui dit dans le texte de la bande dessinée.

Faites rappeler par les élèves les diverses étapes du processus d'écriture.

Avec les élèves, faites la planification de l'activité d'écriture. Notez au tableau ou sur un grand carton toutes les informations susceptibles d'être utilisées pour décrire la vie de Coquin. Voici quelques pistes qui pourraient stimuler le remue-méninges. *Où Coquin est-il né? A-t-il des frères et des sœurs? Qui étaient son père et sa mère? Combien de temps a-t-il passé avec eux avant d'être adopté? Que se passait-il dans sa vie quand il vivait avec sa famille canine? De quoi se nourrissait-il? Avec qui et avec quoi jouait-il? Avait-il alors un maître? À quel âge a-t-il été adopté par les auteures de* Astuce et compagnie? *Était-il espiègle, petit?* Si oui, faites donner un exemple.

Coquin a-t-il réussi à vous faire rire depuis qu'il est le héros d'une bande dessinée? Si oui, dans quel texte? Racontez.

Conseillez aux élèves de choisir quelques-unes de ces idées ou d'en proposer d'autres dans leur texte.

Faites rappeler l'intention d'écriture: imaginer la vie de Coquin avant son arrivée dans *Astuce et compagnie*.

Invitez les élèves à choisir un ou une destinataire pour leur texte: parent, frère ou sœur, élève d'une autre classe qui ne connaît pas Coquin, etc.

 Réalisation

- Demandez-leur de raconter la vie de Coquin avant qu'il devienne le héros d'une bande dessinée.

Rappelez aux élèves l'importance de réaliser chacune des étapes du processus d'écriture. Ils ne doivent pas hésiter à recourir aux pairs et aux adultes de leur entourage et à consulter les ouvrages de référence disponibles, en cas de panne.

Avant de les laisser passer à la transcription de leur texte, présentez aux enfants la leçon de grammaire prévue dans ce module et portant sur les adjectifs (voir page 38).

NOTE: La leçon de grammaire peut se réaliser à tout autre moment, dans l'une ou l'autre des situations d'écriture de ce module.

Recueillez les textes des enfants pour y relever la présence d'adjectifs. Servez-vous de ces choix d'adjectifs pour souligner les précisions qu'ils apportent au texte et pour les accords dans les groupes du nom.

Remettez les copies aux élèves et demandez-leur d'y encercler les adjectifs utilisés. Sont-ils précis et variés? bien accordés? Y a-t-il des groupes du nom où la présence d'un adjectif enrichirait le texte? Si oui, proposez quelques ajouts. Cependant, ne faites pas insérer des adjectifs simplement pour en augmenter le nombre dans le texte.

2
ACTION EN CLASSE (SUITE)

Faites transcrire et relire le texte avant qu'il soit remis à son ou sa destinataire.

 Intégration et réinvestissement

- Invitez les enfants à s'exprimer sur leur habileté à lire une bande dessinée. Est-ce plus facile lorsqu'il y a un texte dans les bulles?

Demandez aux élèves de nommer les situations d'écriture qui leur plaisent particulièrement (description, récit, poème, lettre).

Quelles sont les étapes d'écriture encore difficiles à réaliser? Pourquoi?

Amenez les enfants à prendre conscience des progrès qu'ils ont accomplis et des points sur lesquels ils doivent continuer de faire porter leur effort.

3
RETOUR SUR L'ENSEIGNEMENT

- Y a-t-il des élèves qui n'ont pu déchiffrer la bande dessinée? Ces mêmes élèves ont-ils de la difficulté à faire le lien entre l'image et le texte?

Le groupe a-t-il émis des hypothèses intéressantes sur la vie de Coquin avant son arrivée dans le manuel?

La réalisation de l'activité d'écriture a-t-elle exigé que vous interveniez auprès de certains élèves? auprès de tout le groupe?

La révision / correction est-elle efficace? N'hésitez pas à glisser dans le portfolio les brouillons de certains travaux.

Quels sont les outils de référence dont vous disposez en classe? Sont-ils consultés?

Vos élèves vous sollicitent-ils régulièrement en cas de panne pendant l'activité d'écriture? Quel genre de questions vous posent-ils? Pourriez-vous prévenir ces questions lors d'une prochaine activité d'écriture?

LEÇON DE GRAMMAIRE

LES CLASSES DE MOTS : L'ADJECTIF

NOTE : Bien que l'adjectif, comme terme lié à la construction des concepts grammaticaux, fasse partie des connaissances à acquérir pendant les deuxième et troisième cycles du primaire, nous vous proposons ici une leçon permettant de sensibiliser les élèves à cette classe de mots. Vous pouvez décider de la faire ou non selon la force de vos élèves et selon le temps dont vous disposez.

Démarche

1. Observer

- Amenez les élèves à se donner une compréhension du concept «adjectif», afin qu'ils puissent les identifier dans leurs productions écrites et éventuellement faire les accords dans le groupe du nom. L'accord déterminant – nom – adjectif est cependant une notion ins-

crite au programme du deuxième cycle.

Dans la phrase suivante *Tu lis un beau manuel.* (ou toute autre phrase tirée des textes des élèves), demandez aux élèves de relever les classes de mots qu'ils connaissent. (On devrait s'attendre qu'ils relèvent : *un* est un déterminant; *manuel* est un nom.)

Faites rappeler les moyens d'identifier un nom : le nom *nomme* un objet... ; le nom s'emploie avec des mots comme *un* ou *une* qui se placent devant lui.

Dites aux élèves qu'ils vont apprendre à reconnaître une autre classe de mots, celle de l'adjectif, pour qu'ils puissent les identifier dans leurs textes et apprendre comment ils fonctionnent.

Avant de continuer, demandez aux élèves ce qu'ils savent de l'adjectif ou s'ils peuvent en nommer. Écrivez quelques-unes de leurs réponses au tableau, pour éventuellement les confronter à l'observation et à la théorie qui suivent.

Revenez à la phrase de départ et mettez l'accent sur le mot *beau*.

À partir de ce mot, aidez les élèves, par des questions ou des manipulations, à découvrir eux-mêmes les principales caractéristiques de l'adjectif.

a) L'adjectif précise «comment est un être ou une chose» ; certains donnent une qualité ; d'autres indiquent une sorte d'êtres ou de choses.

Ajoutez la nuance suivante : certaines qualités peuvent être jugées bonnes ou mauvaises (un beau manuel, un chien méchant). Pour les adjectifs qui indiquent une sorte d'êtres ou de choses, donnez quelques exemples : son pied droit, sa main gauche, un ours polaire, la bibliothèque scolaire, une entrée privée, etc. Dans ces cas-là, on ne peut parler de qualités bonnes ou mauvaises. Attention à l'exemple suivant : *une robe de velours*. L'expression *de velours* qualifie la robe mais n'est pas un adjectif. C'est un complément du nom au même titre que l'adjectif, mais sans en être un.

b) L'adjectif est un mot variable : il change de forme selon le nom (ou le pronom) qu'il accompagne. L'adjectif peut être masculin ou féminin, il peut être singulier ou pluriel, mais il est soumis à la forme du nom ou du pronom qu'il qualifie.

Il serait intéressant d'ajouter que l'adjectif dépend du nom (ou du pronom).

Il ne peut exister seul. On peut difficilement dire *un polaire*, ce qui n'est pas le cas pour le nom, car on peut dire *un ours*. On peut cependant rencontrer des adjectifs dont le nom ou le pronom qu'ils qualifient sont sous-entendus. De plus, certains adjectifs peuvent être aussi des noms : des petits débrouillards, cet enfant est débrouillard.

Il ne s'agit pas, bien sûr, de présenter tous ces cas à des élèves du premier cycle, mais de les sensibiliser à l'existence de cas plus complexes qu'ils rencontreront au cours de leurs lectures. Il faut amener les élèves à comprendre le concept d'adjectif dans des exemples simples.

Exemples de questions ou de manipulations :

a) *Que vient faire le mot* beau *par rapport au mot* manuel *?*

b) *Est-ce qu'on peut enlever le mot* manuel *? Est-ce qu'on peut dire* Je lis dans un beau. *?*

c) *Changez, dans la phrase de départ, le mot* manuel *par le mot* livre, *ensuite par le mot* revue *et observez ce qui se passe. Est-ce qu'on peut dire* Je lis dans un beau revue. *?*

d) Présentez les phrases suivantes aux élèves et faites-leur dégager la caractéristique de l'adjectif qui précise la sorte d'êtres ou de choses :

*L'ours **polaire** enseigne aux petits oursons à bien se nourrir. Mon ami a deux chiens **danois**. Je suis allée à la bibliothèque **municipale**.*

De quelle sorte d'ours s'agit-il ? De quelle sorte de chiens s'agit-il ? De quelle sorte de bibliothèque s'agit-il ? Est-ce que ce sont des qualités bonnes ou mauvaises ? (Ni l'une ni l'autre. Ce sont des adjectifs qui disent de quelle sorte d'êtres ou de choses il s'agit.)

Précisez aux élèves que ce sont des moyens qui peuvent les aider à identifier des adjectifs.

2. Identifier

- S'il y a lieu, revenez aux textes des élèves, aux exemples qu'ils ont apportés au début en intégrant ces mots dans des phrases.

  Demandez aux élèves d'identifier les six adjectifs présents dans les phrases en utilisant les critères mentionnés plus haut. Faites trouver collectivement l'adjectif de la première phrase. Laissez les élèves identifier les autres adjectifs individuellement ou en dyades.

  Faites écrire sur une feuille les adjectifs identifiés.

  Reprenez collectivement pour la vérification.

3. S'exercer

- Proposez aux élèves de trouver d'autres adjectifs dans des textes de leur manuel ou encore proposez-leur de composer des phrases contenant des adjectifs en appliquant les moyens identifiés.

  Vérifiez, avec les élèves, si les critères énumérés plus haut s'appliquent aux adjectifs trouvés.

4. Appliquer ses connaissances

- Dites aux élèves que lorsqu'ils auront à faire les accords dans le groupe du nom (nom + déterminant + adjectif), ils devront pouvoir identifier les adjectifs dans leurs productions écrites.

  Pour les aider à se préparer, demandez-leur de souligner les adjectifs dans la production écrite proposée à la situation d'apprentissage 4 (ou toute autre production écrite).

  Faites-leur vérifier si les adjectifs repérés répondent aux critères d'identification.

  a) L'adjectif précise «comment est un être ou une chose», ou «donne une qualité bonne ou mauvaise à un être ou une chose» ou «dit de quelle sorte d'êtres ou de choses il s'agit».

  b) L'adjectif est un mot variable : il change de forme selon le nom qu'il accompagne.

 TIC

Abécédaire personnel

Pour réaliser cette activité, vous devrez avoir déjà un fichier de traitement de texte intitulé *Abécédaire* où il y a des sauts de sections pour chaque lettre de l'alphabet (chaque section étant d'ailleurs identifiée par une lettre de l'alphabet). Une copie de ce fichier se trouve déjà dans chacun des dossiers de vos élèves, car cette activité a été amorcée au cours du module 11. Demandez aux élèves de choisir deux ou trois mots dans le module 14 de leur manuel *Astuce et compagnie*.

Donnez-leur les consignes suivantes :

1. Ouvrez le fichier *Abécédaire*.

2. Relisez les mots qui ont été inscrits la dernière fois.

3. Écrivez les mots choisis.

4. Faites la correction des mots écrits avec le dictionnaire électronique qui est inclus dans le traitement de texte.

5. Sauvegardez le fichier.

Situation d'apprentissage 5

LE CERVEAU, CETTE MERVEILLE !

Jamais il n'est au repos. D'une vigilance de tous les instants, il assure le fonctionnement de notre corps et constitue le siège de notre intelligence. Aucun ordinateur n'est d'une telle complexité ni n'atteint sa perfection.

SAVOIRS ESSENTIELS DES DIFFÉRENTES COMPÉTENCES

BUTS

- Enrichir ses connaissances sur le cerveau.

- Relater un événement de son histoire, à partir d'une ligne du temps.

ORGANISATION DE LA CLASSE

Collectif, individuel

MATÉRIEL NÉCESSAIRE

- Par élève : manuel D (pages 8 et 9)

- Pour le soutien : feuilles reproductibles 16.3 et 16.4

- Pour la consolidation : feuilles reproductibles 16.5 et 16.6, activité complémentaire 55

À FAIRE

- Si possible, montrer, à même des livres accessibles aux enfants, des schémas expliquant ce qu'est le cerveau et comment il ordonne les fonctions du corps et de l'esprit.

L LIRE DES TEXTES VARIÉS
E ÉCRIRE DES TEXTES VARIÉS

Connaissances liées au texte :

- Exploration et utilisation d'éléments caractéristiques de différents genres de textes ;
- Prise en compte des éléments de la situation de communication : intention, contexte, formes du registre standard ;
- Prise en compte d'éléments de cohérence : idées rattachées au sujet, reprise de l'information en utilisant des termes substituts (pronoms).

Connaissances liées à la phrase :

- Recours à la ponctuation : point ;
- Reconnaissance et utilisation du groupe du nom : Pronom, Nom, Dét. + Nom ;
- Accords dans le groupe du nom : Dét. + Nom ;
- Exploration et utilisation du vocabulaire en contexte ;
- Utilisation de l'orthographe conforme à l'usage.

Stratégies de lecture :

- Stratégies de reconnaissance et d'identification des mots d'un texte ;
- Stratégies de gestion de la compréhension ;
- Stratégies d'évaluation de sa démarche.

Stratégies d'écriture :

- Stratégies de planification ;
- Stratégies de mise en texte ;
- Stratégies de révision ;
- Stratégies de correction ;
- Stratégies d'évaluation de sa démarche.

Techniques :

- Apprentissage de la calligraphie ;
- Utilisation de manuels de référence.

S EXPLORER LE MONDE DE LA SCIENCE ET DE LA TECHNOLOGIE

Connaissances liées à la science et à la technologie :

- Univers vivant : caractéristiques et fonctions des différents organes du corps humain (cerveau).

U CONSTRUIRE SA REPRÉSENTATION DE L'ESPACE, DU TEMPS ET DE LA SOCIÉTÉ

Connaissances liées à l'univers social (hier et aujourd'hui) :

- Faits (les souvenirs de la vie des élèves).

Techniques relatives à l'univers social :

- Temps : situation de faits de la vie de l'élève, utilisation de repères (ligne du temps).

PLANIFICATION DE L'ENSEIGNEMENT (SUITE)

- *Faire mettre en réserve des livres ou des revues donnant de l'information sur le cerveau et tenter d'obtenir quelques adresses de sites Internet offrant un contenu relativement simple sur le cerveau.*

TEMPS SUGGÉRÉ
100 min

Notes personnelles

_____

_____

_____

_____

_____

_____

_____

_____

_____

_____

_____

_____

_____

_____

_____

_____

_____

_____

_____

_____

_____

_____

_____

_____

_____

_____

_____

_____

_____

_____

_____

_____

2

ACTION EN CLASSE

ACTIVITÉ DE SOUTIEN

Feuilles reproductibles 16.3 et 16.4:
Les commandes se rendent à ton cerveau *(équipes de deux)*

– *Lire des règles et exécuter des consignes.*

▶ *L'élève vérifie, à l'aide du système graphophonologique, les mots anticipés dans le texte.*

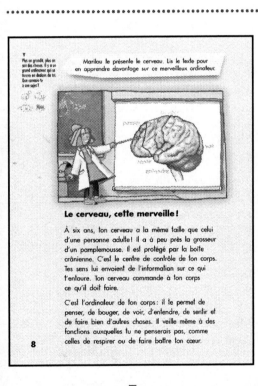

■

CORRIGÉ

MANUEL D, PAGE 8

▼ 1   Il y a plusieurs réponses possibles.

■

■

CORRIGÉ

MANUEL D, PAGE 9

▼ 1   À un pamplemousse, à un album de photos et à un ordinateur.

■

2

**ACTION
EN CLASSE
(SUITE)**

**ACTIVITÉS DE
CONSOLIDATION**

- *Feuilles reproductibles 16.5 et 16.6 : Travaillons notre mémoire (en équipes)*

- *Lire des règles et exécuter des consignes.*

▸ *L'élève établit des liens entre l'univers du texte et son propre univers.*

- *Activité complémentaire 55 : Des ateliers pour petits curieux (en équipes)*

- *Réaliser des expériences.*

▸ *L'élève accomplit une tâche liée au français ou à une autre discipline.*

🦠 Préparation

- Invitez les élèves à mettre en commun ce qu'ils savent sur le cerveau. Notez ces informations au tableau. Aidez les enfants à activer leurs connaissances à l'aide de questions dont voici quelques exemples. *Où est situé le cerveau ? Quelle forme a-t-il ? Quel est son poids ? sa couleur ? À quoi pourrait-on comparer le cerveau ? Quelles sont ses principales fonctions ?* Certains élèves connaissent peut-être des gens dont le cerveau a été atteint à la suite d'une maladie (maladie d'Alzheimer) ou d'un accident cérébro-vasculaire, ou à la suite d'un accident de la route (traumatisme crânien). Quelles conséquences ces accidents ont-ils eues pour la personne touchée ?

Une fois toutes les connaissances inscrites au tableau, faites regrouper les éléments qui sont reliés les uns aux autres. (Ex. : Les caractéristiques du cerveau [localisation, couleur, forme, poids]. Les principales fonctions physiques [respiration, battements du cœur, circulation sanguine, indicateur de la faim, de la soif, de la chaleur, du froid, de la douleur], intellectuelles [parole, mémoire, émotions, sentiments, opinions, réflexion, méditation].)

Demandez aux élèves de réfléchir à ce qu'ils aimeraient apprendre sur le cerveau. Faites-leur ensuite formuler des questions et notez-les au tableau.

Faites ouvrir le manuel aux pages 8 et 9. Suggérez aux élèves de survoler la double page (lecture du titre, observation des illustrations), de lire l'intention de lecture au haut de la page 8 et d'anticiper le contenu du texte.

⚙ Réalisation

- Demandez aux élèves de faire une lecture individuelle du texte des pages 8 et 9 en les prévenant qu'il ne répondra sans doute pas à toutes les questions qu'ils se posent au sujet du cerveau, mais qu'il constitue une amorce intéressante. N'oubliez pas de leur préciser que les différentes zones du cortex cérébral identifiées et associées à certaines actions sont approximatives et

non exclusives à une zone. Faites-leur aussi remarquer que la science a fait de remarquables progrès dans la compréhension de cet organe extraordinaire qu'est le cerveau, mais sa complexité est telle qu'il reste encore beaucoup à découvrir. Qui sait ? Certains élèves de la classe sont peut-être les chercheurs de demain qui se pencheront sur les mystérieuses facultés du cerveau !

Rappelez que le recours aux stratégies de construction de sens, la visualisation du contenu et la relecture de certains passages sont des moyens utiles pour surmonter les difficultés qui surgissent au cours de la lecture. Au besoin, faites un rappel des stratégies.

Pendant la lecture, groupez auprès de vous les enfants qui pourraient avoir besoin d'être encouragés ou dépannés.

Demandez aux élèves s'ils ont éprouvé quelques difficultés lors de la lecture. Dans l'affirmative, faites-leur mentionner la stratégie à laquelle ils ont recouru pour pouvoir poursuivre l'exercice.

Faites relever les informations du texte et inscrivez-les au tableau avec une craie de couleur. Puis, faites-les comparer aux informations recueillies avant la lecture. Celles-ci étaient-elles partiellement erronées ? Si c'est le cas, proposez la relecture des passages du texte qui les infirment.

Demandez aux enfants de relier leurs connaissances antérieures aux nouvelles connaissances fournies par le texte.

Reprenez les questions émises avant la lecture et faites relever celles pour lesquelles le texte ne donne pas de réponse. Faites suggérer des façons de se renseigner sur ce type de sujets. (livres, revues, Internet, personnes spécialisées dans le domaine) Si vous avez préparé de la documentation en prévision de cette activité, présentez-la aux enfants. Prévoyez du temps pour lire aux élèves certains extraits de ces ouvrages. Si une réserve de livres et de revues les attend à la bibliothèque, invitez-les à y chercher des réponses à leurs questions

et à y découvrir également bien d'autres informations intéressantes sur le cerveau.

Relisez la première partie de l'avant-dernier paragraphe : *Ton cerveau, c'est aussi un peu comme un album de photos de tes souvenirs. Tu y retrouves des événements importants de ta vie, tes joies, tes peines, et même tes idées.* Ajoutez que le cerveau a aussi la mémoire des émotions. Citez en exemple l'écrivain Marcel Proust. Devenu adulte, il vit un jour des madeleines – sorte de petits gâteaux de forme ovale – qui déclenchèrent chez lui une profonde émotion, enfouie jusqu'alors dans son inconscient, celle qu'il ressentait, enfant, quand sa mère lui en offrait, et qui était autant liée au goût et à l'odeur de cette pâtisserie qu'à l'amour qu'il portait à sa mère.

Proposez aux élèves de fouiller mentalement dans les souvenirs de leur vie. Leur cerveau devrait les guider vers des événements heureux ou moins heureux, selon ce qu'ils souhaitent faire émerger.

Conseillez aux élèves de reprendre la ligne du temps remplie lors de la première situation d'apprentissage. Demandez-leur d'y ajouter certains événements que leur cerveau fait resurgir à leur mémoire, et de choisir parmi ces souvenirs celui qu'ils vont raconter par écrit.

Une fois les souvenirs choisis, procédez à une planification des idées. À l'aide de questions que vous écrivez au tableau, amenez les élèves à élaborer individuellement le contenu de leur texte. Voici quelques suggestions de questions : *Quel est ton souvenir ? Quand cet événement s'est-il passé ? Où ? Étais-tu avec quelqu'un ? Qui était cette personne ? Qu'est-ce qui s'est passé d'abord ? ensuite ? finalement ? Qu'as-tu éprouvé ?* (émotions, sentiments) *Que retiens-tu de cet événement ?*

Faites rappeler les étapes du processus d'écriture.

Invitez chaque enfant à réaliser sa production de façon autonome. Circulez dans la classe et soyez particulièrement attentif ou attentive aux élèves qui éprouvent des difficultés face à l'une ou l'autre des étapes du processus d'écriture.

Intégration et réinvestissement

• Demandez aux enfants s'ils ont pris plaisir à revivre un souvenir en le confiant par écrit à quelqu'un de leur choix. Invitez ceux qui le désirent à lire leur texte à la classe.

Faites un retour sur les difficultés éprouvées et sur la façon dont les élèves les ont surmontées.

Proposez à chaque élève de relever un aspect positif de son travail au cours de l'activité.

Demandez aux enfants quelle a été la réaction de la personne à qui ils ont remis leur texte.

Suggérez-leur de consigner le brouillon et la transcription de leur texte dans leur portfolio.

Jumelage (consonne + lettre *r*) : cr, dr, fr, gr, pr, tr, vr

Faites relever les mots du texte qui comportent des consonnes jumelées avec la lettre *r*. (*près, grosseur, protégé, crânienne, centre, contrôle, entendre, autres, battre, grande, apprends, retrouves, grâce, répondre*) Notez-les au tableau.

Demandez à la classe de lire ces mots.

Invitez quelques élèves à venir y encercler les syllabes qui comportent ces consonnes jumelées.

Demandez aux enfants de mentionner d'autres mots contenant ce jumelage (ex. : *frère, vrai, travail, craie, droit, froid, grenouille, prune,* etc.). Écrivez-les au tableau.

3

RETOUR
SUR
L'ENSEIGNEMENT

• Les enfants ont-ils aimé découvrir de l'information sur le cerveau?

Ce texte a-t-il suscité de la curiosité? A-t-il éveillé chez certains le désir d'en savoir plus?

Les élèves qui lisent de façon autonome sont-ils de plus en plus nombreux? Ceux qui éprouvaient jusqu'à récemment des difficultés se sont-ils améliorés?

Les enfants peuvent-ils aisément lire la ligne du temps de leur propre vie? y ajouter de nouvelles données?

Est-ce que la phase de révision / correction a permis d'améliorer les textes initialement produits?

En général, raconter un souvenir, est-ce une activité qui plaît aux élèves?

 Travaux personnels

Décrétez que c'est la semaine des anecdotes. Invitez les élèves à se faire raconter par quelqu'un de plus âgé (parent, ami ou amie, frère, sœur, oncle, tante) un souvenir d'enfance ou d'adolescence, ou encore un souvenir qui les concerne personnellement. Conseillez à ceux qui le peuvent d'aller puiser dans la mémoire d'un grand-parent ou d'un arrière-grand-parent. Il y a fort à parier que ce sont ces souvenirs qui seront les plus intéressants! Demandez aux élèves qui le voudraient de faire part de ce souvenir à leurs camarades.

Notes personnelles

_____
_____
_____
_____
_____
_____
_____
_____
_____
_____
_____
_____
_____
_____
_____
_____
_____
_____

Astuce et suggestions (ENRICHISSEMENT)

1. Ce réseau plus ou moins visible

Comme ils l'ont déjà fait pour l'apparence physique, invitez les enfants à se munir d'un grand papier et à tracer le contour du corps d'un coéquipier ou d'une coéquipière. En tandems ensuite, à l'aide de livres empruntés à la bibliothèque, faites-leur situer et dessiner certains organes importants – cœur, cerveau, poumons, estomac, intestins, foie – ainsi que les os des bras, des mains, des jambes et des pieds. Les vaisseaux sanguins peuvent être dessinés ou encore représentés par des bouts de laine collés sur la feuille. Il est certain que ce schéma sera sommaire, mais dites aux élèves qu'avec les années, ils découvriront bien des choses quant au corps humain et à son fonctionnement.

2. Cerveau aux commandes

Voici un petit jeu qui révélera aux enfants le pouvoir du cerveau sur les muscles. Faites placer l'élève dans l'embrasure d'une porte et demandez-lui d'étendre les bras de telle sorte que le dos de ses mains touche le cadre de la porte de part en part. Demandez-lui d'exercer avec le dos de la main une forte pression sur le cadre, pendant environ trente secondes. Invitez ensuite l'enfant à laisser retomber les bras mollement. Faites observer ce qui se passe : les bras ont tendance à se soulever d'eux-mêmes pendant quelques secondes, comme si la commande consistant à exercer la pression se poursuivait malgré l'indication inverse.

3. Bon voyage !

L'intérêt de ce jeu exige d'être au moins deux... Une phrase de départ est donnée. *Je pars en voyage. Dans ma valise, j'ai mis...* Quand le tour de la parole va à un coéquipier ou une coéquipière, il ou elle reprend l'énoncé initial, suit l'ordre des éléments de la liste et en ajoute un nouveau. Le jeu terminé, faites dire aux enfants les trucs qu'ils ont utilisés pour mémoriser les éléments de la liste (ex. : retenir la première lettre de chaque élément).

Variante : Cet exercice mnémotechnique peut se faire avec un jeu de cartes. Demandez à un joueur ou une joueuse de montrer à son coéquipier ou sa coéquipière trois cartes. Ce dernier ou cette dernière essaie de s'en souvenir et les nomme dans l'ordre où elles lui ont été présentées. Poursuivez avec le plus grand nombre possible de cartes.

TIC

Le cerveau humain

Pour réaliser cette activité, les élèves auront besoin de l'illustration d'une coupe schématique latérale du cerveau humain.

Donnez les consignes suivantes aux élèves :

1. Ouvrez l'application de dessin vectoriel.

2. À l'aide des formes géométriques de la barre d'outils, illustrez les principales régions du cerveau.

3. Utilisez une couleur différente pour chaque région.

4. Nommez les régions en utilisant l'outil d'écriture de textes.

5. Reliez les régions et leurs noms à l'aide de l'outil qui génère des lignes (elles peuvent avoir une flèche en bout de trait).

6. Sauvegardez.

7. Imprimez.

Rappel :
Réalisez
l'étape 1 du projet.

1

**PLANIFICATION
DE
L'ENSEIGNEMENT**

BUT

S'identifier au héros d'un texte et raconter un de ses rêves.

ORGANISATION DE LA CLASSE

Collectif, équipes de trois, individuel

MATÉRIEL NÉCESSAIRE

*Par élève :
manuel D
(pages 10 et 11),
feuille de papier,
crayons à colorier
ou crayons-feutres*

TEMPS SUGGÉRÉ

100 min

Situation d'apprentissage 6

LE SOMMEIL DE SAMUEL

Pauvre Samuel, qui redoute de s'endormir à cause des cauchemars qui le tourmentent. Trop d'imagination chez lui ? Allez donc savoir ! Mais quand Florence s'abandonne aux confidences, son ami Samuel se laisse emporter au pays des rêves où il fait si bon d'aimer et d'être aimé.

SAVOIRS ESSENTIELS
DES DIFFÉRENTES COMPÉTENCES

L **LIRE DES TEXTES VARIÉS**
C **COMMUNIQUER ORALEMENT**
A **APPRÉCIER DES ŒUVRES LITTÉRAIRES**

Connaissances liées au texte :

► Exploration et utilisation d'éléments caractéristiques de différents genres de textes ;
► Exploration de quelques éléments littéraires à des fins d'utilisation ou d'appréciation : personnages, séquence des événements ;
► Exploration et utilisation de la structure des textes : récit en trois temps ;
► Prise en compte des éléments de la situation de communication : intention, contexte, formes du registre standard ;
► Prise en compte d'éléments de cohérence : idées rattachées au sujet, reprise de l'information en utilisant des termes substituts (pronoms).

Stratégies de lecture :

► Stratégies de reconnaissance et d'identification des mots d'un texte ;
► Stratégies de gestion de la compréhension ;
► Stratégies d'évaluation de sa démarche.

Stratégies de communication orale :

► Stratégies d'exploration ;
► Stratégies de partage ;
► Stratégies d'écoute ;
► Stratégies d'évaluation.

Stratégies liées à l'appréciation d'œuvres littéraires :

► S'ouvrir à l'expérience littéraire ;
► Établir des liens avec ses expériences personnelles ;
► Se représenter mentalement le contenu ;
► Échanger avec d'autres personnes.

Techniques :

► Utilisation de manuels de référence.

Cette situation d'apprentissage permet d'aborder des connaissances relevant du domaine des arts, plus spécifiquement de la discipline **arts plastiques**. Toutefois, aucune compétence dans ce domaine ne sera développée.

NOTE : Cette situation d'apprentissage devrait être entreprise autour du 14 février, fête de la Saint-Valentin. Si vous soulignez ce jour dans votre classe, ce texte pourrait servir de déclencheur puisqu'il se termine sur une note d'amour et d'amitié.

Préparation

• Invitez les élèves à ouvrir leur manuel aux pages 10 et 11 et à survoler le texte (lecture du titre et observation des illustrations).

Proposez à un ou une élève de faire part des observations dégagées de ce survol.

Demandez aux enfants s'il leur arrive de rêver. Amenez-les à exprimer leurs idées ou celles de leurs parents à propos du phénomène du rêve. Acceptez les divers points de vue émis en conseillant toutefois aux enfants de ne pas tout croire ni tout rejeter. Les rêves font partie du sommeil et tous les mécanismes qui les produisent ne sont pas connus. Il faut prendre avec réserve tout ce qu'on dit au sujet de l'interprétation des rêves.

Faites lire le texte de présentation et invitez un ou une élève à énoncer l'intention de lecture. (Connaître le contenu des rêves de Samuel.) Soulignez aux élèves que ce texte n'a pas pour objet de fournir des explications sur les rêves, mais de faire connaître les rêves de Samuel.

Réalisation

• Formez des équipes de trois pour la lecture du texte. Invitez les élèves à se partager la tâche (un lecteur ou une lectrice pour la partie narration, un lecteur pour jouer le rôle de Samuel, une lectrice pour interpréter le rôle de Florence).

Faites une mise en commun au cours de laquelle certains élèves raconteront les rêves de Samuel, la conversation entre lui et Florence ainsi que la conclusion du texte.

Invitez les enfants à dire s'il leur arrive parfois de faire des cauchemars semblables à ceux de Samuel. Consentez à ce que quelques-uns en parlent.

Demandez aux élèves pourquoi Florence s'enfuit et pourquoi le cœur de Samuel se met à battre d'une étrange façon.

Soulignez que l'auteure, Christiane Duchesne, a déjà écrit quelques pages pour *Astuce et compagnie*, entre autres dans le module 1 de 1ʳᵉ année (*Le dodo du petit Crapamuche*, portant lui aussi sur le thème du sommeil). Faites remarquer que cette auteure soigne ses textes en employant de belles expressions. Demandez aux élèves d'en relever quelques-unes. (Ex. : *à les éliminer* [l.3] ; *pondre une famille* [l.8] ; *songeuse* [l.13] ; *murmure Florence* [l.29] ; *il sent ses paupières s'alourdir* [l.32] ; *flottent autour de son cœur* [l.35]) ; *désormais* [l. 36]) Proposez-leur d'expliquer ces expressions et de trouver le mot courant ou l'expression plus banale qu'elles remplacent.

Invitez les enfants à se souvenir de ces mots et expressions et à les utiliser dans leurs productions personnelles, orales ou écrites.

 ### Intégration et réinvestissement

Demandez aux élèves de réfléchir individuellement à un rêve qu'ils ont déjà fait et de l'illustrer. Dites-leur qu'ils auront ensuite à le raconter à la classe. Laissez-leur un certain délai pour s'y préparer. Les présentations pourraient se faire en alternance avec les activités de *Fais le point avec Astuce*, qui suivent cette situation d'apprentissage.

Conseillez aux enfants de discuter du choix de leur rêve avec un membre de leur famille. Il se pourrait en effet qu'ils lui aient raconté ce rêve aussitôt qu'ils l'ont fait, et que cette personne puisse les aider à se rappeler certains détails qui sont flous à leur mémoire.

Quand toutes les idées auront été rassemblées relativement au rêve à raconter, demandez aux élèves d'ajouter quelques détails sur les émotions ressenties dans ce rêve.

Si certains élèves ne trouvent vraiment pas de rêve à raconter, voici des suggestions à leur faire :

– *Imaginez un rêve à deux. Un ou une des partenaires commence et l'autre poursuit. Il s'agit d'ajouter au récit des éléments qui peuvent s'y greffer et constituer une suite logique.*

– *Racontez un rêve qui vous conduirait dans un lieu insolite.*

– *Observez votre chien ou votre chat en train de dormir (quand il rêve, son museau et ses pattes bougent). Puis, inventez un rêve en vous identifiant à votre animal de compagnie.*

– *Choisissez un tableau (par exemple l'un de ceux que présentent les manuels d'*Astuce et compagnie*) et faites-en le lieu d'un rêve. Racontez.*

Formez ou faites former des équipes de trois dans lesquelles chaque membre fera part aux autres de son rêve et des émotions qu'il a suscitées.

Sensibilisez les enfants à la qualité de leur langue parlée (français oral de registre standard). Insistez pour que chacun et chacune porte une attention particulière aux diphtongaisons fautives dans *père* [païre], *mère* [maïre], *frère* [fraïre] de même qu'aux substitutions [ɛ] en [e] dans [pére], [mére], [frére].

De même, demandez-leur d'être attentifs au genre de certains mots commençant par une voyelle ou un *h* muet, qui suscitent souvent des erreurs à l'oral (*un* autobus, *une* horloge, *un* escalier, *un* avion, *un* hôpital, etc.).

Une fois le rêve raconté, demandez aux coéquipiers de poser des questions, d'obtenir des précisions ou de réagir aux propos entendus.

Faites une mise en commun sur la façon dont se sont déroulées les communications orales dans chaque équipe. Il ne s'agit pas de résumer les rêves racontés, mais de s'exprimer sur la qualité de la participation.

Demandez à chaque élève de réfléchir à la communication qu'il ou qu'elle a faite. Quels sont les points positifs? À quoi les doit-il ou les doit-elle? (ex.: bonne préparation, coéquipiers attentifs, plaisir de communiquer) Quels aspects devraient être améliorés en vue de la prochaine communication? (ex.: la préparation, le souci de bien s'exprimer, etc.)

- L'univers du texte a-t-il trouvé un écho dans l'univers des élèves?

  La lecture en équipes est-elle une réussite dans l'ensemble?

Au moment de la communication orale en équipes, le mode de fonctionnement établi a-t-il été observé?

 TIC

Petits génies, grands génies

Pour réaliser cette activité, vous devrez préalablement créer une banque de signets (favoris) pour les différents sites sur les génies et les moteurs de recherche (voir la bibliographie des sites Internet, page 89). Vous pouvez également suggérer aux élèves des noms de personnages considérés comme étant des génies (Léonard de Vinci, Mozart, Picasso, Einstein, etc.).

Donnez les consignes suivantes aux élèves:

1. Ouvrez le fureteur.

2. Choisissez un moteur de recherche.

3. Inscrivez le nom d'une personne que vous considérez comme étant géniale et sur qui vous aimeriez avoir des renseignements.

4. Choisissez un site.

5. Lisez les informations.

6. Imprimez les informations pertinentes.

7. Présentez votre personnage à la classe. Expliquez à vos camarades ce qui fait du personnage choisi une personne géniale.

Notes personnelles

_____

_____

_____

_____

_____

_____

_____

_____

_____

_____

_____

1
PLANIFICATION DE L'ENSEIGNEMENT

BUT

Proposer aux élèves un moyen concret de visualiser leurs réussites, leurs progrès et les aspects à améliorer en lecture et en écriture.

ORGANISATION DE LA CLASSE

Collectif, équipes de deux, trois ou quatre, selon les activités, individuel

MATÉRIEL NÉCESSAIRE

• *Par élève : manuel D (pages 12, 13 et 14)*

• *Pour le soutien : feuille reproductible 16.7*

TEMPS SUGGÉRÉ

180 min

Fais le point avec Astuce

Faire le point sur l'état de ses compétences en lecture et en écriture, après deux semaines d'activités bien remplies, voilà à quoi sont conviés individuellement les élèves. Ce bilan vous permettra, quant à vous, d'ajuster vos interventions en fonction des besoins du groupe et de ceux des élèves en particulier.

SAVOIRS ESSENTIELS DES DIFFÉRENTES COMPÉTENCES

L **LIRE DES TEXTES VARIÉS**
E **ÉCRIRE DES TEXTES VARIÉS**

Connaissances liées au texte :

▶ Exploration et utilisation d'éléments caractéristiques de différents genres de textes ;
▶ Exploration de quelques éléments littéraires à des fins d'utilisation ou d'appréciation : personnages, temps et lieux du récit, séquence des événements ;
▶ Prise en compte des éléments de la situation de communication : intention, contexte, formes du registre standard ;
▶ Prise en compte d'éléments de cohérence : idées rattachées au sujet, reprise de l'information en utilisant des termes substituts (pronoms).

Connaissances liées à la phrase :

▶ Recours à la ponctuation : point ;
▶ Reconnaissance et utilisation du groupe du nom : Pronom, Nom, Dét. + Nom ;

▶ Accords dans le groupe du nom : Dét. + Nom ;
▶ Exploration et utilisation du vocabulaire en contexte ;
▶ Utilisation de l'orthographe conforme à l'usage.

Stratégies de lecture :

▶ Stratégies de reconnaissance et d'identification des mots d'un texte ;
▶ Stratégies de gestion de la compréhension ;
▶ Stratégies d'évaluation de sa démarche.

Stratégies d'écriture :

▶ Stratégies de planification ;
▶ Stratégies de mise en texte ;
▶ Stratégies de révision ;
▶ Stratégies de correction ;
▶ Stratégies d'évaluation de sa démarche.

Techniques :

▶ Apprentissage de la calligraphie ;
▶ Utilisation de manuels de référence.

Notes personnelles

2

ACTION
EN CLASSE

ACTIVITÉ DE SOUTIEN

Feuille reproductible 16.7 : Méli-mélo de mots (individuel)

– *Compléter des mots.*

▶ *L'élève identifie des mots non connus à l'écrit, à l'aide du système grapho-phonologique.*

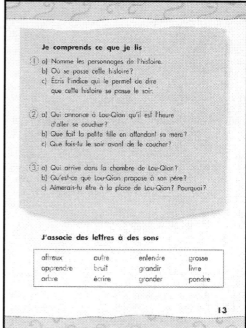

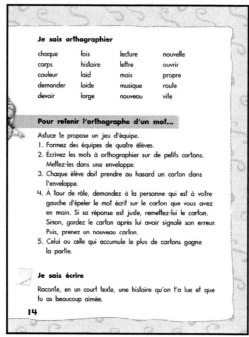

 Préparation

JE COMPRENDS CE QUE JE LIS

• Revoyez avec les élèves les étapes du processus de lecture.

Démarche en lecture
– Conception de la lecture comme un processus actif de recherche de sens

(intention, survol, connaissances antérieures, anticipation du contenu, identification de la tâche).

– Construction du sens à l'aide de stratégies appropriées (stratégies de reconnaissance et d'identification des mots, stratégies de compréhension du texte).

– Réaction au texte pendant et après la lecture.

– Utilisation de l'information contenue dans le texte.

– Évaluation du processus de lecture.

Au besoin, invitez les élèves à consulter la page 142 de leur manuel (version simplifiée de la démarche).

NOTE : La 1re série de questions s'adresse à tous les élèves, la 2e série à la plupart d'entre eux, la 3e série constitue un défi pour les meilleurs lecteurs.

J'ASSOCIE DES LETTRES À DES SONS

• Dites aux élèves que dans cette partie de la rubrique, il leur est proposé de lire des mots comportant des lettres qui correspondent à des sons déjà étudiés.

Annoncez-leur aussi qu'ils feront des regroupements de mots selon les sons qu'ils renferment (consonnes jumelées avec la lettre *r*; sons [ã], [o], [ɔ̃], [iʀ], [ø]; mots avec un *e* muet). Ces divers regroupements seront inscrits au tableau.

JE SAIS ORTHOGRAPHIER

• Répartissez l'étude des mots à orthographier sur les deux semaines de la première partie du module. Ainsi les élèves se seront-ils familiarisés avec ces mots au moment de faire le point. Proposez-leur une étude cumulative (les mots nouveaux s'ajoutant aux mots déjà étudiés).

Faites rappeler les stratégies d'acquisition de l'orthographe d'usage des mots (voir page 139 du manuel D).

Servez-vous de mots figurant à la fin du manuel pour donner des exemples, si besoin est.

JE SAIS ÉCRIRE

• Demandez aux élèves de rappeler les étapes du processus d'écriture: planification, rédaction, révision, correction, lecture du texte final, diffusion et auto-évaluation.

 Réalisation

JE COMPRENDS CE QUE JE LIS

• Demandez aux élèves de lire individuellement le texte de la page 12 et de répondre aux séries de questions 1 et 2.

Regroupez auprès de vous les élèves qui éprouvent des difficultés ou qui manquent de motivation en lecture. Vous pourriez leur lire les trois premières répliques et utiliser les stratégies nécessaires pour les encourager à poursuivre. Guidez chacun et chacune selon les difficultés qui lui sont propres.

Faites un retour avec eux sur ce qui s'est passé. Voyez ensemble quelle stratégie aurait pu être employée. S'ils ont recouru à des stratégies, félicitez-les: la lecture n'aura bientôt plus de secret pour eux! Tentez par ailleurs de savoir si ces enfants visualisent ce qu'ils lisent; à cette fin, demandez-leur ce qu'ils auraient pu dessiner pour représenter certains passages du texte.

Demandez à ces élèves de répondre à la première série de questions, une fois la lecture du texte terminée. Lisez les questions avec eux afin de permettre à chacun et chacune de trouver les réponses dans le texte.

Mettez vos meilleurs lecteurs au défi de répondre aux trois séries de questions.

J'ASSOCIE DES LETTRES À DES SONS

• Invitez les élèves à lire ces mots à tour de rôle.

Au tableau, inscrivez l'un ou l'autre des regroupements suggérés et demandez aux enfants de tracer sur une feuille autant de colonnes qu'ils auront défini de regroupements. Voici les suggestions de regroupements: consonne + lettre *r*; mots contenant un *e* muet; son [ã]; son [o]; son [ɔ̃]; son [iʀ]; son [ø]. (Réponses: consonne + *r*: *affreux, apprendre, arbre, autre, bruit, écrire, entendre, grandir, gronder, grosse, livre, pondre*. Mots contenant un *e* muet: *apprendre, arbre, autre, écrire, entendre, grosse, livre, pondre*. [ã]: *apprendre, entendre, grandir*. [o]: *autre, grosse*. [ɔ̃]: *gronder, pondre*. [iʀ]: *écrire, grandir*. [ø]: *affreux*.)

JE SAIS ORTHOGRAPHIER

- Laissez aux élèves le temps d'assimiler l'orthographe des mots de la liste, en leur conseillant d'utiliser les stratégies apprises.

 ou ou

Faites réaliser l'activité proposée à la page 14 : *Pour retenir l'orthographe d'un mot.* Lisez d'abord les consignes avec le groupe, puis faites former des équipes. Accordez suffisamment de temps pour que chaque élève puisse mesurer son degré de maîtrise de l'orthographe.

JE SAIS ÉCRIRE

- Lisez ou faites lire la consigne. Recommandez aux élèves de suivre les étapes du processus d'écriture en vue de cette production.

Intégration et réinvestissement

Vous pourriez décider de procéder section par section, pour ce qui est de la rubrique, et faire pour chacune, de façon ininterrompue, la préparation, la réalisation, ainsi que l'intégration et le réinvestissement.

JE COMPRENDS CE QUE JE LIS

- Demandez aux élèves s'il leur arrive, le soir, de lire ou de se faire lire, comme Lou-Qian, quelques pages d'un livre.

  Invitez les enfants qui n'ont pas tenté l'expérience à le faire maintenant qu'ils savent mieux lire.

Avec l'ensemble des élèves, faites constater les progrès accomplis au chapitre de la lecture.

J'ASSOCIE DES LETTRES À DES SONS

- Voyez comment les regroupements de mots ont été faits. Au besoin, faites lire les mots «oubliés» dans l'un ou l'autre des regroupements.

JE SAIS ORTHOGRAPHIER

- Demandez aux élèves d'exprimer leur point de vue sur l'efficacité des stratégies d'acquisition de l'orthographe d'usage.

  Faites aussi un retour sur le travail d'équipe. A-t-il permis de mieux retenir l'orthographe de certains mots? Demandez aux élèves s'ils croient qu'ils se souviendront de l'orthographe de ces mots dans deux jours, dans une semaine, dans un mois.

JE SAIS ÉCRIRE

- Invitez les élèves à lire l'histoire qu'ils ont résumée en quelques lignes.

  Relevez, dans chaque situation d'écriture, au moins un point positif, et faites apprécier par la classe l'intérêt du récit, la syntaxe des phrases, la précision et la variété du vocabulaire.

  Demandez aux élèves s'ils ont aimé se souvenir d'une belle histoire et l'évoquer par écrit.

  Faites mentionner les difficultés éprouvées en cours d'écriture et les solutions mises à contribution.

  Faites aussi relever les progrès accomplis et les réussites dont les enfants sont fiers (pas de faute d'orthographe, phrases bien construites, calligraphie soignée, etc.).

3

RETOUR SUR L'ENSEIGNEMENT

- Si vous deviez relever les aspects positifs que révèlent les activités de cette rubrique, lesquels noteriez-vous ?

Sur quels aspects de la lecture devrez-vous mettre l'accent à partir de maintenant pour améliorer les compétences des élèves ? Et en écriture ?

Les stratégies proposées pour assimiler l'orthographe d'usage de certains mots sont-elles utilisées ? S'avèrent-elles efficaces ?

Notes personnelles

_____
_____
_____
_____
_____
_____
_____
_____
_____
_____
_____
_____
_____
_____
_____
_____
_____
_____
_____
_____
_____
_____
_____
_____
_____
_____
_____
_____
_____

Situation d'apprentissage 7

PLANIFICATION DE L'ENSEIGNEMENT

BUTS

- *Découvrir comment l'amour de la lecture a déterminé la vie d'une auteure.*

- *Présenter une auteure que l'on apprécie à travers son œuvre.*

ORGANISATION DE LA CLASSE

Collectif, équipes de quatre (facultatif), individuel

MATÉRIEL NÉCESSAIRE

Par élève : manuel D (pages 15 et 16), feuille reproductible 16.8, livre de lecture préféré et notes sur l'auteure

À FAIRE

- *Photocopier la feuille reproductible 16.8 (une copie par élève).*

- *Songer à se documenter sur Henriette Major, afin de présenter et l'auteure et ses œuvres aux enfants.*

- *Prendre rendez-vous pour son groupe avec le ou la bibliothécaire afin de découvrir les livres de Mme Major. Inviter un préposé ou une préposée à la bibliothèque*

LE LIVRE ET MOI

L'histoire se répète et, quels que soient le temps et l'espace, l'on observe les mêmes excès, les mêmes passions chez les êtres humains. Aussi y a-t-il fort à parier que dans votre classe se trouvent des enfants avides de lire et qui n'ont besoin que d'une minuscule source de lumière, une fois sonnée l'heure du couvre-feu, pour dévorer leur livre. Pas besoin d'enquêter, les coupables se dénonceront eux-mêmes avec plaisir !

SAVOIRS ESSENTIELS DES DIFFÉRENTES COMPÉTENCES

L LIRE DES TEXTES VARIÉS
C COMMUNIQUER ORALEMENT
A APPRÉCIER DES ŒUVRES LITTÉRAIRES

Connaissances liées au texte :

- Exploration et utilisation d'éléments caractéristiques de différents genres de textes ;
- Prise en compte des éléments de la situation de communication : intention, contexte, formes du registre standard ;
- Prise en compte d'éléments de cohérence : idées rattachées au sujet, reprise de l'information en utilisant des termes substituts (pronoms).

Stratégies de lecture :

- Stratégies de reconnaissance et d'identification des mots d'un texte ;
- Stratégies de gestion de la compréhension ;
- Stratégies d'évaluation de sa démarche.

Stratégies de communication orale :

- Stratégies d'exploration ;
- Stratégies de partage ;
- Stratégies d'écoute ;
- Stratégies d'évaluation.

Stratégies liées à l'appréciation d'œuvres littéraires :

- S'ouvrir à l'expérience littéraire ;
- Établir des liens avec ses expériences personnelles ;
- Se représenter mentalement le contenu ;
- Échanger avec d'autres personnes.

Techniques :

- Utilisation de manuels de référence.

U CONSTRUIRE SA REPRÉSENTATION DE L'ESPACE, DU TEMPS ET DE LA SOCIÉTÉ

Connaissances liées à l'univers social (hier et aujourd'hui) :

- Faits ;
- Personnes (les traits physiques et les activités à différents âges de la vie).

Techniques relatives à l'univers social :

- Temps : utilisation de repères (ligne du temps), situation de faits de la vie.

1

PLANIFICATION
DE
L'ENSEIGNEMENT
(SUITE)

à expliquer aux enfants comment ils peuvent obtenir de l'aide dans la recherche des écrits d'un auteur ou d'une auteure, d'un livre ou d'un renseignement.

TEMPS SUGGÉRÉ
110 min

2

ACTION
EN CLASSE

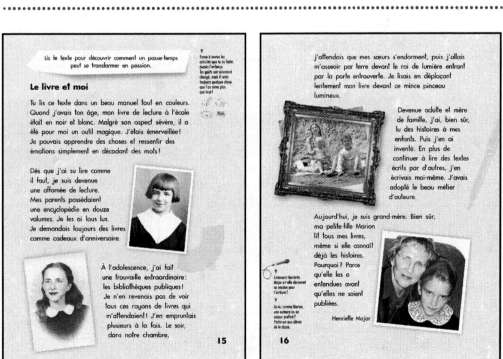

Lis le texte pour découvrir comment un passe-temps peut se transformer en passion.

Le livre et moi

Tu lis ce texte dans un beau manuel tout en couleurs. Quand j'avais ton âge, mon livre de lecture à l'école était en noir et blanc. Malgré son aspect sévère, il a été pour moi un outil magique. J'étais émerveillée! Je pouvais apprendre des choses et ressentir des émotions simplement en décodant des mots!

Dès que j'ai su lire comme il faut, je suis devenue une affamée de lecture. Mes parents possédaient une encyclopédie en douze volumes. Je les ai tous lus. Je demandais toujours des livres comme cadeaux d'anniversaire.

À l'adolescence, j'ai fait une trouvaille extraordinaire: les bibliothèques publiques! Je n'en revenais pas de voir tous ces rayons de livres qui m'attendaient! J'en empruntais plusieurs à la fois. Le soir, dans notre chambre,

15

j'attendais que mes sœurs s'endorment, puis j'allais m'asseoir par terre devant le rai de lumière entrant par la porte entrouverte. Je lisais en déplaçant lentement mon livre devant ce mince pinceau lumineux.

Devenue adulte et mère de famille, j'ai, bien sûr, lu des histoires à mes enfants. Puis j'en ai inventé. En plus de continuer à lire des textes écrits par d'autres, j'en écrivais moi-même. J'avais adopté le beau métier d'auteure.

Aujourd'hui, je suis grand-mère. Bien sûr, ma petite-fille Marion lit tous mes livres, même si elle connaît déjà les histoires. Pourquoi? Parce qu'elle les a entendues avant qu'elles ne soient publiées.

Henriette Major

16

CORRIGÉ

MANUEL D, PAGE 16

▼ 1 **En écrivant des histoires pour ses enfants.**

▼ 2 **Il y a plusieurs réponses possibles.**

2
ACTION
EN CLASSE
(SUITE)

 Préparation

- Demandez aux élèves s'ils se rappellent diverses activités qu'ils aimaient faire à trois, quatre, cinq et six ans, ou ce qu'étaient leurs jouets préférés alors. *Qui a aimé se faire raconter des histoires ? Qui aime encore se faire raconter des histoires ? Qui aime dessiner ? Qui se passionne pour le sport ?*

Poursuivez en invitant les élèves à dire ce qu'il en est maintenant, à sept ou huit ans, de leur activité préférée. Est-ce la même qu'à six ans ? qu'à cinq ans ?

Invitez les élèves à survoler le texte des pages 15 et 16 et faites aussi noter le nom de l'auteure.

Demandez aux enfants de placer les photos qui illustrent les pages 15 et 16 sur une ligne du temps. *Est-ce que ces photos représentent la même personne ?* (oui) *Représentent-elles des étapes dans la vie d'une personne ?* (oui, fillette, adolescente, mère et grand-mère) *Sur quelle photo apparaît Marion, la petite-fille de l'auteure ?*

Vérifiez avec les élèves si le nom d'Henriette Major leur dit quelque chose. (En principe, quelques-uns devraient se souvenir que dans la rubrique *Et si on chantait…*, pratiquement tous les textes sont de la plume de cette prolifique écrivaine.) Certains enfants auront peut-être reçu en cadeau l'anthologie de comptines compilées par Henriette Major. D'autres auront peut-être lu un des nombreux livres qu'elle a écrits pour les enfants.

Présentez Henriette Major en vous inspirant des notes que vous avez pu glaner à son sujet.

Proposez aux élèves, s'il y a lieu, une visite à la bibliothèque de l'école où le groupe est attendu. Prévenez-les qu'ils vont pouvoir tirer parti des conseils et des connaissances des personnes qui y travaillent pour accéder aux ouvrages de cette auteure et les découvrir. Suggérez-leur de visiter aussi la bibliothèque municipale.

Revenez aux pages 15 et 16. Lisez l'intention de lecture qui apparaît au-dessus du titre. (Lire pour découvrir comment un passe-temps, la lecture, est devenu une passion pour Henriette Major.) Invitez un ou une élève à la reformuler dans ses propres mots.

 Réalisation

- Demandez aux élèves de faire une lecture individuelle du texte.

Regroupez auprès de vous ceux qui éprouvent des difficultés ou que la longueur du texte rebute. Vous pourriez lire le premier paragraphe, puis inviter les enfants à le résumer en décrivant ce qu'ils visualisent mentalement. Demandez-leur quels mots leur paraissent difficiles à lire et, à l'aide des stratégies de construction de sens, faites-les-leur apprivoiser.

Suggérez à ces mêmes élèves de lire seuls le deuxième paragraphe et de vous le résumer. Demandez-leur si certains mots ont été difficiles à décoder. (sans doute *encyclopédie* et *anniversaire*) Faites-les relire et expliquer.

Laissez aux élèves le choix de lire seuls le troisième paragraphe ou de faire une lecture collective avec quelques-uns de leurs camarades. Reprenez la démarche de visualisation, d'utilisation de stratégies pour les mots difficiles à lire, et de relecture.

Invitez les élèves à poursuivre individuellement la lecture. Intervenez au besoin.

Distribuez la feuille reproductible 16.8 et demandez aux enfants de la remplir individuellement.

 (facultatif)

Faites regrouper les élèves par quatre pour la mise en commun des réponses. Demandez que dans chaque équipe soit nommé un ou une porte-parole qui rendra compte à la classe du travail de l'équipe.

Animez la mise en commun des réponses fournies sur la feuille reproductible 16.8. (S'il y a eu travail d'équipe, seuls les porte-parole y prendront part.)

Poursuivez le retour sur le texte afin d'en assurer la compréhension et d'établir un lien entre l'univers du texte et celui des élèves. Voici des suggestions de questions à cet effet.

– *Décrivez le manuel de lecture qu'avait Henriette Major à sept ou huit ans.*

– *Pourquoi Henriette Major dit-elle que son livre était un outil magique?*

– *Avez-vous déjà lu des livres? Si oui, avez-vous ressenti certaines émotions en les lisant? Donnez des exemples.*

– *Quel était le cadeau d'anniversaire favori d'Henriette Major?*

– *Avez-vous déjà reçu des livres en cadeau à Noël, à votre anniversaire ou en d'autres circonstances? Qui vous les a offerts? Pouvez-vous en donner les titres? Avez-vous aimé ces livres? Que racontaient-ils?*

– *Devenue adolescente, Henriette Major fait une découverte extraordinaire. Laquelle?*

– *Fréquentez-vous une bibliothèque publique? Si oui, avec qui y allez-vous? Quand? Empruntez-vous des livres? En lisez-vous sur place? Quelles sortes de livres favorisez-vous en général?*

– *Vous arrive-t-il à vous aussi de lire quand tout le monde dort?*

– *Une fois adulte et maman, Henriette Major a-t-elle mis les livres de côté? Servez-vous du texte pour répondre.* (Elle a lu des histoires à ses enfants, elle en a inventé, elle a continué à lire des livres et elle en a aussi écrit.)

– *Pourquoi Marion, la petite-fille d'Henriette Major, lit-elle des histoires qu'elle connaît déjà?*

– *Arrive-t-il qu'un membre de ta famille te raconte ou te lise des histoires? Est-ce que tu aimes ça?*

Faites remarquer aux enfants qu'Henriette Major, parce qu'elle a beaucoup lu et qu'elle a du talent, parsème son texte de beaux mots et de belles expressions. Invitez-les à en relever et à les garder précieusement à l'esprit en vue de les réutiliser dans leurs productions personnelles. (1er paragr.: *son aspect sévère, un outil magique*; 2e paragr.: *une affamée de lecture*; 3e paragr.: *tous ces rayons de livres qui m'attendaient*; 4e paragr: *le rai de lumière, ce mince pinceau lumineux*; 5e paragr: *j'avais adopté le beau métier d'auteure*)

Proposez aux enfants de penser à un livre qu'ils aiment. Faites-en relever le titre, le nom de l'auteur ou l'auteure, de l'illustrateur ou l'illustratrice et de la maison d'édition. Ces renseignements devront être fournis lors de la communication orale.

Conseillez aux enfants d'apporter le livre en prévision de la communication orale. Proposez-leur d'en lire un court extrait pour démontrer en quoi il est intéressant.

Demandez aux élèves de mentionner, s'ils les connaissent, les autres ouvrages de ce même auteur ou de cette même auteure. Invitez-les à dire ce qu'ils aiment de ce livre et ce qu'ils ont ressenti en le lisant.

 ou

Rappelez l'importance de s'exprimer dans un français québécois oral de registre standard, d'ajuster le volume de sa voix et d'articuler nettement. Redites aux auditeurs combien il est important de respecter la personne qui parle, de l'écouter attentivement sans déranger autour de soi. (Si plusieurs élèves choisissent les mêmes livres, formez des équipes de quatre pour les présenter.)

Intégration et réinvestissement

• Demandez aux élèves de donner leurs impressions sur le texte d'Henriette Major. Certains se sont-ils reconnus dans ce qu'évoque l'auteure?

Faites un retour sur la communication orale. Laissez les enfants qui disent aimer plusieurs livres expliquer comment ils ont fait leur choix.

2
ACTION
EN CLASSE
(SUITE)

Amenez les enfants à réfléchir sur la façon dont s'est déroulée pour eux la communication orale. A-t-elle été une réussite? une occasion de constater les progrès accomplis ou les difficultés encore éprouvées? Faites nommer au moins une raison qui motive le degré de satisfaction de chacun et chacune.

Revenez sur la fréquentation des bibliothèques publiques et demandez aux élèves qui y vont régulièrement de parler de ce qui s'y passe.

Invitez vos élèves qui participent à diverses activités culturelles de les nommer et de les présenter à leurs camarades (ex.: visites de musées ou d'expositions, heure du conte, etc.). Faites la promotion de ces activités et,

s'il y a lieu, montrez le calendrier culturel de la région de résidence des enfants.

Jumelage d'une consonne + lettre *l*

Faites relever tous les mots comportant une syllabe en partie formée d'une consonne et de la lettre *l*. (*blanc, simplement, encyclopédie, bibliothèques, publiques, plusieurs, déplaçant, plus, publiées*)

Invitez des élèves à les lire puis à y encercler les lettres jumelées.

Demandez aux enfants d'indiquer d'autres mots porteurs d'une consonne jumelée à la lettre *l*. Écrivez ces mots au tableau. (ex.: bleu, clé, fleur, gland, plat)

3
RETOUR
SUR
L'ENSEIGNEMENT

- Cette lecture a-t-elle trouvé un écho dans la vie de certains de vos élèves? Pouvez-vous dire que ce sont ces mêmes élèves qui se révèlent les meilleurs lecteurs du groupe?

  Combien de vos élèves s'adonnent à la lecture de livres empruntés à une bibliothèque? Cela correspond-il à ce que vous supposiez?

Les enfants ont-ils fait un rapprochement entre Henriette Major et l'auteure des textes de chansons du manuel?

Cette situation d'apprentissage vous a-t-elle permis de faire connaître des activités culturelles accessibles aux enfants de votre milieu?

 Travaux personnels

Proposez aux élèves de lire les textes de la rubrique *Et si on chantait...* vus depuis septembre. Demandez-leur d'en choisir un et de donner deux ou trois raisons à l'appui de leur sélection. Faites se regrouper tous les élèves qui ont choisi la même chanson et laissez chacun et chacune s'en expliquer devant la classe.

Rappel:
Réalisez
l'étape 2 du projet.

PLANIFICATION DE L'ENSEIGNEMENT

BUT

Illustrer les étapes de la vie à travers un bricolage où l'élève présente des membres de sa famille.

ORGANISATION DE LA CLASSE

Collectif, équipes de quatre, six ou sept, individuel

MATÉRIEL NÉCESSAIRE

Par élève : manuel D (pages 17 et 18), cinq assiettes en carton blanc non ciré, un crayon-feutre, des ciseaux, de la gouache, un pinceau, de la colle, de la laine, du ruban adhésif

TEMPS SUGGÉRÉ

110 min

Situation d'apprentissage 8

L'HISTOIRE D'UNE VIE EN CINQ ÉPISODES

Reliées par un simple ruban adhésif, cinq rondes assiettes, taches de couleur sur le mur du temps, tissent les jalons de l'existence.

SAVOIRS ESSENTIELS DES DIFFÉRENTES COMPÉTENCES

L **LIRE DES TEXTES VARIÉS**
C **COMMUNIQUER ORALEMENT**

Connaissances liées au texte :

▶ Exploration et utilisation d'éléments caractéristiques de différents genres de textes ;
▶ Prise en compte des éléments de la situation de communication : intention, contexte, formes du registre standard ;
▶ Prise en compte d'éléments de cohérence : idées rattachées au sujet, reprise de l'information en utilisant des termes substituts (pronoms).

Stratégies de lecture :

▶ Stratégies de reconnaissance et d'identification des mots d'un texte ;
▶ Stratégies de gestion de la compréhension ;
▶ Stratégies d'évaluation de sa démarche.

Stratégies de communication orale :

▶ Stratégies d'exploration ;
▶ Stratégies de partage ;
▶ Stratégies d'écoute ;
▶ Stratégies d'évaluation.

Techniques :

▶ Utilisation de manuels de référence.

U **CONSTRUIRE SA REPRÉSENTATION DE L'ESPACE, DU TEMPS ET DE LA SOCIÉTÉ**

Connaissances liées à l'univers social :

▶ Personnes (les traits physiques et les activités à différents âges de la vie) ;
▶ Groupes auxquels l'élève appartient.

Techniques relatives à l'univers social :

▶ Temps : utilisation de repères (les différentes étapes de la vie sur une ligne du temps).

Cette situation d'apprentissage permet d'aborder des connaissances relevant du domaine des arts, plus spécifiquement de la discipline **arts plastiques.** Toutefois, aucune compétence dans ce domaine ne sera développée.

_____

_____

_____

_____

_____

_____

_____

_____

_____

_____

_____

_____

_____

_____

_____

_____

_____

_____

_____

_____

_____

_____

_____

2

ACTION
EN CLASSE

Ali a représenté sur des assiettes de carton les différentes étapes de la vie. Imagine des membres de la famille qui correspondent à chacun des groupes d'âge donnés.

L'histoire d'une vie en cinq épisodes

1. Les bébés pleurent et dorment beaucoup. Ils apprennent très rapidement à parler, à marcher à quatre pattes et, plus tard, à courir.

2. Les jeunes enfants apprennent surtout en jouant avec les membres de leur famille et avec d'autres enfants. Une fois à l'école, les enfants apprennent à lire, à écrire et à compter. Ils et elles découvrent l'amitié.

3. Les enfants deviennent des adolescents et des adolescentes. Leur personnalité s'affirme. Ce n'est pas toujours facile d'être bien dans ce corps qui change.

4. Les adolescents et les adolescentes deviennent des adultes. Souvent, les adultes travaillent. Ces hommes et ces femmes pourront former un couple et, à leur tour, fonder une famille.

5. Après avoir travaillé très fort, les personnes âgées disposent enfin de temps pour se distraire et pour se reposer.

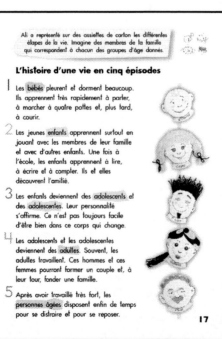

17

Attarde à un épisode un membre de ta famille: une sœur, une cousine, un oncle... Fais-en le croquis de chacune de ces personnes. En petites équipes, partage ton matériel.

Matériel

* 5 assiettes de carton blanc non ciré
* 1 crayon feutre
* des ciseaux
* de la gouache
* 1 pinceau
* de la colle
* de la laine
* du ruban adhésif

Lis le texte pour apprendre comment créer tes propres assiettes.

Ma famille en cinq épisodes

Marche à suivre

1. Écris au bas de chaque assiette le nom de la personne associée à l'épisode.

2. Trace le contour de la tête de cette personne.

3. Découpe ton dessin.

4. Peins le visage avec de la gouache et laisse sécher.

5. Colle des cheveux.

6. Procède de la même façon avec la deuxième personne, et ainsi de suite.

7. Assemble les cinq assiettes, de la personne la plus âgée à la plus jeune, avec du ruban adhésif.

Présente maintenant tes créations aux autres élèves de ta classe.

18

2

ACTION
EN CLASSE

(SUITE)

 Préparation

- <u>Demandez aux élèves d'ouvrir leur manuel aux pages 17 et 18, de survoler le texte</u> (lecture du titre et observation des illustrations). <u>Faites-leur observer la disposition du texte et amenez-les à comprendre qu'il y est question d'un bricolage à faire.</u>

 Réalisation

- <u>Invitez les élèves à lire le texte de la page 17.</u> Rassemblez autour de vous, pour une lecture que vous animerez, ceux qui ont de la difficulté.

<u>Formez des équipes de quatre.</u> Voici une suggestion à ce sujet. Dans une boîte, mettez le même nombre de papiers numérotés que vous avez d'élèves. Faites-leur tirer un papier. Puis, regroupez-les simplement sur la base de numéros qui se suivent : 1 à 4, 5 à 8, 9 à 12, etc., ou encore revenez aux équipes de base.

<u>Dans chaque équipe, suggérez aux enfants de s'identifier par une des lettres A, B, C ou D.</u>

<u>Demandez à tous les élèves A d'expliquer ce qu'ils ont compris dans la partie 1 du texte. Leurs camarades complètent ces informations, si nécessaire.</u>

<u>Invitez ensuite successivement les élèves B, C et D à expliquer respectivement les parties 2, 3 et 4 en faisant aussi intervenir le groupe si les informations données sont insuffisantes. Revenez aux élèves A pour la partie 5.</u>

<u>Une fois que l'ensemble du texte de la page 17 a été ainsi revu, invitez les coéquipiers à procéder au bricolage proposé à la page 18. Chaque élève doit réaliser le sien, mais le travail est régi par les équipes qui voient également à réunir le matériel et à expliquer comment procéder.</u>

Comme le matériel comporte huit composantes, demandez à l'élève A de chaque équipe de nommer les deux premières, à B les 3e et 4e, etc. Une fois les composantes nommées, chaque

membre dépose sur sa table le matériel qui va lui permettre de faire son bricolage. Prévoyez dans la classe une source d'approvisionnement où iront puiser les élèves désignés pour ce faire dans les diverses équipes.

<u>La réalisation du bricolage est également supervisée par les membres de l'équipe.</u> Ainsi, l'élève A lit la première consigne et tous les membres l'exécutent. Puis l'élève B lit la deuxième consigne que chacun et chacune appliquent. Il en va ainsi jusqu'à la 5e consigne qui sera lue de nouveau par l'élève A. Veillez à ce qu'on ne passe jamais à l'étape suivante tant que tous les coéquipiers n'ont pas fini d'exécuter la consigne en cours. Ceux qui terminent plus rapidement que leurs partenaires leur offrent de les aider.

<u>Une fois tous les bricolages terminés, demandez à chaque équipe de ranger le matériel et de nettoyer son aire de travail.</u>

 Intégration et réinvestissement
(équipes de six ou sept)

- <u>Invitez tous les élèves à se réunir selon la lettre qui les identifiait (A, B, C et D).</u>

<u>Demandez à chaque élève de présenter les membres de sa famille aux camarades de sa nouvelle équipe.</u>

<u>Invitez les enfants à soigner leur présentation orale : français oral de registre standard, articulation nette, volume de la voix convenable, vocabulaire soigné. Attention aux prononciations diphtonguées de «père», «mère» et «frère».</u>

<u>Exposez les assemblages dans une section de la classe et offrez aux enfants d'admirer l'ensemble des œuvres produites.</u>

Amenez les enfants à réfléchir au phénomène de la pulsion de la vie dans le temps. Laissez-les choisir un épisode qu'ils jugent particulièrement intéressant et demandez-leur de justifier leur choix.

3

RETOUR
SUR
L'ENSEIGNEMENT

- Cette situation d'apprentissage vous a-t-elle permis de mesurer le degré d'autonomie des élèves dans le cadre du travail d'équipe ?

Y a-t-il eu des contestations au niveau de l'interprétation des consignes ? Avez-vous dû intervenir ?

 Travaux personnels

Si les enfants ont la chance de connaître une personne de plus de 50 ans (tante, oncle, grand-parent, arrière-grand-parent, ami de la famille, voisine), proposez-leur d'interroger cette personne et de lui faire montrer quelques photos d'elle à des âges variés. Ceux qui le souhaitent pourraient parler de cette rencontre à la classe, en se servant des informations recueillies. Par ailleurs, pourquoi ne pas demander directement à ces personnes de venir rendre visite à la classe afin d'évoquer leur passé ?

 Astuce et suggestions (ENRICHISSEMENT)

Je marche dans le temps

Demandez aux enfants de se présenter à la classe en montrant des photos d'eux à différents âges. Faites écrire une courte légende sous chaque photo. Si certains ne souhaitent pas désorganiser leur album de photos, proposez-leur d'écrire une petite légende sur une feuille à part. Si d'autres ont une cassette vidéo de leurs premiers pas, de leur premier anniversaire, etc., pourquoi ne pas le visionner ? À condition, bien sûr, de disposer d'un magnétoscope en classe ou à la bibliothèque.

 TIC

Ma propre ligne du temps

Pour réaliser cette activité, vous devrez préalablement avoir préparé un fichier en dessin vectoriel où vous aurez placé une ligne du temps répartie sur 100 ans. Placez une copie de ce fichier dans chacun des dossiers personnels de vos élèves. Il serait préférable que les élèves soient accompagnés par un ou une élève d'une classe supérieure pour réaliser cette activité.

Demandez aux élèves de s'informer des moments marquants de leur propre vie, de la vie de leur parents et de leurs grands-parents (naissances, mariages, décès, etc.). Donnez-leur les consignes suivantes :

1. Ouvrez le fichier de dessin vectoriel.

2. À l'aide de l'outil d'écriture, créez une étiquette distincte pour chacun des événements relevés.

3. Placez ces étiquettes aux bons endroits sur la ligne du temps.

4. Sauvegardez votre document.

5. Imprimez-le.

Rappel :
Réalisez
l'étape 3 du projet.

**PLANIFICATION
DE
L'ENSEIGNEMENT**

BUTS

• *Se faire lire un conte et réfléchir à certaines vérités généralement admises sur lesquelles il se fonde.*

• *Enrichir son bagage culturel en faisant connaissance avec les gens d'un autre pays.*

**ORGANISATION
DE LA CLASSE**
Collectif, individuel

**MATÉRIEL
NÉCESSAIRE**

• *Par élève : manuel D (pages 19, 20, 21 et 22), feuille reproductible 16.9*

• *Pour la classe : mappemonde ou globe terrestre, documentation (livres, revues, sites Internet) sur la Corée*

• *Pour la consolidation : activité complémentaire 56*

Situation d'apprentissage 9

UNE HISTOIRE À ÉCOUTER

Voici de nouveau pour les élèves l'occasion d'écouter un conte d'ailleurs où se mêlent, dans toute la fantaisie de l'imaginaire, souricette et souriceaux, soleil et vent, rocher et nuage.

SAVOIRS ESSENTIELS
DES DIFFÉRENTES COMPÉTENCES

**C COMMUNIQUER ORALEMENT
A APPRÉCIER DES ŒUVRES LITTÉRAIRES**

Connaissances liées au texte :

▶ Exploration et utilisation d'éléments caractéristiques de différents genres de textes ;
▶ Exploration de quelques éléments littéraires à des fins d'utilisation ou d'appréciation : personnages, temps et lieux du récit, séquence des événements ;
▶ Exploration et utilisation de la structure des textes : récit en trois temps ;
▶ Prise en compte des éléments de la situation de communication : intention, contexte, formes du registre standard ;
▶ Prise en compte d'éléments de cohérence : idées rattachées au sujet, reprise de l'information en utilisant des termes substituts (pronoms).

Stratégies de communication orale :

▶ Stratégies d'exploration ;
▶ Stratégies de partage ;
▶ Stratégies d'écoute ;
▶ Stratégies d'évaluation.

Stratégies liées à l'appréciation d'œuvres littéraires :

▶ S'ouvrir à l'expérience littéraire ;
▶ Établir des liens avec ses expériences personnelles ;
▶ Se représenter mentalement le contenu ;
▶ Échanger avec d'autres personnes.

U CONSTRUIRE SA REPRÉSENTATION DE L'ESPACE, DU TEMPS ET DE LA SOCIÉTÉ

Connaissances liées à l'univers social (ici et ailleurs) :

▶ Groupes (besoins, conditions de vie) ;
▶ Paysages (comparaison entre la Corée et le Québec).

Techniques relatives à l'univers social :

▶ Temps : calcul de durée (décalage horaire entre deux endroits) ;
▶ Espace : localisation, utilisation de points cardinaux (globe terrestre ou mappemonde).

> Cette situation d'apprentissage permet d'aborder des connaissances relevant du domaine des arts, plus spécifiquement de la discipline **arts plastiques.** Toutefois, aucune compétence dans ce domaine ne sera développée.

1

PLANIFICATION DE L'ENSEIGNEMENT (SUITE)

À FAIRE

- *Photocopier la feuille reproductible 16.9 (une copie par élève).*

- *Demander au personnel de la bibliothèque de mettre en réserve des revues et des livres sur la Corée, accessibles aux enfants de 7 et 8 ans.*

- *Relever des adresses de sites Internet sur ce pays (voir la bibliographie des sites Internet, page 90).*

TEMPS SUGGÉRÉ

110 min

2

ACTION EN CLASSE

Notes personnelles

ACTIVITÉ DE
CONSOLIDATION

*Activité complé-
mentaire 56 :
Un conte collectif
(en équipes)*

– *Imaginer un
conte en équipe
et l'écrire.*

▶ *L'élève réutilise
les expressions
et le vocabulaire
travaillés en
lecture et en
communication
orale, ainsi que
dans les autres
disciplines.*

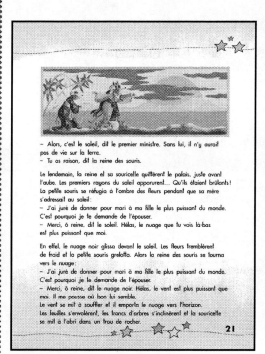

 Préparation

- Faites ouvrir le manuel à la page 19. Demandez aux élèves de lire le texte de la bulle (lisez-le vous-même si vous le jugez à propos), de même que le titre du conte.

Aidez les élèves à localiser la Corée sur le globe terrestre ou la mappemonde. Au besoin, formulez certains indices (continent, pays voisins). Si les élèves situent rapidement la Corée, faites-leur nommer les pays voisins.

Si un ou des enfants coréens font partie de votre groupe, invitez-les à parler de ce pays : climat, habitation, nourriture, existence de deux entités (Corée du Sud et Corée du Nord), etc., ou, à défaut, de s'informer auprès de leurs parents et de rapporter des données intéressantes, voire des objets, sur ce pays.

Montrez aux élèves quelques livres sur ce pays.

Faites observer quelques-unes des illustrations de ces livres, en relation avec les thèmes mentionnés plus haut.

Montrez des photos de ce pays, puis invitez les enfants à comparer la végé-tation, les paysages de Corée à ceux du Québec, de façon à en dégager les ressemblances et les différences.

Revenez à la page 19 du manuel et parlez du décalage horaire entre le Québec et la Corée du Sud.

Faites rappeler d'autres contes traditionnels que les élèves connaissent. De quels contes parus sous la rubrique *Une histoire à écouter* se souviennent-ils ? Lequel ont-ils préféré ? Faites-en rappeler l'histoire et expliquer pourquoi il est leur favori.

Dites aux élèves que le conte qu'ils vont entendre a pour cadre la Corée du Sud. Demandez où est placé le sud sur la mappemonde, sur le globe terrestre, par rapport à l'école. Faites nommer les autres points cardinaux et demandez aux enfants de les situer dans la classe.

Remettez la feuille reproductible 16.9 aux élèves. Ils devront s'en servir pendant et après la lecture du conte.

NOTE : Le schéma narratif de la feuille reproductible 16.9 est présenté en cinq temps. Selon la capacité de compréhension des élèves de votre classe, vous pouvez le modifier afin qu'il corresponde au récit en trois temps (début, milieu et fin) proposé pour le premier cycle dans le Programme.

Réalisation

• Invitez les enfants à s'installer confortablement pour écouter le récit que vous allez leur lire.

Lisez la première phrase du texte et demandez aux enfants de remarquer le nom poétique qu'on donne à la Corée dans le conte.

Lisez ainsi jusqu'à *demanda une vieille souris* (3ᵉ paragr., 2ᵉ dialogue).

Invitez les enfants à encercler sur la feuille reproductible l'être ou l'élément qu'ils jugent le plus puissant. (chat? homme? nuage? rocher? soleil? souris? tigre? vent?)

Poursuivez la lecture et demandez aux élèves de tracer un X sur les êtres ou les éléments, au fur et à mesure qu'ils sont éliminés dans le récit.

Une fois le conte terminé, invitez les élèves à expliquer sur quoi ils se sont basés dans leur choix.

Revenez au récit pour demander aux enfants pourquoi l'homme n'est pas le plus puissant. *Pourquoi n'est-ce pas non plus le soleil? le nuage? le vent? le rocher? Pourquoi les souris l'emportent-elles sur tous les autres?*

Intégration et réinvestissement

• Invitez les élèves à ouvrir leur manuel aux pages 20 à 22 pour y observer les illustrations et les relier à des épisodes du conte. Faites remarquer la façon dont les souris sont vêtues.

Faites prendre conscience aux élèves que la reine des souris quitte son rocher avec sa fille pour aller à la recherche de l'être le plus puissant et lui offrir sa fille en mariage, alors que cet être se trouve tout près, parmi son peuple. Invitez-les à trouver des exemples concrets où on croit qu'on trouverait mieux ailleurs, alors que ce qu'on cherche est tout près, sous la main (ex.: penser qu'on serait mieux dans une autre famille que la sienne, que ses amis sont plus gâtés que

soi, que la nourriture est plus savoureuse chez les voisins, etc.).

Proposez aux élèves de raconter cette histoire à la maison, à un frère, une sœur, un parent. Pour mieux retenir le conte, invitez-les à dessiner un schéma en complétant la feuille reproductible par des dessins. Faites écrire le titre au centre du diagramme. À l'aide de questions dirigées, faites identifier les éléments importants à dessiner dans chaque espace. Dites aux enfants qu'à l'aide du schéma, ils pourront non seulement raconter le conte, mais aussi l'embellir, y ajouter des détails, faire aller leur imagination.

Voici quelques données pour vous guider.

1. *Situation de départ*

La reine des souris habitait les plus beaux appartements de cet immense rocher.

2. *Élément déclencheur*

Un jour d'été, la reine mit au monde douze petits: onze souriceaux et une jolie petite souricette.

3. *Problème et solution*

Les souriceaux grandirent et la petite souris devint si jolie que sa mère annonça à son peuple: «Ma souricette est la plus belle princesse de la terre. Elle épousera celui qui est le plus puissant du monde.»

4. *Résultat*

Qui est le plus puissant du monde? «L'époux de ma souricette sera le souriceau le plus courageux de notre peuple.»

5. *Fin*

La petite souris épousa le plus courageux des souriceaux du grand rocher, et ils vécurent longtemps heureux.

Demandez aux élèves de comparer les connaissances qu'ils avaient sur la Corée antérieurement à cette situation d'apprentissage à celles qu'ils ont acquises dans l'intervalle. Faites-leur cibler ce qu'ils retiennent de plus important sur ce pays ou sur le peuple coréen.

3

RETOUR SUR L'ENSEIGNEMENT

- Vos élèves ont-ils succombé au charme de ce conte ?

  Que savent-ils désormais de la Corée qu'ils ignoraient avant cette situation d'apprentissage ?

Comment les enfants ont-ils procédé pour identifier l'élément le plus puissant de la terre ? Pensez aux raisons données par chacun et chacune pour justifier son choix à ce sujet.

 TIC

La Corée ou les Corées ?

Cette activité est directement liée à la situation d'apprentissage 9. Vous devrez préalablement créer une banque de signets (favoris) pour les différents sites sur la Corée (voir la bibliographie des sites Internet, page 90).

Donnez les consignes suivantes aux élèves :

1. Ouvrez le fureteur.

2. Ouvrez la banque de signets sur la Corée.

3. Visitez un site de votre choix.

4. Choisissez une information qui présente une différence entre la Corée et notre milieu de vie.

5. Imprimez les informations et discutez-en avec vos coéquipiers.

Rappel :
Réalisez
l'étape 4 du projet.

 Activité 3

Notes personnelles

_____
_____
_____
_____
_____
_____
_____
_____
_____
_____
_____
_____
_____
_____
_____
_____
_____
_____

PLANIFICATION DE L'ENSEIGNEMENT

BUT

Évaluer ce qu'il en est des compétences en lecture et en écriture.

ORGANISATION DE LA CLASSE

Collectif, équipes de deux, individuel

MATÉRIEL NÉCESSAIRE

*Par élève :
manuel D (pages 23, 24 et 25)*

TEMPS SUGGÉRÉ

200 min

Fais le point avec Astuce

Le mois de février s'achève et, même s'il fut bref, il a tout de même permis aux enfants de réaliser de nombreuses activités qui ont notamment favorisé le développement des compétences en lecture et en écriture. Ce sont ces deux compétences qui seront sous la loupe dans cette rubrique, où il est proposé un réinvestissement des acquis dans un nouveau contexte.

SAVOIRS ESSENTIELS DES DIFFÉRENTES COMPÉTENCES

L **LIRE DES TEXTES VARIÉS**
E **ÉCRIRE DES TEXTES VARIÉS**

Connaissances liées au texte :

▶ Exploration et utilisation d'éléments caractéristiques de différents genres de textes ;
▶ Exploration de quelques éléments littéraires à des fins d'utilisation ou d'appréciation : personnages, temps et lieux du récit ;
▶ Prise en compte des éléments de la situation de communication : intention, contexte, formes du registre standard ;
▶ Prise en compte d'éléments de cohérence : idées rattachées au sujet, reprise de l'information en utilisant des termes substituts (pronoms).

Connaissances liées à la phrase :

▶ Recours à la ponctuation : point ;
▶ Reconnaissance et utilisation du groupe du nom : Pronom, Nom, Dét. + Nom ;
▶ Accords dans le groupe du nom : Dét. + Nom ;
▶ Exploration et utilisation du vocabulaire en contexte ;
▶ Utilisation de l'orthographe conforme à l'usage.

Stratégies de lecture :

▶ Stratégies de reconnaissance et d'identification des mots d'un texte ;
▶ Stratégies de gestion de la compréhension ;
▶ Stratégies d'évaluation de sa démarche.

Stratégies d'écriture :

▶ Stratégies de planification ;
▶ Stratégies de mise en texte ;
▶ Stratégies de révision ;
▶ Stratégies de correction ;
▶ Stratégies d'évaluation de sa démarche.

Techniques :

▶ Apprentissage de la calligraphie ;
▶ Utilisation de manuels de référence.

Cette rubrique permet d'aborder des connaissances relevant du domaine des arts, plus spécifiquement de la discipline **arts plastiques**. Toutefois, aucune compétence dans ce domaine ne sera développée.

Notes personnelles

ACTION
EN CLASSE

Le grand Florent

Comme tous les garçons de son âge, Florent grandit. Il ne s'en rend pas compte, mais il grandit. Assis sur son lit dans sa chambre, Florent se souvient. Au début de l'hiver, il a ouvert une armoire et il a enfilé de vieux vêtements. Mais ses pieds n'entraient plus dans ses bottes. Sa tuque lui serrait la tête. Son beau manteau décoré d'un ours polaire était trop petit.

Il se souvient qu'il a vite mis le manteau, la tuque, les gants et les bottes de son grand frère. Chaudement habillé, il s'est élancé dehors. Il a roulé des boules de neige et il en a fait des bonshommes... des bonshommes beaucoup plus grands que ceux qu'il faisait l'hiver dernier.

Voilà à quoi Florent pense devant la fenêtre de sa chambre à regarder tomber les flocons. Il tourne la tête et voit la marque sur le mur. Elle indique qu'il a grandi de quatre centimètres depuis l'an dernier. Incroyable!

Et l'hiver prochain, Florent aura sans doute encore grandi...

Gilles Tibo

23

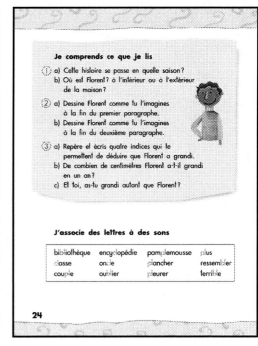

Je comprends ce que je lis

1. a) Cette histoire se passe en quelle saison?
   b) Où est Florent? à l'intérieur ou à l'extérieur de la maison?

2. a) Dessine Florent comme tu l'imagines à la fin du premier paragraphe.
   b) Dessine Florent comme tu l'imagines à la fin du deuxième paragraphe.

3. a) Repère et écris quatre indices qui te permettent de déduire que Florent a grandi.
   b) De combien de centimètres Florent a-t-il grandi en un an?
   c) Et toi, as-tu grandi autant que Florent?

J'associe des lettres à des sons

bibliothèque	encyclopédie	pamplemousse	plus
classe	oncle	plancher	ressembler
couple	oublier	pleurer	terrible

24

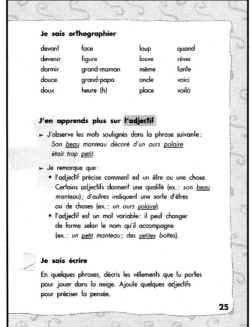

Je sais orthographier

devant	face	loup	quand
devenir	figure	louve	rêver
dormir	grand-maman	même	tante
douce	grand-papa	oncle	voici
doux	heure (h)	place	voilà

J'en apprends plus sur l'adjectif

▸ J'observe les mots soulignés dans la phrase suivante:
   Son _beau_ manteau décoré d'un ours _polaire_ était trop _petit_.

▸ Je remarque que:
   • l'adjectif précise comment est un être ou une chose. Certains adjectifs donnent une qualité (ex.: son _beau_ manteau); d'autres indiquent une sorte d'êtres ou de choses (ex.: un ours _polaire_).
   • l'adjectif est un mot variable: il peut changer de forme selon le nom qu'il accompagne (ex.: un _petit_ manteau; des _petites_ bottes).

Je sais écrire

En quelques phrases, décris les vêtements que tu portes pour jouer dans la neige. Ajoute quelques adjectifs pour préciser ta pensée.

25

NOTE: Vous pouvez choisir de réaliser successivement les trois parties (préparation, réalisation, intégration et réinvestissement) d'une même section de la rubrique avant de passer à une autre section.

Préparation

• Faites ouvrir le manuel aux pages 23, 24 et 25.

Invitez les enfants à expliquer eux-mêmes le contenu de ces pages. Assurez-vous que chaque section de la rubrique est présentée: son nom, le genre d'activités qui s'y trouvent, la façon de travailler (individuellement [_Je comprends ce que je lis_] ou en équipes de deux [_J'associe des lettres à des sons_ et _Je sais orthographier_]. Remarque: les activités en équipes peuvent être réalisées individuellement, si désiré.

JE COMPRENDS CE QUE JE LIS

• Demandez aux élèves de rappeler la démarche de lecture. Au besoin, invitez les élèves à consulter la page 142 de leur manuel (version simplifiée de la démarche).

J'ASSOCIE DES LETTRES À DES SONS

• Assurez-vous que les enfants savent qu'ils doivent identifier des sons associés à des graphies variées, et qu'une activité de regroupement de mots leur sera proposée.

JE SAIS ORTHOGRAPHIER

- Répartissez les mots de la liste sur les deux semaines qui précèdent le moment où vous aborderez cette rubrique.

  Faites énoncer les stratégies d'acquisition de l'orthographe d'usage, désormais connues (voir *Astuce et l'orthographe*, page 139 du manuel D).

J'EN APPRENDS PLUS SUR L'ADJECTIF

- Si vous avez jugé approprié de donner la leçon de grammaire du module, présentée au cours de la situation d'apprentissage 4, revoyez avec les élèves les notions qui y ont été exposées ou faites-les-leur résumer.

  Vérifiez que les élèves comprennent le concept d'adjectif de façon à l'identifier en lecture, à l'utiliser et à l'accorder tout en se faisant aider en écriture (l'accord de l'adjectif avec le déterminant et le nom est au programme du 2e cycle).

JE SAIS ÉCRIRE

- Invitez les enfants à nommer les diverses étapes du processus d'écriture en mentionnant l'essentiel de ce qu'il faut faire dans chacune.

  - Planification : énoncé des idées, partage de ses connaissances et exploration des idées liées au projet d'écriture.

  - Rédaction : mise en mots des idées, activation de ses connaissances et des stratégies appropriées, sollicitation de l'aide de quelqu'un, emploi d'un symbole pour marquer les mots non connus ou dont on doute de l'orthographe.

  - Révision : lecture pour améliorer le choix des idées, les termes utilisés et pour intégrer les expressions et le vocabulaire travaillés en classe.

  - Correction à l'aide de toutes les ressources mises à sa disposition et en évoquant les stratégies apprises relativement à l'orthographe d'usage et grammaticale pour rectifier les phrases incorrectes sur le plan de la syntaxe, pour ajuster la ponctuation selon les règles apprises et pour rectifier l'orthographe d'usage selon les contenus prescrits.

  - Transcription : ajuster le contenu de son texte selon le support retenu en effectuant une mise en pages appropriée, à la main ou au traitement de texte. La transcription du texte en écriture script ou cursive se fait de façon soignée et est suivie d'une relecture.

  - Diffusion et autoévaluation : remise du texte au ou à la destinataire, retour sur l'intention d'écriture, les difficultés éprouvées, les stratégies utilisées tout au long du processus.

 Réalisation

JE COMPRENDS CE QUE JE LIS

- Invitez les élèves à une lecture individuelle du texte de la page 23.

  Une fois la lecture terminée, demandez-leur de répondre aux deux premières séries de questions.

  Lancez à vos meilleurs lecteurs le défi de répondre aussi aux questions de la troisième série.

  Regroupez auprès de vous les lecteurs particulièrement faibles. Proposez-leur une lecture collective du premier paragraphe. Faites relever les mots ou expressions difficiles, relisez-les en faisant choisir et appliquer une stratégie d'identification de ces mots. (ex. de mots difficiles : *rend compte*, *souvient*) Donnez-leur le choix de lire seuls ou en tandems le deuxième paragraphe. Faites relever les mots difficiles, les stratégies utilisées et faites ressortir les idées principales du paragraphe. Demandez de terminer individuellement la lecture du texte et de répondre à la première série de questions. Suggérez à ceux qui en auront le temps de répondre aussi aux questions de la deuxième série.

Procédez à une mise en commun des réponses. Faites circuler les dessins de Florent tel que les élèves l'ont imaginé à la fin de chacun des deux premiers paragraphes.

J'ASSOCIE DES LETTRES À DES SONS

 ou

- Invitez les élèves à lire les mots de la liste.

Une fois la lecture des mots terminée, demandez à chaque élève de les regrouper. Voici des suggestions de regroupements : consonne jumelée à un *l* ; [u] ; [i] ; [s] ; [ã] ; [e] ; *e* muet.

Faites une mise en commun des regroupements tels qu'ils ont été suggérés : consonne jumelée + *l* : tous les mots de la liste ; [u] : *couple, oublier, pamplemousse* ; [i] : *bibliothèque, encyclopédie, oublier, terrible* ; [s] : *classe, encyclopédie, pamplemousse, plus, ressembler* ; [ã] : *encyclopédie, pamplemousse, plancher, ressembler* ; [e] : *encyclopédie, oublier, plancher, pleurer, ressembler* ; *e* muet : *bibliothèque, classe, couple, encyclopédie, oncle, pamplemousse, terrible.*

JE SAIS ORTHOGRAPHIER

NOTE : Une liste de mots incluse dans le fascicule d'introduction du *Guide d'enseignement* (section 9.4) pourra éventuellement compléter les mots déjà présentés dans le manuel, et ce, afin de répondre aux exigences du programme qui prescrit l'étude de 500 mots du point de vue de l'orthographe d'usage.

 ou

- Invitez les élèves, seuls ou en équipes de deux, à utiliser les stratégies qui conviennent pour mémoriser l'orthographe des mots de la liste.

JE SAIS ÉCRIRE

- Lisez la consigne aux élèves et demandez-leur de suivre les étapes de la démarche d'écriture.

Pendant cette activité, circulez dans la classe. Prenez le temps de lire les textes, encouragez, félicitez les efforts de chacun et chacune, soulignez les idées liées au sujet, la variété et la précision du vocabulaire, la construction des phrases, etc.

Invitez les élèves qui le désirent à lire leur texte à l'ensemble de la classe. Dans chaque texte, soulignez un aspect positif, comme vous l'avez fait durant l'activité.

Intégration et réinvestissement

- Demandez aux élèves de procéder, un peu différemment cette fois, à un bilan. Ainsi, invitez-les à voir en quoi ils ont progressé au cours des deux dernières semaines. Voici des pistes de comparaison :

  - Lecture : a-t-elle été individuelle dans ce cas ? faite avec rapidité, au point qu'il a été possible de répondre à deux ou trois séries de questions ?

  - Association sons et graphies : tous les regroupements ont-il été réussis ? Tous les mots porteurs de syllabes comportant une consonne jumelée à un *l* ont-ils été identifiés ?

– Orthographe : tous les mots sont-ils mémorisés ? Avez-vous constaté une utilisation réussie d'une stratégie autour de laquelle ont été regroupés certains mots ?

– Écriture : tous les mots sont-ils présents dans le texte ? Toutes les phrases sont-elles bien construites ? Le vocabulaire a-t-il été particulièrement soigné : mots variés, précis, présence d'adjectifs ? Y a-t-il encore des fautes d'orthographe ? La calligraphie s'est-elle améliorée ?

Demandez aux enfants de nommer la plus grande difficulté éprouvée, un progrès réalisé et une réussite dont ils sont particulièrement fiers.

• Comme c'est le cas chaque fois que se termine une rubrique *Fais le point avec Astuce*, l'heure est au bilan. Quelles sont, pour l'ensemble du groupe, les améliorations les plus évidentes ou qui vous procurent le plus de satisfaction ?

Certains élèves particulièrement faibles démontrent-ils une meilleure maîtrise des compétences en lecture ? en écriture ?

Les stratégies d'acquisition de l'orthographe sont-elles généralement utilisées ? Les élèves les trouvent-ils efficaces ?

La leçon portant sur les adjectifs vous paraît-elle assimilée ? Les élèves reconnaissent-ils les mots de cette classe ? les utilisent-ils dans leurs propres textes ?

Quels points faibles, identifiés lors de cette rubrique, vous proposez-vous de travailler et de faire travailler davantage lors du prochain module ?

Notes personnelles

_____

_____

_____

_____

_____

_____

_____

_____

_____

_____

_____

_____

_____

_____

_____

_____

_____

_____

_____

À l'ordinateur avec Marilou

Le module 16 comprend trois activités distinctes :

- une activité de classification
  – *Mon arbre généalogique* ;

- une activité de classification
  – *Mon cerveau* ;

- une activité de diaporama
  – *Les épisodes d'une vie*.

Activité 1

MON ARBRE GÉNÉALOGIQUE

TYPE D'ACTIVITÉ
Activité simple, autonome

MATÉRIEL NÉCESSAIRE
Dossier MODULE 16 du cédérom

TEMPS SUGGÉRÉ
De 15 min à 20 min par élève

- Cette activité de classification est axée sur la collecte et l'organisation de l'information. Elle favorise le développement d'une compétence d'ordre intellectuel (classification) et d'une compétence d'ordre méthodologique (organiser l'information à traiter). Elle permet également d'aborder des connaissances relevant d'une discipline (mathématique) sans toutefois viser le développement de compétences. Toutes les directives sont données en mode graphique.

- Il est proposé à l'élève de s'informer auprès de ses parents pour connaître la date et le lieu de naissance de ses parents et de ses grands-parents. L'élève devra également connaître sa date et son lieu de naissance. Il ou elle aura par la suite à insérer ces informations dans un arbre généalogique qui pourra être imprimé.

- Vous trouverez la démarche proposée pour réaliser l'activité 1 dans le dossier *MODULE 16* du cédérom.

- Il faut prévoir entre 15 min et 20 min par élève pour réaliser cette activité.

Activité 2

MON CERVEAU

TYPE D'ACTIVITÉ
Activité moyenne, autonome

MATÉRIEL NÉCESSAIRE
Dossier MODULE 16 du cédérom

TEMPS SUGGÉRÉ
Environ 20 min par élève

- Cette activité vise le développement de compétences d'ordre intellectuel (résoudre, classer, exercer son jugement critique), d'une compétence d'ordre méthodologique (exploiter les TIC) et d'une compétence disciplinaire (français). Elle permet également d'aborder des connaissances relevant d'une autre discipline (mathématique) sans toutefois viser le développement de compétences. Certaines directives sont données en mode vocal, alors que d'autres sont graphiques.

- Dans cette activité, on initie l'élève au fonctionnement du cerveau. Elle ou il sera sensibilisé aux automatismes qui régularisent son corps, aux activités qui obéissent à sa volonté, à son affect et à son intellect. L'élève devra classer des activités de son quotidien en les associant à la région de son cerveau qui les commande.

- Vous trouverez la démarche proposée pour réaliser l'activité 2 dans le dossier *MODULE 16* du cédérom.

- Il faut prévoir environ 20 min par élève pour réaliser cette activité.

LES ÉPISODES D'UNE VIE

TYPE D'ACTIVITÉ
Activité complexe, autonome

MATÉRIEL NÉCESSAIRE
Dossier MODULE 16 du cédérom

TEMPS SUGGÉRÉ
Environ 40 min par élève

- Cette activité favorise le développement de compétences d'ordre intellectuel (exploiter l'information, exercer son jugement critique et mettre en œuvre sa pensée créatrice), d'une compétence d'ordre méthodologique (exploiter les TIC) et d'une compétence disciplinaire (français). Toutes les directives sont données en mode vocal. La tâche est complexe, mais l'élève peut la réaliser de façon autonome.

- Dans cette activité, il est proposé à l'élève de produire un diaporama. Il ou elle doit écouter les réflexions de Marilou qui songe à ce qu'elle va vivre lorsqu'elle vieillira. L'élève doit ensuite écrire un court texte pour décrire chacune des étapes de sa vie future, telle qu'il ou elle les imagine.

- Vous trouverez la démarche proposée pour réaliser l'activité 3 dans le dossier *MODULE 16* du cédérom.

- Il faut prévoir environ 40 min par élève pour réaliser cette activité.

Notes personnelles

Activités d'animation littéraire

Activité 1

PRÉSENTATION DE LA SÉLECTION DU MODULE

- **Faire connaître l'ensemble des livres proposés pour le module.**

- **Associer des livres de la sélection avec chaque couplet de la chanson du module.**

- **Susciter l'intérêt des élèves pour des livres traitant des différents thèmes du module.**

- **Sélectionner un livre en vue de l'emprunter** (ce livre sera lu par l'élève ou par une personne adulte, en classe ou à la maison).

ORGANISATION DE LA CLASSE
Collectif, individuel

MATÉRIEL NÉCESSAIRE
Livres de la sélection et ouvrages des bibliothèques scolaire et municipale portant sur les thèmes du module.

Préparation

- Formez cinq équipes et assignez à chacune un couplet de la chanson.

  Présentez l'activité. Chaque équipe doit trouver, parmi les livres exposés, au moins un ouvrage sur le couplet dont elle a la responsabilité. Avant de leur faire faire leur sélection, vérifiez avec les élèves les critères sur lesquels ils se baseront et ce qu'ils auront à faire après quoi :

  - observer l'illustration de la couverture ainsi que celles du corps du livre (autrement dit, les illustrations qui accompagnent le texte) ;

  - lire le titre du texte ;

  - lire la quatrième de couverture, le cas échéant ;

  - lire la table des matières ou l'index, le cas échéant ;

  - lire le titre des chapitres s'il n'y a pas de table des matières ;

  - lire les mots en caractères gras dans le texte, s'il y a lieu ;

  - apporter les livres et s'asseoir par terre en équipes.

Réalisation

- En attendant que toutes les équipes se soient installées, invitez les élèves à feuilleter les livres ; le ou la porte-parole de chaque équipe fait connaître à la classe les critères qui ont permis à l'équipe de faire son choix de livres. Approuvez ou rejetez.

Si, dans l'équipe, un ou une élève connaît déjà le contenu du livre, demandez-lui de faire connaître son appréciation à ses coéquipiers et de la justifier.

Informez-vous auprès des élèves pour savoir s'ils aimeraient que quelqu'un leur lise un des livres qu'ils feuillettent. Faites dégager les éléments (illustrations ; personnages, objets, lieux, événements pour les textes littéraires ; sujets et aspects traités pour les textes courants) qui suscitent leur intérêt pour ce livre. Établissez un calendrier de lecture à haute voix afin de vous assurer que des extraits des livres choisis soient lus aux élèves.

Intégration

- Questionnez les élèves pour savoir ce qu'ils ont aimé de l'activité. Si celle-ci se tient à la bibliothèque scolaire, apportez en classe les livres non empruntés pour les mettre dans le coin lecture.

NOTE : S'il y a plusieurs classes de 2e année, partagez les livres lorsque la dernière aura réalisé l'activité. Ensuite, mettez en place un système de rotation entre les classes de telle sorte que tous les élèves aient la possibilité de lire ou de se faire lire des livres.

Lisez régulièrement un livre en relation avec l'un des thèmes exploités. Lorsque vous présentez et lisez un livre en particulier aux élèves, il importe de tirer parti du questionnement déjà utilisé dans les situations d'apprentissage afin d'établir un lien entre les activités du manuel et la lecture pour le plaisir.

Identifiez les livres que les parents pourraient lire à leur enfant. À cet égard, faites parvenir une note à la maison invitant un membre de la famille à lire

• Les livres devraient
  être exposés sur
  de grandes tables
  à la bibliothèque
  ou sur les pupitres,
  en classe.

• Cette activité
  devrait idéalement
  être réalisée après
  la situation
  d'apprentissage 1.

BUTS

• Adapter un jeu
  de société en utili-
  sant des indices
  d'ordre littéraire.

• Susciter l'intérêt
  pour les titres
  utilisés pour la
  fabrication du jeu.

**ORGANISATION
DE LA CLASSE**

Collectif, équipes
de quatre

**MATÉRIEL
NÉCESSAIRE**

Deux ou trois exem-
plaires du jeu Le jeu
des familles (ce jeu
est aussi connu sous
le nom de Jeu des
7 familles), fiches
cartonnées de
12 cm x 1,5 cm
coupées en deux,
un livre par élève

le livre apporté par l'enfant et à discuter avec elle ou lui de son appréciation de l'histoire ou de l'information. Il importe d'organiser un système de prêt pour la classe afin de contrôler la sortie et le retour des livres, et de veiller à éviter toute perte. Par exemple, l'inscription du titre ou de la cote du livre sur la liste des élèves conviendrait pour ce faire. Par ailleurs, cette façon de procéder permettrait notamment d'évaluer l'intérêt des élèves pour la lecture.

Favorisez la fréquentation du coin lecture selon différentes modalités : lors d'ateliers, de périodes libres, après avoir terminé une activité, etc. Les élèves en profiteront certainement pour feuilleter de nouveau les livres qui leur auront été lus ; ils pourront également le recommander à un ou une camarade. C'est aussi, bien sûr, l'occasion de découvrir nombre d'autres livres.

Lorsqu'un ou une élève rapporte un livre, demandez-lui de faire connaître son «coup de cœur» dans le coin lecture ou dans son *Album souvenirs de mes lectures*. Rappelez-lui de le faire figurer à côté du titre du livre et du nom de l'auteur ou de l'auteure, qu'ils auront recopiés.

Invitez les élèves qui le désirent à laisser une trace de leur appréciation du livre dans leur *Album souvenirs*. Cette activité peut être faite en classe ou à la maison.

Assurez-vous que le livre soit remis dans le coin lecture sitôt rapporté afin qu'un ou une autre élève puisse l'emprunter à son tour.

Activité 2
LE JEU DES 7 FAMILLES

 Préparation

• Choisissez deux ou trois jeux de société «jeu de familles». Les classes de maternelle, le service de garde de l'école ou une boutique spécialisée pourraient certainement vous les fournir.

Demandez aux élèves s'ils ont déjà joué à ce jeu de société. Les élèves qui le connaissent pourraient expliquer à la classe comment y jouer, en se servant des exemplaires que vous avez apportés en classe.

 Réalisation

• Questionnez les élèves sur le but du jeu : réunir un maximum de familles. Chaque famille peut être composée de 4, 5 ou 6 membres (cartes) ; pour réunir les cartes d'une même famille (dans notre cas, des cartes appartenant à un même livre), chaque élève tente d'obtenir auprès de ses coéquipiers les cartes qui lui manquent pour former une famille.

Expliquez la préparation au jeu. Il faut bien mélanger les cartes qui constituent sept familles et en distribuer cinq par élève ; les autres cartes sont placées face contre la table. Déterminez le critère qui désignera le premier joueur ou la première joueuse.

Le jeu se déroule de la façon suivante : l'élève qui joue demande à un ou une camarade de son choix de lui remettre une carte dont il ou elle a besoin pour compléter une famille ; pour ce faire, il ou elle doit indiquer le titre du livre et le renseignement désiré, par exemple le nom de l'auteur ou l'auteure. Aussi longtemps que ce joueur ou cette joueuse obtient la carte souhaitée, il ou elle peut formuler de nouvelles demandes auprès de la même personne ou d'une autre. S'il ou si elle n'obtient pas la carte demandée, il ou elle prend la carte sur le dessus du paquet. C'est la personne qui vient d'être questionnée qui prend la relève. Lorsqu'un joueur ou une joueuse détient une carte demandée, elle ou il est obligé de la remettre à la

• *L'activité se déroule en trois étapes : la première journée est consacrée à la préparation ; la deuxième, à la réalisation ; la troisième, à l'intégration.*

• *Cette activité devrait idéalement être réalisée après la situation d'apprentissage 3 (les élèves peuvent construire le jeu à la maison).*

personne qui la réclame. Aussitôt qu'un joueur ou une joueuse a constitué une famille, il ou elle dépose les cartes correspondantes sur la table.

Vous pouvez afficher ces règles dans le coin lecture et mettre à la disposition des élèves toutes les familles produites par la classe.

Faites jouer les élèves. Lorsqu'ils ont tous exploré le jeu, proposez-leur de l'adapter pour en faire un jeu littéraire. Pour ce faire, chaque élève doit choisir dans le coin lecture ou à la bibliothèque un livre qu'il ou elle a déjà lu avec plaisir.

 Intégration

• Animez une discussion pour déterminer les différentes composante du jeu. Transcrivez les propositions des élèves au tableau.

– *Qu'est-ce qu'il y aura sur le dos de la carte que tous les joueurs voient au cours du jeu ?* (Le mot « livre » écrit en différents caractères ; une illustration représentant un passage précis de l'histoire ; etc.)

– *Quels renseignements allez-vous inscrire au recto ? Combien ?* (Idéalement six indices ; seulement quatre pour les élèves de 2e année. Exemples : nom de l'auteur ou de l'auteure, de

l'illustrateur ou de l'illustratrice, d'un des personnages [le plus important pour l'élève], un lieu, une action importante, la collection, etc.)

Chaque élève crée son jeu de cartes à partir des indices retenus et compte tenu du livre qu'il ou elle a choisi. Les élèves déterminent la quantité de cartes requises pour former une famille Vérifiez l'orthographe des renseignements. Après la correction du texte, les élèves soulignent sur chaque carte un renseignement différent.

Quatre élèves jouent avec leur propre jeu de cartes et trois autres produits par des camarades. Après avoir joué, les élèves peuvent se présenter mutuellement les livres. Ceux qui le désirent pourraient les emprunter pour les lire ou se les faire lire à la maison.

Proposez aux élèves d'adapter le jeu de loto ou celui des échelles et serpents.

Exemple d'une carte, recto verso :

verso	recto
LIVRE	– Les Cauchemars du petit géant – Gilles Tibo – Sylvain – Lit des parents

Activité 3

GRANDE ANIMATION DE LA LECTURE

NOTE : Il importe que les livres utilisés pour l'animation de la lecture au cours de l'année soient réservés à la classe de 2e année du premier cycle. Il convient donc de demander aux enseignants du préscolaire et de 1re année de ne pas les utiliser.

 Préparation

• Posez les questions suivantes aux élèves :

– *Vous arrive-t-il de rêver ?*
– *Il y a de bons et de mauvais rêves. Lesquels préférez-vous ?*

Laissez les élèves discuter librement.

Réalisation

Étape 1

- Faites asseoir les élèves en demi-cercle dans la classe ou dans tout autre lieu que vous jugerez favorable.

Dites-leur que vous allez leur raconter une histoire dans laquelle ils devront découvrir si Julia fait un bon ou un mauvais rêve.

Lisez aux enfants les trois premiers chapitres en posant les questions suivantes.

À la page 13, tout de suite après «Ou quelque chose comme ça…»:
- *Qui est ce petit personnage? Pourquoi vient-il voir Julia?*

À la page 18 de la lecture, prenez le temps nécessaire pour afficher le portrait agrandi du chef des Pois.

À la fin du chapitre 2, page 21 :
- *Croyez-vous que le chef des Pois soit un personnage bon?*

À la fin du chapitre 3, à la page 29 :
- *Croyez-vous que Julia ait vraiment tué le chef des Pois?*

Étape 2
(Idéalement, dans la même journée ou le lendemain)

- Continuez le questionnement au fur et à mesure du déroulement de l'histoire.

À la fin de la page 36, proposez aux élèves de répondre aux questions posées par Julia.

À la page 41 :
- *À quoi rêvez-vous?*
- *Avez-vous un rêve qui revient souvent? Quel est-il?*

À la page 44 :
- *Que voit Julia sur son édredon?*

Laissez les enfants s'exprimer en leur demandant, chaque fois, à quoi le dessin apparu pourrait bien servir.

À la page 57 :
- *Julia a-t-elle fait un beau rêve ou un cauchemar? Expliquez pourquoi.*
- *Le chef des Pois est-il déjà venu chez toi?*

- *Aimeriez-vous qu'il vienne dans votre chambre un jour?*
- *S'il venait un jour, quel rêve lui demanderiez-vous de vivre?*
- *Avez-vous trouvé un truc pour rêver à ce que vous voulez?*

Terminez la lecture lentement, à voix basse, en détachant chaque mot.

Intégration

- Posez les questions suivantes aux élèves.

- *Vous réveillez-vous parfois la nuit, avec l'envie de crier ou de pleurer?*
- *Est-ce qu'il y a un personnage ou un animal qui revient dans vos cauchemars?*
- *Vous souvenez-vous d'un cauchemar en particulier que vous avez déjà fait?*
- *Qui allez-vous retrouver la nuit lorsque vous faites un cauchemar?*
- *Avez-vous un toutou ou une doudou qui vous protège des cauchemars?*

Proposez aux élèves d'inventer un personnage qui produise des rêves farfelus. Et de créer également un édredon dont la manipulation des motifs les entraînera dans un monde saugrenu. Les élèves affichent leurs productions à la bibliothèque avec, en vedette, le livre de Christiane Duchesne.

Proposez-leur ensuite d'indiquer leur «coup de cœur» relativement à cette histoire, sur la grande affiche dans le coin lecture, ou dans leur *Album souvenirs de mes lectures*. Ils y inscrivent le titre du livre, le nom de l'auteur ou de l'auteure ainsi que celui de l'illustrateur ou de l'illustratrice. Verbalement, ils justifient brièvement leur appréciation.

Enfin, demandez-leur quelle trace de cette lecture ils aimeraient conserver dans leur *Album souvenirs de mes lectures* : le dessin d'un personnage? le dessin d'un passage drôle, triste, captivant, énervant? la photo d'un modelage en pâte à modeler d'un personnage ou d'un objet? des mots nouveaux dont ils ne connaissaient pas le sens? un court commentaire? Ils réalisent cette activité en classe ou à la maison.

Invitez les élèves à lire les mini-romans de la série «le petit géant» écrits par Gilles Tibo aux éditions Québec / Amérique (collection Mini Bilbo, 1997-1999). Vous pouvez également leur suggérer de lire les ouvrages de Allen Morgan qui a créé Mathieu, un sympathique personnage qui vit toutes sortes d'aventures dans ses rêves (voir bibliographie, page 88).

Proposez aux élèves d'emprunter les autres livres de la sélection pour les lire ou se les faire lire à la maison. Procédez personnellement aux prêts. S'il y a des élèves qui désirent emprunter le même livre, le tirage au sort peut être une modalité à envisager. De retour en classe, assurez-vous que le livre soit replacé dans le coin lecture afin qu'un ou une autre élève puisse l'emprunter à son tour.

Notes personnelles

_____
_____
_____
_____
_____
_____
_____
_____
_____
_____
_____
_____
_____
_____
_____
_____
_____
_____
_____
_____
_____
_____
_____

BIBLIOGRAPHIE

NAISSANCE

Texte littéraire : fiction

BOURGEOIS, Paulette, *Benjamin et sa petite sœur*, Markham, Scholastic, 2000, 30 p. (Benjamin)

Textes courants

ABEL PROT, Viviane, *L'histoire de la naissance*, Paris, Gallimard, 1996, 33 p. (Découverte benjamin)

BOURGUIGNON, Laurence, *L'histoire de mon bébé*, Namur, Mijade, 2000, 30 p.

COLE, Babette, *Comment on fait les bébés*, Paris, Seuil jeunesse, 1993, 31 p.

DUMONT, Virginie, *Questions d'amour, 5-8 ans*, Paris, Nathan, 1997, 31 p. (Questions d'amour)

FOUGÈRE, Isabelle, *Petite encyclopédie de la vie sexuelle, 4-6 ans*, Paris, Hachette, 1998, 29 p.

HÉBERT, Marie-Francine, *Venir au monde*, La courte échelle, 1987, 24 p. (Le goût de savoir) [Aussi disponible sous la forme d'un livre-jeu]

RUFFAULT, Charlotte, *Le bébé*, Paris, Bayard, 2000, 36 p. (Histoires d'homme)

VANDEWIELE, Agnès, *La vie de bébé*, Paris, Nathan, 1993, 29 p. (Questions-réponses, 3/6 ans)

BÉBÉ

Textes littéraires : fiction

GRAHAM, Bob, *Le nouveau bébé*, Paris, Père Castor Flammarion, 1998, 29 p.

JOLY, Fanny, *L'école des bébés*, Paris, Hachette, 1999, 45 p.

Aussi : *Alerte ! Bébé attaque !* ; *Bébé part en vacances*

MUNSCH, Robert, *Le bébé*, Montréal, La courte échelle, 1983, 23 p. (Drôles d'histoires)

PAPINEAU, Lucie, *Gloups ! bébé-vampire*, Saint-Lambert, Dominique et compagnie, 1999, 32 p.

Aussi : *Ouiiin ! Bébés loups-garous* ; *Pouah ! Bébé sorcière* ; *Pouf ! Bébé-fantôme*

ROOT, Phyllis, *Mais que veut donc Bébé ?*, Paris, Kaléidoscope, 1998, 34 p.

TREMBLAY, Carole, *La véridique histoire de Destructotor*, Saint-Lambert, Dominique et compagnie, 2000, 32 p.

ÉCOLE

Textes littéraires : fiction

GUILLAUMOND, Françoise, *À l'école*, Paris, Larousse, 1998, 24 p. (Des mots pour lire)

GUTMAN, Claude, *La fête de l'école*, Tournai, Casterman, 1998, 27 p. (Histoires Casterman. Vive la grande école)

HENKES, Kevin, *Lilly adore l'école !*, Paris, Gallimard jeunesse, 1999, 40 p. (Folio benjamin)

Aussi aux éditions Kaléidoscope (1998)

MARIAGE ET DIVORCE

Textes littéraires : fiction

AHLBERG, Allan, *Ma vie est un tourbillon*, Paris, Gallimard jeunesse, 1998, 28 p. (Folio benjamin)

BOBE, Françoise, *Petit Oscar et le grand pont*, Paris, Père Castor Flammarion, 1999, 26 p. (Chanteloup)

COLE, Babette, *Le dé-mariage*, Paris, Seuil jeunesse, 1997, 32 p.

DELVAL, Marie-Hélène, *Les deux maisons de Petit-Blaireau*, Paris, Bayard, 1993, 47 p. (Les belles histoires)

DESARTHE, Agnès, *Les pieds de Philomène*, Paris, École des loisirs, 1997, 30 p.

HEINE, Helme, *5 histoires de tendresse et d'amitié*, Paris, Gallimard, 1987, 145 p. (La Bibliothèque de benjamin)

MANDELBAUM, Pili, *La petite fille à la valise*, Paris, École des loisirs, 1995, 33 p. (Pastel)

MUNSCH, Robert, *Ribambelle de rubans*, Markham, Scholastic, 1999, 26 p.

WENINGER, Brigitte, *Au revoir, papa !*, Zurich, Nord-Sud, 1995, 23 p. (Un livre d'images Nord-Sud)

VIEILLIR ET MOURIR

Textes littéraires : fiction

CADIER, Florence, *Le grand-père de Fabien*, Paris, Père Castor Flammarion, 1997, 24 p. (Premières histoires)

CRÉTOIS, Chantal, *Les histoires de grand-père*, Paris, Bayard, 1999, 45 p. (Les belles histoires)

LEAVY, Una, *Au revoir grand-père*, Paris, Bayard, 1996, 30 p.

NEVE, Andréa, *Le dernier voyage*, Paris, École des loisirs, 1994, 25 p. (Pastel)

SCHNEIDER, Antonie, *Adieu Veïa !*, Zurich, Nord-Sud, 1998, 25 p. (Un livre d'images Nord-Sud)

SOLOTAREFF, Grégoire, *Toi grand et moi petit*, Paris, École des loisirs, 1999, 31 p. (Lutin poche)

TEULADE, Pascal, *Bonjour madame la mort*, Paris, École des loisirs, 1997, 33 p.

VERREPT, Paul, *Tu me manques*, Paris, École des loisirs, 1999, 24 p. (Pastel)

WILD, Margaret, *Les couleurs de la vie*, Paris, École des loisirs, 1997, 30 p. (Pastel)

Texte littéraire : bande dessinée

SAINT MARS, Dominique de, *Grand-père est mort*, Fribourg, Calligram, 1994, 45 p. (Ainsi va la vie. Max et Lili)

GÉNÉALOGIE

Textes littéraires : fiction

ANGELI, May, *Qui perd la boule ?*, Paris, Sorbier, 1998, 26 p.

CADIER, Florence, *Le grand-père de Fabien*, Paris, Père Castor Flammarion, 1997, 24 p. (Premières histoires)

CORAN, Pierre, *Ma famille*, Paris, Bilboquet, 1997, 25 p.

Texte littéraire : roman

FOSSETTE, Danielle, *L'arbre à grands-pères*, Paris, Père Castor Flammarion, 1997, 43 p. (Loup-garou)

Texte courant

JACKSON, Mike, *Notre arbre généalogique*, Montréal, École active, 1998, 31 p. (Je découvre la vie. Série verte)

LA CROISSANCE

Textes littéraires : fiction

DUFRESNE, Didier, *Bénédicte se trouve trop petite*, Paris, Mango jeunesse, 2000, 21 p. (Je suis comme ça !)

GÉRALD, Marine, *La petite dernière*, Paris, Père Castor Flammarion, 1998, 23 p. (Chanteloup)

HELLINGS, Colette, *Trop petite, trop grand*, Paris, École des loisirs, 1993, 31 p. (Pastel)

HENNIG, Agathe, *Gaétan se trouve trop grand*, Paris, Mango jeunesse, 1999, 23 p. (Je suis comme ça !)

OOMEN, Francine, *Je suis un héros !*, Paris, Sorbier, 1996, 25 p.

ORLEV, Uri, *Comme tu es grande, ma petite Louise !*, Arles, Actes Sud junior, 1998, 31 p. (Les Albums tendresse)

ROSS, Tony, *Je veux grandir !*, Paris, Gallimard jeunesse, 1994, 25 p. (Folio benjamin)

Textes courants

COLE, Babette, *Poils partout*, Paris, Seuil jeunesse, 1999, 32 p.

Dessine-moi l'amour, Paris, Magnard, 1996, 45 p.

MEREDITH, Susan, *Nous et notre corps*, Londres, Usborne, 1994, 123 p. (La Science pour débutants)

PÉROLS, Sylvaine, *Grandir*, Paris, Gallimard jeunesse, 1998, 33 p. (Mes premières découvertes. L'histoire de la vie)

SAINT MARS, Dominique de, *Je grandis*, Paris, Bayard, 1996, 40 p. (Les Petits savoirs. Astrapi)

SIMON, Philippe, *L'imagerie du corps humain*, Paris, Fleurus, 1993, 131 p.

LE CERVEAU

Textes courants

Homme de couleur !, Paris, Bilboquet, 1999, 28 p. (Petit à petit)

PANIZON, *Les secrets de mon cerveau*, Paris, Nathan, 1991, 15 p. (Je vois, je découvre)

PÉROLS, Sylvaine, *La vie du corps*, Paris, Gallimard jeunesse, 1996, 35 p. (Mes premières découvertes du corps humain)

Aussi : *J'observe le corps humain* de Claude DELAFOSSE (1998)

Des ouvrages sur le corps humain

ARDAGH, Philip, *Pourquoi les hommes ont-ils deux yeux ?*, Aartselaar, Chantecler, 1997, 32 p. (Explique-moi)

Découvrir notre corps, Paris, Gallimard, 1990, 77 p. (Encyclopédie de Benjamin)

RICE, Melanie, *Mon corps et moi*, LaSalle, Hurtubise HMH, 1995, 32 p.

VANDEWIELE, Agnès, *Le corps : pour le faire connaître aux enfants de 5 à 8 ans*, Paris, Fleurus, 1994, 23 p. (La grande imagerie)

WILKES, Angela, *Notre corps*, Paris, Larousse, 1999, 30 p. (Mon encyclo Larousse)

RÊVES

Textes littéraires : fiction

BEN KEMOUN, Hubert, *La nuit du Mélimos*, Paris, Père Castor Flammarion, 1999, 28 p.

BROWN, Ruth, *Le monde à l'envers*, Paris, Gallimard jeunesse, 1998, 27 p. (Album Gallimard)

FRANQUIN, Gérard, *Cauchemars cherchent bon lit*, Laval, les 400 coups, 1998, 41 p.

GORBACHEV, Valeri, *Natty et les cent méchants loups*, Zurich, Nord-Sud, 1998, 32 p. (Un livre d'images Nord-Sud)

HARRISON, Troon, *Le chasseur de rêves*, Markham, Scholastic, 1999, 32 p.

MONCOMBLE, Gérard, *Voleurs de rêves*, Laval, Les 400 coups, 1998, 35 p.

MORGAN, Allen, *En avant, pirates !*, Montréal, La courte échelle, 1998, 24 p. (Drôles d'histoires)

Aussi : *Du courage Mathieu !* ; *Le plombier* ; *Tiens-toi bien, Mathieu*

ORLEV, Uri, *Comme tu es grande, ma petite Louise !*, Arles, Actes Sud junior, 1998, 31 p. (Les Albums tendresse)

SAUER, Inge, *L'échappée belle*, Arles, Actes Sud junior, 1998, 29 p. (Les Albums tendresse)

SAVOIE, Jacques, *Un chapeau qui tournait autour de la terre*, Montréal, La courte échelle, 1997, 21 p. (Il était une fois)

THOMAS, Frances, *Imagine*, Paris, Gautier-Languereau, 1998, 25 p.

Textes littéraires : romans

BÉLAND, Patrick, *Les mystérieuses créatures*, Saint-Lambert, Soulières, 1999, 62 p. (Ma petite vache a mal aux pattes)

DUCHESNE, Christiane, *Julia et le chef des Pois*, Montréal, Boréal, 1999, 51 p. (Boréal Maboul. Les Nuits et les jours de Julia)

LENAIN, Thierry, *Merci moustique !*, Paris, Nathan, 1997, 29 p. (Première lune)

TIBO, Gilles, *Les Cauchemars du petit géant*, Montréal, Québec/Amérique jeunesse, 1997, 63 p. (Mini-Bilbo. Le petit géant)

Aussi : *La Fusée du petit géant* ; *L'Hiver du petit géant* ; *La Planète du petit géant* ; *Les Voyages du petit géant*

TRÉDEZ, Emmanuel, *Et si les poules avaient des dents !*, Paris, Nathan, 1998, 29 p. (Première lune)

Texte littéraire : comptine et poésie

HOESTLANDT, Jo, *5 comptines pour rêver*, Paris, Père Castor Flammarion, 1998, 15 p. (Petits câlins)

LA CORÉE

Textes littéraires : contes

Contes de Corée, Paris, Gründ, 1992, 208 p. (Légendes et contes de tous les pays)

Dragon bleu, dragon jaune, Paris, Père Castor Flammarion, 1995, 25 p.

Le lapin, le tigre et l'homme, Paris, Circonflexe, 1998, 32 p.

Aussi : *Le lapin, la tortue et le dragon roi* (1997) ; *Les grenouilles vertes* (1997)

Textes courants pour les enseignants et les enseignantes

GENTELLE, Pierre, *Chine, Japon, Corée*, Paris, Belin, 1994, 479 p. (Géographie universelle)

Le Guide de Corée, Paris, Nouvelles éditions de l'université, 1999, 446 p. (Le Petit Futé)

MICHAUD, Roland, *Corée de jade*, Paris, Éditions du Chêne/Hachette, 1981, 104 p.

TARALLO, Pietro, *Asie*, Paris, Éditions du Carrousel, 1998, 173 p.

SITES INTERNET

Répertoire de sites portant sur les droits des enfants

1. *Déclaration de Genève du 26 septembre 1924*

   Cinq articles fondamentaux.

   http://daniel.calin.free.fr/internat/declaration_geneve.html#a1

2. *Déclaration des droits de l'enfant*

   Proclamée par l'Assemblée générale de l'Organisation des Nations Unies le 20 novembre 1959 [résolution 1386 (XIV)] : les 10 principes.

   http://www.unhchr.ch/french/html/menu3/b/25_fr.htm

3. *Le site de l'ONU*

   http://www.unesco.org/opi/paix2000/vf/index.htm

4. *Le site de l'Année internationale de la culture et de la paix*

   http://www3.unesco.org/iycp/

Répertoire des moteurs de recherche appropriés pour des enfants

1. *Sssplash* est un moteur de recherche spécialement conçu pour permettre aux jeunes de 7 à 14 ans de faire des recherches appropriées à leur âge.

   http://www.sssplash.fr

2. *La Toile du Québec* est un moteur de recherche québécois. Il est possible d'y faire une recherche sur le Web québécois, le Web francophone ou sur tout le Web.

   http://www.toile.qc.ca

3. *Francité* est un moteur de recherche québécois très complet.

   http://www.francite.com

4. *Altavista* est le moteur de recherche le plus puissant du Web. Il est rapide et fiable. Il propose une section en français pour le site canadien d'*Altavista*.

   http://www.altavistacanadien.com

5. *Google* est un moteur de recherche très rapide et très fiable.

   http://www.google.com

Répertoire de sites portant sur des génies

1. *Léonard De Vinci* (1452-1519)

   Le génie de la Renaissance. Site assez complet.

   http://pages.infinit.net/cyrus/vinci/

2. *Wolfgang Amadeus Mozart* (1756-1791)

   Liste de sites anglais dédiés au célèbre compositeur.

   http://www.k239.f2s.com/mozart.html

3. *Albert Einstein* (1879-1955)

   Petit historique sur la vie de cet homme.

   http://www.geocities.com/CapeCanaveral/Launchpad/6205/AEbio/AEbio.htm

   Beaucoup de photos à différentes périodes de sa vie.

   http://www.chez.com/nicohx1/Page/Einstein/Einstein.htm

   Chronologie de la vie d'Albert Einstein… une ligne du temps.

   http://cire.henri.free.fr/french/einstein_f/chronologie_einstein.html

4. *Pablo Picasso* (1881-1973)

   Le monde de Picasso. Plusieurs tableaux sont illustrés.

   http://www.interlinx.qc.ca/ ~ fhag/picasso.html

   Le Musée national Picasso

   http://www.musexpo.com/france/picasso/picass2.html

   Liste de sites anglais dédiés à Picasso

   http://www.colin-f.com/artists/picasso.html

5. *Stephen Hawking* (1942-)

Le site officiel du célèbre astrophysicien.

http://www.construire.ch/SOMMAIRE/
9842/42conn.htm#Net

Un bref historique de sa vie.

http://www.embuscade.qc.ca/Haw
king.htm

Répertoire de sites portant sur des événements liés à la Corée

1. *Kapis*

Le premier site en français sur la Corée.

http://www.kapis.co.kr/

2. *Corée*

Pages sur la Corée du Sud.

http://saveurs.sympatico.ca/../ency-
voy/asie/coree.htm

Pages sur la Corée du Nord.

http://saveurs.sympatico.ca/../ency-
voy/asie/corenord.htm

2. *Le site des anciens combattants canadiens*

Section consacrée à la guerre de Corée.

http://www.vac-acc.gc.ca/general_f/
sub.cfm?source = history/koreawar

Notes personnelles

_____
_____
_____
_____
_____
_____
_____
_____
_____
_____
_____
_____
_____
_____
_____
_____
_____
_____
_____
_____
_____
_____
_____

Astuce et compagnie

Agathe Carrières • Colette Dupont • Doris Cormier

2e année du premier cycle

Module 17

Guide d'enseignement C et D

CEC

LES ÉDITIONS CEC INC.

Directrice de l'édition

Carole Lortie

Directrice de la production

Danielle Latendresse

Directrice de la coordination

Isabel Rusin

Chargées de projet

Ginette Rochon

Isabel Rusin

Correctrices d'épreuves

Marielle Chicoine

Ginette Rochon

Rédacteurs

Lise Labbé (moyens d'évaluation)

Michelle Leduc (activités d'animation littéraire)

André Roux (TIC)

**Conception graphique
et réalisation technique**

Axis communication

Productions Fréchette et Paradis inc.

Illustration de la couverture

Nicolas Debon

Les auteurs désirent remercier Chantal Harbec, enseignante à l'école Des-Quatre-Vents de la commission scolaire Marie-Victorin, Lise Labbé, consultante en didactique du français et en évaluation des apprentissages, et Ginette Vincent, conseillère pédagogique à la commission scolaire Marie-Victorin, pour leurs précieuses remarques et suggestions en cours de rédaction.

Dans cet ouvrage, la féminisation des titres de fonctions et des textes est conforme aux règles d'écriture proposées par l'Office de la langue française dans le guide *Au Féminin*, produit par Les publications du Québec, 1991.

Les Éditions CEC inc. remercient le gouvernement du Québec de l'aide financière accordée à l'édition de cet ouvrage par l'entremise du Programme de crédit d'impôt pour l'édition de livres, administré par la SODEC.

© 2002, Les Éditions CEC inc.
8101, boul. Métropolitain Est
Anjou, QC, H1J 1J9

Dépôt légal : 1er trimestre 2002
Bibliothèque nationale du Québec
Bibliothèque nationale du Canada

ISBN 2-7617-1581-0

Imprimé au Canada

1   2   3   4   5   05   04   03   02   01

Table des matières

En ce qui concerne L'ÉVALUATION, la section « Matériel reproductible » de votre guide d'enseignement vous propose plusieurs moyens et outils d'évaluation.

NOTE : Les passages soulignés dans le présent guide d'enseignement constituent une mise en relief des étapes les plus importantes du déroulement pédagogique.

travail individuel

travaux personnels

travail en équipes

activités d'enrichissement

travail collectif

activités d'animation littéraire

technologies de l'information
et de la communication (TIC)

PRÉSENTATION

L'ordinateur, une machine fantastique

Quelque part, au hasard des pages de ce module, vous découvrirez un ordinateur ultra-perfectionné, tellement original qu'il a été nommé *Le grand ordinateur*.

C'est bien connu, les ordinateurs sont de fabuleuses créatures, nées du travail inlassable de nombreux chercheurs, preuves éclatantes du génie humain. *Le grand ordinateur*, lui, est le produit d'un talent hors du commun.

L'ordinateur est un assemblage astucieux où les puces et la souris se partagent un clavier et un écran, où le numériseur et un programme de textes nourrissent une imprimante, où le disque compact et le cédérom sont les cibles d'un rayon laser. *Le grand ordinateur*, lui, se profile sur un arrière-plan aux couleurs vives.

L'ordinateur est une extraordinaire invention qui ouvre grande la porte sur l'univers: les humains de la planète, les connaissances accumulées depuis le début des temps, les musiques de tous les styles et de toutes les époques, et quantité d'autres données. Cette machine fantastique permet de voyager à sa guise dans le temps et dans l'espace. *Le grand ordinateur*, lui, met en mouvement l'imagination de qui le contemple. Et voici que sont transgressées les lois de la logique, vous êtes au cœur du monde imaginaire, là où souris et puces ne riment ni avec écran ni avec clavier, si ce n'est pour vous faire entendre, sans laser ni disque compact, une douce mélodie au piano. Vous voilà bientôt dans l'extraordinaire paysage de votre monde intérieur.

COMPÉTENCES DISCIPLINAIRES, COMPÉTENCES TRANSVERSALES ET DOMAINES GÉNÉRAUX DE FORMATION CIBLÉS DANS CE MODULE

COMPÉTENCES DISCIPLINAIRES

Français

- **L** Lire des textes variés
- **E** Écrire des textes variés
- **C** Communiquer oralement
- **A** Apprécier des œuvres littéraires

Science et technologie

- **S** Explorer le monde de la science et de la technologie

Univers social

- **U** Construire sa représentation de l'espace, du temps et de la société

COMPÉTENCES TRANSVERSALES

Ordre intellectuel

▶ Exercer son jugement critique

Ordre méthodologique

▶ Exploiter les technologies de l'information et de la communication **T**

Ordre personnel et social

▶ Structurer son identité

▶ Coopérer

DOMAINE GÉNÉRAL DE FORMATION

Médias

▶ Développer chez l'élève un sens critique et éthique à l'égard des médias et lui donner des occasions de produire des documents médiatiques en respectant les droits individuels et collectifs

TABLEAU SCHÉMATIQUE DES COMPÉTENCES EN FRANÇAIS ET DE LEURS COMPOSANTES

Légende

S renvoie à la situation d'apprentissage concernée.
P renvoie au projet.
F renvoie à la rubrique *Fais le point avec Astuce* (F1 = partie 1 / F2 = partie 2).
A renvoie à une activité d'animation littéraire (A1 = activité 1 / A2 = activité 2 / A3 = activité 3).

COMPÉTENCE 1 :
Lire des textes variés

COMPOSANTE A : *Construire du sens à l'aide de son bagage de connaissances et d'expériences*
▶ P, S1 à S4, A2, F1, S6 à S9, F2

COMPOSANTE B : *Utiliser le contenu des textes à diverses fins*
▶ P, S1 à S4, A2, F1, S6 à S8, F2

COMPOSANTE C : *Réagir à une variété de textes lus*
▶ P, S1 à S4, A2, S6 à S9

COMPOSANTE D : *Utiliser les stratégies, les connaissances et les techniques requises par la situation de lecture*
▶ P, S1 à S4, A2, F1, S6 à S9, F2

COMPOSANTE E : *Évaluer sa démarche de lecture en vue de l'améliorer*
▶ P, S1 à S4, F1, S6 à S9, F2

COMPÉTENCE 2 :
Écrire des textes variés

COMPOSANTE A : *Recourir à son bagage de connaissances et d'expériences*
▶ P, S2, S3, F1, S8, F2

COMPOSANTE B : *Explorer la variété des ressources de la langue écrite*
▶ P, S2, S3, F1, S8, F2

COMPOSANTE C : *Exploiter l'écriture à diverses fins*
▶ P, S2, S3, F2

COMPOSANTE D : *Utiliser les stratégies, les connaissances et les techniques requises par la situation d'écriture*
▶ P, S2, S3, F1, S8, F2

COMPOSANTE E : *Évaluer sa démarche d'écriture en vue de l'améliorer*
▶ P, S2, S3, F1, S8, F2

COMPÉTENCE 3 :
Communiquer oralement

COMPOSANTE A : *Explorer verbalement divers sujets avec autrui pour construire sa pensée*
▶ *P, S1, S4 à S7*

COMPOSANTE B : *Partager ses propos durant une situation d'interaction*
▶ *P, S1, S2, S4 à S7*

COMPOSANTE C : *Réagir aux propos entendus au cours d'une situation de communication orale*
▶ *P, S1, S4 à S7*

COMPOSANTE D : *Utiliser les stratégies et les connaissances requises par la situation de communication*
▶ *P, S1, S2, S4 à S7*

COMPOSANTE E : *Évaluer sa façon de s'exprimer et d'interagir en vue de les améliorer*
▶ *P, S1, S4, S6, S7*

COMPÉTENCE 4 :
Apprécier des œuvres littéraires

COMPOSANTE A : *Explorer des œuvres variées en prenant appui sur ses goûts, ses intérêts et ses connaissances*
▶ *A1, A2,*

COMPOSANTE B : *Recourir aux œuvres littéraires à diverses fins*
▶ *S1, A1, A2, S7, S8, S9*

COMPOSANTE C : *Porter un jugement critique ou esthétique sur les œuvres explorées*
▶ *A1, A2, S7*

COMPOSANTE D : *Utiliser les stratégies et les connaissances requises par la situation d'appréciation*
▶ *A1, A2, S7*

COMPOSANTE E : *Comparer ses jugements et ses modes d'appréciation avec ceux d'autrui*
▶ *A1, A2, S7*

TABLEAU DE PLANIFICATION DES APPRENTISSAGES

LÉGENDE

R renvoie à une feuille reproductible.
AC renvoie à une activité complémentaire.

	Sons	Lire des textes variés	Écrire des textes variés	Communiquer oralement	Apprécier des œuvres littéraires	Activités de soutien	Activités de consolidation	Travaux personnels	Activités d'enrichissement	TIC
Et si on chantait... L C A S U Manuel, p. 29 Guide, p. 18		Terme à expliquer : *Fais-moi signe.* Recours aux stratégies et à la visualisation. Attention particulière au rythme et aux rimes (différentes graphies) du texte.		Vocabulaire relatif à la science et à la technologie (modes de communication). Formes du français québécois oral standard. Ajustement du volume de la voix. Articulation nette. Qualité d'écoute.	Texte : littéraire qui met en évidence le choix des mots, des images et des sonorités **(chanson)**; Supports : manuel scolaire, disque ou audiocassette.			X	X	X
Projet – Étape 1 L E C Manuel, p. 53 Guide, p. 15		Exploration et utilisation du vocabulaire en contexte (production d'un livre).		Vocabulaire nécessaire à la définition du personnage principal.						
Le monde sur ton bureau L E C S Manuel, p. 32 Guide, p. 23		Exploration et utilisation du vocabulaire en contexte (ordinateur). Terme à expliquer : *Le monde sur ton bureau.* Insistance sur la relecture et la visualisation du contenu.	Questionnaire destiné aux utilisateurs de l'ordinateur dans leur travail. Notion de phrase interrogative. Énumération et explication des diverses étapes de la démarche d'écriture.	Présentations des réponses obtenues. Formes du français québécois oral standard. Ajustement du volume de la voix. Intonation appropriée. Vocabulaire précis. Qualité d'écoute.		R-17.1	AC-57		X	X
Projet – Étape 2 L E C Manuel, p. 53 Guide, p. 15			Situation de l'action dans le temps et dans l'espace. Présentation du héros ou de l'héroïne et des personnages secondaires, s'il y a lieu. Récit de ce qui se passe au début de l'histoire.							

FRANÇAIS — **SUGGESTIONS**

Semaine 1

Activité	Description	Écriture / Production	Oral / Présentation	Texte et support	Références			
Activité d'animation littéraire 1 [A] Guide, p. 78	Différents termes et passages à expliquer. Voir pages 78 et 79.			Texte : littéraire qui raconte (**roman**); Support : livre *Tantan l'Ouragan* par Yvon Brochu.				
3 D'où provient l'informatique que l'on trouve dans Internet? [L][E][U] Manuel, p. 34 Guide, p. 29	Exploration et utilisation du vocabulaire en contexte (les télécommunications jusqu'à Internet). Rappel des stratégies associées aux icônes. Utilisation des illustrations pour mieux comprendre le contenu des textes.	Envoie d'un courriel. Respect des étapes du processus d'écriture.			R-17.2 R-17.3	X	X	X
Projet – Étape 3 [L][E][C] Manuel, p. 53 Guide, p. 16	Lecture du texte écrit jusque-là.	Écriture de la suite de l'histoire.						
4 Riri à l'ordi [L][C][S][U] Manuel, p. 36 Guide, p. 34	Rappel des stratégies d'identification des mots. Rappel de l'utilité de la visualisation du contenu du texte et de la relecture des passages difficiles.		Présentations des sketches. Vocabulaire relatif à la science et à la technologie, et à l'univers social. Formes du français québécois oral standard. Ajustement du volume de la voix. Articulation nette.		R-17.4 AC-58	X	X	X
Projet – Étape 3 (suite) [L][E][C] Manuel, p. 53 Guide, p. 16	Lecture du texte écrit jusque-là.	Écriture de la suite de l'histoire.						
Activité d'animation littéraire 2 [L][A] Guide, p. 81	Lecture de questions ou de consignes en vue de réaliser des activités « d'autoanimation ».			Textes : littéraires et courants; Support : livres proposés pour le module.				

TABLEAU DE PLANIFICATION DES APPRENTISSAGES

Semaine		Sons	FRANÇAIS — Lire des textes variés	Écrire des textes variés	Communiquer oralement	Apprécier des œuvres littéraires	SUGGESTIONS — Activités de soutien	Activités de consolidation	Travaux personnels	Activités d'enrichissement	TIC
Semaine 2	Fais le point avec Astuce **L E** Manuel, p. 38 Guide, p. 39	Révision [œʁ] – eur, œur [ɛʁ] – er	Compréhension de texte. Rappel des stratégies. Tableau du schéma narratif à compléter.	Orthographe d'usage : mots de la liste, stratégies d'acquisition, jeu. Récit en quelques phrases d'une soirée en famille. Rappel des étapes du processus d'écriture et des divers outils de référence.							
Semaine 3	**5** Une visite au musée **C** Manuel, p. 41 Guide, p. 45				Vocabulaire nécessaire à l'analyse d'une toile (éléments favorisés par Miró dans ses œuvres).		AC-59			X	X
	Projet – Étape 3 (suite) **L E C** Manuel, p. 53 Guide, p. 16		Lecture du texte écrit jusque-là.	Écriture de la suite de l'histoire.							
	Activité d'animation littéraire 2 (suite) **L A** Guide, p. 81		Lecture de questions ou de consignes en vue de réaliser des activités « d'autoanimation ».			Textes : littéraires et courants; Support : livres proposés pour le module.					
	6 À l'intérieur de l'ordinateur **L C** Manuel, p. 42 Guide, p. 51		Exploration et utilisation du vocabulaire en contexte (ordinateur). Rappel des stratégies, de l'utilité de la visualisation et de la relecture.		Discussion à partir d'une situation fictive, comportant un enjeu moral.				X		X

Activité	Lecture	Écriture	(Oral / autres)	Texte / Support		
Projet – Étape 3 (suite) **L E C** Manuel, p. 53 Guide, p. 16	Lecture du texte écrit jusque-là.	Écriture de la suite de l'histoire.			X	
7 Pik et Clik **L C A** Manuel, p. 44 Guide, p. 55	Exploration et utilisation du vocabulaire en contexte (puce biologique et puce électronique). Rappel des stratégies, de l'utilité de la visualisation et de la relecture.		Repérage : rimes, répétitions, allitérations et onomatopées. Création d'un nouveau dialogue. Formes du français québécois oral standard. Ajustement du volume de la voix. Articulation nette. Qualité d'écoute.	Texte : littéraire qui met en évidence le choix des mots, des images et des sonorités (**poème**); Support : manuel scolaire.		X
Projet – Étape 4 **L E C** Manuel, p. 53 Guide, p. 16			Présentations des livrets.		X	
8 Dans le noir **L E A** R-17.5 Manuel, p. 46 Guide, p. 60	Termes à expliquer ou à comparer : *se rouiller les pieds, une course contre la montre.* Repérage des synonymes du mot « dire » : *rugit, répond, s'exclame, soupirent, propose, grogne, s'écrie.*	Orthographe grammaticale : le féminin des adjectifs (leçon de grammaire). Récit d'un événement vécu ou inventé (planification collective). Utilisation d'un organisateur graphique.		Texte : littéraire qui raconte (**récit**); Support : manuel scolaire.		X
Activité d'animation littéraire 2 (suite) **L A** Guide, p. 81	Lecture de questions ou de consignes en vue de réaliser des activités « d'autoanimation »			Textes : littéraires et courants; Support : livres proposés pour le module.		
9 Lire pour rire **L A** Manuel, p. 48 Guide, p. 69				Texte : littéraire qui raconte (**bande dessinée**); Support : manuel scolaire.		

TABLEAU DE PLANIFICATION DES APPRENTISSAGES

		FRANÇAIS					SUGGESTIONS				
	Sons	Lire des textes variés	Écrire des textes variés	Communiquer oralement	Apprécier des œuvres littéraires		Activités de soutien	Activités de consolidation	Travaux personnels	Activités d'enrichissement	TIC
Semaine 3 — Fais le point avec Astuce **L** **E** Manuel, p. 49 Guide, p. 71	Syllabes inverses avec r, l et s	Compréhension de texte. Rappel des stratégies et de la démarche de lecture.	Orthographe d'usage : mots de la liste, stratégies d'acquisition. Retour sur la leçon de grammaire : le féminin des adjectifs. Composition d'une devinette associée à un dessin.								
À l'ordinateur avec Marilou **L** **T** Manuel, p. 52 Guide, p. 76											

Note : Ce tableau de planification est proposé seulement à titre indicatif. Les activités *À l'ordinateur avec Marilou* peuvent être réalisées au moment qui vous convient.

Projet

UN PETIT LIVRE DE LECTURE

Au cours de ce projet, les élèves vont mettre à profit leurs habiletés et leurs connaissan-ces en lecture, en écriture et en arts plasti-ques pour inventer une histoire inédite. Et comme il est bon de retrouver toutes les histoires qui nous enchantent dans des livres où on peut les lire et les raconter, les enfants vont réunir leurs histoires en livres ! Mais ce n'est pas si simple ! À l'ins-tar de grands écrivains, ils partageront la trame de leurs récits avec d'autres auteurs afin de créer des récits interactifs. Deux allers-retours… qui devraient donner une abondante récolte de belles histoires.

SAVOIRS ESSENTIELS DES DIFFÉRENTES COMPÉTENCES

L LIRE DES TEXTES VARIÉS
E ÉCRIRE DES TEXTES VARIÉS
C COMMUNIQUER ORALEMENT

Connaissances liées au texte :

- Exploration et utilisation d'éléments caractéristiques de différents genres de textes ;
- Exploration de quelques éléments littéraires à des fins d'utilisation ou d'appréciation : personnages, temps et lieux du récit, séquence des événements ;
- Exploration et utilisation de la structure des textes ;
- Prise en compte des éléments de la situation de communication : intention, contexte, formes du registre standard ;
- Prise en compte d'éléments de cohérence : idées rattachées au sujet, principaux connecteurs ou marqueurs de relation (séquence), reprise de l'information en utilisant des termes substituts (pronoms).

Connaissances liées à la phrase :

- Recours à la ponctuation : point ;
- Reconnaissance et utilisation du groupe du nom : Pronom, Nom, Dét. + Nom ;
- Accords dans le groupe du nom : Dét. + Nom ;
- Exploration et utilisation du vocabulaire en contexte ;
- Utilisation de l'orthographe conforme à l'usage.

Stratégies de lecture :

- Stratégies de reconnaissance et d'identification des mots d'un texte ;
- Stratégies de gestion de la compréhension ;
- Stratégies d'évaluation de sa démarche.

Stratégies d'écriture :

- Stratégies de planification ;
- Stratégies de mise en texte ;
- Stratégies de révision ;
- Stratégies de correction ;
- Stratégies d'évaluation de sa démarche.

Stratégies de communication orale :

- Stratégies d'exploration ;
- Stratégies de partage ;
- Stratégies d'écoute ;
- Stratégies d'évaluation.

Techniques :

- Apprentissage de la calligraphie ;
- Utilisation de manuels de référence et d'outils informatiques.

Ce projet permet d'aborder des connaissances relevant du domaine des arts, plus spécifiquement de la discipline **arts plastiques**. Toutefois, aucune compétence dans ce domaine ne sera développée.

Notes personnelles

_____

_____

_____

_____

_____

_____

_____

_____

_____

_____

_____

_____

_____

_____

_____

_____

_____

_____

_____

_____

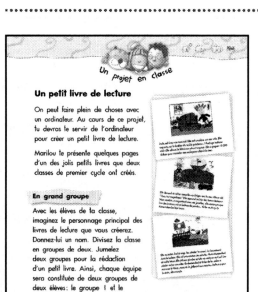

Un projet en classe

Un petit livre de lecture

On peut faire plein de choses avec
un ordinateur. Au cours de ce projet,
tu devras te servir de l'ordinateur
pour créer un petit livre de lecture.

Marilou te présente quelques pages
d'un des jolis petits livres que deux
classes de premier cycle ont créés.

En grand groupe

Avec les élèves de ta classe,
imaginez le personnage principal des
livres de lecture que vous créerez.
Donnez-lui un nom. Divisez la classe
en groupes de deux. Jumelez
deux groupes pour la rédaction
d'un petit livre. Ainsi, chaque équipe
sera constituée de deux groupes de
deux élèves : le groupe 1 et le
groupe 2. Chaque équipe devra créer sa propre histoire mettant
en vedette le personnage principal choisi en grand groupe.

Discutez des personnes qui pourraient vous aider pour la
correction des textes et la mise en pages.

53

En petites équipes

1. Ensemble, décidez des personnes que vous consulterez si
   vous avez besoin d'aide. Informez-les.
2. Donnez un titre à votre histoire.
3. Un membre de l'équipe illustre la première page et écrit
   le titre.
4. Le groupe 1 compose le début de l'histoire, corrige
   son texte, l'illustre et le transcrit à l'ordinateur.
5. Le groupe 2 propose une suite à l'histoire,
   l'illustre et la transcrit à l'ordinateur.
6. Le groupe 1 continue l'histoire, l'illustre
   et la transcrit à l'ordinateur.
7. Le groupe 2 termine l'histoire, l'illustre,
   la transcrit à l'ordinateur.
8. Ensemble, assemblez le petit livre.
9. Présentez votre livre. Exposez-le avec ceux des autres élèves.

Individuellement

Évalue ton travail.

Je suis capable de comprendre
un texte et d'inventer
la suite d'une histoire.

J'utilise différents moyens
pour corriger mon texte.

J'utilise l'ordinateur
pour transcrire mon texte.

54

Les explications qui suivent sont données en fonction d'un projet qui se réalise à l'intérieur de la classe. Toutefois, s'il se réalise avec une autre classe, rappelez-vous que l'équipe est alors constituée de deux groupes, un dans chaque classe.

Étape 1 : Présentation
(Temps suggéré : 60 min après la situation d'apprentissage 1)

- Présentez à la classe le projet du module, soit la production d'un livre contenant une histoire dont les élèves seront tous les auteurs.

Choix d'un héros ou d'une héroïne

Comme toutes les histoires mettent en vedette un héros ou une héroïne, lancez un concours au terme duquel sera défini le héros ou l'héroïne de tous les récits qui seront produits. Faites émettre des critères. Première question : s'agira-t-il d'un garçon ou d'une fille ? (Si aucune décision n'émerge, tirez au sort !) Quel est son âge ? son nom ? (Ici encore, notez toutes les suggestions ; si aucune n'a l'adhésion générale, tirez au sort ! (Le héros ou l'héroïne peut être un personnage farfelu, un animal, etc.)

Divisez d'abord votre classe en deux sections : A et B. Dans chaque section, invitez les élèves à former des groupes de deux. Attribuez un nombre à chaque groupe : 1, 2, 3, etc. Chaque section comprendra donc un groupe 1, un groupe 2, etc.

Formez les équipes en réunissant les deux groupes 1 (celui de la section A et celui de la section B), les deux groupes 2, etc.

Chaque équipe de quatre élèves aura la responsabilité de produire un livre. Elle inventera une histoire dont le héros ou l'héroïne sera le personnage choisi par l'ensemble des élèves, en tenant compte de son nom et de son âge, ainsi que de la description qui en aura été faite.

Expliquez aux enfants comment procéder pour produire un récit interactif : un des groupes de l'équipe écrira une première partie de l'histoire ; celle-ci sera poursuivie par le deuxième groupe, pour ensuite être continuée par le premier groupe et terminée par le deuxième.

Résumé de la prise en charge du récit :

Premier groupe : début et troisième partie de l'histoire.

Deuxième groupe : deuxième partie et fin de l'histoire.

Répondez aux questions de clarification des enfants.

Indiquez aux élèves que la correction et la mise en pages d'autant de textes en trois semaines environ constitue une lourde tâche. Aussi, proposez-leur un jumelage avec une classe du 3e cycle, ou encore l'aide de parents bénévoles.

ou Étape 2 : Rencontre à quatre, puis deux à deux
(Temps suggéré : 60 min après la situation d'apprentissage 2)

- Invitez les enfants à trouver le titre de leur livre. Si aucun titre ne semble leur plaire, proposez-leur de donner un titre provisoire à leur récit, qu'ils pourront changer après coup.

Aux deux élèves du premier groupe de l'équipe (groupe A) :

Invitez-les à amorcer l'histoire. Ce début constituera en gros la première page du livre. Conseillez à ces élèves de se mettre d'accord sur le récit et d'en rédiger un brouillon.

Rappelez qu'au début d'une histoire, on situe généralement l'action dans le temps et dans l'espace. On présente le héros ou l'héroïne, et, parfois, les personnages secondaires, et on raconte ce qui se passe.

Proposez aussi de réaliser un dessin illustrant cette portion du récit.

Demandez aux élèves de soumettre leur texte aux personnes qui ont accepté d'encadrer l'équipe et de solliciter leur aide pour la correction et la mise en pages du texte. (Cette partie du travail devrait être accomplie d'ici la prochaine rencontre, prévue après la situation d'apprentissage 3.)

Aux deux élèves du deuxième groupe de l'équipe (groupe B) :

Pendant que les élèves du groupe A travaillent à la rédaction de leur histoire, prévoyez une autre activité pour ceux du groupe B (lire, réaliser une activité d'enrichissement proposée dans le présent guide, etc.).

Étape 3 : Les allers et retours d'un récit interactif

(Temps suggéré : 140 min, c'est-à-dire trois séquences de 30 min après les situations d'apprentissage 3, 4 et 5, et 50 min pour la fin, après la situation 6.) Remarque : corrections et mise en pages devraient pouvoir se faire entre chaque rencontre.

• Dans chaque équipe, faites remettre le texte du groupe A aux élèves du groupe B.

Pour commencer, invitez les élèves du groupe B à lire attentivement le texte de leurs partenaires afin de poursuivre l'histoire avec logique. Faites observer où et quand a lieu l'action, qui sont les personnages en scène et ce qu'ils font.

Puis, demandez aux élèves du groupe B de poursuivre le récit. Faites réfléchir les enfants à tout ce qui fait l'intérêt d'un livre. Sans doute diront-ils que cet intérêt se manifeste dès lors que l'on brûle de connaître la suite. Proposez aux auteurs qui prennent la relève de tendre vers ce but : écrire une nouvelle page de telle sorte que le lecteur ou la lectrice ait hâte de savoir ce qui va se produire.

Faites valoir qu'ici aussi, un dessin (qui tient compte des caractéristiques données par la première illustration) vaut mille mots…

Invitez les auteurs du groupe B à présenter à leur tour leur production aux personnes qui les encadrent et à solliciter leur aide pour la correction et la mise en pages de leur texte.

Procédez à un nouvel échange : les élèves du groupe A reçoivent le récit, maintenant constitué d'un début et d'une première partie.

Reprenez la procédure :

Lecture du texte écrit jusque-là afin de tenir compte des caractéristiques du récit et d'en créer la suite selon une certaine logique.

Écriture de la suite du récit.

Correction et mise en pages avec les personnes assurant l'encadrement.

Illustration de la page produite.

Invitez les partenaires à un dernier échange : les membres du groupe A remettent l'ensemble du texte (début, première et deuxième parties) aux élèves du groupe B, qui vont rédiger la fin de l'histoire.

Faites reprendre ici encore, la procédure déjà appliquée.

Maintenant que le récit est intégralement rédigé, corrigé, mis en pages et illustré, il reste à assembler les feuillets et à les insérer entre deux belles pages de couverture.

Proposez aux élèves de réexaminer leur titre. Faut-il le modifier ou le conserver ?

Demandez aux équipes de se distribuer les tâches consistant à réunir les feuillets, illustrer les couvertures et relier le tout.

Étape 4 : Lancement des livrets

(Temps suggéré : 60 min après la situation d'apprentissage 7)

• Invitez les équipes à présenter chacune son livre. À cette fin, un membre pourrait raconter l'essentiel de l'histoire, ou la lire si le temps le permet ; un autre pourrait parler des difficultés éprouvées et des solutions apportées; un troisième pourrait faire valoir la satisfaction ressentie à participer à ce projet; le quatrième pourrait circuler dans la classe et montrer le livre produit.

Au cours de cet exercice, demandez aux enfants de s'exprimer en français québécois oral standard, de soigner leur articulation et d'ajuster le volume de leur voix.

Prévoyez une brève période de questions entre chaque présentation.

Faites procéder à l'autoévaluation du projet.

Avec le concours des élèves, organisez une exposition des livres dans la classe ou à la bibliothèque.

Notes personnelles

_____
_____
_____
_____
_____
_____
_____
_____
_____
_____
_____
_____
_____
_____
_____
_____
_____
_____
_____
_____
_____
_____
_____
_____
_____
_____

Situation d'apprentissage 1

PLANIFICATION DE L'ENSEIGNEMENT

BUT
Chanter diverses façons de communiquer avec quelqu'un.

ORGANISATION DE LA CLASSE
Collectif, équipes de quatre, individuel

MATÉRIEL NÉCESSAIRE
- Par élève :
  manuel D (pages 29, 30 et 31)
- Pour la classe :
  cassette ou disque de la chanson

TEMPS SUGGÉRÉ
60 min

ET SI ON CHANTAIT...

Main agitée, baiser envoyé du bout des doigts, dessin offert, photos échangées : autant de tentatives, avant le départ, de retenir un être chéri... Par bonheur, coups de fil et courriels jettent des ponts dans l'espace, réduisant quelque peu le vide que crée l'absence.

SAVOIRS ESSENTIELS DES DIFFÉRENTES COMPÉTENCES

L LIRE DES TEXTES VARIÉS
C COMMUNIQUER ORALEMENT
A APPRÉCIER DES ŒUVRES LITTÉRAIRES

Connaissances liées au texte :
▶ Exploration et utilisation d'éléments caractéristiques de différents genres de textes ;
▶ Exploration de quelques éléments littéraires à des fins d'utilisation ou d'appréciation : expressions - jeux de sonorités - figures de style (rimes) ;
▶ Prise en compte des éléments de la situation de communication : intention, contexte, formes du registre standard ;
▶ Prise en compte d'éléments de cohérence : idées rattachées au sujet.

Stratégies de lecture :
▶ Stratégies de reconnaissance et d'identification des mots d'un texte ;
▶ Stratégies de gestion de la compréhension ;
▶ Stratégies d'évaluation de sa démarche.

Stratégies de communication orale :
▶ Stratégies d'exploration ;
▶ Stratégies de partage ;
▶ Stratégies d'écoute ;
▶ Stratégies d'évaluation.

Stratégies liées à l'appréciation d'œuvres littéraires :
▶ S'ouvrir à l'expérience littéraire ;
▶ Établir des liens avec ses expériences personnelles ;
▶ Se représenter mentalement le contenu ;
▶ Échanger avec d'autres personnes.

Stratégies liées à la gestion et à la communication de l'information :
▶ Sélectionner des éléments d'information utiles ;

▶ Regrouper ou classifier les éléments d'information retenus ;
▶ Choisir un mode de présentation pertinent (ex. : affiche, exposé, saynète, etc.) ;
▶ Présenter oralement, par écrit ou selon un mode multimédia, les résultats de sa démarche.

Techniques :
▶ Utilisation de manuels de référence.

S EXPLORER LE MONDE DE LA SCIENCE ET DE LA TECHNOLOGIE

Connaissances liées à la science et à la technologie :
▶ Univers matériel : objets liés aux différents modes de communication.

U CONSTRUIRE SA REPRÉSENTATION DE L'ESPACE, DU TEMPS ET DE LA SOCIÉTÉ

Connaissances liées à l'univers social (hier et aujourd'hui) :
▶ Faits ;
▶ Personnes (objets utilisés comme moyens de communication).

Techniques relatives à l'univers social :
▶ Temps : utilisation de repères (ligne du temps), situation de faits de la vie de l'élève et de celle de ses proches.

Cette situation d'apprentissage permet d'aborder des connaissances relevant du domaine des arts, plus spécifiquement des disciplines **musique**, **art dramatique** et **arts plastiques**. Toutefois, aucune compétence dans ce domaine ne sera développée.

Notes personnelles

À la manière de Miró

30

31

C O R R I G É

MANUEL D, PAGE 31

▼ 1 **Un signe de la main, un sourire, un bisou, un dessin, un petit mot, un court poème, un coup de fil, un message à l'ordinateur.**

▼ 2 **Il y a plusieurs réponses possibles.**

▼ 3 **Il y a plusieurs réponses possibles.**

 Préparation

- <u>Invitez vos élèves à ouvrir leur manuel à la page 29, laquelle marque le début d'un nouveau module. Faites-leur lire le titre de ce module et laissez-leur quelques minutes pour en feuilleter les pages.</u>

Amenez les élèves à établir des liens entre leurs connaissances antérieures, ce qu'ils savent et ce qu'ils voient dans ces pages. Invitez-les ensuite à faire connaître la page à laquelle ils ont le plus hâte d'arriver et à dire pourquoi.

<u>Faites un retour à la page-titre et demandez aux élèves d'observer l'illustration qui y figure.</u> Invitez-les à lire le nom de l'auteure de cette illustration réalisée à la manière de Miró. Laissez les enfants trouver des points de comparaison entre les illustrations. La technique utilisée par Delphine Bélanger est décrite dans la partie «Réalisation» de la situation d'apprentissage 5 – *Une visite au musée.*

<u>Glissez aux enfants quelques mots sur Miró, et mentionnez-leur qu'ils feront plus ample connaissance avec l'artiste et son œuvre au cours de la situation d'apprentissage 5 à la page 49 du présent guide.</u> Signalez cependant que cet artiste espagnol aimait dessiner à la manière des enfants (personnages à grosse tête et à corps étriqué) et qu'il favorisait les

couleurs vives (bleu, rouge, vert, jaune). Dans ses tableaux, personnages et objets donnent généralement l'impression de flotter dans l'espace. Miró est mort en 1983, le jour de Noël.

Revenez à la situation d'apprentissage 1, pages 30 et 31 du manuel. Faites lire le titre de la chanson et demandez aux enfants de dire dans quelles situations on utilise cette expression : *Fais-moi signe.* (Ex. : pour faire part d'un événement, pour inviter à accomplir un geste précis, pour donner de ses nouvelles, pour indiquer à quelqu'un qu'on pense à lui, etc.) Amenez-les à découvrir qu'on fait signe à une personne quand on veut communiquer avec elle.

Reprenez ces catégories de situations de communication et demandez aux enfants de donner des exemples concrets. Écrivez les plus pertinents au tableau. Quand fait-on part à quelqu'un d'un événement ? (Quand on célèbre un anniversaire, quand on organise une fête, une sortie.) Quand peut-on inviter quelqu'un à accomplir un geste précis ? (Dans une chanson, quand il est temps de l'entonner ; quand c'est le moment de faire son entrée en scène dans une pièce de théâtre, un spectacle de danse.) Quels signes fait-on pour donner de ses nouvelles ? (On écrit une lettre, on envoie une carte postale, on offre un dessin, on téléphone, on communique par courriel.)

Demandez aux enfants si, parmi les moyens de communication mentionnés au tableau, certains n'ont pu être utilisés par leurs parents quand ils avaient leur âge. Si oui, lesquels ? Assurez-vous que les enfants comprennent que certaines inventions existaient à l'époque de leurs parents, mais qu'elles étaient moins répandues qu'aujourd'hui. Par comparaison, demandez-leur s'ils croient que toutes les familles possèdent un téléphone, un ordinateur.

Reprenez la même réflexion en invitant les enfants à imaginer leurs grands-parents en garçons et filles de 7 ou 8 ans. Comment se faisaient-ils signe ? À quels moyens de communication ne pouvaient-ils pas recourir ? Si certains

enfants ont encore leurs arrière-grands-parents, il serait particulièrement intéressant de faire la même démarche.

Tracez une ligne du temps au tableau. Faites-y situer l'apparition de divers moyens de communication. Parlez des messages envoyés avec de la fumée, des signaux sonores transmis par le sol, des mots écrits sur papier, des gestes de la main, des signaux utilisant un miroir, du télégraphe, du téléphone, des journaux, de l'ordinateur.

Faites découvrir l'intention de lecture en lisant ou en faisant lire le texte d'introduction, page 30 du manuel D.

 Réalisation

- Formez cinq ou six équipes, chacune étant responsable de la lecture et du résumé d'un couplet. (Il se pourrait que deux équipes lisent le même couplet.) Si la formation des équipes présente une difficulté, procédez par tirage au sort. Inscrivez les chiffres 1 à 5 – correspondant aux couplets de la chanson – autant de fois que nécessaire sur de petits bouts de papier. Les élèves ayant tiré un même chiffre constituent l'équipe dont le travail portera sur le couplet en question. À défaut d'opter pour cette formule, partez de vos équipes de base.

Dans les équipes, chaque membre fait une lecture individuelle du couplet assigné. Signalez aux élèves de recourir aux stratégies de lecture et à la visualisation.

Invitez les équipes à faire une mise en commun du sens donné au couplet.

Demandez à chaque équipe de déterminer la façon dont elle présentera son couplet à la classe. (Ex. : résumer le couplet par un ou des signes représentant la communication évoquée (mime) ; préparer une carte agrémentée d'un dessin significatif ; inventer un court poème et y joindre une photo ; écrire un message à l'ordinateur ; etc.).

2

**ACTION
EN CLASSE
(SUITE)**

 **Intégration et
réinvestissement**

- <u>Faites écouter la chanson. Invitez les élèves à mimer leur couplet avant, pendant ou après l'écoute dudit couplet, ou encore à déléguer un ou une porte-parole pour présenter le travail de l'équipe sur le couplet assigné.</u>

Rappelez qu'on a de la considération pour ses auditeurs quand on articule soigneusement et qu'on parle suffisamment fort pour être entendu de tous. Et, aussi, qu'on manifeste du respect à la personne qui parle quand on l'écoute attentivement et poliment.

Faites également valoir qu'on respecte sa langue quand on la parle correctement (français québécois oral standard).

Faites remarquer que la chanson est aussi un poème qu'on peut lire sans écouter la mélodie. Attirez l'attention sur le rythme et les rimes. Faites relever les rimes et écrivez-les au tableau en faisant constater que même son n'est pas synonyme de même graphie. (main, loin ; bisou, beaucoup ; fleur, cœur ; portrait, es ; mot, photo ; poème, même ; fil, il ; vois, voix ; bonheur, ordinateur ; tien, voisins)

Une fois les présentations terminées, invitez ceux qui ont pris la parole à évaluer leur degré de satisfaction quant à leur prestation. Demandez-leur à quoi ils doivent ce résultat. Enfin, invitez les auditeurs à donner leur appréciation en ce qui concerne la qualité de leur écoute, et à la fonder.

Faites écouter et chanter la chanson de nouveau.

3

**RETOUR
SUR
L'ENSEIGNEMENT**

- Pouvez-vous affirmer que vos élèves ont le goût d'aborder les situations présentées dans ce module ? Sur quelles observations vous fondez-vous à cet égard ?

Ce texte vous semble-t-il avoir présenté des difficultés de lecture à certains élèves ? lesquelles précisément ?

Y a-t-il eu des présentations de couplets originales ? N'hésitez pas à les noter afin de réutiliser éventuellement ces manifestations.

Les porte-parole ont-ils présenté adéquatement (contenu, langue, articulation) le couplet de leur équipe à la classe ?

Les auditeurs ont-ils fait montre d'intérêt ?

 Travaux personnels

Demandez aux élèves de mener une petite enquête auprès de leurs parents, de leurs grands-parents ou arrière-grands-parents (au choix, si c'est possible). Cette enquête portera sur les moyens de communication alors en cours quand ces derniers avaient 7 ou 8 ans, dans un espace proche et à distance. Si possible, invitez les enfants à se faire raconter à ce sujet des anecdotes, qu'ils pourraient ensuite rapporter à la classe. Invitez une grand-mère ou un grand-père à venir en classe raconter aux enfants quels moyens de communication étaient en cours lorsqu'elle ou il avait leur âge.

 Astuce et suggestions (ENRICHISSEMENT)

Demandez aux élèves de choisir deux formes de communication parmi celles qui sont suggérées dans la chanson. Fixez un laps de temps (ex. : une semaine) pour utiliser individuellement ces deux formes de communication. S'il s'agit de communications écrites, dites aux élèves que les messages devront être envoyés.

*Rappel :
Réalisez
l'étape 1 du projet.*

Situation d'apprentissage 2

LE MONDE SUR TON BUREAU

Il peut accomplir des tâches extraordinaires, mais seulement si on les lui commande adéquatement. Il peut nous faire découvrir les mille et un visages de la planète pour peu que nous lui disions notre curiosité. Il peut nous faire entrer dans tous les foyers de la terre, à condition bien sûr qu'on y trouve son semblable : l'ordinateur.

SAVOIRS ESSENTIELS DES DIFFÉRENTES COMPÉTENCES

L LIRE DES TEXTES VARIÉS
E ÉCRIRE DES TEXTES VARIÉS
C COMMUNIQUER ORALEMENT

Connaissances liées au texte :

▶ Exploration et utilisation d'éléments caractéristiques de différents genres de textes ;
▶ Prise en compte des éléments de la situation de communication : intention, contexte, formes du registre standard ;
▶ Prise en compte d'éléments de cohérence : idées rattachées au sujet, reprise de l'information en utilisant des termes substituts (pronoms).

Connaissances liées à la phrase :

▶ Recours à la ponctuation : point ;
▶ Reconnaissance et utilisation du groupe du nom : Pronom, Nom, Dét. + Nom ;
▶ Accords dans le groupe du nom : Dét. + Nom ;
▶ Exploration et utilisation du vocabulaire en contexte ;
▶ Utilisation de l'orthographe conforme à l'usage.

Stratégies de lecture :

▶ Stratégies de reconnaissance et d'identification des mots d'un texte ;
▶ Stratégies de gestion de la compréhension ;
▶ Stratégies d'évaluation de sa démarche.

Stratégies d'écriture :

▶ Stratégies de planification ;
▶ Stratégies de mise en texte ;
▶ Stratégies de révision ;
▶ Stratégies de correction ;
▶ Stratégies d'évaluation de sa démarche.

Stratégies de communication orale :

▶ Stratégies d'exploration ;
▶ Stratégies de partage ;
▶ Stratégies d'écoute ;
▶ Stratégies d'évaluation.

Techniques :

▶ Apprentissage de la calligraphie ;
▶ Utilisation de manuels de référence.

S EXPLORER LE MONDE DE LA SCIENCE ET DE LA TECHNOLOGIE

Connaissances liées à la science et à la technologie :

▶ Univers matériel : objets (ordinateur).

BUT

Découvrir les merveilleux pouvoirs de l'ordinateur grâce à la lecture et à l'écriture.

ORGANISATION DE LA CLASSE

Collectif, équipes de quatre, individuel

MATÉRIEL NÉCESSAIRE

• *Par élève : manuel D (pages 32 et 33)*

• *Pour le soutien : feuille reproductible 17.1*

• *Pour la consolidation : activité complémentaire 57*

TEMPS SUGGÉRÉ

90 min

Notes personnelles

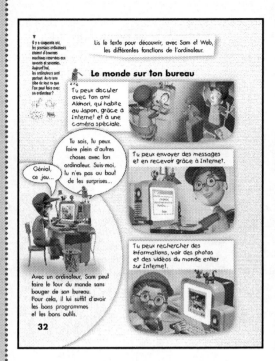

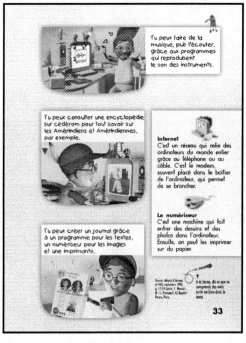

CORRIGÉ
MANUEL D, PAGES 32 et 33

▼ **1   Il y a plusieurs réponses possibles.**

🔧 Préparation

• Faites un petit sondage auprès des élèves à propos de leur connaissance de l'ordinateur. Invitez-les à dire tout ce qu'ils savent de cette invention relativement récente et notez ces informations au tableau. (Ex. : les principales composantes [écran, imprimante, clavier, souris, lecteur optique, cédéroms, disquettes, microphones] et les fonctions de chacune). Ne forcez pas la recherche.

Une fois toutes les informations données, invitez les enfants à faire des regroupements parmi les éléments de la liste : les composantes (essentielles et facultatives), les fonctions des composantes, la démarche de démarrage, la démarche de fermeture d'une session, le courriel, les sites Internet, etc.).

Faites ouvrir le manuel aux pages 32 et 33 et faites observer la disposition des trois textes qui y figurent : les textes de gauche et de droite et le texte au centre des deux pages (celui dont les phrases commencent par «Tu peux…»). Identifiez les textes de gauche, page 32, et celui de droite, page 33, comme étant le premier texte, tandis que le texte central sera le deuxième.

Invitez les enfants à survoler les textes et à émettre des hypothèses de contenu. (Présentation d'accessoires d'ordinateur et de diverses tâches informatiques)

Demandez-leur ce que signifie le titre : *Le monde sur ton bureau.* (On fait allusion à cette page de démarrage, appelée «bureau», où se trouvent les icônes correspondant à des logiciels intégrés à l'ordinateur. Le monde étant, bien sûr, tout ce à quoi on peut accéder, n'importe où sur la planète, par le biais d'un ordinateur.)

Faites émettre une intention de lecture qui tienne compte des informations figurant au tableau et contenues dans les textes. (Lire pour vérifier et compléter ses connaissances sur l'ordinateur.)

⚙️ Réalisation

• Invitez les élèves à faire une lecture individuelle du premier texte (à gauche, page 32, et à droite, page 33). Conseillez de relire certains passages, si besoin est, et de visualiser le contenu du texte.

Regroupez auprès de vous les élèves susceptibles d'éprouver des difficultés. Manifestez-leur de l'empathie, encouragez-les, relisez des passages avec eux, bref, ne négligez aucun moyen de les amener à une meilleure maîtrise de la lecture et à une satisfaction semblable à celle que ressentent les bons lecteurs.

Si vous avez un ordinateur en classe, faites-y repérer les parties mentionnées dans le texte une fois la lecture terminée. Insistez auprès des enfants pour qu'ils utilisent les termes justes pour désigner les diverses composantes et fonctions de l'ordinateur.

Invitez le groupe à comparer les informations fournies dans le texte à celles qui figurent au tableau. Donnez, au besoin, certains éclaircissements.

Faites lire individuellement le deuxième texte et procédez de la même façon avec les élèves qui nécessitent un encadrement particulier.

Formez des équipes de quatre élèves et demandez-leur de faire un relevé des utilisations de l'ordinateur, telles que indiquées dans le texte.

Faites une mise en commun des relevés des équipes.

Invitez les élèves à comparer les utilisations que mentionne le texte à celles qu'ils ont énumérées au tableau. Lesquelles sont les plus complètes? Y a-t-il au tableau des termes dont l'équivalent français apparaît dans le texte? Y aurait-il d'autres fonctions à ajouter? (utiliser des logiciels de jeux, commander des articles, réaliser des dessins et des graphiques, etc.)

Animez une petite réflexion sur l'importance de la lecture et de l'écriture quand

on veut utiliser un ordinateur, ne serait-ce que pour exécuter les commandes. Faites nommer d'autres fonctions où savoir lire et écrire sont absolument nécessaires (adresser et recevoir des courriels, visiter des sites Internet, consulter des encyclopédies et dictionnaires sur cédéroms, etc.).

Reformez les équipes de quatre qui ont fait le relevé des fonctions de l'ordinateur. Cette fois, demandez-leur de bâtir un petit questionnaire destiné à des personnes qui se servent de l'ordinateur dans leur travail.

Avant de commencer, revenez sur la notion de phrase interrogative. Faites émettre des idées quant aux sujets sur lesquels pourraient porter les questions. (Ex.: les avantages, les inconvénients, les utilisations principales, les utilisations moins usuelles, les tâches les plus simples, les tâches les plus complexes, l'expérience de l'outil [depuis combien de temps], la formation suivie pour maîtriser l'informatique, etc.)

Faites nommer et expliquer les diverses étapes de la démarche d'écriture. Notez l'essentiel au tableau.

– Planification: les composantes du projet exploration et le choix des idées; exploration du vocabulaire;

– Rédaction: mise en mots des idées, emploi d'un symbole pour marquer les mots dont on doute de l'orthographe;

– Révision: lecture pour vérifier et améliorer la présence des idées liées au sujet, l'utilisation de termes appropriés, la variété et la précision du vocabulaire;

– Correction: lecture pour vérifier (et corriger, s'il y a lieu) l'orthographe d'usage et grammaticale et la syntaxe (p. 21);

– <u>Transcription</u>: fidèle, souci de la calligraphie;

– <u>Lecture finale</u>: vérification de tous les éléments du texte.

<u>Dans les équipes, invitez chaque membre à préparer individuellement une question sur l'un des sujets mentionnés au tableau. Cette question sera posée à une personne qui utilise un ordinateur dans le cadre de ses activités professionnelles.</u> Demandez que les membres se fassent part les uns aux autres du sujet sur lequel portera leur question.

Rappelez la nécessité d'observer chacune des étapes du processus d'écriture.

<u>Pendant le processus d'écriture, invitez les élèves à lire les textes de leurs coéquipiers afin de leur faire des suggestions.</u>

Circulez dans la classe pour dépanner les élèves qui ont besoin d'un coup de pouce et pour stimuler les autres. Lisez le plus de textes possible et faites les remarques qui s'imposent. Encouragez les enfants à consulter leurs outils de référence pour améliorer leur texte.

<u>Une fois toutes les questions transcrites, demandez à chaque élève de copier sur sa feuille les questions des trois autres membres de son équipe.</u>

<u>Invitez chaque élève à faire remplir le questionnaire de son équipe par une personne qui utilise l'ordinateur à son travail:</u> parent, ami ou amie des parents, voisin ou voisine, secrétaire de l'école, etc.

<u>Fixez un délai aux élèves pour rapporter en classe les questionnaires remplis.</u>

<u>Dans les équipes initiales, faites procéder à la mise en commun des réponses obtenues.</u>

<u>Invitez les équipes à nommer chacune un ou une porte-parole qui présentera à la classe le questionnaire produit et les réponses obtenues.</u>

 ou

Intégration et réinvestissement

• <u>Lors des présentations orales, rappelez l'importance d'une intonation et d'un volume de voix appropriés, de même que le soin qu'on doit avoir de parler convenablement sa langue</u> (français québécois oral standard). Au besoin, revoyez les pronoms *il / ils*, *elle / elles* prononcés fautivement [i], [ɛ] et [a]. Enfin, conseillez d'utiliser les termes d'informatique vus dans la présente situation d'apprentissage.

Demandez aux élèves de rappeler l'attitude à adopter lorsqu'ils sont auditeurs.

Une fois les présentations terminées, revoyez les divers sujets qui ont été couverts dans les questionnaires.

Invitez les enfants à dire s'ils ont aimé ou non cette activité d'écriture.

• La lecture des textes a-t-elle été difficile pour certains élèves? S'agit-il toujours des mêmes élèves? Ont-ils fait appel à vous pour résoudre des difficultés? Quelle sorte d'intervention avez-vous eue auprès d'eux?

Le nombre d'élèves que rebute la lecture s'amenuise-t-il?

Y a-t-il des équipes qui ne fonctionnaient pas très bien au départ? Le problème observé s'est-il réglé par une entente entre équipiers? par une intervention de votre part? Que retenez-vous de cette expérience dans l'ensemble?

En général, les élèves ont-ils aimé bâtir un questionnaire, le soumettre et en compiler les réponses?

Que pensez-vous du registre de langue utilisé par chacun et chacune? Le vocabulaire propre à l'ordinateur a-t-il été employé?

Astuce et suggestions (ENRICHISSEMENT)

La question de la semaine

Proposez aux élèves de préparer par écrit, sur un sujet qui les intéresse, des questions qui seraient déposées dans une boîte. Insistez sur la clarté de la formulation de même que sur la qualité de la présentation (calligraphie, syntaxe, orthographe). Invitez les élèves à vous soumettre les questions avant de les transcrire au propre (pour que vous puissiez en vérifier le contenu).

Une fois par semaine, faites tirer une question qui pourrait être transcrite au tableau ou sur un grand carton. Laissez-la toute la semaine à la vue de tous.

Invitez les enfants à chercher des éléments de réponse à cette question, en interrogeant des adultes ou des élèves plus âgés, en consultant des livres et des sites Internet. Demandez-leur de prendre des notes qu'ils communiqueront lors de la mise en commun des réponses obtenues.

 ## TIC

Du dossier virtuel au dossier réel

Pour réaliser cette activité, l'élève devra ouvrir son dossier personnel et imprimer tous les documents imprimables qui s'y trouvent (pour les mettre dans une chemise).

Donnez les consignes suivantes aux élèves :

1. Ouvrez votre dossier personnel.

2. Ouvrez chacun des documents qu'il comporte.

3. Imprimez-les.

4. Apportez la chemise de vos productions à la maison.

Sur un Macintosh, il est également possible d'imprimer les éléments du dossier. Il suffit d'ouvrir le dossier à *imprimer*, puis de sélectionner *Imprimer la fenêtre* dans le menu *Fichier*.

Rappel :
Réalisez
l'étape 2 du projet.

 Activité 1

Notes personnelles

_____
_____
_____
_____
_____
_____
_____
_____
_____
_____
_____
_____
_____
_____
_____
_____

BUT

Découvrir, par la lecture et l'écriture, diverses possibilités d'exploitation d'Internet.

ORGANISATION DE LA CLASSE

Collectif, individuel

MATÉRIEL NÉCESSAIRE

• *Par élève :*
  manuel D
  (pages 34 et 35)

• *Pour le soutien :*
  feuilles reproduc-
  tibles 17.2 et 17.3

TEMPS SUGGÉRÉ

90 min

D'OÙ PROVIENT L'INFORMATION QUE L'ON TROUVE DANS INTERNET ?

La planète est entourée d'une immense toile tissée de millions de réseaux de communication : Internet. Désormais, le monde est à la portée de touches de clavier.

Une insatiable curiosité quant à ce qui l'entoure conduit l'être humain à repousser toujours plus loin les frontières de l'inconnu.

SAVOIRS ESSENTIELS DES DIFFÉRENTES COMPÉTENCES

L LIRE DES TEXTES VARIÉS
E ÉCRIRE DES TEXTES VARIÉS

Connaissances liées au texte :

▶ Exploration et utilisation d'éléments caractéristiques de différents genres de textes ;
▶ Prise en compte des éléments de la situation de communication : intention, contexte, formes du registre standard ;
▶ Prise en compte d'éléments de cohérence : idées rattachées au sujet, reprise de l'information en utilisant des termes substituts (pronoms).

Connaissances liées à la phrase :

▶ Recours à la ponctuation : point ;
▶ Reconnaissance et utilisation du groupe du nom : Pronom, Nom, Dét. + Nom ;
▶ Accords dans le groupe du nom : Dét. + Nom ;
▶ Exploration et utilisation du vocabulaire en contexte ;
▶ Utilisation de l'orthographe conforme à l'usage.

Stratégies de lecture :

▶ Stratégies de reconnaissance et d'identification des mots d'un texte ;
▶ Stratégies de gestion de la compréhension ;
▶ Stratégies d'évaluation de sa démarche.

Stratégies d'écriture :

▶ Stratégies de planification ;
▶ Stratégies de mise en texte ;
▶ Stratégies de révision ;
▶ Stratégies de correction ;
▶ Stratégies d'évaluation de sa démarche.

Techniques :

▶ Apprentissage de la calligraphie ;
▶ Utilisation de manuels de référence et d'outils informatiques.

U CONSTRUIRE SA REPRÉSENTATION DE L'ESPACE, DU TEMPS ET DE LA SOCIÉTÉ

Connaissances liées à l'univers social (hier et aujourd'hui) :

▶ Faits ;
▶ Personnes (objets servant aux communications) ;

Techniques relatives à l'univers social :

▶ Temps : utilisation de repères (inventions issues du XXᵉ siècle et liées au monde des télécommunications), situations de faits de la vie de l'élève et de celle de ses proches.

• *Feuille reproductible 17.2 :*
  Des souhaits par courrier électronique *(individuel)*

– *Associer différents messages à une carte de vœux.*

▶ *L'élève classe des éléments d'information issus d'un texte à l'aide d'outils de consignation relativement simples.*

• *Feuille reproductible 17.3 :*
  Un message personnalisé *(individuel)*

– *Écrire et envoyer des vœux à une personne.*

▶ *L'élève utilise des termes appropriés rendant bien le sens recherché.*

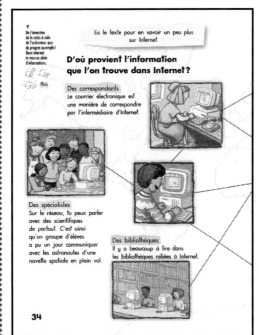

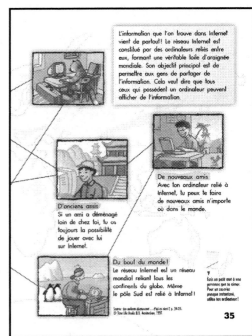

Préparation

• Invitez les enfants à rappeler leurs connaissances informatiques abordées au cours de la situation d'apprentissage précédente.

Poursuivez en les invitant à mentionner diverses possibilités d'exploitation sur Internet. Notez celles-ci au tableau.

Rappelez diverses inventions issues du XXe siècle et liées au monde des télécommunications : radio, téléphone, télégraphe, télévision, télécopieur, Internet. Faites prendre conscience aux enfants du chemin parcouru en moins de cent ans (entre l'époque de l'enfance de leurs arrière-grands-parents et la leur) par la technologie.

Proposez aux enfants d'imaginer qu'aucune des inventions précédentes (du domaine des télécommunications) n'existe. Demandez-leur tout ce qui ne pourrait pas se faire mais aussi tout ce qui se ferait différemment, compte tenu de cette hypothèse.

Demandez aux élèves d'imaginer ce que chaque invention apporte comme changements dans la vie des gens, dans un sens et dans l'autre. (Ex. : le télégraphe augmente la rapidité de transmission d'un message, mais il en résulte la disparition des messagers à cheval ; la radio

permet la diffusion de messages à un vaste auditoire, en revanche elle ôte à certains événements leur caractère secret ; si le téléphone permet de joindre rapidement la personne à qui on veut parler, il rend moins impérative la visite à cette personne.)

Faites survoler le texte des pages 34 et 35 du manuel (lecture du titre et des sous-titres et observation des illustrations). Demandez aux enfants s'ils peuvent répondre à la question qui en constitue le titre. Notez les embryons de réponses au tableau.

Faites émettre l'intention de lecture. (Lire pour savoir d'où provient l'information dans Internet.)

Réalisation

• Demandez aux élèves de faire une lecture individuelle des textes qui soutiennent certaines illustrations.

Rappelez la stratégie de lecture associée aux icônes apparaissant dans le coin supérieur gauche de la page 34 du manuel. Conseillez aux élèves de tirer parti des illustrations pour mieux comprendre le contenu des textes.

Pendant la lecture, circulez dans la classe et vérifiez la compréhension de certains élèves.

Invitez autant d'élèves qu'il y a de petits textes à dire dans leurs propres mots ce qu'ils ont compris. Permettez à leurs pairs d'ajouter des éléments d'information qui auraient été omis dans le résumé.

Demandez aux enfants ce qu'ils ont déjà expérimenté parmi les fonctions énumérées. Faites-leur identifier aussi ce qui est une source d'émerveillement pour eux.

Procédez à un inventaire de ce que les élèves maîtrisent à l'ordinateur et constituez ainsi une banque de noms d'élèves susceptibles de s'occuper d'un petit groupe moins expérimenté lors de certaines utilisations de l'ordinateur. Voici des suggestions de tâches dans lesquelles vos petits génies en informatique pourraient aider leurs camarades : ouvrir l'ordinateur, se brancher sur Internet, accéder au courriel, commander une recherche sur un sujet.

Proposez aux élèves d'écrire à une autre classe ou de faire parvenir un message à une personne dont ils connaissent l'adresse électronique. Si certains élèves ne disposent d'aucune adresse, ayez-en quelques-unes en réserve. (Il s'agira de personnes que vous connaissez et qui accepteront de recevoir un message d'un ou d'une élève de votre classe. Présentez brièvement ces destinataires aux élèves pour qu'ils sachent à qui ils s'adressent.)

Avant d'accéder au courriel, rappelez aux enfants qu'ils doivent suivre les étapes du processus d'écriture :

- planification des idées (faites suggérer des sujets d'écriture que vous notez au tableau) ;

- rédaction : mise en mots des idées et emploi de symboles pour souligner les mots dont on doute de l'orthographe ;

- révision : de la variété et de la précision du vocabulaire, de la pertinence et de la quantité des idées ;

- correction : lecture du texte et vérification de la présence de tous les mots dans la phrase, de la présence de la majuscule au début et du point à la fin, de la construction des phrases. Rectification, s'il y a lieu de l'orthographe ;

- transcription et relecture : fidèle, à l'ordinateur (courriel). Avant l'envoi, vérifiez et corrigez les messages inscrits à l'écran ;

- diffusion et autoévaluation : envoi du message et peut-être réponse à prévoir ; retour sur la démarche.

Nommez des élèves responsables qui montreront à leurs camarades où et comment taper l'adresse du ou de la destinataire de leur message, et qui resteront à leur disposition au cours de la phase d'utilisation de l'ordinateur.

Intégration et réinvestissement

• Invitez les élèves qui viennent d'apprendre la procédure à l'ordinateur à remplacer celui ou celle qui les y a formés auprès d'autres camarades.

Laissez les élèves exprimer leurs impressions quant à cette activité d'écriture. Ont-ils aimé cette expérience ? Pourquoi ? Vont-ils la reprendre ? Qui sait désormais comment accéder au courriel sur un ordinateur ?

Poursuivez la réflexion en demandant aux élèves si, de leur point de vue, la lecture et l'écriture doivent être maîtrisées de mieux en mieux dès lors qu'on veut se servir d'un ordinateur. Selon eux, l'ordinateur élimine-t-il la nécessité d'apprendre à lire et à écrire ?

Terminez la réflexion en abordant le thème des mauvais usages de l'ordinateur. Ainsi, demandez ce qui pourrait arriver si le message envoyé comportait des insultes pour son ou sa destinataire. Demandez aussi s'ils ont déjà entendu parler des virus qui peuvent contaminer les fichiers et même tout le disque dur. Laissez chaque enfant exprimer ce qu'il ou elle pense de telles situations, faites-leur analyser et énumérer les conséquences qu'elles peuvent avoir.

3

RETOUR
SUR
L'ENSEIGNEMENT

- La lecture soutenue par des illustrations s'est-elle bien déroulée? Y a-t-il eu malgré tout des difficultés pour certains élèves? Quelles ont-elles été?

Quel portrait pouvez-vous tracer de vos élèves quant à ce qu'ils savent de l'utilisation d'un ordinateur? Avez-vous plusieurs élèves sur qui compter pour aider les autres lors de l'utilisation de cet outil?

Pouvez-vous considérer qu'écrire à l'ordinateur est une des situations d'écriture favorites de la classe?

Les élèves maîtrisent-ils mieux la démarche d'écriture?

 Travaux personnels

Formez des équipes de quatre élèves auxquelles sera attribuée par tirage au sort l'une ou l'autre des inventions en télécommunication mentionnées dans cette situation d'apprentissage. Chaque membre a le mandat de trouver de la documentation sur l'invention en question (livres, encyclopédies, cédéroms informations obtenues d'adultes, Internet). Fixez un délai au terme duquel les coéquipiers mettront en commun les informations recueillies et leur classement, les illustrations concernant certains aspects, en vue de présenter ce travail aux autres élèves de la classe. Faites afficher les recherches.

 Astuce et suggestions (ENRICHISSEMENT)

Plus encore sur Internet

Invitez les jeunes à s'informer auprès d'adultes quant aux autres possibilités d'exploitation d'Internet: météo, rubrique Jeunesse, pour y découvrir des jeux interactifs, horaire des spectacles, recherche de photos ou d'illustrations, etc.

TIC

1. Aventure

Que se passe-t-il si on tape le mot « Internet » sur Internet ? Que se passe-t-il si on tente tout simplement, avec patience, d'apprivoiser un ordinateur ? Sur quoi doit-on taper ? Que signifie le « ? » après le mot « *fenêtre* » ? Et à quoi servent tous ces mots et symboles en haut de l'écran ? Peut-on essayer de le savoir en cliquant avec la souris ? Tiens ! Savez-vous pourquoi Astuce aime tant l'ordinateur ? ... À cause de la souris, bien sûr !

2. Un projet sur Internet

Vous devez faire prendre conscience aux élèves des innombrables possibilités d'Internet pour leur permettre de réaliser cette activité.

Rappelez-leur les principaux services offerts par le réseau planétaire : visiter le Web (pour s'informer, pour trouver un cadeau, pour jouer), correspondre par courrier électronique.

Créez une banque de signets intitulée *Projets Internet*.

Il est recommandé que vos élèves soient assistés par un ou une élève d'une classe supérieure pour réaliser cette activité.

Donnez les consignes suivantes aux élèves :

1. Identifiez le projet à réaliser.

2. Ouvrez la banque de signets intitulée *Projets Internet*.

3. Choisissez un site approprié à la réalisation du projet.

4. Réalisez le projet retenu.

5. Présentez votre projet à la classe.

Dans la banque de signets, mettre un moteur de recherche, le site de courriels de votre classe, une boutique électronique, un site de sciences, un site de jeux sur Internet, etc.

Rappel :
Réalisez
l'étape 3 du projet.

Notes personnelles

_____
_____
_____
_____
_____
_____
_____
_____
_____
_____
_____
_____
_____
_____
_____
_____
_____
_____

1

PLANIFICATION DE L'ENSEIGNEMENT

BUT

Faire appel à son imagination pour se reporter à des époques antérieures à celles des grandes inventions et pour simuler une page de vie moderne, autour de l'ordinateur.

ORGANISATION DE LA CLASSE

Collectif, équipes de quatre, individuel

MATÉRIEL NÉCESSAIRE

• *Par élève:
manuel D
(pages 36 et 37)*

• *Pour la consolidation: feuille reproductible 17.4; activité complémentaire 58*

TEMPS SUGGÉRÉ

80 min

RIRI À L'ORDI

Quand l'ordinateur attire grand-papa ou grand-maman, doute-t-on qu'ils sont bien de leur temps? Et quand fiston, né bien après l'ordinateur, se met en quête d'une bonne recette à base de sirop d'érable, c'est dans les traditions culinaires du passé qu'il la déniche. Que voulez-vous, on n'arrête ni le progrès… ni la gourmandise!

SAVOIRS ESSENTIELS DES DIFFÉRENTES COMPÉTENCES

L LIRE DES TEXTES VARIÉS
C COMMUNIQUER ORALEMENT

Connaissances liées au texte :

▶ Exploration et utilisation d'éléments caractéristiques de différents genres de textes;
▶ Exploration de quelques éléments littéraires à des fins d'utilisation ou d'appréciation : personnages, temps et lieux du récit;
▶ Prise en compte des éléments de la situation de communication : intention, contexte, formes du registre standard;
▶ Prise en compte d'éléments de cohérence : idées rattachées au sujet, reprise de l'information en utilisant des termes substituts (pronoms).

Stratégies de lecture :

▶ Stratégies de reconnaissance et d'identification des mots d'un texte;
▶ Stratégies de gestion de la compréhension;
▶ Stratégies d'évaluation de sa démarche.

Stratégies de communication orale :

▶ Stratégies d'exploration;
▶ Stratégies de partage;
▶ Stratégies d'écoute;
▶ Stratégies d'évaluation.

Techniques :

▶ Utilisation de manuels de référence.

S EXPLORER LE MONDE DE LA SCIENCE ET DE LA TECHNOLOGIE

Connaissances liées à la science et à la technologie :

▶ Univers matériel : objets issus des nouvelles technologies (ordinateur, jeux électroniques, jeux vidéo, magnétoscope, caméra numérique, lecteur de DVD, etc.).

U CONSTRUIRE SA REPRÉSENTATION DE L'ESPACE, DU TEMPS ET DE LA SOCIÉTÉ

Connaissances liées à l'univers social (hier et aujourd'hui) :

▶ Faits;
▶ Personnes (objets utilisés);
▶ Groupes (besoins : inventions importantes dans le développement de la civilisation).

Techniques relatives à l'univers social :

▶ Temps : utilisation de repères, situation de faits de la vie de l'élève et de celle de ses proches.

> Cette situation d'apprentissage permet d'aborder des connaissances relevant du domaine des arts, plus spécifiquement de la discipline **art dramatique**. Toutefois, aucune compétence dans ce domaine ne sera développée.

2
ACTION EN CLASSE

ACTIVITÉS DE CONSOLIDATION

- *Feuille reproductible 17.4 : Riri à l'ordi (individuel)*

– *Répondre à des questions.*

▶ *L'élève sélectionne des éléments d'information explicites dans le texte.*

- *Activité complémentaire 58 : Beignets au sirop d'érable (équipes)*

– *Lire une recette.*

– *Dresser la liste des ingrédients nécessaires.*

▶ *L'élève utilise l'information contenue dans le texte à diverses fins.*

CORRIGÉ
MANUEL D, PAGE 36

▼1 Il y a plusieurs réponses possibles.

Préparation

- Demandez aux enfants de nommer des inventions qui ont radicalement modifié la vie des humains, aussi loin qu'on puisse remonter dans le temps. Notez-les au tableau et ajoutez celles qui ont eu une importance majeure dans le développement de la civilisation. En voici quelques-unes : le feu, la roue, l'électricité, l'automobile, l'avion, le téléphone, la radio, la télévision.

CORRIGÉ
MANUEL D, PAGE 37

▼1 Sa grande sœur Lulu et sa maman.

▼2 Lulu l'aide dans sa recherche à l'ordinateur, sa maman lui envoie une recette par courrier électronique.

▼3 Il y a plusieurs réponses possibles.

Invitez vos élèves à plonger dans le passé et à imaginer en quoi la vie a pu changer pour les humains avec l'avènement de ces inventions. Ainsi, il y a eu la vie avant la découverte du feu et après. Qu'est-ce qui a été profondément

2

ACTION EN CLASSE

(SUITE)

modifié dès lors que l'être humain a maîtrisé le feu? (protection contre le froid et les animaux sauvages, cuisson des aliments, éclairage) Et avant la roue, comment les êtres humains transportaient-ils de lourdes charges? comment se déplaçaient-ils? Laissez les enfants exprimer librement leurs points de vue.

Pour les inventions plus récentes, proposez aux enfants de se mettre à la place de leur grand-père ou de leur grand-mère et d'imaginer ce que pouvaient être les déplacements, les voyages à une époque où les moyens de transport n'étaient pas aussi développés qu'aujourd'hui.

Demandez aux enfants si, de leur point de vue, les ordinateurs existaient quand leurs parents avaient leur âge. Existaient-ils quand leurs grands-parents étaient enfants?

Poursuivez la discussion en demandant aux enfants si leurs grands-parents se servent maintenant d'un ordinateur et, si c'est le cas, quels usages ils en font. L'utilisent-ils comme ils le font eux-mêmes? Actuellement, peut-on soutenir que, peu importe l'âge, presque tout le monde se sert d'un ordinateur? Qui doit-on exclure de cette affirmation? (Les personnes âgées qui n'ont pas accès à un ordinateur ou qui n'y portent pas d'intérêt, de même que les très jeunes enfants qui ne savent ni lire ni écrire.)

Profitez-en pour rappeler la nécessité de savoir lire et écrire pour se servir d'un ordinateur. Faites aussi remarquer que la motivation, l'intérêt et parfois la nécessité décident les gens à apprendre à utiliser cet outil.

Faites le tour des diverses technologies nouvelles présentes dans l'environnement des enfants: jeux électroniques, jeux vidéo, magnétoscope, caméra numérique, lecteur de DVD, etc.

Invitez les élèves à ouvrir leur manuel aux pages 36 et 37 et à survoler le texte. Faites émettre des hypothèses sur son contenu.

Demandez aux élèves de lire le texte d'introduction pour en déduire l'intention de lecture.

 Réalisation

- Au besoin, faites rappeler les stratégies d'identification des mots. Demandez à quoi sert la visualisation du contenu du texte. Rappelez la nécessité de relire, à l'occasion, certains passages particulièrement difficiles.

Invitez les élèves à lire individuellement le texte. Si certains ont besoin d'encadrement de votre part, réunissez-les auprès de vous afin de les dépanner au besoin.

Demandez aux élèves de quelles autres personnes il est question dans le texte, à part Riri.

Invitez des élèves à raconter l'épisode vécu par Riri avec chacune de ces personnes.

Revenez sur l'intention de lecture: a-t-elle été satisfaite? Quant aux anticipations de contenu, qui, dans le groupe, a bien interprété les éléments visuels?

 Intégration et réinvestissement

- Regroupez les élèves qui ont éprouvé des difficultés en lecture et amenez-les à identifier ces difficultés. Quelles stratégies les ont aidés? Y a-t-il eu relecture de certains passages? Y a-t-il encore des passages difficiles qui pourraient être repris avec ce petit groupe?

Formez des équipes de quatre.

Invitez les élèves à relever les quatre personnages figurant dans le texte. Chaque coéquipier ou coéquipière joue le rôle de l'un de ces personnages. Si les élèves ne parviennent pas à s'entendre pour la distribution des rôles, faites tirer les noms des personnages dans chaque équipe.

2

ACTION
EN CLASSE
(SUITE)

Demandez aux équipes d'imaginer un scénario dans lequel les personnages se retrouvent en interaction grâce à l'ordinateur. L'histoire doit être différente de celle qu'ils viennent de lire. Voici des suggestions : inverser les rôles, changer le sujet de la recherche de Riri, trouver un autre prétexte pour que Lulu se serve de l'ordinateur, expliquer un jeu au grand-père, se faire expliquer par le grand-père comment accéder à Internet, etc. Invitez les élèves à y aller de leur créativité et de leur fantaisie.

Lors des répétitions du sketch avant la présentation à la classe, rappelez l'importance de parler un français québécois

oral standard, d'articuler soigneusement et de parler suffisamment fort pour être entendu de tous.

Une fois les présentations terminées, invitez les enfants à exprimer leur appréciation face à ce qu'ils ont vu et entendu d'une part, et face à leur propre prestation d'autre part. Faites ressortir les aspects positifs. Demandez de nommer les facteurs qui ont contribué à la réussite de la communication orale (ex. : histoire originale et intéressante, rôle bien assimilé par les acteurs, jeu naturel et décontracté, qualité d'écoute de l'auditoire).

3

RETOUR
SUR
L'ENSEIGNEMENT

- La lecture du texte vous a-t-elle paru facile ? difficile ? Quels élèves ont éprouvé des difficultés ? De quel ordre étaient-elles ? Ces élèves vous ont-ils demandé de les aider ou est-ce vous qui avez pris les devants ?

  Les élèves ont-ils créé des scénarios intéressants ? Ont-ils eu le souci de bien s'exprimer ?

Les élèves ont-ils pu présenter quelques grandes inventions de l'humanité ? Les réflexions portant sur ce qui a précédé et ce qui a suivi dans chaque cas ont-elles été pertinentes ?

Vos jeunes ont-ils pris de l'intérêt à se mettre à la place de leurs parents ou grands-parents ? Et si vous leur proposiez d'interroger les personnes en question pour vérifier la validité de leurs réflexions ?

 Travaux personnels

Proposez aux enfants de faire un recueil de recettes à base de sirop d'érable. En mars, les journaux locaux et les quotidiens regorgent de telles recettes. Les parents et les grands-parents en connaissent sûrement. Demandez aux élèves de noter ces recettes, puis de les transcrire à l'ordinateur. Le recueil pourrait être apporté à tour de rôle à la maison par les enfants.

TIC

1. Une recette au sirop d'érable

Demandez aux enfants de visiter certains sites Internet afin d'y trouver des recettes à base de sirop d'érable qui viendront enrichir leur recueil.

2. Le temps des sucres

Pour réaliser cette activité, vous devez avoir préparé une banque de signets sur les produits de l'érable.

Donnez les consignes suivantes aux élèves :

1. Ouvrez le fureteur.

2. Ouvrez la banque de signets sur les produits de l'érable.

3. Trouvez une recette à base de sirop d'érable, que vous aimeriez faire.

4. Imprimez-la.

5. Apportez la recette à la maison.

Invitez les enfants à choisir dans le recueil une recette qu'ils transcriront et enverront par courriel à une personne de leur entourage.

Rappel :
Réalisez
l'étape 3 du projet.

Activité 2
Début

Notes personnelles

_____

_____

_____

_____

_____

_____

_____

_____

_____

_____

_____

_____

_____

_____

_____

_____

_____

_____

_____

_____

_____

Les élèves poursuivent leur progression dans la maîtrise des compétences en lecture et en écriture. Voici le moment de leur offrir la possibilité d'évaluer leur progrès dans un nouveau contexte où seront utilisées les compétences mentionnées.

SAVOIRS ESSENTIELS DES DIFFÉRENTES COMPÉTENCES

BUT

Faire le point sur les apprentissages réalisés durant la première partie du module, en lecture et en écriture.

ORGANISATION DE LA CLASSE

Collectif, équipes de quatre, individuel

MATÉRIEL NÉCESSAIRE

Par élève : manuel D (pages 38, 39 et 40)

TEMPS SUGGÉRÉ

130 min

L **LIRE DES TEXTES VARIÉS**
E **ÉCRIRE DES TEXTES VARIÉS**

Connaissances liées au texte :

▶ Exploration et utilisation d'éléments caractéristiques de différents genres de textes ;
▶ Exploration de quelques éléments littéraires à des fins d'utilisation ou d'appréciation : personnages, temps et lieux du récit, séquence des événements ;
▶ Exploration et utilisation de la structure des textes : récit en trois temps ;
▶ Prise en compte des éléments de la situation de communication : intention, contexte, formes du registre standard ;
▶ Prise en compte d'éléments de cohérence : idées rattachées au sujet, reprise de l'information en utilisant des termes substituts (pronoms).

Connaissances liées à la phrase :

▶ Recours à la ponctuation : point ;
▶ Reconnaissance et utilisation du groupe du nom : Pronom, Nom, Dét. + Nom ;
▶ Accords dans le groupe du nom : Dét. + Nom ;
▶ Exploration et utilisation du vocabulaire en contexte ;
▶ Utilisation de l'orthographe conforme à l'usage.

Stratégies de lecture :

▶ Stratégies de reconnaissance et d'identification des mots d'un texte ;
▶ Stratégies de gestion de la compréhension ;
▶ Stratégies d'évaluation de sa démarche.

Stratégies d'écriture :

▶ Stratégies de planification ;
▶ Stratégies de mise en texte ;
▶ Stratégies de révision ;
▶ Stratégies de correction ;
▶ Stratégies d'évaluation de sa démarche.

Techniques :

▶ Apprentissage de la calligraphie ;
▶ Utilisation de manuels de référence.

Cette rubrique permet d'aborder des connaissances relevant du domaine des arts, plus spécifiquement de la discipline **arts plastiques**. Toutefois, aucune compétence dans ce domaine ne sera développée.

_____

_____

_____

_____

_____

_____

_____

_____

_____

_____

_____

_____

_____

_____

_____

_____

_____

_____

_____

2

ACTION
EN CLASSE

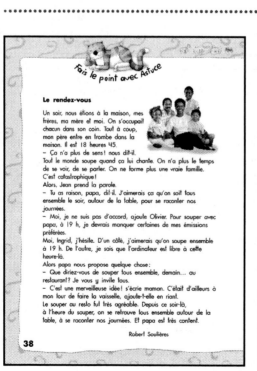

Le rendez-vous

Un soir, nous étions à la maison, mes frères, ma mère et moi. On s'occupait chacun dans son coin. Tout à coup, mon père entre en trombe dans la maison. Il est 18 heures 45.

– Ça n'a plus de sens! nous dit-il. Tout le monde soupe quand ça lui chante. On n'a plus le temps de se voir, de se parler. On ne forme plus une vraie famille. C'est catastrophique!

Alors, Jean prend la parole.

– Tu as raison, papa, dit-il. J'aimerais ça qu'on soit tous ensemble le soir, autour de la table, pour se raconter nos journées.

– Moi, je ne suis pas d'accord, ajoute Olivier. Pour souper avec papa, à 19 h, je devrais manquer certaines de mes émissions préférées.

Moi, Ingrid, j'hésite. D'un côté, j'aimerais qu'on soupe ensemble à 19 h. De l'autre, je sais que l'ordinateur est libre à cette heure-là.

Alors papa nous propose quelque chose:

– Que diriez-vous de souper tous ensemble, demain... au restaurant? Je vous y invite tous.

– C'est une merveilleuse idée! s'écrie maman. C'était d'ailleurs à mon tour de faire la vaisselle, ajoute-t-elle en riant.

Le souper au resto fut très agréable. Depuis ce soir-là, à l'heure du souper, on se retrouve tous ensemble autour de la table, à se raconter nos journées. Et papa est très content.

Robert Soulières

38

Je comprends ce que je lis

1. a) Où se passe l'action au début de l'histoire?
   b) Que font les enfants au début de l'histoire?

2. a) Qui entre dans la maison?
   b) Quel est le problème?

3. Que pense chacun des enfants du problème soulevé par le père?
   a) Jean.
   b) Olivier.
   c) Ingrid.

4. Que propose le père?

5. Pourquoi le père est-il content à la fin de l'histoire?

Je révise des sons

ailleurs	énerver	Internet	rechercher
bonheur	fleur	lecteur	servir
cœur	intérieur	ordinateur	sœur

39

2

Je sais orthographier

cher	ensuite	jouer	pouvoir
chère	fleur	loin	que
cœur	image	monde	qui
couleur	joli	mot	sœur
enfin	jolie	papier	tout

Pour retenir l'orthographe d'un mot...

Astuce te propose un jeu d'équipe.
1. Un membre de l'équipe donne une phrase en dictée aux autres.
2. Après avoir écrit la phrase, les membres de l'équipe se consultent. Ils doivent s'entendre sur l'orthographe de chaque mot.
   Ils peuvent consulter leur mini-dictionnaire.
3. L'élève qui a donné la dictée vérifie si ce que les autres ont écrit est correct.

Je sais écrire

Rappelle-toi une soirée de fin de semaine en famille que tu as beaucoup aimée. En quelques phrases, décris cette soirée. Puis, lis ton texte aux autres élèves de ta classe. Écoute les textes des autres. Dresse une liste des différentes activités mentionnées.

40

 Préparation

- Reprenez, au besoin, les explications relatives à la marche à suivre dans les diverses activités de cette rubrique. Invitez les enfants à décrire la façon de procéder dans chaque partie afin de vous assurer que tous comprennent bien ce qu'ils ont à faire. À titre indicatif, voici l'essentiel de ces explications.

JE COMPRENDS CE QUE JE LIS

Faites un rappel sur l'utilisation des stratégies de lecture.

Faites valoir encore une fois que la lecture est une activité individuelle, mais qu'il est possible de choisir de se regrouper pour mieux tirer profit de l'activité. Invitez personnellement certains élèves à se joindre au groupe qui a opté pour une lecture collective.

Parmi les bons lecteurs, invitez les volontaires à aider les camarades qui ont besoin d'assistance.

Invitez les enfants à répondre individuellement aux questions après avoir rempli collectivement le tableau décrit dans la partie *Réalisation*.

JE RÉVISE DES SONS

Faites rappeler par les élèves que la lecture des mots de la liste leur permettra de regrouper ceux qui portent le même son, ce qui ne signifie pas qu'ils ont la même graphie. Cette activité se fait individuellement, mais les résultats pourront être mis en commun en équipes.

JE SAIS ORTHOGRAPHIER

Lisez ou faites lire le jeu proposé par Astuce, à la page 40 du manuel. Demandez aux élèves de raconter la démarche dans leurs propres mots afin de vous assurer qu'elle est bien comprise.

JE SAIS ÉCRIRE

Rappelez ou faites rappeler, au besoin, les étapes du processus d'écriture. Notez-les au tableau.

- Planification: partage et choix des idées;

- rédaction: mise en mots des idées, emploi d'un symbole pour les mots dont l'orthographe est douteuse;

- révision: de la variété et de la précision du vocabulaire, de la pertinence et de la quantité des idées;

- correction: lecture du texte et vérification de la présence de tous les mots dans la phrase, de la présence de la majuscule au début et du point à la fin, de la construction des phrases. Rectification, s'il y a lieu de l'orthographe;

2

**ACTION
EN CLASSE**

(SUITE)

– transcription : fidèle, calligraphie soignée ;

– lecture finale : vérification et rectification, s'il y a lieu, des éléments du texte ;

– diffusion et autoévaluation : lecture du texte à la classe ; retour sur l'ensemble de l'activité.

 Réalisation

JE COMPRENDS CE QUE JE LIS

- Invitez les élèves à faire la lecture du texte de la page 38.

Avant de laisser les élèves répondre aux questions de compréhension, présentez-leur les activités suivantes au cours desquelles ils découvriront la structure d'un récit. Cette activité se fait collectivement et à l'oral.

NOTE : Le schéma narratif suivant est présenté en cinq temps. Selon la capacité de compréhension des élèves de votre classe, vous pouvez le modifier afin qu'il corresponde au récit en trois temps (début, milieu et fin) proposé pour le premier cycle dans le Programme.

Voici les différentes parties d'un récit :

– situation de départ

– événement déclencheur (problème)

– péripéties (actions)

– problème et solution (dénouement)

– situation finale

Servez-vous d'un grand carton comportant cinq cases, chacune représentant l'une des parties d'un récit. Inscrivez chaque rubrique dans la bonne case. Prévoyez un espace où faire figurer un dessin ou écrire un texte résumant chaque partie.

Signalez aux élèves que le but de l'exercice est de leur faire mieux compren-

dre la structure d'un récit pour qu'ils puissent à leur tour composer de petites histoires.

Faites découvrir les cinq parties du texte *Le rendez-vous* en posant des questions se rapportant à chacune.

– Un soir, nous étions tous à la maison. Chacun était occupé dans son coin.

– Tout à coup, papa arrive précipitamment. Il est mécontent parce que tout le monde soupe quand il veut.

– Mélanie est d'accord avec papa, elle aimerait que nous soupions tous ensemble. Olivier n'est pas d'accord.

– Papa propose de nous emmener au restaurant pour souper.

– Le souper au resto fut très agréable. Depuis ce soir-là, on se retrouve tous réunis autour de la table pour se raconter nos journées.

Invitez quelques enfants soit à dessiner, soit à écrire le texte dans l'espace correspondant à chaque partie du récit. Les élèves peuvent combiner dessins et textes.

Afin d'assurer un transfert des connaissances et des habiletés, réalisez avec vos élèves la reconstitution d'un récit où se retrouvent les étapes du texte narratif. Inspirez-vous d'une page d'un album de bande dessinée pour faire d'abord dessiner les étapes de l'histoire imaginée. À l'aide des illustrations comme point de départ, faites rédiger collectivement des phrases qui résument chaque étape.

JE RÉVISE DES SONS

- Demandez aux enfants de lire individuellement les mots proposés dans cette section de la rubrique.

ACTION EN CLASSE (SUITE)

Cette activité constitue une révision de certains sons abordés au cours de l'année. Aussi, lors de la mise en commun, prenez note des principales faiblesses des élèves afin de prévoir une révision dans laquelle ces sons occuperont une place plus importante.

Voici les regroupements que vous pourriez suggérer de faire aux élèves. (son [œʀ] – aill**eur**s, bonh**eur**, c**œur**, fl**eur**, intéri**eur**, lect**eur**, ordinat**eur**, s**œur** ; son [ɛʀ] – én**er**ver, Int**er**net, rech**er**cher, s**er**vir)

Rappelez aux élèves qu'ils auront à comparer leurs réponses à celles de leurs coéquipiers (les camarades avec lesquels ils réaliseront la prochaine activité).

JE SAIS ORTHOGRAPHIER

- Faites former des équipes de quatre qui, une fois terminée la mise en commun des réponses à la section précédente, réaliseront le jeu proposé à la rubrique *Pour retenir l'orthographe d'un mot...*

Répartissez l'apprentissage des mots proposés ici dès le début de cette partie du module.

Invitez les élèves à revoir ensemble les stratégies d'apprentissage de l'orthographe déjà enseignées et à les appliquer aux mots de la liste quand elles sont appropriées. Conseillez-leur de consulter les dernières pages du manuel afin de se rafraîchir la mémoire à cet égard.

JE SAIS ÉCRIRE

- Laissez au tableau les étapes du processus d'écriture. Faites nommer les divers outils de référence que peuvent consulter les élèves lorsqu'ils écrivent.

Placez ces ouvrages bien en vue dans la classe et rappelez aux élèves qu'ils peuvent s'adresser à vous en cas de difficulté tout autant qu'ils peuvent solliciter l'aide de leurs pairs.

Circulez dans la classe et lisez tous les textes produits avant qu'ils soient transcrits. Soulignez-y non seulement les aspects à améliorer, mais aussi ceux qui sont dignes de mention. Intervenez si les enfants font appel à vous.

Une fois la transcription des textes terminée, faites lire les textes et demandez aux enfants, après chaque lecture, de nommer les activités qui y sont mentionnées.

Intégration et réinvestissement

Remarque : cette partie du travail peut se faire immédiatement après chaque section de la rubrique.

JE COMPRENDS CE QUE JE LIS

- Demandez aux enfants si le fait de repérer les cinq (ou les trois) parties du texte de la page 38 du manuel leur a permis de mieux comprendre le récit.

Faites un retour sur les réponses apportées à chaque question.

Demandez à quelques élèves de nommer les stratégies qui leur ont permis de poursuivre leur lecture.

JE RÉVISE DES SONS

- Faites un retour sur les sons mal maîtrisés. Demandez aux élèves qui ont réussi à reconnaître ces sons d'expliquer à leurs camarades comment ils y sont parvenus.

2

ACTION
EN CLASSE
(SUITE)

- Demandez aux élèves si le jeu proposé par Astuce leur a permis de mémoriser l'orthographe des mots de la liste. Faites-les parler des stratégies d'apprentissage de l'orthographe auxquelles ils ont eu recours.

  Choisissez des mots au hasard et demandez à des élèves de les épeler.

JE SAIS ÉCRIRE

- Demandez aux enfants si cette activité d'écriture leur a plu.

Faites classer les activités qui ont été mentionnées dans les textes en demandant aux élèves de choisir un critère de classement (ex. : activités individuelles, activités de groupe ; activités calmes, activités bruyantes ; activités sportives, activités culturelles ; etc.).

Invitez les élèves à revoir le travail accompli dans cette rubrique et à mentionner une réussite, une amélioration, un aspect nécessitant encore un effort de leur part. Faites consigner ce constat dans le portfolio et conseillez aux enfants de le relire au cours de la deuxième partie du module.

Faites observer tous les progrès accomplis depuis septembre. Félicitez-en chaque élève.

3

RETOUR
SUR
L'ENSEIGNEMENT

- Et si vous traciez un portrait de la classe ?

  Si vous comparez ces données à ce que vous avez pu dégager lors de précédents portraits du groupe, quelle conclusion tirez-vous ?

Ces données pourraient-elles vous servir à mettre l'accent sur des aspects bien précis au cours de la prochaine unité ?

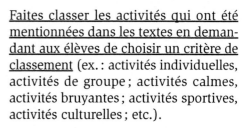

Notes personnelles

_____

_____

_____

_____

_____

_____

_____

_____

_____

_____

_____

1

**PLANIFICATION
DE
L'ENSEIGNEMENT**

BUT

Enrichir son bagage culturel et réaliser une création plastique à la manière de Joan Miró.

ORGANISATION DE LA CLASSE

Collectif, individuel

MATÉRIEL NÉCESSAIRE

- *Par élève :
manuel D
(page 41), feuille
blanche cartridge
de 21,5 cm x
28 cm coupée
en deux parties
égales dans le sens
de la largeur,
gouache liquide :
bleue, rouge,
jaune, pinceau
souple et bol d'eau
pour rincer entre
les changements
de couleur, encre
de Chine, petit
pinceau souple ou
pinceau chinois,
colle en bâton et
carton noir pour
le montage, crayon
à la mine pour
inscrire le titre*

- *Pour la classe : si
possible, des livres
présentant des œu-
vres de Joan Miró*

- *Pour le soutien :
activité complé-
mentaire 59*

TEMPS SUGGÉRÉ

90 min

UNE VISITE AU MUSÉE

Découvrez avec les élèves *Le grand ordinateur* de Joan Miró. Riche en poésie et en fantaisie, cette œuvre indique bien que là où le rêve se substitue à la logique, formes et couleurs s'emparent de l'espace dans la magie de l'art.

SAVOIRS ESSENTIELS DES DIFFÉRENTES COMPÉTENCES

C COMMUNIQUER ORALEMENT

Stratégies de communication orale :

▶ Stratégies d'exploration ;
▶ Stratégies de partage ;
▶ Stratégies d'écoute.

> Cette situation d'apprentissage permet d'aborder des connaissances relevant du domaine des arts, plus spécifiquement de la discipline **arts plastiques.** Toutefois, aucune compétence dans ce domaine ne sera développée.

*Activité complémentaire 59:
Visite virtuelle d'un musée
(équipes)*

– *Répondre aux énigmes des personnages (selon le site visité).*

– *Utiliser le vocabulaire acquis en arts plastiques pour identifier une œuvre.*

▶ *L'élève réagit au texte avant, pendant et après sa lecture.*

▶ *L'élève apprécie des œuvres d'art en prenant part à des activités d'observation et de lecture de productions plastiques d'hier et d'aujourd'hui.*

Musée du Québec pour course avec énigmes et casse-tête : http:// www.mdq.org

Musée des beaux-arts de Montréal : Préparons une visite avec des ateliers pour tous les groupes d'âge avec ateliers d'art! : http://www. mbam.qc.ca

■
C O R R I G É
MANUEL D, PAGE 41

▼ **1** Le grand ordinateur.

▼ **2** Il y a plusieurs réponses possibles.

▼ **3** Vert, rouge, jaune, bleu.

■

 Préparation

• Demandez aux élèves de comparer l'illustration de la page couverture de ce module à la reproduction de la page 41. Rappelez-leur que Delphine Bélanger a réalisé son dessin en s'inspirant de Joan Miró.

Invitez les enfants qui s'en souviennent à dégager les ressemblances entre les deux œuvres : personnages démesurés (grosse tête et petit corps), couleurs vives (bleu, rouge, vert, jaune).

Puisez à même les notes sur l'artiste pour faire connaître Miró aux enfants. (page 49 du présent guide)

Demandez aux élèves de quels artistes, parmi ceux qu'ils ont découverts aux modules précédents, ils se souviennent et ce qu'ils ont retenu d'eux.

Poursuivez en invitant les élèves à identifier l'artiste et l'œuvre qu'ils ont préférés.

En lisant le titre et le nom de l'auteur de l'œuvre, page 41, informez-vous auprès des élèves pour savoir s'ils ont déjà entendu parler de cet artiste et, si oui, à quelle occasion. Si vous avez pu apporter des livres sur Miró, présentez quelques-unes de ses œuvres.

Invitez les enfants à prendre place à côté d'Ali, page 41, et à apprivoiser avec lui l'œuvre qui y figure. Amorcez votre approche en utilisant les questions situées dans la partie supérieure droite de la page. Laissez les enfants donner libre cours à leur imagination, particulièrement dans leurs énoncés de fonctions magiques.

Poursuivez en demandant aux élèves d'imaginer où se trouve l'ordinateur et à qui il peut bien appartenir.

Faites reconnaître des éléments que Miró favorise dans ses œuvres (couleurs choisies, traits de plume ou de pinceau, personnages simplifiés, arrière-plan sommaire).

 Réalisation

• Proposez aux élèves de participer à un atelier d'impression à la manière de Miró. Invitez-les à se transformer en inventeurs doués dans le domaine de l'informatique et qui ont pour mission de réaliser un «super-ordi-robot-extra-communicateur». À la manière de Miró, ils doivent ilustrer leur ordinateur en utilisant des formes sinueuses, des fonds flous et infinis, des couleurs vives, un tracé noir et bien défini. Ce «super-ordi-robot-extra-communicateur» se doit bien sûr d'avoir des formes disproportionnées!

Notez au tableau les étapes de réalisation de la technique d'impression :

– prévoir deux feuilles blanches;

– appliquer rapidement la gouache (les trois couleurs) sur l'une des feuilles blanches, en veillant à bien mouiller le pinceau;

– placer la deuxième feuille blanche sur la première avant que la gouache sèche;

2

ACTION
EN CLASSE
(SUITE)

Pour niveau avancé :
Musée des beaux-arts du Canada : visite guidée sonorisée : http:// national.gallery.ca

Cette activité peut également servir pour la consolidation.

– séparer les deux feuilles : le fond est maintenant imprimé ;

– tracer à l'encre de Chine, avec un pinceau fin, les contours du «super-ordi-robot-extra-communicateur» ;

– placer de nouveau la deuxième feuille sur la première : le dessin à l'encre est imprimé ;

– coller les deux impressions sur un carton noir, l'une au-dessus de l'autre ;

– trouver un titre à ces deux impressions (Miró disait que le titre fait partie intégrante de l'œuvre puisque, bien souvent, il vient changer ou orienter notre perception).

Demandez aux élèves de placer sur leur table de travail le matériel nécessaire à la réalisation de leur œuvre.

Invitez chaque élève à suivre attentivement la démarche notée au tableau.

Circulez dans la classe pour vous assurer que les élèves ne mélangent pas volontairement leurs couleurs primaires. Conseillez-leur de laisser sécher un peu une couleur avant d'en appliquer une autre à côté.

Intégration et réinvestissement

• **Invitez les enfants à juger des résultats de leur travail d'impression.** Sont-ils satisfaits ? Pourquoi ?

Faites lire les titres par chacun et chacune des élèves et demandez-leur d'expliquer leur choix.

Amenez les élèves à revenir sur les diverses étapes du travail et à mentionner celles qui ont été les plus faciles et les plus difficiles à réaliser. Invitez-les aussi à dire ce qu'ils referaient et ce qu'ils modifieraient s'ils devaient répéter l'expérience. Auraient-ils des trucs à suggérer pour éviter certains problèmes ?

Proposez aux élèves une autre façon d'imprimer. La méthode consistera à coller de petits objets sur un carton (ficelle, carton ondulé, bouton, etc.). Faites enduire ensuite le montage de gouache et faites imprimer le tout sur une feuille.

Demandez aux enfants s'ils connaissent d'autres façons d'imprimer. Si oui, proposez-leur de les faire découvrir à leurs camarades.

Suggérez une exposition de «super-ordi-robot-extra-communicateurs» dans une section de la classe.

3

RETOUR
SUR
L'ENSEIGNEMENT

• De par leurs commentaires et les souvenirs que leur ont laissés les œuvres précédemment vues, les élèves vous donnent-ils l'impression que leur culture artistique se développe au fil des modules ?

D'une façon générale, pour quel artiste ou pour quelle œuvre les élèves semblent-ils avoir un faible ?

Si vous avez pu faire voir d'autres œuvres de Miró, quels ont été les commentaires des élèves sur son art en général ?

La technique d'impression proposée a-t-elle été jugée simple ou complexe par les élèves ? Et pour vous ?

Les élèves sont-ils fiers de leur «super-ordi-robot-extra-communicateur» ?

Ont-ils donné à leurs œuvres des titres originaux ? Si oui, lesquels ?

Astuce et suggestions (ENRICHISSEMENT)

Images du futur

Invitez les enfants à imaginer des objets futuristes : véhicule de l'avenir, immeuble en forme de bulles, aliments en comprimés, traducteur technique permettant la compréhension en simultané de toutes les langues, enregistreur de connaissances directement branché sur le cerveau, etc. Faites dessiner ces inventions et demandez d'assortir chaque dessin d'une fiche descriptive. Prévoyez une séance au cours de laquelle les élèves présenteront leurs inventions.

 TIC

Joan Miró

Pour réaliser cette activité, vous devez avoir un moteur de recherche dans votre banque de signets.

Donnez les consignes suivantes aux élèves :

1. Ouvrez le fureteur.

2. Ouvrez le moteur de recherche.

3. Inscrivez *Miró* dans le champ de recherche.

4. Visitez quelques sites qui présentent des œuvres de cet artiste.

5. Choisissez une peinture ou une sculpture que vous trouvez particulièrement intéressante.

6. Imprimez l'œuvre retenue.

Rappel :
Réalisez
l'étape 3 du projet
(suite).

Activité 2
Suite

Notes personnelles

_____
_____
_____
_____
_____
_____
_____
_____
_____
_____
_____
_____
_____
_____
_____
_____
_____
_____
_____
_____

Biographie de Joan Miró

Joan Miró est né le 20 avril 1893 à Barcelone en Espagne. Il reste attaché toute sa vie à ce pays où il retrouve le soleil et la nature. Après une formation à l'école de commerce, ses parents lui permettent d'étudier ce qui lui tient le plus à cœur : la peinture. Il suit des cours à l'école des Beaux-arts et à l'École d'Art de Francesc Gali. Ce professeur est un grand peintre qui utilise une méthode pour éveiller le sens de l'observation et encourage fortement ses élèves à la musique et à la poésie. Il leur fait faire des exercices de dessin après avoir touché un objet les yeux bandés. Ces exercices sont un peu à l'origine du goût de la sculpture chez Miró. Il adore toucher à la matière comme à l'argile et aux différentes textures des papiers et des tissus.

Joan Miró conserve tout au long de sa vie une façon de s'exprimer qui a un côté un peu enfantin. Ses personnages sont démesurés avec de grosses têtes et de petits corps comme les insectes. Il utilise des formes sinueuses, des couleurs vives comme le rouge, le bleu, le vert et le jaune. Les personnages et les objets de ses tableaux ont souvent l'air de flotter dans des espaces sans limites, un peu comme dans le néant.

Miró est un artiste qui sans cesse évolue à travers son art. Il est très polyvalent, il touche à la peinture, la sculpture et les arts graphiques. Chaque forme d'art lui permet de réaliser et de mettre en vie des formes et des personnages fantasmagoriques qui sortent de son imaginaire.

L'artiste adore la nuit, les espaces illimités, la noirceur, les étoiles. C'est un thème qu'il exploitera tout au long de sa vie sur plusieurs variations. On retrouve aussi dans ses œuvres en deux et en trois dimensions des thèmes comme la femme, l'oiseau, les étoiles, des signes qu'il a inventés et aussi de la calligraphie.

Avec les années, Miró simplifie davantage ses personnages et ses couleurs. Il prend son inspiration de ses rêves, de ses hallucinations et de la poésie. Il s'associe dans les années 1920 aux surréalistes, un groupe d'artistes en France qui veut aller au-delà du conscient. Ils veulent remplacer la logique par le rêve. De 1919 à 1940, Miró partage sa vie entre la France et l'Espagne. Il épouse Pilar Juncosa en 1929 et en 1931 c'est la naissance de sa fille Dolorès. En 1940 il revient définitivement vivre en Espagne.

Miró débute toujours une œuvre sous l'influence d'un choc. Ce choc le fait échapper à la réalité et c'est à ce moment que son imaginaire lui permet de rêver et de voir ses formes et ses drôles de personnages. C'est comme un point de départ qu'il ressent par exemple en observant un grain de poussière qui virevolte dans les airs, une goutte d'eau qui tombe, la forme d'un caillou trouvé sur le chemin lors d'une de ses promenades. C'est un élément déclencheur qui lui permet de trouver l'inspiration pour créer un tableau, une sculpture ou encore une gravure. Il trouve aussi ses idées dans la poésie, la musique et même l'architecture, surtout celle de Gaudi.

Miró utilise des objets jetés au rebut et leur accorde une nouvelle vie. Il réalise des tableaux-collages où il intègre ces morceaux d'objets qu'il a récupéré ; un vieux panier, un bout de ficelle, une jambe de poupée, etc. (par exemple dans son tableau : *Danseuse espagnole*, 1928). Vers la fin des années 1920 et le début des années 1930, on retrouve dans la plupart de ses sculptures en bronze cette transformation de l'objet intégré à la sculpture-objet (par exemple dans sa sculpture : *L'objet* 1936).

En 1940, de retour en Espagne à cause de la guerre, Miró s'intéresse à la céramique. Il réalise plusieurs murales et sculptures en argile. De plus, c'est à cette période qu'il produit sa série « Constellations », soit 23 gouaches de mêmes dimensions et de petit format. Ce sont des œuvres remplies d'étoiles, de formes ovales reliées par des lignes noires sinueuses… sans doute les plus célèbres de sa carrière.

Dans les années 1950, il consacre une grande partie de son art à la lithographie et à la gravure ; des procédés d'impression. Il avait toutefois exploité ces techniques plus tôt dans sa carrière. Pour lui, les arts graphiques lui permettent d'être plus accessible au grand public, car avec les arts d'impression il peut illustrer des livres, des recueils de poésie, des affiches, etc. (par exemple: *Le grand ordinateur*, Eau – forte, 1969)

Miró rêve de plus en plus à l'évasion vers l'infini, c'est ainsi qu'il se rapproche de l'abstraction (par exemple; *L'or et l'azur*, 1967). Il mêle des formes nouvelles avec de délicates calligraphies, des signes et des étoiles. La nuit le fascine toujours, c'est une source d'inspiration constante.

Joan Miró s'éteint le 25 décembre 1983, laissant derrière lui une œuvre impressionnante et très diversifiée, remplie de personnages étranges et de paysages nocturnes tout droit sortis de ses rêveries. Ses sculptures, ses peintures et ses gravures seront exposées partout à travers le monde.

Notes personnelles

_____

_____

_____

_____

_____

_____

_____

_____

_____

_____

_____

_____

_____

_____

_____

_____

_____

_____

_____

_____

_____

_____

_____

_____

BUT

Découvrir les mystères cachés de l'ordinateur.

ORGANISATION DE LA CLASSE

Collectif, individuel

MATÉRIEL NÉCESSAIRE

*Par élève :
manuel D
(pages 42 et 43)*

TEMPS SUGGÉRÉ

60 min

Situation d'apprentissage 6

À L'INTÉRIEUR DE L'ORDINATEUR

Cet animal bizarre s'incruste de plus en plus dans nos foyers. Pourquoi ne pas l'apprivoiser ? Qui sait, vous serez peut-être conquis ou conquise par son ronronnement… cybernétique !

SAVOIRS ESSENTIELS DES DIFFÉRENTES COMPÉTENCES

L LIRE DES TEXTES VARIÉS
C COMMUNIQUER ORALEMENT

Connaissances liées au texte :

▶ Exploration et utilisation d'éléments caractéristiques de différents genres de textes ;
▶ Prise en compte des éléments de la situation de communication : intention, contexte, formes du registre standard ;
▶ Prise en compte d'éléments de cohérence : idées rattachées au sujet, reprise de l'information en utilisant des termes substituts (pronoms).

Stratégies de lecture :

▶ Stratégies de reconnaissance et d'identification des mots d'un texte ;
▶ Stratégies de gestion de la compréhension ;
▶ Stratégies d'évaluation de sa démarche.

Stratégies de communication orale :

▶ Stratégies d'exploration ;
▶ Stratégies de partage ;
▶ Stratégies d'écoute ;
▶ Stratégies d'évaluation.

Techniques :

▶ Utilisation de manuels de référence.

2

ACTION
EN CLASSE

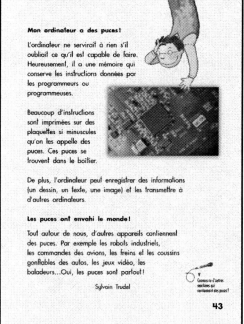

Lis le texte pour en connaître un peu plus sur l'ordinateur.

À l'intérieur de l'ordinateur

Qu'est-ce qu'il y a à l'intérieur?

Si l'on ouvrait un ordinateur personnel, on ne découvrirait ni génie, ni lutin, ni magicien à l'intérieur! À vrai dire, le boîtier de l'ordinateur renferme une diversité de petites pièces. Il s'agit du mécanisme de l'ordinateur.

L'ordinateur ne réfléchit pas, ne pense pas. C'est une espèce de robot qui obéit à des instructions. Pour donner des ordres à cette machine, on utilise la souris et le clavier qui parlent la langue de l'ordinateur.

Le vrai cerveau de la machine

L'ordinateur est un outil que l'être humain a inventé pour l'aider dans son travail. On l'a dit: il n'est pas capable de penser. Il se contente de suivre les instructions données par des programmeurs ou programmeuses. Sans ces personnes, sans leur cerveau, l'ordinateur ne serait qu'un banal tas de ferraille!

42

Mon ordinateur a des puces!

L'ordinateur ne servirait à rien s'il oubliait ce qu'il est capable de faire. Heureusement, il a une mémoire qui conserve les instructions données par les programmeurs ou programmeuses.

Beaucoup d'instructions sont imprimées sur des plaquettes si minuscules qu'on les appelle des puces. Ces puces se trouvent dans le boîtier.

De plus, l'ordinateur peut enregistrer des informations (un dessin, un texte, une image) et les transmettre à d'autres ordinateurs.

Les puces ont envahi le monde!

Tout autour de nous, d'autres appareils contiennent des puces. Par exemple les robots industriels, les commandes des avions, les freins et les coussins gonflables des autos, les jeux vidéo, les baladeurs...Oui, les puces sont partout!

Sylvain Trudel

43

CORRIGÉ
MANUEL D, PAGE 42

▼ 1   Le mécanisme de l'ordinateur.

CORRIGÉ
MANUEL D, PAGE 43

▼ 1   Il y a plusieurs réponses possibles.

 Préparation

- Demandez aux élèves s'ils ont déjà eu l'occasion d'observer l'intérieur d'un ordinateur et si oui, ce qu'ils y ont vu. Poursuivez en vous informant si des personnes de l'entourage de vos élèves travaillent à programmer ou à monter des ordinateurs. Dans l'affirmative, laissez les élèves en question raconter ce qu'ils savent du travail de ces gens. Invitez une de ces personnes en classe pour parler de son travail aux élèves et, pourquoi pas..., leur faire une démonstration.

Faites un tableau en trois colonnes: Ce que nous savons; ce que nous avons appris; ce que nous voulons savoir (les questions).

Invitez chaque élève à survoler le texte (lecture du titre et des sous-titres, observation des illustrations) et à en anticiper le contenu.

Procédez à une mise en commun des hypothèses.

Au besoin, faites rappeler les stratégies d'identification des mots dans un texte. Soulignez encore une fois l'importance de visualiser et de relire, s'il y a lieu, certains passages du texte.

 Réalisation

- Demandez aux élèves de faire une lecture individuelle du texte. Regroupez auprès de vous ceux qui pourraient éprouver des difficultés lors de cette lecture et portez attention à leurs besoins.

Avec les enfants, procédez à la mise en commun des informations fournies par le texte:

- l'ordinateur contient à l'intérieur plusieurs petites pièces mécaniques d'allure ordinaire;

- l'ordinateur ne fait qu'obéir à des instructions ;

- la souris et le clavier parlent la langue de l'ordinateur et lui transmettent les instructions ;

- l'ordinateur a été créé pour aider les humains dans leur travail ;

- les informaticiens et informaticiennes de même que les programmeurs et programmeuses conçoivent les logiciels ;

- la mémoire de l'ordinateur conserve les instructions des programmeurs et programmeuses ;

- les puces sont des plaquettes où sont imprimées les instructions ;

- les puces sont à l'intérieur du boîtier de l'ordinateur ;

- un ordinateur peut enregistrer des informations et même les transmettre à un autre ordinateur ;

- les principales sortes d'informations traitées par les ordinateurs sont les dessins, les images et les textes ;

- on trouve des puces électroniques dans d'autres appareils (robots industriels, commandes des avions, freins et coussins gonflables des autos, jeux vidéo, baladeurs, etc.).

Invitez chaque élève à rédiger une question portant sur l'une ou l'autre des informations du texte.

Sur des bouts de papier, inscrivez le nom de vos élèves. Demandez à chaque élève de tirer un nom et de poser sa question à l'élève dont il ou elle a tiré le nom.

 ### Intégration et réinvestissement

- Complétez le tableau en trois colonnes.

Faites un retour sur le texte pour demander aux élèves ce qu'ils savaient déjà et ce qu'ils ont appris de nouveau grâce aux informations fournies par le texte.

Posez la question figurant dans le coin inférieur droit de la page 43 du manuel. (Autres machines qui contiennent des puces : caméras numériques, montres, calculatrices, télécommandes.)

Profitez de cette occasion pour aborder la compétence transversale *Exercer son jugement critique*, particulièrement sur le plan éthique, plan auquel les enfants de 7 ou 8 ans ne sont pas nécessairement sensibilisés. Ici, il est question de ces «emprunts» d'objets divers, qui deviennent permanents sans que leurs propriétaires y aient consenti. Idéalement, partez de situations vécues en classe ou dans la cour de récréation pour travailler cette compétence. Les élèves réussiront d'autant mieux à analyser une situation, à faire des choix à l'aide de référents et à évaluer par ailleurs la démarche et le résultat d'un questionnement éthique. Évitez toutefois de personnaliser la situation, car c'est l'acte et non la personne qui doit être évalué dans cette dimension.

À défaut de pouvoir traiter de situations concrètes, voici deux propositions d'approche que vous pourriez adapter.

1re proposition : partez de questions. *Quels petits jeux électroniques connaissez-vous ? Lesquels avez-vous personnellement ? Quand y jouez-vous ? Comment fonctionnent-ils ? Les avez-vous déjà apportés à l'école ?*

Proposez une situation fictive, comportant un enjeu moral. Un jour, Thomas apporte son jeu électronique à l'école. Son amie Philomène est fascinée par ce jeu et aimerait bien en avoir un, mais ses parents n'y consentent pas. À l'insu de Thomas, elle lui «emprunte» son jeu, juste pour un soir… Thomas est inconsolable, car il croit avoir égaré son jeu.

Animez une discussion sur cette situation. *Que pensez-vous de cette situation ? Que feriez-vous à la place de Thomas ? Que feriez-vous à la place de Philomène ? Que proposez-vous pour trouver une solution à ce problème ? Avez-vous déjà connu une situation semblable ?*

2e proposition : amenez les enfants à imaginer ou à rappeler une situation où quelqu'un de leur âge s'est fait subtiliser un objet qu'il aimait ou se soit emparé d'un objet qui ne lui appartenait pas. Faites scénariser la situation et proposez aux élèves en tandems de jouer les deux rôles : celui du ou de la propriétaire de l'objet, et celui de l'emprunteur ou de l'emprunteuse. Demandez à chaque équipe de terminer le sketch en proposant une solution au problème évoqué.

3

RETOUR SUR L'ENSEIGNEMENT

- Y a-t-il eu des élèves qui ont éprouvé des difficultés de lecture ? Pouvez-vous identifier ces difficultés ? Quelle solution comptez-vous y apporter ?

  Vos élèves s'y connaissent-ils un peu plus sur les composantes d'un ordinateur ?

Êtes-vous satisfait ou satisfaite de la démarche de vos élèves au regard de la compétence transversale : *Exercer son jugement critique sur le plan éthique ?* Quels aspects ont bien fonctionné ? Lesquels devront être repris ou abordés différemment à l'avenir ?

 ## Travaux personnels

Proposez aux élèves qui connaissent des personnes travaillant à la conception ou à la programmation d'un ordinateur de recueillir des informations susceptibles d'intéresser la classe. Invitez-les à en parler, ou mieux, suggérez-leur d'inviter l'une de ces personnes à rendre visite à votre groupe.

 ## TIC

1. Les composantes de l'ordinateur

Invitez les élèves qui ont accès à Internet à se faire encadrer par un ou une adulte pour trouver de l'information sur les principales composantes de l'ordinateur. Insistez pour obtenir surtout des schémas simples à comprendre, qui pourront être présentés à la classe et affichés au babillard.

2. Un ordinateur qui me ressemble

Vous devrez avoir préparé les élèves à cette activité en leur demandant d'imaginer un robot.

Donnez les consignes suivantes aux élèves :

1. Ouvrez l'application de dessin vectoriel.

2. Avec les outils de dessin, représentez un robot.

3. Sauvegardez ce dessin dans votre dossier personnel.

4. Imprimez-le.

Rappel :
Réalisez l'étape 3
du projet (suite).

BUT

Découvrir, à travers un texte poétique, qu'il y a puce et puce.

ORGANISATION DE LA CLASSE

Collectif, équipes de deux

MATÉRIEL NÉCESSAIRE

- *Par élève:
  manuel D
  (pages 44 et 45)*

- *Par équipe:
  matériel de fabrication des marottes: carton, crayons à colorier ou crayons-feutres, bâton, colle*

- *Pour la classe (facultatif):
  recueils de poésie ou de comptines pour enfants*

À FAIRE (FACULTATIF)

Demander à la personne responsable de la bibliothèque de mettre en réserve des recueils de poésie et de comptines pour enfants, contenant des rimes, des onomatopées, des répétitions, des allitérations. (Voir activité proposée plus bas, à faire si l'on dispose de temps.)

TEMPS SUGGÉRÉ

90 min

PIK ET CLIK

Quand deux homophones se rencontrent la première fois et se présentent l'un à l'autre, l'un est l'autre, et vice versa. Mais si la conversation de l'un est sérieuse et même savante, l'autre mène sa barque en sautant d'un sujet à l'autre.

SAVOIRS ESSENTIELS DES DIFFÉRENTES COMPÉTENCES

L LIRE DES TEXTES VARIÉS
C COMMUNIQUER ORALEMENT
A APPRÉCIER DES ŒUVRES LITTÉRAIRES

Connaissances liées au texte:

- ▶ Exploration et utilisation d'éléments caractéristiques de différents genres de textes;
- ▶ Exploration de quelques éléments littéraires à des fins d'utilisation ou d'appréciation: personnages, expressions - jeux de sonorités - figures de style (répétition, comparaison, onomatopée, allitération, rimes);
- ▶ Exploration et utilisation de la structure des textes: répétitions avec ajout cumulé de nouveaux éléments, alternance ou opposition d'éléments;
- ▶ Prise en compte des éléments de la situation de communication: intention, contexte, formes du registre standard;
- ▶ Prise en compte d'éléments de cohérence: idées rattachées au sujet, reprise de l'information en utilisant des termes substituts (pronoms).

Stratégies de lecture:

- ▶ Stratégies de reconnaissance et d'identification des mots d'un texte;
- ▶ Stratégies de gestion de la compréhension;
- ▶ Stratégies d'évaluation de sa démarche.

Stratégies de communication orale:

- ▶ Stratégies d'exploration;
- ▶ Stratégies de partage;
- ▶ Stratégies d'écoute;
- ▶ Stratégies d'évaluation.

Stratégies liées à l'appréciation d'œuvres littéraires:

- ▶ S'ouvrir à l'expérience littéraire;
- ▶ Établir des liens avec ses expériences personnelles;
- ▶ Se représenter mentalement le contenu;
- ▶ Échanger avec d'autres personnes.

Techniques:

- ▶ Utilisation de manuels de référence.

Cette situation d'apprentissage permet d'aborder des connaissances relevant du domaine des arts, plus spécifiquement des disciplines **arts plastiques** et **art dramatique**. Toutefois, aucune compétence dans ce domaine ne sera développée.

2

ACTION EN CLASSE

Lis le texte pour découvrir la différence entre
la puce biologique et la puce électronique.

Pik et Clik

Elles sautent. Hop! Hop!
Hop! Hop! Elles stoppent.

– Salut! Qui es-tu?

– Je suis Pik, la puce biologique,
pas sympathique et pas comique,
mais athlétique et colérique.
Je pique, je pique, je pique.

Salut! Qui es-tu?

– Je suis Clik, la puce électronique,
microscopique et électrique,
en plastique, automatique.
Je clique, je clique, je clique.

Salut! Où vis-tu, Pik?

– Sur les toutous et les minous,
les tatous, les sapajous,
les hiboux, les marabouts.
Comme tu vois, je suis partout!

Salut! Où vis-tu, Clik?

44

– Dans la télé et la radio,
l'ordinateur et le frigo,
les robots, même ton auto.
Avec moi, tout marche au trot!

Au revoir. Où vas-tu, Pik?

– Piquer un chien, un vieux lapin,
un bandit de grand chemin.
J'ai faim, j'ai faim, j'ai faim.

Au revoir. Où vas-tu, Clik?

– Faire voler un avion,
chauffer une grande maison.
Travaillons, travaillons.

Jean-Pierre Davidts

45

2

ACTION
EN CLASSE
(SUITE)

Préparation

- Proposez aux élèves de fermer les yeux et de se concentrer sur le mot que vous allez prononcer. Dites alors «puce». Demandez-leur quelle image leur est immédiatement venue à l'esprit. Il est probable que les deux sens les plus connus seront mentionnés: l'insecte et la composante électronique.

Faites observer que le même mot, «puce», désigne aussi bien une puce biologique qu'une puce électronique. Demandez aux enfants de trouver d'autres mots qui se prononcent de la même façon tout en étant de sens différent. (un «coup» de pied, un long «cou»; une «cour» d'école, je «cours» vite, le film est «court»; un «livre» de lecture, une «livre» de beurre; un «point» final, un «poing» fermé; etc.) Proposez-leur de construire de courtes phrases dans lesquelles ils feront valoir le sens des homophones mentionnés.

Faites survoler le texte (lecture du titre, observation des illustrations) et invitez les élèves à dire qui sont Pik et Clik.

Faites découvrir qui est la puce électronique (Clik), qui est la puce biologique (Pik). Demandez aux élèves comment ils ont réussi à le savoir. (Sans doute grâce aux homophones «pique» et «clique».)

Invitez les élèves à découvrir l'intention de lecture en lisant le texte de présentation au-dessus du titre: distinguer puce biologique et puce électronique.

Réalisation

- Formez ou faites former des équipes de deux élèves qui liront le texte en jouant chacun et chacune le rôle de l'une des puces du poème.

Avant d'entreprendre la lecture, soulignez la façon dont le texte est disposé. Lisez les deux premiers vers. Demandez aux élèves qui, de Pik ou de Clik, dit *Salut! Qui es-tu?* Proposez-leur de lire la réponse et, comme c'est Pik qui répond, amenez-les à déduire que c'est Clik qui posait la question.

S'il y a lieu, rappelez ou faites rappeler les stratégies d'identification des mots de même que l'utilité de relire parfois certains passages du texte et d'en visualiser le contenu.

Suggérez aux enfants de faire une première lecture exploratoire suivie d'une deuxième où chacun et chacune pourra lire en y mettant davantage l'intonation qui convient.

Intégration et réinvestissement

- Faites une mise en commun dans laquelle vous inviterez les élèves à mentionner ce qui les a le plus étonnés dans le poème.

Faites relever quelques rimes: ([op] – h**op**, st**opp**ent; [ik] – biolog**ique**, com**ique**, colér**ique**, p**ique**, électron**ique**, électr**ique**, automat**ique**, cl**ique**; [u] – min**ous**, sapaj**ous**, marab**outs**, part**out**; [o] – radi**o**, frig**o**, aut**o**, tr**ot**; [ɛ̃] – lap**in**, chem**in**, f**aim**; [ɔ̃] – avi**on**, mais**on**, trav**aillons**).

Faites relever quelques répétitions: Salut! Qui es-tu?; Je pique, je pique, je pique; Je clique, je clique, je clique; Salut! Où vis-tu?; Au revoir. Où vas-tu? J'ai faim, j'ai faim, j'ai faim. Travaillons, travaillons.

Faites trouver les principales allitérations du poème, à savoir les répétitions d'un même son à l'intérieur des vers. (Son [ik] – biolog**ique**, sympath**ique**, com**ique**, athlét**ique**, colér**ique**, p**ique**, électron**ique**, microscop**ique**, électr**ique**, plast**ique**, automat**ique**, cl**ique**; son [u] – tout**ous**, min**ous**, tat**ous**, sapaj**ous**, hib**oux**, marab**outs**, part**out**; son [o] – radi**o**, frig**o**, rob**ots**, aut**o**, tr**ot**; son [ɛ̃] – chi**en**, lap**in**, chem**in**, f**aim**; son [ɔ̃] – avi**on**, mais**on**, trav**aillons**.)

Rappelez aux élèves qu'ils ont déjà eu l'occasion de relever des onomatopées, particulièrement dans les textes relatant les aventures de Coquin, dans *Lire pour rire*. Invitez-les à identifier celle qui se trouve dans le poème. (Hop!)

Rimes, répétitions, allitérations, onomatopées ne sont pas des termes à faire

2

ACTION
EN CLASSE
(SUITE)

maîtriser aux élèves. Il s'agit plutôt ici de faire observer la présence de ces procédés de style et de ces créations de mots dans le texte.

Reformez les mêmes équipes que précédemment pour la lecture et invitez les élèves à représenter leur personnage, Pik ou Clik, sous forme de marotte. Faites tracer le personnage sur le carton prévu à cet effet, avant que les élèves ajoutent de la couleur, le découpent et le collent sur un bâton.

Faites imaginer des situations dans lesquelles les deux puces pourraient se retrouver. Écrivez-les au tableau.

Demandez aux coéquipiers d'inventer un nouveau dialogue entre Pik et Clik, en gardant à l'esprit leur nature respective et en s'inspirant des suggestions écrites au tableau.

Invitez chaque équipe à présenter son dialogue en utilisant les marottes confectionnées pour la circonstance. Rappelez l'importance d'articuler soigneusement, de bien mesurer le volume de sa voix et d'utiliser un français québécois oral standard.

Invitez l'auditoire à faire preuve d'une écoute active et faites suivre l'exercice d'une période d'échanges de commentaires quant aux présentations.

(Facultatif) Si vous disposez de temps, emmenez vos élèves à la bibliothèque où des recueils de poésie et de comptines ont été mis en réserve pour eux, et faites réaliser l'activité qui suit.

Reformez les équipes qui ont lu le texte et demandez aux élèves de relever des rimes, des allitérations, des répétitions et des onomatopées dans les textes mis à leur disposition. Faites noter le titre du livre, le nom de son auteur ou de son auteure, le titre du poème et les exemples de procédés de style et de mots créés.

De retour en classe, demandez aux équipes de présenter leurs découvertes à leurs camarades.

Faites un retour sur cette situation d'apprentissage en invitant ceux qui ont éprouvé des difficultés en lecture à indiquer les moyens grâce auxquels ils en sont venus à bout.

Invitez les élèves à dire s'ils ont aimé le texte et pourquoi. Quels éléments leur ont plu particulièrement?

Demandez-leur de dire si la création d'un nouveau dialogue a été chose facile ou difficile et pourquoi. La confection de marottes a-t-elle aidé à la communication orale?

3

RETOUR
SUR
L'ENSEIGNEMENT

• Cette lecture a-t-elle présenté des difficultés particulières pour les élèves? Avez-vous dû intervenir pour permettre des équipes de décoder certains mots ou passages du texte?

Si vous aviez à refaire cette situation d'apprentissage, que modifieriez-vous? que remplaceriez-vous? que conserveriez-vous?

ℑstuce et suggestions (ENRICHISSEMENT)

Nos dernières découvertes

Proposez aux élèves de réaliser un tableau dont le titre serait *Nos dernières découvertes*. Y seraient affichées les nouveautés en matière de livres, de disques, de films, de jeux vidéo, de cédéroms, de sites Internet, de revues pour enfants, etc. Prévoyez un grand carton ou un coin de babillard à cet effet. Demandez aux élèves de préparer une petite affiche pour présenter leur découverte. Prévoyez quelques minutes en fin de journée ou au retour d'une récréation pour permettre aux élèves qui ont affiché une découverte de la présenter à la classe en la commentant.

 TIC

Les machines qui fonctionnent avec un ordinateur

Vous devrez avoir préparé vos élèves à cette activité en leur demandant de nommer les machines qui fonctionnent avec un ordinateur (la plupart des électroménagers, les machines à jeux vidéo, les appareils de divertissement), puis d'en observer une attentivement à la maison.

Il serait indiqué que les élèves soient assistés d'un ou d'une élève d'une classe supérieure pour réaliser cette activité.

Donnez les consignes suivantes aux élèves :

1. Ouvrez l'application de dessin vectoriel.

2. Dessinez de mémoire la machine observée.

3. En utilisant l'outil *Texte*, nommez les composantes de la machine.

4. Écrivez une fonction de la machine que contrôle un ordinateur.

5. Sauvegardez ce travail.

6. Imprimez-le.

Rappel :
Réalisez
l'étape 4 du projet.

Notes personnelles

_____

_____

_____

_____

_____

_____

_____

_____

_____

_____

_____

_____

_____

_____

_____

Situation d'apprentissage 8

DANS LE NOIR

Qu'est-ce qui peut faire disparaître d'un coup une fée, un géant, un robot, un dragon, un trésor et des pirates?... Ne cherchez plus, vous le découvrirez en lisant *Dans le noir*. Lire dans le noir? Oui, si l'on aime l'univers du fantastique et que l'on dispose d'une lampe de poche!

BUT

Reconnaître la structure du schéma narratif d'un texte et la réinvestir dans un texte personnel.

ORGANISATION DE LA CLASSE

Collectif, individuel

MATÉRIEL NÉCESSAIRE

- *Par élève : manuel D (pages 46, 47 et 48), feuille reproductible 17.5*

À FAIRE

Photocopier la feuille reproductible 17.5, Dans le noir (une copie par élève).

TEMPS SUGGÉRÉ

90 min

SAVOIRS ESSENTIELS DES DIFFÉRENTES COMPÉTENCES

L **LIRE DES TEXTES VARIÉS**
E **ÉCRIRE DES TEXTES VARIÉS**
A **APPRÉCIER DES ŒUVRES LITTÉRAIRES**

Connaissances liées au texte :

- ▶ Exploration et utilisation d'éléments caractéristiques de différents genres de textes ;
- ▶ Exploration de quelques éléments littéraires à des fins d'utilisation ou d'appréciation : personnages, temps et lieux du récit, séquence des événements ;
- ▶ Exploration et utilisation de la structure des textes : récit en trois temps ;
- ▶ Prise en compte des éléments de la situation de communication : intention, contexte, formes du registre standard ;
- ▶ Prise en compte d'éléments de cohérence : idées rattachées au sujet, reprise de l'information en utilisant des termes substituts (pronoms).

Connaissances liées à la phrase :

- ▶ Recours à la ponctuation : point ;
- ▶ Reconnaissance et utilisation du groupe du nom : Pronom, Nom, Dét. + Nom ;
- ▶ Accords dans le groupe du nom : Dét. + Nom ;
- ▶ Exploration et utilisation du vocabulaire en contexte ;
- ▶ Utilisation de l'orthographe conforme à l'usage.

Stratégies de lecture :

- ▶ Stratégies de reconnaissance et d'identification des mots d'un texte ;
- ▶ Stratégies de gestion de la compréhension ;
- ▶ Stratégies d'évaluation de sa démarche.

Stratégies d'écriture :

- ▶ Stratégies de planification ;
- ▶ Stratégies de mise en texte ;
- ▶ Stratégies de révision ;
- ▶ Stratégies de correction ;
- ▶ Stratégies d'évaluation de sa démarche.

Stratégies liées à l'appréciation d'œuvres littéraires :

- ▶ S'ouvrir à l'expérience littéraire ;
- ▶ Établir des liens avec ses expériences personnelles ;
- ▶ Se représenter mentalement le contenu ;
- ▶ Échanger avec d'autres personnes.

Techniques :

- ▶ Apprentissage de la calligraphie ;
- ▶ Utilisation de manuels de référence.

_____
_____
_____
_____
_____
_____
_____
_____
_____
_____
_____
_____
_____
_____
_____
_____

2

ACTION
EN CLASSE

Lis pour savoir ce que font Zoé et ses amis pour s'amuser.

Dans le noir

La fée, le géant, le robot et le dragon cherchent le trésor. Ils doivent s'en emparer avant les pirates. Ce n'est pas facile. Il y a des pièges partout et les pirates sont très malins.
– Je sais où il est! rugit le dragon.
– Par là! répond la fée.
Le géant applaudit. Le robot, lui, ne dit rien.
Il suit ses compagnons dans le marécage, en évitant les flaques d'eau pour ne pas se rouiller les pieds.
Le trésor! Le voilà! Vite, vite! C'est une course contre la montre, car les pirates arrivent.

46

Soudain, plus rien. Le noir. Panne d'électricité!
– Flûte! s'exclame Zoé. On avait presque gagné.
Sans courant, les ordinateurs ne fonctionnent pas.
– Qu'est-ce qu'on fait maintenant? soupirent ses amis.
– Jouons à autre chose, propose Greta.
Thomas grogne:
– Tu connais un jeu aussi intéressant, toi? Avec une fée, un géant, un robot, un dragon et des pirates? C'est vrai, ce doit être difficile à trouver.
– Moi, j'en connais un! s'écrie Miguel.
Les autres le regardent, étonnés.

47

CORRIGÉ

MANUEL D, PAGE 46

▼1 **Il y a plusieurs réponses possibles.**

 CORRIGÉ

MANUEL D, PAGE 48

▼ 1 **Il y a plusieurs réponses possibles.**

▼ 2 **Il y a plusieurs réponses possibles.**

 Préparation

• Lisez aux élèves la question figurant dans le coin supérieur gauche de la page 46 et laissez-les parler de leurs activités les jours où il leur faut rester à la maison.

Demandez aux élèves s'ils se souviennent d'avoir vécu une panne d'électricité. Si oui, que faisaient-ils au moment où la panne s'est produite? Qu'ont-ils fait pendant la durée de la panne? Cette panne a-t-elle été longue? Quels ont été les inconvénients de cette panne? les aspects positifs? Qu'ont-ils découvert ou appris grâce à cette panne? Laissez les enfants raconter l'événement et exprimer les sentiments et les émotions ressentis à ce moment-là.

Invitez les enfants à survoler le texte (lecture du titre et observation des illustrations) et à en anticiper le contenu.

Faites observer que, parfois, les illustrations ne révèlent qu'un aspect du texte et qu'il n'y a rien de mieux que la lecture pour en apprendre davantage. Il arrive aussi que le titre soit plus ou moins explicite.

 Réalisation

• Demandez aux élèves de faire individuellement la lecture du texte des pages 46 à 48.

Suggérez à ceux que la longueur du texte rebute et qui montrent de la réticence à en entreprendre la lecture de faire équipe avec un ou une élève qui éprouve le même type de difficultés. Restez à la disposition du groupe, mais portez une attention particulière à ces élèves.

Une fois la lecture terminée, distribuez à chaque élève la feuille reproductible 17.5 *Dans le noir*, qui présente un organisateur graphique. Collectivement, remplissez cet organisateur graphique. Il devrait aider les élèves à mieux comprendre la trame du récit qu'ils viennent de lire.

NOTE : Cet organisateur graphique est présenté en cinq temps. Selon la capacité de compréhension des élèves de votre classe, vous pouvez le modifier afin qu'il corresponde au récit en trois temps (début, milieu et fin) proposé pour le premier cycle dans le Programme.

Faites ressortir les aspects importants du récit :

– Situation de départ: Zoé et ses amis s'amusent à un jeu vidéo.

– Événement déclencheur (problème) : «Soudain, plus rien. Le noir. Panne d'électricité!»

– Péripéties (actions entreprises): déception, proposition d'autres jeux, manque d'intérêt.

– Problème et solution (dénouement): solution de Miguel, choix de livres.

– Fin : on peut lire sans électricité, l'imagination suffit.

ACTION EN CLASSE (SUITE)

NOTE: Ce texte présente une difficulté particulière pour les élèves. En effet, l'événement déclencheur apparaît dans un autre lieu et avec d'autres personnages que ceux qui apparaissent en situation initiale. En fait, le texte propose un début de récit dans un récit. Assurez-vous que les élèves situent le passage d'un récit à l'autre.

Faites découvrir certains éléments du vocabulaire utilisé par Jean-Pierre Davidts:

- Faites relever l'expression «se rouiller les pieds» (bas de la page 46) et demandez à quelle expression usuelle on peut l'associer (se mouiller les pieds).

- Invitez les enfants à expliquer le sens de l'expression «une course contre la montre», au bas de la page 46.

- Soulignez aux enfants combien les synonymes du mot passe-partout «dire» comportent des modulations intéressantes en leur demandant de les relever dans le texte. Écrivez ces mots au tableau: *rugit, répond, s'exclame, soupirent, propose, grogne, s'écrie.* Faites mimer ou expliquer ces termes et demandez aux élèves si le texte est plus facile à imaginer avec de tels mots.

Relisez l'avant-dernière phrase de la page 48 et demandez aux enfants de retrouver la phrase du texte à laquelle il est fait référence ici. (P. 47: Sans courant, les ordinateurs ne fonctionnent pas.)

Relisez la dernière phrase et faites établir un lien avec cette bonne habitude que vos élèves doivent avoir prise maintenant, et qui consiste à visualiser le contenu de leurs lectures.

Présentez la leçon de grammaire sur la règle générale de formation du féminin et du pluriel des adjectifs.

NOTE: Bien que l'accord de l'adjectif fasse partie des connaissances à acquérir pendant les deuxième et troisième cycles du primaire, nous vous proposons ici une leçon permettant de sensibiliser les élèves à cette notion. Vous pouvez décider de la faire ou non selon la force de vos élèves et selon le temps dont vous disposez. Vous ne devrez toutefois pas vous attendre à ce que les élèves réalisent tous les accords dans leurs productions écrites.

 Intégration et réinvestissement

Proposez aux élèves de rédiger à leur tour un récit sur un événement qu'ils ont vécu ou qu'ils vont inventer pour le plaisir de leurs lecteurs: pairs, parents, frères ou sœurs.

Afin de les aider à mieux structurer leur récit, proposez-leur la trame de l'organisateur graphique utilisé pour la lecture.

Faites rappeler les étapes du processus d'écriture:

- Planification: remue-méninges pour choisir et exprimer les idées à exploiter dans le texte.

- Rédaction: mise en mots des idées retenues, emploi d'un symbole pour marquer les mots dont l'orthographe est douteuse.

- Révision: lecture et amélioration au besoin, faire lire et commenter par un pair, pertinence et quantité des idées. Ici, suggérez de réutiliser les substituts de «dire» écrits au tableau ou d'en utiliser d'autres.

- Correction: présence des mots dans la phrase; construction de la phrase; majuscule au début et point final; vocabulaire précis et varié, lecture et rectification au besoin (orthographe d'usage et grammaticale). Ici, faites porter une attention particulière à l'accord des mots dans le groupe nominal (déterminant, nom, adjectif).

- Transcription: calligraphie fidèle et soignée.

- Lecture finale: rectification au besoin, à partir de ce qui précède.

- Autoévaluation et diffusion.

Faites collectivement la planification du récit.

Une fois certaines idées émises, rédigez au tableau, avec le groupe, le texte de la situation initiale. Si des élèves particulièrement autonomes souhaitent rédiger un récit personnel, encouragez-les à le faire en les invitant toutefois à vous soumettre leur projet d'écriture, s'ils le désirent.

Incitez chaque élève à venir en aide à un ou une camarade qui réclame un coup de pouce.

Écrivez au tableau des mots proposés par les élèves, dont l'orthographe ne leur est pas connue et qu'ils peuvent vouloir utiliser dans les textes.

Demandez aux élèves de rédiger individuellement la suite du récit. Portez une attention particulière à ceux qui ont généralement de la difficulté à s'organiser ou qui ne comprennent pas bien le travail à réaliser.

Circulez dans la classe et prenez le temps de lire les textes. Soulignez les réussites, aidez à découvrir et à rectifier certaines erreurs, assurez-vous que le vocabulaire utilisé est précis et varié et que l'orthographe, en particulier celle dans les accords des groupes nominaux (déterminant + nom), est respectée. Dans ce dernier cas, faites encercler les noms et leurs déterminants et souligner les adjectifs qui s'y rapportent.

Recueillez les textes avant leur transcription et notez les corrections à y apporter.

Sans associer les textes à leurs auteurs, présentez à la classe les trouvailles que vous y avez faites : belles phrases, vocabulaire varié et précis, accord selon la règle, etc.

Cette présentation a pour objectif d'inciter d'autres élèves à améliorer leur propre texte avant la transcription.

Lisez et écrivez au tableau certaines phrases ou expressions qui auraient besoin d'être améliorées. Ce pourrait être des phrases incomplètes, à la syntaxe déficiente, à la ponctuation absente ou incorrecte. Ce pourrait être des termes vagues ou impropres. Avec les élèves, trouvez comment corriger et bonifier ces phrases.

Demandez aux élèves de procéder à une nouvelle lecture de leur texte et d'y apporter les corrections nécessaires.

Faites calligraphier le texte.

Faites un retour sur l'activité d'écriture afin de connaître le degré de satisfaction de chacun et chacune : efforts récompensés, intérêt du sujet du récit, plaisir d'écrire des récits, etc.

3

RETOUR
SUR
L'ENSEIGNEMENT

• Les organisateurs graphiques facilitent-ils la compréhension en lecture et la rédaction ?

Vos élèves sont-ils sensibles à la beauté des mots ? Voient-ils l'intérêt d'utiliser un vocabulaire précis et varié ? Le constatez-vous dans leurs productions ?

La leçon de grammaire portant sur le féminin et le pluriel des adjectifs a-t-elle permis de compléter des connaissances déjà acquises ?

LEÇON DE GRAMMAIRE

LE FÉMININ ET LE PLURIEL DES ADJECTIFS

Quelques remarques concernant la formation du féminin des adjectifs

1. Contrairement au nom, l'adjectif a cette caractéristique de prendre l'un et l'autre genres : il est tantôt masculin, tantôt féminin, selon le nom qu'il accompagne et dont il reçoit le genre.

2. Pour marquer le changement de genre, les adjectifs se distinguent ainsi :

   a) certains conservent la même forme, qu'ils soient au masculin ou au féminin (ex. : une journée agréable / un séjour agréable – une potion magique / un remède magique, etc.) ;

   b) certains adjectifs, en passant au féminin, reçoivent tout simplement un *e* à la fin (ex. : un manteau bleu / une chemise bleue – un joli garçon / une jolie fille, etc.) ;

   c) d'autres adjectifs, en passant au féminin, doublent la consonne finale ou subissent des transformations : er / ère – f / ve – eux / euse – teur / trice, etc. (un souvenir heureux / une aventure heureuse – un chat vif / une chatte vive, etc.) (2e cycle).

Quelques remarques concernant la formation du pluriel des adjectifs

1. Comme le nom, l'adjectif a cette caractéristique de prendre l'un et l'autre nombres : il est tantôt singulier, tantôt pluriel, selon le nom qu'il accompagne et dont il reçoit le nombre.

2. Pour marquer le changement de nombre, les adjectifs se distinguent ainsi :

   a) certains conservent la même forme, qu'ils soient au singulier ou au pluriel (terminaisons en *s*, *x* et *z*. Ex. : un vieux chandail / des vieux chandails (2e cycle) ;

   b) certains adjectifs, en passant au pluriel, reçoivent tout simplement un *s* à la fin (ex. : un manteau bleu / des manteaux bleus – un joli garçon / des jolis garçons, etc.) ;

   c) d'autres adjectifs, en passant au pluriel, reçoivent un *x*, ou subissent des transformations : al et ail / aux (ex. : un souvenir heureux, des souvenirs heureux – un enfant matinal / des enfants matinaux) (2e cycle).

Au premier cycle, nous nous en tenons aux deux règles générales, soit l'ajout d'un *e* ou l'ajout d'un *s*. Il convient donc d'être prudent dans certaines affirmations et de simplement dire aux élèves que d'autres cas peuvent se présenter. Dans ces cas-là, répondre à leurs interrogations ou donner quelques explications supplémentaires. Dans l'exercice suivant, nous nous en tiendrons aux règles générales de la formation du féminin et du pluriel.

NOTE : Ces notions peuvent se répartir sur deux leçons : l'une pour la formation du féminin, l'autre pour la formation du pluriel. Si la formation du féminin et du pluriel des noms est bien maîtrisée, les élèves pourront assimiler ces notions plus facilement. Dans le manuel de l'élève, elles sont réparties sur deux modules : module 17 = formation du féminin, module 18 = formation du pluriel. Il est cependant nécessaire d'espacer ces leçons.

1. Observer

- Partez des phrases relevées dans les productions écrites des élèves ou, encore, demandez aux élèves de composer des phrases comportant des adjectifs (si les phrases suggérées par les élèves ne comportent pas d'adjectifs, proposez-leur de les modifier, de les embellir, de les enrichir ou de les préciser en ajoutant des adjectifs). Sinon, présentez aux élèves les phrases suivantes et demandez-leur de relever les adjectifs (dire aux élèves que certains adjectifs peuvent être précédés de l'adverbe *très* pour les aider à les repérer).

Écrivez ces phrases au tableau :

- *Charlotte et Marlène échangent des informations intéressantes à l'ordinateur.*

- *Elles utilisent une caméra spéciale pour leurs photos.*

Demandez aux élèves de trouver les noms dans ces phrases en les accompagnant de leurs adjectifs, s'il y a lieu.

- *Y a-t-il un adjectif qui accompagne* Charlotte *?* Marlène *?* informations *?* ordinateur *?* caméra *?* photos *?*

Faites observer ces adjectifs et demandez aux élèves ce qu'ils remarquent ou ce qu'ils en savent. Partez des connaissances qu'ils possèdent sur le nom afin d'établir des liens entre ces notions.

Reprenez ces mêmes adjectifs avec les exemples suivants :

- *des commentaires intéressants,*

- *un ordinateur spécial.*

Faites observer et découvrir la différence entre les adjectifs au masculin et au féminin. Procédez ensuite de la même façon avec les adjectifs au singulier et au pluriel.

Apportez maintenant quelques contre-exemples :

un appareil magique / une machine magique – un enfant soumis / des enfants soumis

Faites observer que certains adjectifs ont la même forme au masculin et au féminin ou au singulier et au pluriel, et que même si certains adjectifs se terminent par un *e*, ils ne sont pas nécessairement au féminin, et que si certains adjectifs se terminent par un *s*, ils ne sont pas nécessairement au pluriel. Leur genre et leur nombre dépendent du nom auquel ils se rapportent.

2. Identifier

- Demandez aux élèves de rappeler les règles générales de la formation du féminin et du pluriel des noms, et ensuite des adjectifs.

Faites trouver, dans les lectures proposées dans le manuel, des noms et leurs adjectifs. Déterminez d'abord s'ils sont masculins ou féminins, et ensuite s'ils sont singuliers ou pluriels. Justifiez l'ajout des *e* ou des *s* à ces adjectifs, s'il y a lieu.

3. S'exercer

Écrivez les phrases suivantes au tableau et proposez aux élèves de trouver les noms. Faites écrire le genre et le nombre au-dessus de ces noms. Repérez les adjectifs qui s'y rapportent et reliez-les aux noms par des flèches, en partant du nom. Vérifiez et justifiez l'accord de ces adjectifs. Demandez de rappeler la règle générale de la formation du féminin et du pluriel des adjectifs.

- *J'utilise l'ordinateur pour écrire des cartes spéciales.*

- *La petite souris bleue glisse sur le tapis vert de l'ordinateur.*

- *J'ai lu des histoires fabuleuses.*

- *Avec mon ami, j'ai trouvé un jeu passionnant.*

4. Appliquer ses connaissances

- Faites réaliser aux élèves la situation d'écriture proposée à la situation d'apprentissage 3 à la page 31 du présent guide.

  Au moment de la période de révision / correction, demandez aux élèves de repérer les noms et leurs déterminants.

Faites-leur souligner ces noms et ajouter «F» ou «M» ou «P» ou «S» au-dessus de chacun d'eux.

Faites-leur repérer les adjectifs et faites-les relier aux noms par des flèches, en partant du nom.

Demandez aux élèves de faire les accords et d'appliquer la règle générale (ajout d'un *e* ou ajout d'un *s*) s'il y a lieu.

 ## Astuce et suggestions (ENRICHISSEMENT)

Un coin-coin

Et s'il y avait une panne? Proposez aux élèves de prévenir l'ennui en confectionnant un coin-coin. Préalablement, les élèves doivent sélectionner huit domaines de connaissances (ex.: métiers, fleurs, rimes, animaux, contraires, aliments, chiffres, saisons, mots de la liste orthographique à épeler). Ils doivent aussi préparer une question ou une devinette portant sur un élément relié à ces domaines (ex.: Qui soigne les malades? Un nom de fleur commençant par *i*? Quel mot rime avec *énergique*? Le nom du petit du cheval? La saison la plus froide de l'année? Un chiffre plus petit que 50 et plus grand que 45?).

Fabrication du coin-coin:

- Prendre une feuille de papier carrée;

- plier deux fois la feuille en deux, de façon à obtenir un carré plus petit;

- déplier la feuille et plier chaque coin vers le centre (on obtient un autre carré);

- retourner ce dernier carré face contre la table;

- replier les quatre coins vers le centre (on obtient un autre carré, plus petit);

- écrire sur les huit triangles obtenus le nom d'un domaine (un par triangle);

- écrire sous chaque triangle la question relative à ce domaine.

Le coin-coin est prêt. Il ne reste plus qu'à faire aller les petits doigts agiles qui plieront et déplieront le coin-coin pour offrir à leurs camarades de choisir une devinette. Et nul besoin pour y jouer d'attendre une panne qui ne viendra peut-être jamais!

 TIC

Abécédaire personnel

Pour réaliser cette activité, vous devrez avoir préalablement un fichier de traitement de texte intitulé *Abécédaire*, dans lequel vous pourrez insérer des sauts de section pour chaque lettre de l'alphabet (chaque section étant par ailleurs identifiée par une lettre de l'alphabet). Une copie de ce fichier se trouve déjà dans chacun des dossiers des élèves, cette activité ayant été commencée dans le module 11.

Demandez aux élèves de choisir deux ou trois mots dans le module 17 de *Astuce et compagnie*.

Donnez les consignes suivantes aux élèves:

1. Ouvrez le fichier *Abécédaire*.

2. Relisez les mots qui ont été inscrits la dernière fois.

3. Écrivez les mots choisis.

4. Faites la correction des mots écrits à l'aide du dictionnaire électronique inclus dans le traitement de texte.

5. Sauvegardez le fichier.

Activité 2
Suite et fin

Notes personnelles

PLANIFICATION DE L'ENSEIGNEMENT

BUT
Lire pour rire.

ORGANISATION DE LA CLASSE
Collectif, équipes de deux

MATÉRIEL NÉCESSAIRE
*Par élève :
manuel D (page 48)*

TEMPS SUGGÉRÉ
35 min

LIRE POUR RIRE

Ah Coquin ! Il est grand temps de rétablir ta réputation ! Non, tu n'es ni pleutre, ni poltron, ni couard, ni froussard, ni lâche, ni craintif. C'est toi, le roi des animaux… dans *Astuce et compagnie* !

SAVOIRS ESSENTIELS DES DIFFÉRENTES COMPÉTENCES

L **LIRE DES TEXTES VARIÉS**
A **APPRÉCIER DES ŒUVRES LITTÉRAIRES**

Connaissances liées au texte :
▶ Exploration et utilisation d'éléments caractéristiques de différents genres de textes ;
▶ Exploration de quelques éléments littéraires à des fins d'utilisation ou d'appréciation : personnages, séquence des événements, expressions - jeux de sonorités - figures de style (onomatopée) ;
▶ Exploration et utilisation de la structure des textes ;
▶ Prise en compte des éléments de la situation de communication : intention, contexte, formes du registre standard ;

▶ Prise en compte d'éléments de cohérence : idées rattachées au sujet, reprise de l'information en utilisant des termes substituts (pronoms).

Stratégies de lecture :
▶ Stratégies de reconnaissance et d'identification des mots d'un texte ;
▶ Stratégies de gestion de la compréhension ;
▶ Stratégies d'évaluation de sa démarche.

Stratégies liées à l'appréciation d'œuvres littéraires :
▶ S'ouvrir à l'expérience littéraire ;
▶ Établir des liens avec ses expériences personnelles ;
▶ Échanger avec d'autres personnes.

Techniques :
▶ Utilisation de manuels de référence.

2

ACTION EN CLASSE

2

ACTION
EN CLASSE
(SUITE)

 Préparation

- Invitez les enfants à rappeler quelques-unes des aventures de Coquin dans la rubrique *Lire pour rire*.

  Demandez-leur d'énumérer les qualités de Coquin, et ses défauts, s'il en a…

  Faites prendre conscience que dans les bandes dessinées qui relatent les aventures de Coquin en quatre vignettes, il y a toujours une situation initiale et une situation finale, et que les péripéties sont peu nombreuses.

 Réalisation

- Formez ou faites former des équipes de deux élèves qui liront individuellement le texte de la bande dessinée avant de se faire part mutuellement de ce qu'ils comprennent du récit.

  Rappelez aux élèves qu'il n'est pas toujours facile de saisir le sens d'une bande dessinée. En équipe, invitez chaque membre à faire sa part pour clarifier le sens du texte. (Ici, les enfants devraient déduire que Coquin apprend que le lion est le roi des animaux du fait de ses qualités, dont le courage et la férocité. En réaction à ces propos, Coquin grogne le plus férocement qu'il peut. Coup de tonnerre, le lion se met à rugir [voir la taille de l'onomatopée]. Coquin, terrorisé, court se terrer sous le lit. Son maître tente de le consoler en vantant ses qualités, jusqu'au moment où il se rend

compte que les mérites de son chien sont somme toute peu nombreux…).

Invitez les enfants à mentionner d'autres qualités qu'on reconnaît généralement aux chiens (fidèles, braves, obéissants, affectueux, protecteurs, pleins de vitalité).

Demandez aux enfants d'imaginer qu'Astuce prend la place de Coquin dans la bande dessinée. Qu'est-ce qui serait modifié? (ex.: le grognement deviendrait un sifflement, Astuce n'irait peut-être pas se cacher mais il tenterait d'attaquer le lion par l'arrière du téléviseur, le maître le consolerait en lui disant combien il est bon chasseur, doux, intelligent, câlin, rusé, etc.)

Demandez aux élèves s'ils croient, comme on l'affirme dans la bande dessinée, que le lion est un animal courageux. Apprenez-leur que dans son habitat naturel, la savane africaine, le lion mâle est paresseux. Jamais il ne chasse, c'est la femelle qui s'en charge, et le mâle se nourrit le premier de la proie. Laissez les enfants exprimer leurs sentiments et leurs opinions sur ce fait.

 Intégration et réinvestissement

- Faites un retour sur l'activité. La lecture du texte a-t-elle présenté des difficultés? La bande dessinée a-t-elle été comprise de la même façon au sein des équipes?

3

RETOUR
SUR
L'ENSEIGNEMENT

- Les enfants aiment-ils voir réapparaître cette rubrique?

Dans l'ensemble, ont-ils compris le sens du texte et des illustrations?

1

BUT

Prendre conscience de sa progression dans la maîtrise des compétences en lecture et en écriture.

ORGANISATION DE LA CLASSE

Collectif, équipes de deux, individuel

MATÉRIEL NÉCESSAIRE

Par élève : manuel D (pages 49, 50 et 51), feuille blanche, crayons à colorier ou crayons-feutres

TEMPS SUGGÉRÉ

130 min

Fais le point avec Astuce

Voici venue l'heure des bilans. Y a-t-il de nouveaux acquis? des contenus en voie d'être maîtrisés? d'autres qui requièrent qu'on y consacre plus de temps?

Une fois la rubrique couverte et analysée, il sera aisé de définir l'itinéraire à prendre à partir de là.

SAVOIRS ESSENTIELS DES DIFFÉRENTES COMPÉTENCES

L LIRE DES TEXTES VARIÉS
E ÉCRIRE DES TEXTES VARIÉS

Connaissances liées au texte :

▶ Exploration et utilisation d'éléments caractéristiques de différents genres de textes;
▶ Exploration de quelques éléments littéraires à des fins d'utilisation ou d'appréciation : personnages;
▶ Prise en compte des éléments de la situation de communication : intention, contexte, formes du registre standard;
▶ Prise en compte d'éléments de cohérence : idées rattachées au sujet, reprise de l'information en utilisant des termes substituts (pronoms).

Connaissances liées à la phrase :

▶ Recours à la ponctuation : point;
▶ Reconnaissance et utilisation du groupe du nom : Pronom, Nom, Dét. + Nom;
▶ Accords dans le groupe du nom : Dét. + Nom;
▶ Exploration et utilisation du vocabulaire en contexte;
▶ Utilisation de l'orthographe conforme à l'usage.

Stratégies de lecture :

▶ Stratégies de reconnaissance et d'identification des mots d'un texte;
▶ Stratégies de gestion de la compréhension;
▶ Stratégies d'évaluation de sa démarche.

Stratégies d'écriture :

▶ Stratégies de planification;
▶ Stratégies de mise en texte;
▶ Stratégies de révision;
▶ Stratégies de correction;
▶ Stratégies d'évaluation de sa démarche.

Techniques :

▶ Apprentissage de la calligraphie;
▶ Utilisation de manuels de référence.

> Cette rubrique permet d'aborder des connaissances relevant du domaine des arts, plus spécifiquement de la discipline **arts plastiques**. Toutefois, aucune compétence dans ce domaine ne sera développée.

_____

_____

_____

_____

_____

_____

_____

_____

_____

_____

_____

_____

_____

_____

_____

_____

_____

_____

_____

ACTION EN CLASSE

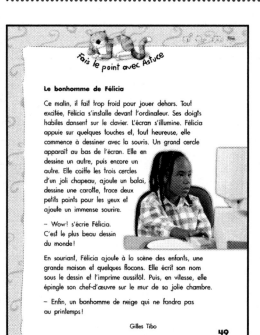

Fais le point avec Astuce

Le bonhomme de Félicia

Ce matin, il fait trop froid pour jouer dehors. Tout excitée, Félicia s'installe devant l'ordinateur. Ses doigts habiles dansent sur le clavier. L'écran s'illumine. Félicia appuie sur quelques touches et, tout heureuse, elle commence à dessiner avec la souris. Un grand cercle apparaît au bas de l'écran. Elle en dessine un autre, puis encore un autre. Elle coiffe les trois cercles d'un joli chapeau, ajoute un balai, dessine une carotte, trace deux petits points pour les yeux et ajoute un immense sourire.

– Wow! s'écrie Félicia. C'est le plus beau dessin du monde!

En souriant, Félicia ajoute à la scène des enfants, une grande maison et quelques flocons. Elle écrit son nom sous le dessin et l'imprime aussitôt. Puis, en vitesse, elle épingle son chef-d'œuvre sur le mur de sa jolie chambre.

– Enfin, un bonhomme de neige qui ne fondra pas au printemps!

Gilles Tibo

49

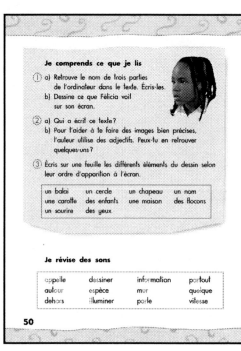

Je comprends ce que je lis

1. a) Retrouve le nom de trois parties de l'ordinateur dans le texte. Écris-les.
   b) Dessine ce que Félicia voit sur son écran.

2. a) Qui a écrit ce texte?
   b) Pour t'aider à te faire des images bien précises, l'auteur utilise des adjectifs. Peux-tu en retrouver quelques-uns?

3. Écris sur une feuille les différents éléments du dessin selon leur ordre d'apparition à l'écran.

un balai	un cercle	un chapeau	un nom
une carotte	des enfants	une maison	des flocons
un sourire	des yeux		

Je révise des sons

appelle	dessiner	information	partout
autour	espèce	mur	quelque
dehors	illuminer	parle	vitesse

50

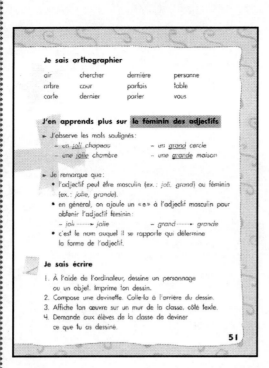

ACTION EN CLASSE (SUITE)

Préparation

Remarque : Vous pouvez faire réaliser les activités de cette rubrique une par une. Dans ce cas, procédez en animant la préparation, que vous ferez suivre de la réalisation et de l'intégration, section par section.

JE COMPRENDS CE QUE JE LIS

- Faites avec le groupe un rappel :
  - des stratégies de lecture,
  - de l'importance du survol,
  - de la nécessité de formuler une intention de lecture et d'émettre une hypothèse de contenu,
  - du rôle de la visualisation,
  - de l'utilité de relire parfois certains passages du texte.

Invitez des élèves que vous considérez comme autonomes à encadrer des élèves faibles. Regroupez auprès de vous ceux qui auront besoin d'une aide soutenue.

JE RÉVISE DES SONS

Rappelez aux enfants qu'ils devront lire une liste de mots à regrouper selon certains sons qui ont été vus au cours de l'année (inversions avec $r - l - s-$).

JE SAIS ORTHOGRAPHIER

Faites rappeler les diverses stratégies d'acquisition de l'orthographe d'usage, connues des élèves (voir à la page 139 du manuel).

Rappelez aux élèves que dans cette partie de la rubrique ils sont invités à revoir l'orthographe des mots à l'étude au cours de l'année.

Si vous avez jugé approprié de donner la leçon de grammaire du module, présentée au cours de la situation d'apprentissage 8, revoyez avec les élèves les notions qui y ont été exposées ou faites-les-leur résumer.

JE SAIS ÉCRIRE

Lisez avec les élèves les consignes de cette partie de la rubrique. Notez les tâches au tableau, dans l'ordre où elles doivent être exécutées :

- produire un dessin à l'ordinateur (personnage ou objet) ;
- composer une devinette portant sur le dessin, la coller au verso du dessin ;
- afficher le travail, côté texte ;
- faire découvrir ce qui a été dessiné, à l'aide de la devinette.

Réalisation

JE COMPRENDS CE QUE JE LIS

- Demandez aux élèves de lire individuellement le texte de la page 49, puis de répondre aux questions figurant à la page 50. Ne proposez qu'un ou deux blocs de questions aux élèves faibles.

2

**ACTION
EN CLASSE
(SUITE)**

Regroupez auprès de vous les élèves qui ont encore des difficultés en lecture. Permettez aux élèves autonomes qui y consentent de s'occuper d'un ou d'une camarade requérant de l'assistance.

Animez une mise en commun des réponses.

JE RÉVISE DES SONS

Demandez aux élèves de lire la liste des mots au bas de la page 50, puis de les regrouper : [or – our – ur – ar] autour, dehors, information, mur, parle, partout ; [el – il] appelle, illuminer, quelque ; [es] dessiner, espèce, vitesse.

Animez la mise en commun des réponses. Relevez les sons les moins bien maîtrisés et reprenez la lecture des mots qui les portent.

JE SAIS ORTHOGRAPHIER

Faites former des équipes de deux. Invitez les coéquipiers à se servir des stratégies d'apprentissage de l'orthographe d'usage pour en arriver à maîtriser l'orthographe des mots de la liste.

Invitez les coéquipiers à épeler à tour de rôle les mots de la liste soumis par leur partenaire. L'écriture d'une dictée de mots peut alterner avec l'épellation.

Invitez les élèves à relever les groupes du nom (dét. + nom + adj.) dans le texte *Le bonhomme de Félicia*, page 49.

Écrivez au tableau les groupes suivants : ses doigts habiles, un grand cercle, un joli chapeau, un immense sourire, le plus beau dessin, une grande maison, sa jolie chambre.

Demandez à quelques élèves de venir au tableau identifier le nom, indiquer son genre et son nombre, puis relier ce nom par une flèche à l'adjectif et au déterminant. Enfin, faites justifier l'orthographe de l'adjectif à partir de la règle vue un peu plus tôt.

JE SAIS ÉCRIRE

Assurez-vous que les élèves ont accès à l'ordinateur pour accomplir ce travail. Vous pourriez leur faire entreprendre cette partie de la rubrique dès l'amorce de la situation d'apprentissage 8 : *Dans le noir*, afin d'être certain que chaque enfant pourra réaliser son dessin.

Demandez de préparer la devinette en une ou deux phrases. Vérifiez les textes rédigés afin que la révision et la correction précèdent la transcription.

Une fois les devinettes rédigées et collées au dos du dessin, faites afficher les productions au babillard, côté texte.

Proposez les devinettes à la classe.

 **Intégration et réinvestissement**

JE COMPRENDS CE QUE JE LIS

• Invitez les élèves à faire part de leurs commentaires sur le texte qu'ils ont lu. Ont-ils aimé ce texte ? Ont-ils déjà fait ce que Félicia a entrepris en cette journée très froide ? Quels mots leur ont donné du fil à retordre ? Comment s'y sont-ils pris pour les identifier ? Qu'est-ce qui a été le plus facile dans cette partie de la rubrique ? Les questions

2
ACTION
EN CLASSE
(SUITE)

étaient-elles simples à comprendre? les réponses faciles à dégager du texte?

JE RÉVISE DES SONS

Demandez aux élèves quels sons ne leur causent aucune difficulté et lesquels sont encore difficiles à reconnaître.

JE SAIS ORTHOGRAPHIER

Laissez les enfants exprimer leur degré de satisfaction quant à leur maîtrise de l'orthographe d'usage.

JE SAIS ÉCRIRE

Demandez aux enfants dont le dessin n'a pu être identifié à partir du texte, d'en cerner la cause. Si aucune raison n'est émise, faites appel à la classe pour trouver pourquoi personne n'a pu découvrir ce que représentait l'illustration. Profitez-en pour faire remarquer ce qui a sans doute causé le problème : mots vagues, propos qui ne collent pas au dessin, phrases incomplètes.

Faites prendre conscience aux enfants des progrès accomplis depuis septembre, et même depuis janvier pour certains. Félicitez tous ceux qui ont fait manifestement des efforts et rappelez que progrès n'est pas toujours synonyme de réussite.

3
RETOUR
SUR
L'ENSEIGNEMENT

- Continuez de tracer le portrait de vos élèves, comme individus et comme groupe.

  Les compétences en lecture et en écriture s'affermissent-elles? Y a-t-il de plus en plus d'élèves à même de maîtriser les habiletés requises en lecture et en écriture?

Quels sont les élèves qui requièrent un meilleur encadrement? Que leur proposerez-vous en vue de les rendre plus autonomes?

Notes personnelles

_____
_____
_____
_____
_____
_____
_____
_____
_____
_____
_____
_____
_____
_____
_____

À l'ordinateur avec Marilou

Le module 17 comprend trois activités distinctes :

- une activité de navigation
  – *Les photos de Marilou* ;

- une activité de sondage
  – *Qui fait quoi ?*

- une activité de création
  – *Une histoire en cinq temps.*

Activité 1

LES PHOTOS DE MARILOU

TYPE D'ACTIVITÉ

Activité simple, autonome

MATÉRIEL NÉCESSAIRE

Dossier MODULE 17 du cédérom

TEMPS SUGGÉRÉ

Environ 15 min par élève

- Cette activité de navigation est axée sur la sélection de l'information. Elle favorise le développement de compétences d'ordre intellectuel (sélection), d'une compétence d'ordre méthodologique (utiliser un fureteur) et d'une compétence disciplinaire (français – écoute et lecture). Certaines directives sont données en mode vocal, alors que d'autres sont en mode écrit.

- Il est proposé à l'élève d'accompagner Marilou qui s'apprête à utiliser l'ordinateur familial pour retoucher des photos numériques. Il ou elle doit reconstituer dans le bon ordre la séquence des opérations à faire.

- Vous trouverez la démarche proposée pour réaliser l'activité 1 dans le dossier *MODULE 17* du cédérom.

- Il faut prévoir environ 15 min par élève pour réaliser cette activité.

Activité 2

QUI FAIT QUOI ?

TYPE D'ACTIVITÉ

Activité moyenne, requérant l'aide d'un ou d'une élève d'une classe supérieure

MATÉRIEL NÉCESSAIRE

Dossier MODULE 17 du cédérom

TEMPS SUGGÉRÉ

Environ 30 min par élève

- Dans cette activité, on sensibilise l'élève aux différents usages de l'ordinateur domestique. L'activité vise le développement de deux compétences d'ordre intellectuel (classer et comparer des données) et d'une compétence méthodologique (exploiter les TIC). Elle permet également d'aborder des connaissances relevant d'une discipline (mathématique - utilisation et interprétation d'un graphique) sans toutefois viser le développement de compétences. Toutes les directives sont données en mode vocal.

- Il est proposé aux élèves de faire une enquête pour déterminer, dans un premier temps, quels sont ceux qui ont un ordinateur à la maison. Dans un deuxième temps, ils devront établir l'usage qui en est fait. Ces données seront ensuite consignées dans un tableur et en un graphique.

- Vous trouverez la démarche proposée pour réaliser l'activité 2 dans le dossier *MODULE 17* du cédérom.

- Il faut prévoir environ 30 min par élève pour réaliser cette activité.

Activité 3

UNE HISTOIRE EN CINQ TEMPS

TYPE D'ACTIVITÉ
Activité complexe, autonome

MATÉRIEL NÉCESSAIRE
Dossier MODULE 17 du cédérom

TEMPS SUGGÉRÉ
Plusieurs périodes

- Cette activité favorise le développement de compétences d'ordre intellectuel (exercer son jugement critique et mettre en œuvre sa pensée créatrice), de compétences d'ordre méthodologique (exploiter les TIC pour bâtir une histoire) et d'une compétence disciplinaire (français). Toutes les directives sont données en mode vocal.

- Les élèves sont placés en dyades. L'élève A regarde la première illustration de l'histoire et, à partir de ce qu'elle lui inspire, écrit un court texte. L'élève B lit ce que son ou sa partenaire a écrit, regarde la seconde illustration et écrit la suite de l'histoire. L'élève A revient à l'ordinateur et, après avoir lu ce que son ou sa camarade a écrit pour la deuxième illustration, prend connaissance de la troisième illustration et écrit la suite de l'histoire. Cette démarche par alternance se poursuit jusqu'à la dernière illustration où les deux élèves conviennent ensemble de la fin de l'histoire, l'écrivent et l'impriment.

- Vous trouverez la démarche proposée pour réaliser l'activité 3 dans le dossier *MODULE 17* du cédérom.

- Il faut prévoir plusieurs périodes pour réaliser cette activité.

Notes personnelles

_____

_____

_____

_____

_____

_____

_____

_____

_____

_____

_____

_____

_____

_____

_____

_____

_____

_____

_____

_____

Activités d'animation littéraire

Activité 1

GRANDE ANIMATION DE LA LECTURE

BUTS

- *Établir des liens entre le thème du roman et des activités personnelles centrées sur l'utilisation de jeux vidéo, de cédéroms ou de logiciels ludiques.*

- *Anticiper certains passages du récit.*

- *Expliquer certaines expressions ou images du texte.*

- *Comprendre les réactions des personnages.*

- *Porter un jugement sur des réflexions ou des comportements des personnages.*

ORGANISATION DE LA CLASSE

Collectif, individuel

MATÉRIEL NÉCESSAIRE

Tantan l'Ouragan *par BROCHU, Yvon, Héritage, 1995, 40 p. (Carrousel), feuilles pour dessiner, crayons de cire ou crayons-feutres*

NOTE : Il importe que les livres utilisés pour l'animation de la lecture au cours de l'année soient réservés à la classe de 2e année du premier cycle. Il convient donc de demander aux enseignants et aux enseignantes du préscolaire et de 1re année de ne pas les utiliser.

Chaque fois que vous passez de la vie réelle de Cloé à l'univers virtuel de Tantan, et inversement, marquez-le par une pause afin que les élèves puissent bien s'en rendre compte. En outre, il serait pertinent d'identifier visuellement ces passages dans le livre (par une barre oblique éventuellement). Ainsi cet indice visuel vous indiquera-t-il le moment de marquer un temps d'arrêt dans la lecture.

 Préparation

Étape 1

- Vérifiez avec les élèves quelles utilisations de l'ordinateur ils privilégient en général. Interrogez-les également sur leurs réactions et comportements lorsqu'ils utilisent des jeux vidéo et des logiciels ludiques (sont-ils excités ? déçus ? colériques ? rêveurs ?). Dites-leur que dans l'histoire qu'ils écouteront, Cloé cesse même de respirer à un certain moment. Demandez-leur s'ils réagissent quelquefois de la même façon. À quel moment du jeu ? Faites-leur justifier ces réactions. Prenez en note leurs commentaires au fur et à mesure ; après la lecture de chaque partie du roman, ils vérifieront si Cloé a réagi comme eux.

Avant la lecture d'une longue histoire, il importe d'en situer sommairement le contexte. Les élèves seront ainsi en mesure de mieux suivre le déroulement. Vous pourriez présenter le récit *Tantan l'Ouragan* de la façon suivante : *Cloé est une mordue des jeux vidéo. Actuellement, son jeu préféré met en scène le singe Tantan l'Ouragan. Cloé passe des heures devant l'écran pour parvenir à franchir une nouvelle épreuve. Hélas ! elle n'y a pas encore réussi ! Que fera-t-elle pour sortir victorieuse du jeu ?*

Afin de ne pas briser le rythme de la lecture par trop de questions ou de consignes liées au vocabulaire, inscrivez les mots et expressions ci-dessous au tableau, et animez une discussion pour en faire dégager le sens par les élèves.

Demandez aux élèves de visualiser le passage suivant : « *Cloé joue sur son clavier comme une pianiste sur son piano. Et son héros, petit mais gros, bondit sur son ordinateur comme un yoyo.* » (p. 9 et 10) Ensuite, demandez-leur ce qu'évoquent pour eux ces deux comparaisons.

- « *Cloé est ébranlée.* » (p. 12) Faire valoir les deux sens du mot. Indiquez que le sens figuré se déduit du sens propre (secouée) et que l'auteur a choisi ce mot pour bien montrer que la confiance de Cloé vient d'en prendre un coup.

- « *Haute comme trois pommes mais rouge comme tout un panier de pommes, Cloé se fâche.* » (p. 14 et 15) Demandez aux élèves ce qu'ils comprennent de cette description humoristique de l'héroïne après l'avoir visualisée.

 Réalisation

- Posez les questions suivantes au fur et à mesure du déroulement de l'histoire.

- En classe, les élèves sont assis par terre, en demi-cercle, près de l'enseignant ou de l'enseignante.

- L'animation se déroule en deux séances, la première couvrant la préparation et la lecture jusqu'à la page 20; la deuxième, la lecture, de la page 20 à la fin du roman, ainsi que l'intégration.

- Cette activité devrait idéalement être réalisée après la situation d'apprentissage 2.

– p. 13 et 14: «*Son père n'aime pas beaucoup Tantan l'Ouragan. Selon lui, elle passe trop de temps devant son écran, avec Tantan. Et, selon lui, ce jeu est trop violent. Quelle idée! Cloé lui a expliqué mille fois que c'est amusant. C'est un jeu, un point c'est tout.*» Animez une discussion sur ces deux opinions. Laquelle partagent-ils, celle du père ou celle de Cloé? Invitez les élèves à justifier leur réponse.

(Avant de poursuivre la lecture, avisez les élèves que la discussion sur ce point est terminée.)
– p. 20: «*Sur son écran, elle voit un tout nouveau décor.*»

Demandez aux élèves de nommer les deux premiers décors que Cloé voit dans le jeu (la ville et la jungle). Ensuite, proposez-leur de dessiner le décor qu'elle découvre enfin, derrière le rideau de bambou. Faites afficher les productions au tableau et laissez les élèves discuter librement.

(À la fin de l'animation, suggérez aux élèves de coller leur dessin dans leur *Album des souvenirs de lecture*. Ils y inscrivent le nom de l'auteur, le titre du roman, le nom de la maison d'édition ainsi que celui de la collection.)

Enfin, demandez aux élèves s'ils peuvent associer les comportements et les sentiments de Cloé aux leurs, tels qu'ils les ont identifiés lors de la préparation. Relisez certains passages du récit dévoilant les sentiments et les comportements de Cloé afin de permettre aux élèves de mieux les cerner et de faire ainsi plus facilement des associations.

Étape 2

- Faites un retour sur les dessins en invitant quelques élèves dont les noms ont été tirés au sort à identifier le lieu où se situeront à partir de là les nouvelles aventures de Tantan l'Ouragan. Dites-leur que peut-être l'un d'eux représente ce que verra Cloé.

Ensuite, demandez aux élèves d'expliquer les expressions suivantes et d'imaginer une scène où l'auteur pourrait les utiliser: «*…elle veut en avoir le cœur net.*» (p. 22) «*Elle vire à droite sur une seule patte. Elle tourne à gauche sur l'autre.*» (p. 22)

Tout au long de la lecture, posez des questions pour vous assurer que les élèves comprennent bien ce qui se passe dans le récit.
– p. 26: «*Cloé, comme un ouragan, repart sur la trace de Tantan.*»

Posez la question suivante: *Dans quelle autre pièce de la maison Tantan l'Ouragan pourrait-il faire encore autant de dégâts?*

«*Elle patine […] une belle neige fine voltige un peu partout.*»

Posez cette question: *D'après vous, est-ce de la vraie neige ou bien une image pour dire qu'il tombe quelque chose qui ressemble à de la neige? Qu'est-ce que cela peut bien être?*
– p. 27: «*Mais comment arrêter un ouragan?*»

D'après vous, comment Cloé s'y prendra-t-elle pour arrêter cet ouragan qui a envahi sa maison?
– p. 30: *Pourquoi l'auteur parle-t-il ici du Petit Poucet?*
– p. 32: «*Cloé se sent toute triste.*»

Pourquoi notre héroïne ressent-elle cette émotion?
– p. 33: «*Pouf! Il neige aussi dans la chambre de Cloé.*»

Pourquoi l'auteur utilise-t-il encore cette image de la neige?
– p. 34: «*Que faire?*»

D'après vous, qu'est-ce que Cloé fera?
– p. 36 et 37: «*Elle en profite pour sauter sur le lit et tâter les couvertures. «C'est mou!» Elle secoue les couvertures. «C'est mou, mou, mou!*»

Expliquez pourquoi Cloé agit de cette façon.
– p. 39: «*– Cloé, je ne comprends plus rien. – Moi non plus, papa…*»

Expliquez les réactions du père et celles de Cloé.

Enfin, après la lecture, revenez sur les sentiments et comportements relevés lors de la préparation et demandez aux élèves s'ils peuvent les associer à ceux de Cloé. Faites-leur expliquer leurs propositions.

🔧 Intégration

- Proposez aux élèves de faire connaître leur «coup de cœur» sur la grande affiche dans le coin lecture, ou dans leur *Album souvenirs de mes lectures*. Ils y inscrivent le titre du livre, le nom de l'auteur ainsi que celui de l'illustrateur; verbalement, ils justifient brièvement leur appréciation.

Enfin, invitez-les à laisser une trace de cette lecture dans leur *Album souvenirs de mes lectures* (le dessin réalisé lors de l'animation ou celui d'un personnage; le dessin d'un passage drôle, triste, captivant, énervant; la photo d'un modelage en pâte à modeler d'un personnage ou d'un objet; des mots nouveaux dont ils ne connaissaient pas le sens; un court commentaire; etc.). Cette activité peut être réalisée en classe ou à la maison.

Proposez aux élèves d'emprunter des livres de la sélection, dont le thème est lié aux ordinateurs, pour les lire ou se les faire lire à la maison. Procédez aux prêts. Si plusieurs élèves désirent emprunter le même livre, le tirage au sort peut être une modalité à envisager.

Lorsqu'un ou une élève rapporte un livre, demandez-lui de faire connaître son «coup de cœur» dans le coin lecture ou dans son *Album souvenirs de mes lectures*. Rappelez-lui d'y faire figurer à côté le titre du livre, le nom de l'auteur ou de l'auteure, ainsi que celui de l'illustrateur ou de l'illustratrice, qu'ils auront retranscrits. Cette activité peut être réalisée en classe ou à la maison.

Enfin, assurez-vous que le livre, une fois récupéré, sera remis à sa place dans le coin lecture afin qu'un autre ou une autre élève puisse l'emprunter à son tour.

Notes personnelles

_____
_____
_____
_____
_____
_____
_____
_____
_____
_____
_____
_____
_____
_____
_____
_____
_____
_____

PRÉSENTATION DE LA SÉLECTION DU MODULE

NOTE : Dans le coin lecture, il importe de proposer aux élèves des activités «d'auto-animation» où chacun et chacune puisera ce qui l'intéresse, ce qui lui convient, ce qui le ou la stimule, ce qui le ou la fait rêver, ce qui le ou la fait rire, etc. Individuellement ou en équipes, les élèves lisent des questions et des consignes en vue de réaliser de courtes activités à l'aide de livres qui s'adressent autant à leur groupe d'âge qu'aux adultes pour certains sujets, dont les arts visuels (par exemple Miró).

Voici quelques propositions pour présenter les livres liés aux thèmes de ce module.

 ## Préparation

- Après avoir consulté la bibliographie, regroupez – dans des boîtes-classeurs à revues – les livres correspondant aux situations d'apprentissage appropriées. Fixez sur l'une des faces de la boîte-classeur une feuille plastifiée où sont inscrites consignes et questions. (Cette feuille peut également être placée dans la boîte. – Voir l'étape de réalisation pour connaître les activités à réaliser.)

Après chaque situation d'apprentissage pour laquelle une sélection de livres est suggérée, présentez les activités figurant sur la feuille, puis placez la boîte-classeur dans le coin lecture. Invitez les élèves à fréquenter le coin lecture selon les modalités que vous aurez déterminées.

 ## Réalisation
Que d'ordinateurs !
(Après la situation d'apprentissage 4 : *Riri à l'ordi*)

- Déposez une boîte-classeur contenant des livres de la sélection dans le coin lecture. Transcrivez sur une feuille le texte suivant ou toute autre consigne ou question que vous jugez intéressante pour les élèves :

Il y a certainement des livres qui traitent des mêmes aspects des ordinateurs que votre manuel. Associez une page d'un livre (texte ou illustration) à une page ou à une information de votre manuel. Trouvez au moins un lien. De quel aspect traitent ces deux documents ? Prenez en note ce lien, puis expliquez à un ou une camarade pourquoi vous l'avez établi.

 ### Cherche des Miró !
(Après la situation d'apprentissage 5 : *Une visite au musée*)

- Déposez une boîte-classeur contenant des livres de la sélection dans le coin lecture. Transcrivez sur une feuille le texte suivant ou toutes autres consignes ou questions que vous jugez intéressantes pour les élèves :

Personne n'a écrit de livres sur Miró destinés à votre groupe d'âge. Mais pour observer des œuvres de cet artiste, vous pouvez consulter des ouvrages écrits pour les élèves du troisième cycle ou pour les adultes.

Feuilletez avec soin des albums montrant des œuvres de Miró. Ensuite, répondez à une ou plusieurs des questions ou consignes suivantes :

1. Miró a-t-il toujours utilisé les mêmes couleurs ? Prouvez-le en choisissant trois reproductions. Demandez à un ou une camarade de vous donner son avis.

2. Trouvez une œuvre de Miró ne comportant pas de traits noirs. Montrez-la à un ou une camarade.

3. Quelle œuvre de Miró accrocheriez-vous dans votre chambre ? Donnez vos raisons à un ou une de vos camarades.

4. Observez attentivement l'album de Leo Lionni, [Le rêve d'Albert], que vous avez peut-être lu en première année. À quelle page trouve-t-on une œuvre de Leo Lionni inspirée de Miró ? Justifiez votre réponse à un ou une de vos camarades.

 Les livres, c'est magique !
(Après la situation d'apprentissage 8 : *Dans le noir*)

- Déposez une boîte-classeur contenant des livres de la sélection dans le coin lecture. Transcrivez sur une feuille le texte suivant ou toute autre consigne ou question que vous jugez intéressante pour les élèves :

1. Feuilletez les pages de ces albums pour choisir les illustrations représentant des lieux…

    a) où vous voudriez vivre une aventure ;

    b) où vous aimeriez rencontrer les personnages ;

    c) où vous emmèneriez vos meilleurs amis ;

    d) où vous aimeriez vivre avec votre famille.

    Indiquez au moins une raison à l'appui de chaque choix.

2. Voici une course aux trésors. Pour chaque livre, un seul indice vous sera donné. Serez-vous capables de relever le défi de tous les trouver ?

    Écrivez vos découvertes sur une feuille et présentez-les à votre enseignant ou à votre enseignante qui jugera si vous êtes ou non une ou un bon pirate.

    a) Le personnage du livre frappe à la porte de l'auteure.

    b) Un souriceau raconte l'histoire qu'il a lue à un chat pour ne pas se faire dévorer par ce dernier.

    c) Un jeune mordu de lecture participe aux aventures de tous les personnages qu'il rencontre dans les livres.

    d) Un ogre qui adore dévorer les livres devient conteur dans une bibliothèque.

    e) Il arrive que la lecture soit même utile à une chèvre.

    f) Un lecteur refuse la visite de personnages de livres. Peu de temps après, il s'ennuie d'eux. Que fera-t-il ?

    g) Deux lièvres prisonniers d'un renard utiliseront un livre pour être sauvés. Comment ?

    h) Pierrot sait comment pénétrer dans les livres pour rencontrer les personnages qui y sont mis en scène.

    i) L'univers des livres est merveilleux. Tu le découvriras en même temps qu'Élie.

    j) Mic aime avoir peur en lisant.

Solutions :

1. *La petite fille du livre* de Nadja

2. *Tibert et Romuald* d'Anne Jonas

3. *Édouard et les pirates* de David McPhail

4. *L'ogre nouveau est arrivé* de René Gouichoux

5. *Péric et Pac* de Jennifer Dalrymple

6. *J'aime pas lire !* de Rita Marshall

7. *Un beau livre* de Claude Boujon

8. *Du rififi à la bibliothèque* de Christine Molina

9. *Un livre pour Elie* de Nikolaus Heidelbach

10. *Enfin tranquille* de Mireille d'Allancé

 Des univers merveilleux

- Déposez une boîte-classeur contenant des livres de la sélection dans le coin lecture.

Transcrivez sur une feuille le texte suivant ou toute autre consigne ou question que vous jugez intéressante pour les élèves :

1. Feuilletez les pages de ces albums pour choisir les illustrations représentant des lieux…

a) où vous voudriez vivre une aventure;

b) où vous aimeriez rencontrer les personnages;

c) où vous emmèneriez vos meilleurs amis;

d) où vous aimeriez vivre avec votre famille.

Donnez au moins une raison à l'appui de chaque choix.

2. Après avoir lu les titres et observé les illustrations des livres, écrivez le nom de cinq êtres imaginaires apparaissant réellement dans les livres. Ensuite, comparez votre texte avec celui d'un ou d'une autre élève.

3. Quel livre souhaitez-vous lire? Lequel aimeriez-vous vous faire lire par une personne adulte à la maison? Prenez-les en note. Donnez au moins deux raisons pour justifier votre choix.

 ## Intégration

• Proposez aux élèves d'emprunter l'un de ces livres pour le lire ou se le faire lire à la maison par une personne adulte. Lorsqu'un ou une élève rapporte un livre, demandez-lui de faire connaître son «coup de cœur» dans le coin lecture ou dans son *Album souvenirs de mes lectures*. Rappelez-lui d'y faire figurer à côté le nom de l'auteur ou de l'auteure, ainsi que celui de l'illustrateur ou de l'illustratrice qu'il ou elle aura retranscrits.

Invitez les élèves, s'ils le désirent, à laisser une trace de leur appréciation du livre dans leur *Album souvenirs de mes lectures*. Cette activité peut être réalisée en classe ou à la maison.

Enfin, assurez-vous que le livre, une fois rapporté, sera remis dans le coin lecture afin que d'autres élèves puissent l'emprunter à leur tour.

Notes personnelles

BIBLIOGRAPHIE

ORDINATEURS

Texte littéraire : premier roman

ULLA-ALONSO, Isabel, *Pixelle ma micro-copine*, Paris, Hatier, l999, 45 p. (Ratus poche. Bons lecteurs, 7-8 ans)

Texte littéraire : fiction

SCHEFFLER, Ursel, *Le mystérieux ordinateur de Papy*, Zurich, Nord-Sud, l997, 46 p. (C'est moi qui lis)

Texte littéraire : récit illustré

JARDIN, Alexandre, *Cybermaman ou Le voyage extraordinaire au centre d'un ordinateur*, Paris, Gallimard, l996, 63 p.

Texte courant

CHABOT, Jean-Philippe, *Internet*, Paris, Gallimard jeunesse, l999, 36 p. (*Mes premières découvertes des techniques*)

JEUX D'ORDINATEUR ET JEUX VIDÉO

Textes littéraires : bandes dessinées

OLLÉ, M. Angels, *Souricette et ses amis*, Paris, Sorbier, l996, 23 p. (Souricette)

SAINT MARS, Dominique de, *Max est fou de jeux vidéo*, Fribourg, Caligram, l992, 43 p. (Ainsi va la vie. Max et Lili)

Texte littéraire : fiction

LAPOINTE, Claude, *Et toi, qu'as-tu vu ?*, Paris, Gallimard, l996, 29 p.

Textes littéraires : premiers romans

BROCHU, Yvon, *Tantan l'Ouragan*, Saint-Lambert, Héritage, l995, 40 p. (Carrousel. Mini-roman)

SARFATI, Sonia, *Tricot, piano et jeu vidéo*, Montréal, La courte échelle, l992, 61 p. (Premier roman)

MOYENS DE COMMUNICATION

Textes courants

DELAFOSSE, Claude, *Le téléphone*, Paris, Gallimard jeunesse, l995, 35 p. (*Mes premières découvertes des techniques*)

MEAD, Richard, *Les moyens de communication*, Paris, Nathan, l997, 32 p. (Questions-réponses, 6 / 9 ans)

MIRÓ

Textes courants : Pour les enseignantes et les enseignants

DIEHL, Gaston, *Miró*, Paris, Flammarion, l990, 95 p. (Les Maîtres de la peinture)

MIRÓ, Joan, *Miró*, l893-l983, Paris, Cercle d'art, l994, 64 p. (Découvrons l'art du XXe siècle)

MIRÓ, Joan, *Miró à Montréal*, Montréal, Musée des beaux-arts de Montréal, l986, 269 p.

PUNYET-MIRÓ, Juan, *Joan Miró, le peintre aux étoiles*, Paris, Gallimard, l993, 144 p. (Découvertes. Peinture)

Texte littéraire : fiction

LIONNI, Leo, *Le rêve d'Albert*, Paris, L'École des loisirs, 1991, 29 p.

Aussi dans la collection Lutin poche (1992)

LES LIVRES, C'EST MAGIQUE !

Textes littéraires : fiction

ALLANCÉ, Mireille d', *Enfin tranquille !*, Paris, L'École des loisirs, 1998, 29 p.

BOUJON, Claude, *Un beau livre*, Paris, L'École des loisirs, 1990, 32 p.

DALRYMPLE, Jennifer, *Péric et Pac*, Paris, L'École des loisirs, 1994, 31 p.

GOUICHOUX, René, *L'ogre nouveau est arrivé*, Paris, Nathan, 1998, 28 p. (Albums Nathan)

HEIDELBACH, Nikolaus, *Un livre pour Elie*, Paris, Seuil jeunesse, 1998, 30 p.

HEITZ, Bruno, *Les inventions de Maximus*, Paris, Albin Michel jeunesse, 1995, 48 p. (Zéphyr)

JONAS, Anne, *Tibert et Romuald*, Laval, Les 400 coups, 1999, 27 p.

MARSHALL, Rita, *J'aime pas lire !*, Paris, Gallimard jeunesse, 1995, 31 p. (Folio benjamin)

McPHAIL, David, *Édouard et les pirates*, Paris, Circonflexe, 1998, 35 p. (Albums)

MOERS, Hermann, *Costaud, Pataud !*, Zurich, Nord-Sud, 1995, 25 p. (Un livre d'images Nord-Sud)

NADJA, *La petite fille du livre*, Paris, L'École des loisirs, 1997, 35 p.

Texte littéraire : roman

MOLINA, Christine, *Du rififi à la bibliothèque*, Toulouse, Éditions Milan, 1999, 39 p. (Milan poche cadet. Aventure)

DES UNIVERS MERVEILLEUX

L'univers merveilleux des fées

Textes littéraires : fiction

BERTRON, Agnès, *Ma mère est une fée*, Paris, Père Castor Flammarion, 1999, 43 p. (Loup-garou)

LUPPENS, MICHEL, *Mais que font les fées avec toutes ces dents ?*, Saint-Hubert, Raton laveur, 1989, 21p.

Aussi : *Mais où les fées des dents vont-elles chercher tant d'argent ?* (21 p., 1996)

Texte littéraire : légende

Les Fées, Paris, Hachette, 1991, 37 p. (Mes premières légendes)

Je suis un géant

Texte littéraire : conte

BOLLIGER, Max, *Le géant tout petit*, Zurich, Nord-Sud, 1997, 23 p. (Un livre d'images Nord-Sud)

Texte littéraire : fiction

WILLIS, Jeanne, *Le géant de la forêt*, Paris, Gallimard jeunesse, 1995, 25 p. (Folio benjamin)

Attention ! Voici les dragons !

Textes littéraires : fiction

KENT, Jack, *Les dragons ça n'existe pas*, Namur, Nijade, 1997, 31 p.

NEVE, Andréa, *La chasse au dragon*, Paris, L'École des loisirs, 1998, 33 p. (Pastel)

NOLEN, Jerdine, *Mon dragon à moi*, Toulouse, Milan, 1999, 30 p.

PENDZIWOL, Jean, *Pas de dragon dans ma maison !*, Markham, Scholastic, 1999, 32 p.

Les pirates attaquent !

Textes littéraires : fiction

GILMAN, Phoebe, *Perle la pirate*, Markham, Sholastic, 1998, 30 p.

MORGAN, Allen, *En avant, pirates !*, Montréal, La Courte échelle, 1998, 24 p. (Drôles d'histoires)

TREMBLAY, Carole, *Marie-Baba et les 40 rameurs*, Saint-Lambert, Dominique et compagnie, 1998, 30 p.

Ah non ! des monstres !

Textes littéraires : fiction

OSTHEEREN, Ingrid, *Le monstre bleu*, Zurich, Nord-Sud, 1996, 25 p. (Un livre d'images Nord-Sud)

SIMARD, Rémy, *L'horrible monstre*, Laval, Les 400 coups, 1997, 31 p. (Bonhomme sept heures)

Texte littéraire : roman

KROMHOUT, Rindert, *Le monstre gourmand*, Montréal, Hurtubise HMH, 1998, 27 p. (Étoile)

Texte littéraire : légende

Le Monstre du puits, Zurich, Nord-Sud, 1999, 27 p. (Un livre d'images Nord-Sud)

Textes littéraires : fiction

DUQUENNOY, Jacques, *Opération fantôme*, Paris, Albin Michel jeunesse, 1998, 51 p. (Zéphyr)

WAGENER, Gerda, *Le fantôme de l'école*, Zurich, Nord-Sud, 1997, 47 p. (C'est moi qui lis)

Salut brave chevalier !

Texte littéraire : conte

BAKER, Carolyn, *Le chevalier étincelant*, Paris, L'École des loisirs, 1998, 32 p. (Pastel)

Texte littéraire : fiction

HAZEN, Barbara Shook, *Le chevalier qui avait peur du noir*, Paris, L'École des loisirs, 1997, 30 p. (Lutin poche)

SITES INTERNET

Répertoire de sites portant sur les ordinateurs

1. *IBM*

   Le site du géant du PC. Cliquer sur l'onglet *Produits*.

   http://www.fr.ibm.com/

2. *Apple*

   Le site du producteur d'ordinateurs d'avant-garde. Choisir *Produits Mac*.

   http://www.apple.com/fr/

3. *Palm*

   Le site du producteur d'ordinateurs de poche.

   http://www.palm.com/europe/fr_french/index.html

4. Site personnel sans titre

   Les composantes, quelques illustrations.

   http://www.mygale.org/lionelma/paged.htm

5. *Qu'est-ce qu'un ordinateur ?* (site personnel)

   Une illustration sur le mécanisme interne d'une souris.

   http://www-ipst.u-strasbg.fr/pat/internet/didactic/dans-pc.htm

Sites Internet

Le petit lexique du net

http://perso.wanadoo.fr/nesis/

Répertoire de sites qui offrent des recettes à base de produits de l'érable

1. *Recettes traditionnelles et trouvailles*

   Recettes faites avec les produits de l'érable.

   http://www.sucres.ivic.qc.ca/recettes.html

2. Le site de l'*Association des Restaurateurs de Cabanes à Sucre du Québec*

   Choisir le lien *RECETTES ANCIENNES*

   http://www.arcsq.qc.ca/expres.htm

3. *Recettes.qc.ca*

   Tout plein de recettes faciles dont certaines avec des produits de l'érable. Choisir le lien *Desserts*.

   http://www.recettes.qc.ca/

Notes personnelles

_____

_____

_____

_____

_____

_____

_____

_____

_____

_____

_____

Astuce
et compagnie

Agathe Carrières • Colette Dupont • Doris Cormier

2e année du premier cycle
Module 18

Guide d'enseignement C et D

LES ÉDITIONS CEC INC.

Directrice de l'édition

Carole Lortie

Directrice de la production

Danielle Latendresse

Directrice de la coordination

Isabel Rusin

Chargées de projet

Ginette Rochon

Isabel Rusin

Correctrices d'épreuves

Marielle Chicoine

Ginette Rochon

Rédacteurs

Lise Labbé (moyens d'évaluation)

Michelle Leduc (activités d'animation littéraire)

André Roux (TIC)

Conception graphique
et réalisation technique

Axis communication

Productions Fréchette et Paradis inc.

Illustration de la couverture

Nicolas Debon

Les auteurs désirent remercier Chantal Harbec, enseignante à l'école Des-Quatre-Vents de la commission scolaire Marie-Victorin, Lise Labbé, consultante en didactique du français et en évaluation des apprentissages, et Ginette Vincent, conseillère pédagogique à la commission scolaire Marie-Victorin, pour leurs précieuses remarques et suggestions en cours de rédaction.

Dans cet ouvrage, la féminisation des titres de fonctions et des textes est conforme aux règles d'écriture proposées par l'Office de la langue française dans le guide *Au Féminin*, produit par Les publications du Québec, 1991.

Les Éditions CEC inc. remercient le gouvernement du Québec de l'aide financière accordée à l'édition de cet ouvrage par l'entremise du Programme de crédit d'impôt pour l'édition de livres, administré par la SODEC.

Dépôt légal: 1er trimestre 2002
Bibliothèque nationale du Québec
Bibliothèque nationale du Canada

ISBN 2-7617-1581-0

Imprimé au Canada

1   2   3   4   5   05   04   03   02   01

Table des matières

En ce qui concerne L'ÉVALUATION, la section « Matériel reproductible » de votre guide d'enseignement vous propose plusieurs moyens et outils d'évaluation.

NOTE : Les passages soulignés dans le présent guide d'enseignement constituent une mise en relief des étapes les plus importantes du déroulement pédagogique.

travail individuel

travaux personnels

travail en équipes

activités d'enrichissement

travail collectif

activités d'animation littéraire

technologies de l'information
et de la communication (TIC)

PRÉSENTATION

Notre belle Terre

La musique vint aux habitants de la Terre quand un dieu entreprit de les rendre heureux. Pour créer la musique, il assembla le murmure des ruisseaux, le frémissement des champs de maïs, le chant de la pluie, le mugissement des vagues, le bruissement des arbres dans la nuit et la mélodie des oiseaux. La fontaine était si claire qu'on s'y baignait en écoutant les trilles du rossignol. Le printemps était arrivé, l'air était pur et le ciel lumineux, la terre sentait bon, les arbres commençaient à bourgeonner et les humains étaient heureux.

Et puis les habitants de la Terre en vinrent à oublier d'où leur venait le bonheur. Ils construisirent des usines qui polluaient l'air et rejetaient leurs déchets dans les lacs et les rivières. On entreprit d'augmenter la production de légumes en épandant des engrais qui rendirent le sol malade. Les humains jetaient sans réfléchir tout ce dont ils ne voulaient plus, si bien que les dépotoirs devinrent d'énormes poubelles à ciel ouvert. Devant cette destruction progressive de leur Terre, les humains s'affligèrent. Mais la musique était déjà inventée et les dieux, prisonniers de la mythologie.

Alors, certains habitants de la Terre se levèrent, décidés à retrousser leurs manches pour tenter de corriger leurs méfaits. Ils se mirent à récupérer tout ce qui pouvait se transformer et servir de nouveau. L'ère du recyclage venait de naître pour durer. Pour se rappeler d'où vient la musique, vos jeunes auront-ils le génie de recycler quelque insignifiant rebut en instrument de musique?

COMPÉTENCES DISCIPLINAIRES, COMPÉTENCES TRANSVERSALES ET DOMAINES GÉNÉRAUX DE FORMATION CIBLÉS DANS CE MODULE

COMPÉTENCES DISCIPLINAIRES

Français	Science et technologie
L Lire des textes variés	**S** Explorer le monde de la science et de la technologie
E Écrire des textes variés	**Univers social**
C Communiquer oralement	**U** Construire sa représentation de l'espace, du temps et de la société
A Apprécier des œuvres littéraires	

COMPÉTENCES TRANSVERSALES

Ordre intellectuel

▶ Exploiter l'information

▶ Exercer son jugement critique

Ordre méthodologique

▶ Se donner des méthodes de travail efficaces

DOMAINE GÉNÉRAL DE FORMATION

Environnement et consommation

▶ Amener l'élève à entretenir un rapport dynamique avec son milieu, tout en gardant une distance critique à l'égard de l'exploitation de l'environnement, du développement technologique et des biens de consommation

TABLEAU SCHÉMATIQUE DES COMPÉTENCES EN FRANÇAIS ET DE LEURS COMPOSANTES

Légende

S renvoie à la situation d'apprentissage concernée.

P renvoie au projet.

F renvoie à la rubrique *Fais le point avec Astuce* (F1 = partie 1 / F2 = partie 2).

A renvoie à une activité d'animation littéraire (A1 = activité 1 / A2 = activité 2).

COMPÉTENCE 1 :
Lire des textes variés

COMPOSANTE A : *Construire du sens à l'aide de son bagage de connaissances et d'expériences*
▶ P, S1 à S4, F1, S5 à S7, F2

COMPOSANTE B : *Utiliser le contenu des textes à diverses fins*
▶ P, S1 à S4, F1, S5 à S7, F2

COMPOSANTE C : *Réagir à une variété de textes lus*
▶ P, S1 à S4, F1, S5 à S7, F2

COMPOSANTE D : *Utiliser les stratégies, les connaissances et les techniques requises par la situation de lecture*
▶ P, S1 à S4, F1, S5 à S7, F2

COMPOSANTE E : *Évaluer sa démarche de lecture en vue de l'améliorer*
▶ P, S1 à S4, F1, S5 à S7, F2

COMPÉTENCE 2 :
Écrire des textes variés

COMPOSANTE A : *Recourir à son bagage de connaissances et d'expériences*
▶ P, S2, S4, F1, S6, F2

COMPOSANTE B : *Explorer la variété des ressources de la langue écrite*
▶ P, S2, S4, F1, S6, F2

COMPOSANTE C : *Exploiter l'écriture à diverses fins*
▶ P

COMPOSANTE D : *Utiliser les stratégies, les connaissances et les techniques requises par la situation d'écriture*
▶ P, S2, S4, F1, S6, F2

COMPOSANTE E : *Évaluer sa démarche d'écriture en vue de l'améliorer*
▶ P, S2, S4, F1, S6, F2

COMPÉTENCE 3 :
Communiquer oralement

COMPOSANTE A : *Explorer verbalement divers sujets avec autrui pour construire sa pensée*
  ▶ P, S1, S3, S4, S7, S8

COMPOSANTE B : *Partager ses propos durant une situation d'interaction*
  ▶ P, S1, S3, S4, S7, S8

COMPOSANTE C : *Réagir aux propos entendus au cours d'une situation de communication orale*
  ▶ P, S1, S3, S4, S7, S8

COMPOSANTE D : *Utiliser les stratégies et les connaissances requises par la situation de communication*
  ▶ P, S1, S3, S4, S7, S8

COMPOSANTE E : *Évaluer sa façon de s'exprimer et d'interagir en vue de les améliorer*
  ▶ P, S3, S7

COMPÉTENCE 4 :
Apprécier des œuvres littéraires

COMPOSANTE A : *Explorer des œuvres variées en prenant appui sur ses goûts, ses intérêts et ses connaissances*
  ▶ A1, A2

COMPOSANTE B : *Recourir aux œuvres littéraires à diverses fins*
  ▶ S1, A1, A2, S6, S8

COMPOSANTE C : *Porter un jugement critique ou esthétique sur les œuvres explorées*
  ▶ A1, A2, S8

COMPOSANTE D : *Utiliser les stratégies et les connaissances requises par la situation d'appréciation*
  ▶ A1, A2, S8

COMPOSANTE E : *Comparer ses jugements et ses modes d'appréciation avec ceux d'autrui*
  ▶ A1, A2, S8

TABLEAU DE PLANIFICATION DES APPRENTISSAGES

Semaine 1

	FRANÇAIS					SUGGESTIONS				
	Sons	Lire des textes variés	Écrire des textes variés	Communiquer oralement	Apprécier des œuvres littéraires	Activités de soutien	Activités de consolidation	Travaux personnels	Activités d'enrichissement	TIC
1 Et si on chantait... L C A U — Manuel, p. 56 ; Guide, p. 20		Rappel des stratégies, de l'utilité de la visualisation et de la relecture. Mise en commun de la compréhension de la chanson. Repérage des êtres vivants, des éléments naturels et humains dont parle la chanson.		Vocabulaire relatif à l'univers social (paysages : éléments naturels et humains, villages ici et en France).	Texte : littéraire qui met en évidence le choix des mots, des images et des sonorités (**chanson**); Supports : manuel scolaire, disque ou audiocassette.	AC-61			X	X
2 Les hirondelles font le printemps L E S U — Manuel, p. 58 ; Guide, p. 27		Rappel des stratégies, de l'utilité de la visualisation et de la relecture. Repérage des signes du printemps, des sens auxquels ils sont associés et des expressions démontrant la joie. Relevé de comparaisons dans le texte. Exploration et utilisation du vocabulaire en contexte (univers social, science et technologie).	Texte sur le printemps. Retour sur les étapes du processus d'écriture.			R-18.1		X	X	X
3 Nathalie Juteau naturaliste L C S — Manuel, p. 60 ; Guide, p. 33		Lecture d'une entrevue. Exploration et utilisation du vocabulaire en contexte (science et technologie). Rappel des stratégies et de l'utilité de la visualisation et de l'anticipation.		Présentations, à partir d'entrevues réalisées, de différents métiers. Formes du français québécois oral standard. Ajustement du volume de la voix. Articulation nette. Vocabulaire précis et varié. Écoute active.		R-18.2	AC-62		X	X

Activité						
Protéger la nature **L** **E** **C** **U** Manuel, p. 63 Guide, p. 39		Rappel des stratégies et de l'importance de la visualisation et de l'anticipation. Exploration et utilisation du vocabulaire en contexte (nature / pollution).	Texte décrivant une manifestation de pollution ou de gaspillage et proposant un correctif ou une mesure préventive. Retour sur les étapes du processus d'écriture. Travail sur des éléments de stylistique ou de grammaire.	Échanges en équipes. Vocabulaire relatif à l'univers social (paysages).		R-18.3 R-18.4
Activité d'animation littéraire 1 **A** Guide, p. 79					Texte : littéraire qui raconte (**conte d'explication** à visée scientifique); Support : livre *La poudre magique* par Jean-Pierre Guillet.	
Activité d'animation littéraire 2 **A** Guide, p. 82					Texte : littéraire qui raconte (**conte symbolique**); Support : livre *Le jardin de Monsieur Préfontaine* par Annouchka Gravel Galouchko.	
Projet – Étape 1 **L** **E** **C** Manuel, p. 81 Guide, p. 18		Exploration et utilisation du vocabulaire en contexte (projets de recyclage).				
Fais le point avec Astuce **L** **E** Manuel, p. 65 Guide, p. 45	Révision [t] – **th** [k] – **ch** [ø] – **œu**	Compréhension de texte. Retour sur les stratégies et la démarche de lecture. Insistance sur la visualisation et la relecture.	Orthographe d'usage : mots de la liste (révision), stratégies d'acquisition, jeu. Rédaction d'un poème. Rappel des étapes du processus d'écriture et des divers outils de référence.			X X

TABLEAU DE PLANIFICATION DES APPRENTISSAGES

Activité		Sons	FRANÇAIS – Lire des textes variés	Écrire des textes variés	Communiquer oralement	Apprécier des œuvres littéraires	SUGGESTIONS – Activités de soutien	Activités de consolidation	Travaux personnels	Activités d'enrichissement	TIC
5	**Picasso, un as du recyclage** [L] — Manuel, p. 68 ; Guide, p. 51		Exploration et utilisation du vocabulaire en contexte (recyclage, œuvres de Picasso). Rappel des stratégies.					AC-63	X	X	X
	Projet – Étape 2 [L] [E] [C] — Manuel, p. 81 ; Guide, p. 18		Exploration et utilisation du vocabulaire en contexte (projets de recyclage).	Rédaction d'un texte à l'intention des destinataires des projets les informant que c'est à eux que seront présentés les projets.							
6	**Lire pour rire** [L] [E] [A] — R-18.5 ; Manuel, p. 68 ; Guide, p. 55			Rédaction d'une nouvelle aventure de Coquin. Orthographe grammaticale : le pluriel des adjectifs (leçon de grammaire, module 17, p. 65).		Texte : littéraire qui raconte (**bande dessinée**); Support : manuel scolaire.				X	X
7	**Toto en carton – Des trésors enterrés** [L] [C] — Manuel, p. 69 ; Guide, p. 60		Exploration et utilisation du vocabulaire en contexte (objets faits de matériaux de recyclage).		Présentations des bricolages.		R-18.6 R-18.7		X	X	X
	Projet – Étape 3 [L] [E] [C] — Manuel, p. 81 ; Guide, p. 18			Rédaction de la présentation des projets. Rappel des étapes du processus d'écriture et des notions relatives à l'orthographe grammaticale.							

Semaine 3 : rangs 5 et 6. Semaine 4 : rang 7.

					AC-64	X
Une histoire à écouter C A U Manuel, p. 73 Guide, p. 66				Vocabulaire relatif à l'univers social (Mexique : paysages, maisons, habitants, température, végétation et nourriture), à la musique et aux beautés de la nature.	Texte : littéraire qui raconte (**légende**); Support : manuel scolaire.	
Projet – Étape 3 (suite) L E C Manuel, p. 81 Guide, p. 18			Rédaction de la présentation des projets. Rappel des étapes du processus d'écriture et des notions relatives à l'orthographe grammaticale.			
Fais le point avec Astuce L E R-18.8 R-18.9 Manuel, p. 77 Guide, p. 70	Révision [aj] – **ail** [œj] – **euil** [ij] – **y** [ɛj] – **eill**	Compréhension de texte. Retour sur les stratégies et la démarche de lecture. Insistance sur la visualisation et la relecture.	Orthographe d'usage : mots de la liste, stratégies d'acquisition. Retour sur la leçon de grammaire : le pluriel des adjectifs. Rappel des étapes du processus d'écriture.			
Projet – Étape 4 L E C Manuel, p. 81 Guide, p. 18				Présentations des projets à la classe. Vocabulaire issu du thème du recyclage.		
À l'ordinateur avec Marilou L T Manuel, p. 80 Guide, p. 77						

NOTE : Ce tableau de planification est proposé seulement à titre indicatif. Les activités *À l'ordinateur avec Marilou* peuvent être réalisées au moment qui vous convient.

Exceptionnellement, les semaines 3 et 4 de ce module sont particulièrement chargées ; il faudra donc empiéter sur les deux premières semaines pour avoir le temps de réaliser toutes les activités.

Notes personnelles

Notes personnelles

Projet

RÉCUPÉRONS POUR PRÉSERVER LA PLANÈTE

C'est vrai qu'elle est belle, notre Terre, avec la vie grouillante et multiple qu'elle porte et toutes les ressources qu'elle offre si généreusement. Pourtant, que de gaspillage! Combien de choses, jugées hors de service, s'empilent, formant les monticules hideux de nos dépotoirs! Un deuxième souffle de vie est-il possible? Les dernières situations d'apprentissage de ce module en font la démonstration évidente. Aussi ce projet veut-il mettre les élèves à contribution. Les résultats seront étonnants: un environnement plus sain, des objets renouant avec un nouvel usage, de l'argent amassé sans beaucoup d'efforts, etc.

SAVOIRS ESSENTIELS DES DIFFÉRENTES COMPÉTENCES

L LIRE DES TEXTES VARIÉS
E ÉCRIRE DES TEXTES VARIÉS
C COMMUNIQUER ORALEMENT

Connaissances liées au texte :

▶ Exploration et utilisation d'éléments caractéristiques de différents genres de textes;
▶ Prise en compte des éléments de la situation de communication : intention, contexte, formes du registre standard;
▶ Prise en compte d'éléments de cohérence : idées rattachées au sujet.

Connaissances liées à la phrase :

▶ Recours à la ponctuation : point;
▶ Reconnaissance et utilisation du groupe du nom : Pronom, Nom, Dét. + Nom;
▶ Accords dans le groupe du nom : Dét. + Nom;
▶ Exploration et utilisation du vocabulaire en contexte;
▶ Utilisation de l'orthographe conforme à l'usage.

Stratégies de lecture :

▶ Stratégies de reconnaissance et d'identification des mots d'un texte;
▶ Stratégies de gestion de la compréhension;
▶ Stratégies d'évaluation de sa démarche.

Stratégies d'écriture :

▶ Stratégies de planification;
▶ Stratégies de mise en texte;
▶ Stratégies de révision;
▶ Stratégies de correction;
▶ Stratégies d'évaluation de sa démarche.

Stratégies de communication orale :

▶ Stratégies d'exploration;
▶ Stratégies de partage;
▶ Stratégies d'écoute.
▶ Stratégies d'évaluation.

Stratégies liées à la gestion et à la communication de l'information :

▶ Inventorier et organiser ses questions portant sur le sujet à traiter;
▶ Sélectionner des éléments d'information utiles (réponses aux questions, nouvelles informations, etc.);
▶ Regrouper ou classifier les éléments d'information retenus;
▶ Choisir un mode de présentation pertinent (ex. : affiche, exposé, etc.);
▶ Présenter oralement ou par écrit les résultats de sa démarche.

Techniques :

▶ Apprentissage de la calligraphie;
▶ Utilisation de manuels de référence.

> Ce projet permet d'aborder des connaissances relevant du domaine des arts, plus spécifiquement de la discipline **arts plastiques**. Toutefois, aucune compétence dans ce domaine ne sera développée.

Notes personnelles

_____
_____
_____
_____
_____
_____
_____
_____
_____
_____
_____
_____
_____
_____
_____
_____
_____
_____

Un projet en classe

Récupérons pour préserver la planète

Récupérer des matières comme le papier, le verre, le plastique ou le métal aide à protéger l'environnement. Tu devras mettre sur pied un projet de récupération.

En grand groupe

Pourquoi concevoir un projet de récupération :
– pour sensibiliser les élèves de l'école?
– pour s'amuser dans un projet de création?
– pour contribuer à la protection de l'environnement?

Y a-t-il d'autres raisons?

Les élèves de la classe d'Ali ont trouvé plusieurs idées de projets. Voici ce qu'ils ont déposé dans la boîte à suggestions :

Préparer une exposition d'objets faits à partir de matériaux de récupération.

Créer du papier à dessin à partir de papier journal.

Planifier une collecte de canettes afin de ramasser des fonds pour une sortie.

Réaliser un projet collectif en arts plastiques en utilisant des matériaux de récupération.

Boîte à suggestions

Que voulez-vous faire?

81

En petites équipes

1. Décidez du projet de récupération que vous désirez mettre sur pied.
2. À qui désirez-vous présenter votre projet :
   – aux autres élèves et au personnel de l'école?
   – à vos parents?
   – aux gens du quartier?
3. Quand souhaitez-vous réaliser le projet :
   – tout au long du module?
   – pendant la semaine de l'environnement?
4. Planifiez les étapes de réalisation.
5. Déterminez le rôle de chacun et chacune.
6. Récupérez le matériel nécessaire.
7. Réalisez votre projet.
8. Présentez votre projet.

Individuellement

Évalue ton travail.

J'accepte les idées des autres.

Je participe à l'organisation du projet.

J'assume mes responsabilités au sein de mon équipe.

82

Remarque: La planification proposée ici n'est rien d'autre qu'une suggestion que vous pouvez modifier à votre guise, selon votre groupe et votre propre appréciation. Comme ce sont surtout les situations d'apprentissage de la deuxième partie du module qui sensibilisent les élèves aux bienfaits du recyclage, nous proposons de centrer la réalisation du projet autour de la situation d'apprentissage 4.

 Étape 1 : Recyclage, dites-vous ?
(Après la situation d'apprentissage 4. Durée suggérée : 60 min)

• Pourquoi recycler ? Pourquoi mettre sur pied un projet de recyclage ? Quel objectif visons-nous en réalisant un tel projet ? Posez ces questions et notez au tableau, sous forme de réseau, les réponses des élèves. Si vous le désirez, reproduisez le réseau à l'ordinateur afin de le remettre aux équipes lors de leur prochaine rencontre.

Faites ouvrir le manuel à la page 81 et invitez les élèves à lire le texte. Revenez sur les objectifs visés par le recyclage ainsi que sur les suggestions faites par les élèves de la classe d'Ali.

Invitez les élèves à faire preuve d'originalité en soumettant à leur tour diverses suggestions de projets de recyclage. Regroupez au tableau les propositions de même nature.

Formez les équipes de travail à partir des intérêts de chacun et chacune, si possible, ou à partir des équipes de base déjà constituées. Dans ce dernier cas, invitez les membres des équipes à se concerter pour choisir leur projet parmi les propositions déjà énoncées.

 ou **Étape 2 : Un projet, ça se structure**
(Après la situation d'apprentissage 5. Durée suggérée : 60 min)

• Faites ouvrir le manuel à la page 82 et demandez aux élèves, en équipes, de lire le texte sous-titré *En petites équipes.*

Une fois la lecture terminée, invitez les élèves à s'entendre sur les personnes à qui sera présenté le projet réalisé.

C'est le moment de déterminer la date de réalisation des prochaines étapes (y compris la date de présentation des projets aux personnes choisies), à moins de suivre la planification proposée dans le présent guide. Cette décision pourrait aussi se prendre avec la classe, à la fin de la première étape du projet.

Proposez aux coéquipiers de rédiger, à l'intention des destinataires des projets, un court texte dans lequel ils leur feront savoir que c'est à eux qu'ils présenteront leur projet, lequel vise à démontrer l'importance du recyclage. Notez au tableau les étapes du processus d'écriture.

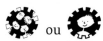 ou **Étape 3 : Retroussons nos manches !**
(Durée suggérée : 160 min réparties à la fin des situations d'apprentissage 7 et 8)

Remarque: Selon l'ampleur des projets, les équipes peuvent avoir besoin de plus ou moins de temps. Déterminez avec chacune le temps nécessaire à la réalisation de son projet.

• Invitez les élèves à planifier les étapes de la réalisation du projet. Selon la nature du projet, que faut-il faire en premier lieu ? ensuite ? Où seront déposés les matériaux servant au recyclage ?

Demandez aux membres de chacune des équipes de se partager équitablement le travail à faire.

Soulignez aux élèves que ce projet de recyclage est l'affaire de tous. Aussi importe-t-il que chaque élève contribue à la récupération de matériaux de recyclage en plus de participer activement à la réalisation du projet de son équipe.

Pendant cette étape, aidez les élèves à appliquer des méthodes de travail efficaces : analyse de la tâche à accomplir, planification des stratégies, exécution du travail, évaluation de la démarche à la lumière des résultats.

Aidez les élèves à préparer la présentation de leur projet à l'ensemble de la classe.

Demandez aux élèves de rédiger une présentation de leur projet, qui sera remise aux destinataires. Revoyez avec eux les étapes du processus d'écriture et les notions relatives à l'orthographe grammaticale apprises.

⚙ Étape 4 : Mission accomplie

(Avant ou après *Fais le point avec Astuce*. Durée suggérée : 60 min)

- Invitez les élèves à présenter leur projet à la classe.

Selon la nature du projet retenu, invitez les équipes à présenter leur projet aux destinataires choisis, ou à leur en faire parvenir la présentation par écrit.

Proposez à chaque élève d'évaluer le déroulement du projet au sein de son équipe avant de passer à l'autoévaluation, à la page 82 du manuel.

Notes personnelles

_____

_____

_____

_____

_____

_____

_____

_____

_____

_____

_____

_____

_____

_____

_____

_____

_____

_____

_____

_____

_____

_____

_____

Situation d'apprentissage 1

BUT

À partir d'une chanson traditionnelle, développer sa culture et se donner une vision du réel d'ici et d'ailleurs.

ORGANISATION DE LA CLASSE

Collectif, individuel

MATÉRIEL NÉCESSAIRE

• *Par élève : manuel D (pages 55, 56 et 57)*

• *Pour la classe : cassette ou disque de la chanson*

• *Pour le soutien : activité complémentaire 61*

À FAIRE

Facultatif : présenter quelques reproductions de toiles de Picasso, dont semble s'inspirer le dessin de la page de titre du module.

TEMPS SUGGÉRÉ

75 min

ET SI ON CHANTAIT...

Qui, de tout temps et en quelque lieu de l'espace francophone, n'a un jour fredonné *À la claire fontaine*? La mélancolie de la mélodie et la tristesse du récit touchent immanquablement les cœurs sensibles. Au tour de ces petits, qui vont bientôt passer au 2e cycle, de découvrir la simplicité émouvante de cette chanson.

SAVOIRS ESSENTIELS DES DIFFÉRENTES COMPÉTENCES

L LIRE DES TEXTES VARIÉS
C COMMUNIQUER ORALEMENT
A APPRÉCIER DES ŒUVRES LITTÉRAIRES

Connaissances liées au texte :

▶ Exploration et utilisation d'éléments caractéristiques de différents genres de textes ;
▶ Exploration de quelques éléments littéraires à des fins d'utilisation ou d'appréciation : expressions - jeux de sonorités - figures de style (répétition, rimes) ;
▶ Prise en compte des éléments de la situation de communication : intention, contexte, formes du registre standard ;
▶ Prise en compte d'éléments de cohérence : idées rattachées au sujet, reprise de l'information en utilisant des termes substituts (pronoms).

Stratégies de lecture :

▶ Stratégies de reconnaissance et d'identification des mots d'un texte ;
▶ Stratégies de gestion de la compréhension ;
▶ Stratégies d'évaluation de sa démarche.

Stratégies de communication orale :

▶ Stratégies d'exploration ;
▶ Stratégies de partage ;
▶ Stratégies d'écoute ;
▶ Stratégies d'évaluation.

Stratégies liées à l'appréciation d'œuvres littéraires :

▶ S'ouvrir à l'expérience littéraire ;
▶ Établir des liens avec ses expériences personnelles ;
▶ Se représenter mentalement le contenu ;
▶ Échanger avec d'autres personnes.

Techniques :

▶ Utilisation de manuels de référence.

S EXPLORER LE MONDE DE LA SCIENCE ET DE LA TECHNOLOGIE

Connaissances liées à la science et à la technologie :

▶ Univers vivant : caractéristiques et besoins des êtres vivants, classification (humains, animaux, plantes).

U CONSTRUIRE SA REPRÉSENTATION DE L'ESPACE, DU TEMPS ET DE LA SOCIÉTÉ

Connaissances liées à l'univers social (ici et ailleurs) :

▶ Paysages (éléments naturels et humains).

Techniques relatives à l'univers social :

▶ Espace : lecture et décodage de documents (textes et illustrations).

> Cette situation d'apprentissage permet d'aborder des connaissances relevant du domaine des arts, plus spécifiquement des disciplines **musique** et **arts plastiques**. Toutefois, aucune compétence dans ce domaine ne sera développée.

Notes personnelles

2

ACTION
EN CLASSE

*Activité complémentaire 61 :
Jeu de mémoire
(équipes)*

– *Lire des mots et
retrouver ceux qui
sont identiques.*

▶ *L'élève reconnaît
globalement en
contexte des mots
fréquents.*

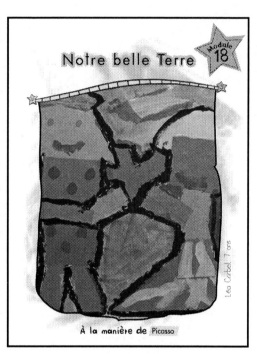

■

CORRIGÉ

MANUEL D, PAGE 57

▼ 1 **Il y a plusieurs réponses possibles.**

2 **Il y a plusieurs réponses possibles.**

■

🌀 Préparation
À la manière de Pablo Picasso

- Invitez les élèves à ouvrir leur manuel à la première page du module et à survoler avec vous le module 18. Commentez brièvement les diverses situations d'apprentissage qui y sont proposées.

Suscitez la motivation des élèves en leur demandant à quelle page du module ils ont le plus hâte d'arriver et pourquoi.

Faites un retour à la page de titre du module et demandez-leur d'y observer les formes, les lignes, les couleurs, l'impression d'ensemble et la composition du dessin exécuté à la manière de Picasso. Laissez-les exprimer librement leurs impressions et commentaires.

Demandez aux élèves s'ils ont déjà entendu parler de Picasso et, si c'est le cas, ce qu'ils savent de cet artiste.

Voici quelques notes sur cet artiste majeur entre tous, que vous adapterez, s'il y a lieu, à votre groupe.

Pablo Picasso naît à Málaga, en Espagne, en 1881. Très tôt, il apprend les rudiments du dessin auprès de son père.

À 17 ans, il entre à l'École des beaux-arts de Barcelone, en Espagne.

Il s'établit à Paris de 1904 à 1948, puis dans le midi de la France où il se partage entre l'illustration de livres, la céramique, la sculpture, la gravure et la peinture.

Avec Braque, il crée le cubisme. La première toile de Picasso se réclamant de ce mouvement qui bouscule les représentations plastiques issues de la Renaissance s'intitule *Les Demoiselles d'Avignon* (1907).

En 1925, Picasso s'engage dans une nouvelle voie: l'expressionnisme. Il demeurera dès lors fidèle à ce style jusqu'à sa mort.

La dualité de l'amour et de la mort imprègne toute l'œuvre de Picasso.

Son œuvre multiple et dense, qui a bouleversé l'art moderne, fait de Pablo Picasso l'artiste dominant du xxe siècle.

Il meurt à Mougins (France) en 1973.

Des musées Picasso existent tant en France qu'en Espagne.

Pour éclairer les élèves, ajoutez que le cubisme est un style qui combine les formes figuratives et non figuratives; il se reconnaît à la technique de représentation d'un objet par de petits cubes. L'illusion de la profondeur se crée en appliquant sur la toile des touches rectangulaires, de diverses couleurs mais de dimensions semblables.

Énoncez quelques-unes des caractéristiques du style de Picasso afin de faire comprendre aux élèves en quoi le dessin de Léa Corbeil s'inspire de la manière de l'artiste:

- prédominance des contours;

- accentuation des traits marquants du visage, avec emploi discret de lignes;

- travail sur les contrastes.

Invitez les élèves à retrouver ces caractéristiques dans le dessin de Léa Corbeil.

NOTE: La musique de *À la claire fontaine* aurait été composée par Lully au xviie siècle. Cette chanson est populaire en France et au Canada.

Demandez aux élèves d'ouvrir leur manuel aux pages 56 et 57, et de mentionner ce qu'ils y reconnaissent (rubrique *Et si on chantait…* poème ou comptine, mélodie à apprendre).

Invitez-les à lire le titre de la chanson et vérifiez si certains la connaissent déjà. Dans l'affirmative, demandez-leur qui la leur a apprise, ce qu'elle raconte. Avaient-ils remarqué qu'il y est question d'un beau coin de nature qui sert de décor à l'expression d'un grand chagrin?

Proposez aux élèves, s'ils ont déjà vécu un grand chagrin et dans la mesure où ils le veulent bien, d'en parler à la classe et d'expliquer comment ils ont pu l'apaiser (promenade dans la nature, remplacement de l'animal de compagnie disparu, réconciliation, etc.) Avaient-ils confié leur peine à quelqu'un? Si oui, en avaient-ils tiré de la consolation?

Invitez les élèves à préparer leur lecture en survolant le texte (lecture du titre et observation des illustrations), en formulant une intention de lecture (découvrir la cause d'un grand chagrin) et en émettant des hypothèses de contenu.

S'il y a lieu, demandez aux élèves de rappeler les stratégies d'identification des mots. Redites bien l'importance de visualiser ce qu'on lit, d'anticiper la suite en formulant des hypothèses et de relire les passages difficiles.

 Réalisation

• Invitez les élèves à lire individuellement le texte de la chanson. Restez à la disposition de ceux qui pourraient avoir besoin de soutien au cours de la lecture.

Procédez à une mise en commun de la compréhension de la chanson. Vérifiez si l'intention de lecture a été satisfaite et si certaines hypothèses ont été confirmées. À cet égard, faites mentionner la cause de ce grand chagrin.

Demandez aux élèves si certains d'entre eux ont déjà perdu un grand ami ou une grande amie. S'ils y consentent, faites-leur raconter ce qui s'est passé.

Faites entendre la chanson aux élèves. Demandez-leur ensuite de la chanter.

Faites-en observer le titre, le rythme de chaque strophe ainsi que la progression du récit d'une strophe à l'autre.

La strophe 2 parle d'un rossignol. Est-ce un oiseau du Québec? Quelles caractéristiques l'auteur en donne-t-il? (Son chant est gai.)

Proposez aux élèves de découvrir le contraste dont il est question dans la strophe 3. (*Tu as le cœur à rire, moi, je l'ai à pleurer.*)

Faites relire la strophe 4. Pourquoi l'auteur de la chanson a-t-il perdu son amie? Demandez aux élèves s'ils sont d'accord avec lui quand il dit ne pas l'avoir mérité.

Faites relire la strophe 5. D'après vous, que ferait l'auteur de la chanson si ses désirs se réalisaient?

 Intégration et réinvestissement

• Invitez les élèves à nommer les êtres vivants dont parle la chanson (*m'* [l'auteur], *t'* [l'amie], *chêne, rossignol, roses, rosier*). Faites-les-leur classer (humains, animaux, plantes).

Demandez à la classe de nommer d'autres êtres vivants et des êtres non vivants, puis de dégager des caractéristiques des premiers (naître, grandir, se développer, se reproduire, mourir).

Revenez au texte de la chanson avec les élèves et demandez-leur d'y relever les éléments naturels et les éléments humains évoqués (éléments naturels: eau, arbre, fleur, arbuste – élément humain: fontaine).

NOTE: On entend généralement par fontaine une source d'eau vive qui jaillit de terre naturellement ou artificiellement. C'est aussi une petite construction distribuant de l'eau potable et comportant un bassin. Puisque l'auteur de la chanson s'y est baigné, on peut penser qu'il peut s'agir aussi bien d'un élément naturel que d'un élément humain.

Demandez aux élèves de nommer d'autres éléments naturels et d'autres éléments humains dans leur environnement. Faites-les comparer à ceux de la chanson.

Si vous avez présenté la fontaine comme un élément humain, demandez aux élèves si dans leur village, leur quartier ou leur ville on peut voir des fontaines. S'il y en a, peut-on s'y baigner? Expliquez que dans la chanson qui remonte à environ trois siècles et qui situe le contexte en France, la fontaine correspond sans doute à une construction érigée au centre du village et entourée d'arbres et de bancs où les villageois se retrouvent pour bavarder.

Demandez à vos élèves si certains d'entre eux sont déjà allés en France ou ont des parents d'origine française. Si c'est le cas, invitez-les à décrire et à comparer les villages français avec les villages du Québec. Sinon, proposez-leur d'imaginer à quoi ressemble un village français (ils en ont peut-être vu dans des films) et en quoi il diffère d'un village québécois (âge, matériaux de construction et forme des maisons, revêtement des chemins, arbres et végétation, types de commerces, largeur des rues, etc.).

Si vous disposez de temps, demandez aux élèves de dessiner une fontaine telle qu'ils se la représentent.

Par ailleurs, invitez-les à choisir une illustration de paysage (tirée d'un calendrier ou d'une revue) et à en comparer les éléments humains et naturels à ceux de leur environnement immédiat.

Faites choisir deux illustrations de paysages différents et demandez aux élèves d'y relever des éléments naturels et des éléments humains, puis de dégager les ressemblances et les différences entre les deux paysages.

Faites une mise en commun: présentation des dessins de fontaines, comparaison des éléments naturels et humains d'un paysage donné avec ceux de l'environnement immédiat, comparaison de deux paysages différents.

3

RETOUR
SUR
L'ENSEIGNEMENT

- Dans quelle proportion vos élèves connaissaient-ils la chanson *À la claire fontaine*?

- En lecture, vos élèves se montrent-ils tous autonomes? Y en a-t-il qui ont encore recours à votre aide? Pour quelles raisons? Est-ce une question de temps ou le problème est-il d'une autre nature? Est-il possible de le régler d'ici la fin de l'année?

- Qui dans la classe connaissait Picasso? Dans l'ensemble, les élèves ont-ils montré de l'intérêt à mieux connaître cet artiste? Ont-ils compris en quoi le dessin de Léa Corbeil s'est inspiré des techniques du peintre?

- Vos élèves sont-ils attentifs à la qualité de leurs échanges verbaux, en situation informelle comme en situation formelle?

- Les caractéristiques des êtres vivants sont-elles connues de vos élèves? Savent-ils distinguer les éléments naturels et les éléments humains dans un paysage?

Astuce et suggestions (ENRICHISSEMENT)

Semblable, différent

Invitez les élèves à répondre aux questions suivantes :

En tant qu'être vivant, en quoi ressembles-tu au rosier ou au rossignol de la chanson ?

En tant qu'être humain, en quoi diffères-tu des autres êtres vivants ?

Demandez-leur de prendre une feuille de papier qui sera divisée en trois colonnes dans le sens de la hauteur. Faites écrire en en-tête de ces colonnes : *Moi*, le nom d'un animal (ex. : *un chat*) et le nom d'un végétal (ex. : *un érable*), puis y consigner le fruit de leur réflexion.

Pour ce faire, faites plier la feuille de papier en trois et, dans chacune des sections, demandez aux élèves d'écrire une ressemblance ou une différence (nourriture, habitat, croissance, locomotion, communication, etc.). Pour que cette réflexion ait du sens, il faut dans les trois sections faire un parallèle sur un même aspect (ex. : nourriture-moi / chat / érable).

 TIC

Abécédaire personnel

Pour réaliser cette activité, vous devez avoir un fichier de traitement de texte intitulé *Abécédaire* où il y a des sauts de sections pour chaque lettre de l'alphabet (chaque section étant d'ailleurs identifiée par une lettre de l'alphabet). Une copie de ce fichier se trouve déjà dans chacun des dossiers de vos élèves, car cette activité a été commencée au module 11.

Donnez les consignes suivantes aux élèves :

1. Ouvrez le fichier *Abécédaire*.

2. Relisez les mots qui y ont été inscrits la dernière fois.

3. Choisissez deux ou trois mots dans le module 18 et intégrez-les à l'abécédaire.

4. Faites la correction des mots écrits avec le dictionnaire électronique qui est inclus dans le traitement de texte.

5. Sauvegardez le fichier.

Notes personnelles

_____

_____

_____

_____

_____

_____

_____

_____

_____

_____

_____

_____

- *Reconnaître les éléments caractéristiques des saisons.*

- *Découvrir le jeu de la comparaison dans un texte.*

- *Dresser la ligne du temps selon les saisons, les mois et les événements pendant lesquels ils se produisent.*

ORGANISATION DE LA CLASSE

Collectif, équipes de deux, individuel

MATÉRIEL NÉCESSAIRE

- *Par élève: manuel D (pages 58 et 59), feuille blanche, crayons à colorier ou crayons-feutres*

- *Pour la consolidation: Feuille reproductible 18.1*

TEMPS SUGGÉRÉ

120 min

Situation d'apprentissage 2

LES HIRONDELLES FONT LE PRINTEMPS

La Terre s'étire de tous ses membres: les champs reprennent peu à peu les couleurs de la vie, tandis que la sève monte dans les arbres et que les animaux sortent de leur hibernation. On sent la terre qui fermente et palpite, on entend le chant joyeux des ruisseaux et le doux gazouillis des oisillons. Gourmets et gourmands envahissent les cabanes à sucre. La tiédeur de l'air chasse les derniers frissons de l'hiver. C'est le printemps qui montre le bout du nez!

SAVOIRS ESSENTIELS DES DIFFÉRENTES COMPÉTENCES

L LIRE DES TEXTES VARIÉS
E ÉCRIRE DES TEXTES VARIÉS

Connaissances liées au texte :
▶ Exploration et utilisation d'éléments caractéristiques de différents genres de textes;
▶ Prise en compte des éléments de la situation de communication : intention, contexte, formes du registre standard;
▶ Prise en compte d'éléments de cohérence : idées rattachées au sujet, reprise de l'information en utilisant des termes substituts (pronoms).

Connaissances liées à la phrase :
▶ Recours à la ponctuation : point;
▶ Reconnaissance et utilisation du groupe du nom : Pronom, Nom, Dét. + Nom;
▶ Accords dans le groupe du nom : Dét. + Nom;
▶ Exploration et utilisation du vocabulaire en contexte;
▶ Utilisation de l'orthographe conforme à l'usage.

Stratégies de lecture :
▶ Stratégies de reconnaissance et d'identification des mots d'un texte;
▶ Stratégies de gestion de la compréhension;
▶ Stratégies d'évaluation de sa démarche.

Stratégies d'écriture :
▶ Stratégies de planification;
▶ Stratégies de mise en texte;
▶ Stratégies de révision;
▶ Stratégies de correction;
▶ Stratégies d'évaluation de sa démarche.

Techniques :
▶ Apprentissage de la calligraphie;
▶ Utilisation de manuels de référence.

S EXPLORER LE MONDE DE LA SCIENCE ET DE LA TECHNOLOGIE

Connaissances liées à la science et à la technologie :
▶ Terre et Espace : température (saisons).

U CONSTRUIRE SA REPRÉSENTATION DE L'ESPACE, DU TEMPS ET DE LA SOCIÉTÉ

Connaissances liées à l'univers social (ici, aujourd'hui) :
▶ Faits (fêtes et événements associés à chaque mois).

Techniques relatives à l'univers social :
▶ Temps : utilisation de repères et situations de faits de la vie de l'élève et de celle de ses proches (ligne du temps).

> Cette situation d'apprentissage permet d'aborder des connaissances relevant du domaine des arts, plus spécifiquement de la discipline **arts plastiques**. Toutefois, aucune compétence dans ce domaine ne sera développée.

Notes personnelles

ACTION EN CLASSE

ACTIVITÉ DE CONSOLIDATION

Feuille reproductible 18.1 :
Le printemps est dans l'air (équipes)

– *Associer des phrases semblables.*

▶ *L'élève formulera des hypothèses tout au long de sa lecture.*

Lis le texte pour découvrir d'autres signes du printemps.

Les hirondelles font le printemps

Le coq grimpe sur la clôture et crie : Cocorico !
Comme réveillé par ce cri joyeux, le soleil se lève au bout des champs. C'est la naissance du jour et je suis déjà dehors, avec les moineaux. Le ciel est rose, vert et bleu, et je suis émerveillé. Que les matins sont beaux ! Que j'aime le printemps !

De la buée sort de ma bouche, mais voici que les rayons du soleil touchent mon visage. Oui, l'hiver est fini et j'ai le cœur léger ! Le sang dans mes veines se réchauffe, comme la sève dans les arbres. J'entends la musique des ruisseaux. Les bourgeons éclatent sur les branches et les parfums de la terre

58

me chatouillent le nez. Je sens la douceur du vent dans mes cheveux. Oh ! Les hirondelles sont arrivées : perchées sur les fils, elles ressemblent à des épingles à linge.

J'ai hâte de revoir les pissenlits, qui ont la couleur des petits lions, et les marguerites, qui s'ouvriront comme des yeux en battant des cils. Bientôt, les libellules, les sauterelles et les papillons envahiront les prés. Les grillons chanteront dans l'herbe, les abeilles feront leur miel et les vaches brouteront le trèfle dans les champs. Et moi, j'irai cueillir des fraises sauvages avec mes parents. Nous mangerons tant de petits fruits que nous aurons la langue toute rouge ! C'est un autre beau printemps. Que je suis heureux !

Sylvain Trudel

59

 Préparation

- Invitez les élèves à jeter un regard par la fenêtre afin de découvrir à quels signes on voit que le printemps arrive. Proposez-leur aussi de réfléchir à ce qu'ils ont pu observer comme manifestations d'un changement de saison durant leur trajet entre la maison et l'école. Qu'ont-ils remarqué le matin avant de prendre l'autobus ? au retour à la maison ? Qu'est-ce qui se modifie imperceptiblement dans la nature ? À quelles activités vont-ils mettre fin et que s'apprêtent-ils à faire ?

Annoncez aux élèves qu'ils vont rédiger un texte dans lequel ils révéleront à quels signes ils ont appris l'arrivée du printemps.

CORRIGÉ

MANUEL D, PAGE 59

▼ 1   **Il y a plusieurs réponses possibles.**

▼ 1   **Il y a plusieurs réponses possibles.**

Profitez de l'occasion pour faire un retour sur les étapes du processus d'écriture et notez-en l'essentiel au tableau : planification, rédaction, révision, correction, transcription et lecture finale.

Assurez-vous que les élèves reçoivent une rétroaction de leurs pairs et votre soutien pour améliorer et corriger leur texte.

Une fois le texte terminé, invitez les élèves à illustrer par des dessins les signes évoqués, annonciateurs du printemps.

Faites lire quelques textes à la classe et affichez toutes les productions écrites avec les illustrations qui les accompagnent.

Faites un retour sur les textes composés. Les élèves en sont-ils satisfaits dans l'ensemble? Leur texte contient-il des phrases où sont exprimés les sentiments ressentis à l'arrivée du printemps? Serait-il possible d'ajouter cet aspect à la toute fin du texte? Si oui, quel sentiment choisiraient-ils de mentionner?

Réalisation

Invitez maintenant les élèves à ouvrir leur manuel D aux pages 58 et 59, et à se préparer à la lecture du texte qui y figure en adoptant en premier lieu une attitude positive. Faites poursuivre par un survol du texte (lecture du titre et observation des illustrations). Demandez aux élèves de formuler l'intention de lecture une fois qu'ils ont pris connaissance du texte placé au-dessus du titre. (Lire pour découvrir d'autres signes du printemps.) Puis, faites-leur émettre des hypothèses quant au contenu.

Demandez aux élèves de nommer les signes annonciateurs du printemps, qu'ils ont fait valoir dans leurs textes. Laissez entrevoir la possibilité que certains de ces signes soient évoqués dans le texte de Sylvain Trudel.

Si vous le jugez utile, faites rappeler les stratégies d'identification des mots (revoir la page 140 du manuel D). Insistez sur l'importance de visualiser ce qu'on lit, de relire au besoin les passages difficiles et de faire au fur et à mesure des hypothèses quant à la suite du texte.

Invitez les élèves à lire individuellement le texte. Portez attention à ceux qui ont éprouvé jusque-là des difficultés en lecture.

Animez une mise en commun pour vérifier si l'intention de lecture a été satisfaite et pour partager le contenu du texte.

Faites un retour sur les difficultés éprouvées et sur les stratégies utilisées pour les surmonter. Demandez aux élèves si certains d'entre eux ont perdu momentanément le fil du texte. Comment ont-ils renoué avec le sens? N'oubliez surtout pas de susciter la fierté de ceux qui ont réussi la lecture du texte ou ont amélioré leur habileté à lire un texte.

Formez des équipes de deux et demandez-leur de relever les signes du printemps évoqués dans le texte.

Faites associer chaque signe du printemps dans le texte avec un des sens (vue, ouïe, odorat, toucher, goût).

Revenez au texte et faites prendre conscience de la richesse des images qu'il renferme. Proposez aux élèves de relever des phrases qui disent la beauté de la nature au printemps: *Le ciel est rose, vert et bleu, et je suis émerveillé. Que les matins sont beaux!*

Partez de cet émerveillement qu'exprime l'auteur pour amener les enfants à goûter la beauté d'un coucher de soleil, d'un champ fleuri, du murmure d'un ruisseau, du chant des oiseaux, de la pureté de l'air, etc.

Invitez les élèves à se placer de nouveau en tandems pour relever toutes les expressions du texte qui démontrent la joie de l'auteur à l'arrivée du printemps: *C'est la naissance du jour et je suis déjà dehors; je suis émerveillé; Que j'aime le printemps!; j'ai le cœur léger; Le sang dans mes veines se réchauffe; J'entends la musique des ruisseaux; Je sens la douceur du vent dans mes cheveux; J'ai*

hâte de revoir les pissenlits ; j'irai cueillir des fraises sauvages avec mes parents ; Que je suis heureux !

Groupez les équipes par deux et proposez-leur de vérifier s'il y a concordance dans les expressions relevées. S'il y a litige, suggérez-leur d'exposer le problème à la classe.

Demandez aux élèves s'ils savent ce qu'est une comparaison. Laissez ceux qui le désirent tenter une explication et donner des exemples concrets (doux comme de la soie, léger comme une feuille, blanc comme un drap, etc.). Faites ressortir la présence de *comme* ou d'expressions semblables reliant les deux termes de la comparaison.

Faites relever les comparaisons dans le texte (*Le sang dans mes veines* [...] *comme la sève dans les arbres ; elles* [les hirondelles] *ressemblent à des épingles à linge ; les marguerites* [...] *s'ouvriront comme des yeux en battant des cils*).

 ### Intégration et réinvestissement

- Invitez les élèves à dégager le sentiment qui domine dans le texte qu'ils ont lu.

Proposez-leur de mentionner une caractéristique de ce texte qu'ils auraient envie de donner à leur prochain texte personnel (expression de sentiments de joie, d'enthousiasme et de fébrilité, présence de comparaisons).

Puisque c'est le mois d'avril, lequel annonce le retour du printemps (qui commence en fait au mois de mars, mais dont les signes se manifestent en général un peu plus tard), profitez-en pour faire un retour sur les saisons. Vérifiez les connaissances des élèves sur le nom de chaque saison, sa position sur une ligne du temps, son début et sa fin.

Invitez les élèves à énoncer les caractéristiques (dans la nature) propres à chaque saison. Amenez-les à s'interroger sur le phénomène des saisons. Proposez aux plus curieux de faire une recherche pour obtenir des réponses à leurs questions. Auparavant, encouragez-les à émettre des hypothèses sur ce qui provoque le changement de saison.

Faites réaliser aux élèves que ce n'est pas partout sur la planète qu'il y a quatre saisons bien distinctes. Parlez succinctement de ces pays qui ne connaissent que la saison des pluies et la saison sèche, des régions nordiques où l'été, très bref, succède à l'hiver qui revient trop vite, des régions désertiques où sévit une canicule constante.

Demandez aux élèves de nommer les mois inclus dans chaque saison, de même que des fêtes ou des événements associés à chaque mois. Faites-leur inscrire ces mois à la verticale sur la ligne du temps divisée en saisons, et demandez-leur de mettre entre parenthèses la fête ou l'événement associé à chaque mois.

- Cette lecture qui donne le ton au module a-t-elle plu aux élèves ? À quoi le voyez-vous ?

- Les élèves ont-ils fait montre d'un bon sens de l'observation dans leur rédaction ? Quels signes du printemps ont été les plus fréquemment mentionnés ? (ex. : bourgeons des feuilles, réchauffement de la température)

- Les élèves ont-ils rapidement compris ce qu'on appelle une comparaison ?

- Les étapes du processus d'écriture vous paraissent-elles bien maîtrisées ?

- La notion relative au cycle des saisons est-elle passablement intégrée dans votre groupe ?

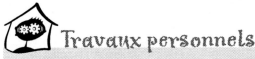

Travaux personnels

Proposez aux élèves de résoudre le mystère du cycle des saisons. Qu'est-ce qui fait qu'une saison suit l'autre, selon un processus toujours renouvelé ? Internet, encyclopédies, atlas et revues spécialisées peuvent offrir des illustrations et des informations précieuses sur le sujet. Faites-les circuler dans la classe.

Astuce et suggestions (ENRICHISSEMENT)

1. Collectif sur le printemps

Invitez les élèves à créer une ambiance printanière dans la classe en réalisant une murale collective sur le printemps. Dressez avec eux la liste des éléments qui composeront la murale. Suggérez-leur d'inclure des découpages et des dessins à la gouache ou au pastel pour y mettre de la couleur.

Variante : Faites découper dans des calendriers et des revues des illustrations sur le printemps et prévoyez un montage à afficher dans la classe.

2. Comparaisons

Proposez aux élèves de dresser une liste de comparaisons tirées des textes du manuel et de l'enrichir de leurs propres trouvailles (ex. : *Le sang dans mes veines* [...] *comme la sève dans les arbres*). Faites-les écrire à l'ordinateur ou à la main sur des cartons, en gros caractères. Affichez-les et incitez les élèves à les utiliser dans de prochaines situations d'écriture.

TIC

Quand le printemps arrive

Pour réaliser cette activité, l'élève devra avoir recours à un moteur de recherche[1].

Il est préférable que l'élève soit accompagné par un ou une élève plus vieux ou plus vieille pour réaliser cette activité.

Les élèves auront à trouver des renseignements sur les vivaces et les annuelles locales, sur les plantes tropicales ou sur les cactées et les succulentes.

Donnez les consignes suivantes aux élèves :

1. Ouvrez le fureteur.

2. Ouvrez la banque de signets (favoris) et choisissez un moteur de recherche.

3. Inscrivez le mot FLORAISON ou encore le mot HORTICULTURE.

4. Visitez des sites en retenant une des variétés de plantes (vivaces et annuelles locales, plantes tropicales, cactées et succulentes).

5. Trouvez des renseignements pertinents ou des conseils sur une plante qui a retenu l'attention.

6. Imprimez.

7. Comparez les résultats de votre recherche avec ceux d'un ou d'une camarade de classe.

[1] Vous trouverez une liste de moteurs de recherche à la fin de ce module.

Situation d'apprentissage 3

NATHALIE JUTEAU, NATURALISTE

La vie est comme un immense puzzle. Tous les êtres vivants, du plus primitif au plus complexe, ont un rôle à jouer : participer au grand œuvre de l'équilibre de la nature.

SAVOIRS ESSENTIELS DES DIFFÉRENTES COMPÉTENCES

L **LIRE DES TEXTES VARIÉS**
C **COMMUNIQUER ORALEMENT**

Connaissances liées au texte :
▶ Exploration et utilisation d'éléments caractéristiques de différents genres de textes ;
▶ Prise en compte des éléments de la situation de communication : intention, contexte, formes du registre standard ;
▶ Prise en compte d'éléments de cohérence : idées rattachées au sujet, reprise de l'information en utilisant des termes substituts (pronoms).

Stratégies de lecture :
▶ Stratégies de reconnaissance et d'identification des mots d'un texte ;
▶ Stratégies de gestion de la compréhension ;
▶ Stratégies d'évaluation de sa démarche.

Stratégies de communication orale :
▶ Stratégies d'exploration ;
▶ Stratégies de partage ;
▶ Stratégies d'écoute ;
▶ Stratégies d'évaluation.

Techniques :
▶ Utilisation de manuels de référence.

S **EXPLORER LE MONDE DE LA SCIENCE ET DE LA TECHNOLOGIE**

Connaissances liées à la science et à la technologie :
▶ Univers vivant : les écosystèmes (interdépendance entre les éléments vivants et non vivants).

> Cette situation d'apprentissage permet d'aborder des connaissances relevant du domaine des arts, plus spécifiquement de la discipline **arts plastiques**. Toutefois, aucune compétence dans ce domaine ne sera développée.

PLANIFICATION DE L'ENSEIGNEMENT

BUT
Reconnaître, par la lecture et la communication orale, l'interdépendance entre les éléments d'un système de même qu'entre les systèmes et l'activité humaine.

ORGANISATION DE LA CLASSE
Collectif, équipes de deux, équipes de quatre

MATÉRIEL NÉCESSAIRE
• *Par élève :*
  manuel D (pages 60, 61 et 62)

• *Par équipe de deux :*
  carton, crayons à colorier, crayons-feutres, ou gouache

• *Pour le soutien : feuille reproductible 18.2*

• *Pour la consolidation : activité complémentaire 62*

TEMPS SUGGÉRÉ
75 min

Notes personnelles

_____
_____
_____
_____
_____
_____
_____
_____
_____
_____
_____
_____
_____
_____
_____
_____

2

ACTION EN CLASSE

ACTIVITÉ DE SOUTIEN

*Feuille reproductible 18.2 :
Vrai ou Faux ?
(individuel)*

*– Lire les énoncés
et dire s'ils sont
vrais ou faux.*

*▶ L'élève sélectionne
les éléments
d'information
explicites
dans un texte.*

CORRIGÉ

MANUEL D, PAGE 60

▼ 1 Il y a plusieurs réponses possibles.

2

ACTIVITÉ DE
CONSOLIDATION

*Activité complé-
mentaire 62 :*
**Tous les êtres
vivants sont
importants**
(équipes)

*— Inventer une
histoire.*

▶ *L'élève explore
des idées liées au
sujet.*

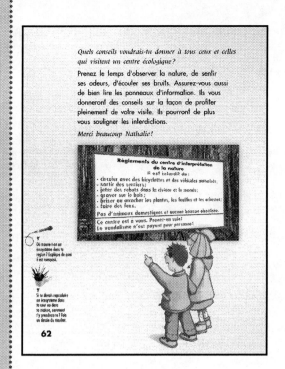

62

■

C O R R I G É

MANUEL D, PAGE 62

▼ 1 **Il y a plusieurs réponses possibles.**

2 **Il y a plusieurs réponses possibles.**

▼ 1 **Il y a plusieurs réponses possibles.**

■

 Préparation

• Faites ouvrir le manuel à la page 60.
Invitez les élèves à survoler le texte (lecture du titre, observation des illustrations) et à lire l'introduction en haut de
la page pour découvrir l'intention de
lecture.

Amenez les élèves à réaliser que la
présentation du texte tient au fait qu'il
s'agit d'une entrevue. Faites observer
que les questions sont écrites en caractères italiques.

Faites nommer les différents animaux
figurant dans l'illustration de la page 61.

Demandez ce que représente l'illustration de la page 62. Invitez les élèves à
mentionner des endroits où ils ont déjà
vu ce genre de panneau (zoo, jardin bo-
tanique, parc national, etc.). Profitez
de cette belle occasion pour faire prendre conscience de l'importance de la
lecture dans sa vie sociale.

Lisez les questions avec les élèves.

Laissez-les exprimer ce qu'ils anticipent
comme contenu de réponses.

Vérifiez si certains peuvent d'ores et déjà
expliquer ce que fait Nathalie Juteau en
tant que naturaliste. Notez les informations au tableau afin de faire une
comparaison avec ce que la lecture en
révélera.

Demandez aussi aux élèves s'ils savent
ce qu'est un écosystème. Sans doute
l'ignorent-ils, mais dans le cas où quelques bribes d'informations seraient lancées, inscrivez-les au tableau de façon
à comparer les connaissances avant
et après la lecture.

Faites un retour sur certaines stratégies de lecture, s'il y a lieu. Par ailleurs,
rappelez l'importance de visualiser ce
qu'on lit et d'anticiper la suite du texte.

 Réalisation

• Formez des tandems qui feront la lecture du texte en vue de découvrir ce que
fait un ou une naturaliste (intention
de lecture).

Demandez aux coéquipiers de lire l'entrevue en s'arrêtant après chaque réponse à une question, de façon à partager
les informations qu'elle fournit. Insistez
pour que chaque coéquipier ou coéquipière exprime dans ses mots ce qu'il
ou elle comprend du texte.

Regroupez les tandems par deux pour
former des équipes de quatre et invitez
les élèves à faire une mise en commun
des informations recueillies lors de la
lecture du texte. Circulez d'une équipe
à l'autre pour vous assurer du bon déroulement de l'activité.

Revenez sur les exemples mentionnés
dans le texte.

– Quel est le rôle des parulines (connues aussi sous le nom de fauvettes)
dans un écosystème ?

– Comment les écureuils contribuent-ils à l'équilibre d'un écosystème ?

– Que se passerait-il dans certaines forêts si les écureuils disparaissaient ?

– Quelle utilité le cerf a-t-il dans un écosystème ?

– La chouette joue un rôle semblable à celui des parulines. Quel est-il ?

– Que font les champignons dans l'écosystème décrit par Nathalie Juteau ?

– À quoi un arbre mort peut-il contribuer dans un écosystème ?

Invitez les élèves à présenter à la classe d'autres exemples d'écosystèmes (un étang où vivent une multitude de plantes, d'insectes et d'animaux aquatiques ; un coin de jardin où les abeilles et les papillons se nourrissent à même les fleurs ; un sous-bois dans lequel plantes et insectes assurent la subsistance de petits animaux ; etc.).

Invitez les élèves à comparer leurs connaissances sur le métier de naturaliste et sur le concept d'écosystème avant et après la lecture de l'entrevue.

Revenez sur les règlements listés à la page 62 du manuel. Faites relire et commenter chacun d'eux.

Demandez aux élèves s'ils savent quelles conséquences peut avoir le simple fait de jeter une gomme à mâcher par terre. (Des oiseaux qui marcheraient dessus pourraient s'y engluer et, incapables de voler, trouver la mort. Certains naturalistes ont déjà découvert des petits oiseaux ainsi piégés.)

Invitez les élèves à répondre à la question de la page 62 du manuel : *Où trouve-t-on un écosystème dans ta région ? Explique de quoi il est composé.*

Invitez les élèves à se remettre en équipe de quatre pour réaliser une affiche illustrant un des règlements. Faites choisir ou tirer au sort le règlement sur lequel

chaque équipe aura à travailler. Les affiches pourraient être offertes à un centre écologique dans l'entourage des élèves.

 Intégration et réinvestissement

Demandez aux équipes jumelées précédemment dans cette activité de se reconstituer.

Proposez aux élèves de présenter à leur équipe, à partir d'une entrevue réalisée, un métier pratiqué par quelqu'un de leur entourage immédiat (père, mère, grand frère ou grande sœur, oncle, tante, etc.).

Veillez à ce que, le jour que vous aurez fixé pour les présentations, les élèves aient réalisé leur entrevue.

En grand groupe, suggérez certains aspects à traiter dans cette entrevue et invitez les élèves à en proposer d'autres (nom du métier ; nature du travail ; horaires ; outils, vêtements ou accessoires requis ; lieu où s'accomplit le travail ; produits, biens ou services en lien avec ce travail ; responsabilités ; comparaison entre les exigences du monde du travail et celui de l'école).

Écrivez au tableau les aspects qui semblent le plus près de la réalité de vos élèves, et invitez-les à en prendre note afin de les utiliser lors de l'entrevue.

Au retour, invitez chaque coéquipier et coéquipière à présenter le métier de la personne qu'il ou elle a choisi d'interroger.

Demandez que les présentations respectent les exigences de la communication orale : français québécois oral standard, articulation nette, volume de la voix ajusté, choix et variété des termes. N'oubliez pas de rappeler aux élèves que leur intérêt se manifeste par une écoute active et qu'il y a lieu de respecter les tours de parole. Faites suivre chaque présentation d'une période de questions.

Invitez chaque équipe à choisir un ou une porte-parole qui mentionnera à la classe le nom des métiers qui ont fait l'objet d'entrevues dans son équipe. Si certains élèves veulent en savoir davantage sur l'un de ces métiers, permettez-leur de questionner le ou la camarade qui a fait une entrevue là-dessus. Si pour le même métier il y a deux ou plusieurs entrevues, profitez-en pour enrichir les échanges.

3
RETOUR
SUR
L'ENSEIGNEMENT

- Certains de vos élèves avaient-ils déjà des connaissances sur le métier de naturaliste ? sur ce qui définit un écosystème ?

- Avez-vous l'impression que le texte a fourni à vos élèves des réponses à des questions qu'ils se posaient sur ce métier et cette notion ?

- Avez-vous dû intervenir pour assurer la compréhension du texte ?

- Les élèves ont-ils réussi à présenter un métier en respectant les exigences d'une bonne communication orale ?

- La qualité d'écoute est-elle meilleure en équipes de quatre qu'en grand groupe ?

- Lors de la mise en commun, y a-t-il eu des élèves qui se sont montrés intéressés à connaître davantage certains métiers ? Lesquels, précisément ?

- Croyez-vous que vos élèves sont désormais conscientisés quant à certaines réalités de leur milieu et à la répercussion de petits gestes banals sur l'équilibre écologique ?

Astuce et suggestions (ENRICHISSEMENT)

Volière printanière

Le retour du printemps annonce le retour des oiseaux. En voici à bricoler et à suspendre dans la classe. À partir de papier pliage :

– découper un rectangle d'environ 9 cm X 24 cm qui constituera le corps de l'oiseau, agrafer les deux extrémités de ce rectangle ;

– découper un rectangle d'environ 9 cm X 12 cm qui constituera la tête de l'oiseau, agrafer les deux extrémités de ce rectangle ;

– coller la tête sur la partie du corps opposée à l'agrafe, la tête se trouvant ainsi sur la partie recourbée du corps ;

– découper un rectangle d'environ 9 cm X 8 cm qui constituera la queue de l'oiseau, tailler en fines lanières sans se rendre à l'extrémité du rectangle ;

– coller la queue sur la partie du corps où se trouve l'agrafe ;

– ajouter ailes, yeux et bec en découpant ces parties dans les retailles.

 TIC

Les oiseaux échassiers

Pour réaliser cette activité, vous devez préparer les élèves en leur demandant de représenter un oiseau échassier.

Donnez les consignes suivantes aux élèves :

1. Ouvrez l'application de dessin vectoriel.

2. Dessinez une série d'oiseaux échassiers avec les outils de dessin et les fonctions copier / coller.

3. Sauvegardez le document dans votre dossier personnel.

4. Imprimez.

Notes personnelles

_____

_____

_____

_____

_____

_____

_____

_____

_____

_____

_____

_____

_____

_____

_____

_____

_____

_____

_____

_____

_____

_____

_____

_____

_____

_____

_____

_____

BUT

Prendre conscience, lors des activités de lecture et d'écriture, que la nature ne saurait être à l'abri d'une destruction à plus ou moins long terme si des mesures concrètes, collectives et individuelles, ne sont pas appliquées.

ORGANISATION DE LA CLASSE

Collectif, équipes de deux, individuel

MATÉRIEL NÉCESSAIRE

• *Par élève : manuel D (pages 63 et 64)*

• *Pour le soutien : feuilles reproductibles 18.3 et 18.4*

TEMPS SUGGÉRÉ

120 min

Situation d'apprentissage 4

PROTÉGER LA NATURE

On est responsable pour toujours de ce qu'on a apprivoisé… Et si le Petit Prince revenait sur cette planète, ne serait-ce pas ce qu'il nous redirait en voyant combien la pollution et les déchets menacent la santé de notre belle nature ?

SAVOIRS ESSENTIELS DES DIFFÉRENTES COMPÉTENCES

L **LIRE DES TEXTES VARIÉS**
E **ÉCRIRE DES TEXTES VARIÉS**
C **COMMUNIQUER ORALEMENT**

Connaissances liées au texte :

▶ Exploration et utilisation d'éléments caractéristiques de différents genres de textes ;
▶ Prise en compte des éléments de la situation de communication : intention, contexte, formes du registre standard ;
▶ Prise en compte d'éléments de cohérence : idées rattachées au sujet, reprise de l'information en utilisant des termes substituts (pronoms).

Connaissances liées à la phrase :

▶ Recours à la ponctuation : point ;
▶ Reconnaissance et utilisation du groupe du nom : Pronom, Nom, Dét. + Nom ;
▶ Accords dans le groupe du nom : Dét. + Nom ;
▶ Exploration et utilisation du vocabulaire en contexte ;
▶ Utilisation de l'orthographe conforme à l'usage.

Stratégies de lecture :

▶ Stratégies de reconnaissance et d'identification des mots d'un texte ;
▶ Stratégies de gestion de la compréhension ;
▶ Stratégies d'évaluation de sa démarche.

Stratégies d'écriture :

▶ Stratégies de planification ;
▶ Stratégies de mise en texte ;
▶ Stratégies de révision ;
▶ Stratégies de correction ;
▶ Stratégies d'évaluation de sa démarche.

Stratégies de communication orale :

▶ Stratégies d'exploration ;
▶ Stratégies de partage ;
▶ Stratégies d'écoute.

Techniques :

▶ Apprentissage de la calligraphie ;
▶ Utilisation de manuels de référence.

U **CONSTRUIRE SA REPRÉSENTATION DE L'ESPACE, DU TEMPS ET DE LA SOCIÉTÉ**

Connaissances liées à l'univers social (ici, hier et aujourd'hui) :

▶ Paysages (éléments naturels et humains).

Techniques relatives à l'univers social :

▶ Espace : lecture et décodage de documents (textes et illustrations).

Notes personnelles

*Feuilles reproduc-
tibles 18.3 et 18.4 :
La nature en
danger (équipes)*

– *Associer les slo-
gans aux affiches
appropriées.*

▶ *L'élève se sert d'in-
dices pour donner
du sens aux mots
du texte.*

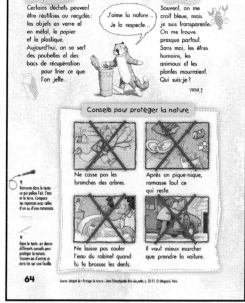

CORRIGÉ

MANUEL D, PAGE 63

▼ 1 Il y a plusieurs réponses possibles.

🌀 Préparation

• Proposez aux élèves de dire spontané-
ment comment se manifeste la beauté
de la nature (faune et flore) ou de l'évoquer à la lumière des pages précédentes
de ce module. Faites exprimer ce que
les sens peuvent ressentir au contact
de la nature (végétaux et animaux).
Laissez-les traduire ce que la vue d'un
beau ciel clair, d'une grande étendue
verdoyante, d'animaux domestiques
ou sauvages peut susciter d'émotions
en eux.

Faites prendre conscience que certains
actes commis par les humains ont des
effets néfastes sur la nature comme sur
la vie humaine elle-même. Invitez les
élèves à nommer quelques-uns de ces
gestes qui détériorent l'environnement.
Notez-les au tableau, sous deux colonnes ayant pour titres *Gaspillage* et
Pollution.

Faites ouvrir le manuel aux pages
63 et 64. Invitez les élèves à survoler

CORRIGÉ

MANUEL D, PAGE 64

▼ 1 **L'air : les gaz d'échappement
des voitures et la fumée des usines ;
l'eau : les usines, les bateaux et
les personnes qui y jettent des
produits très dangereux ; la terre :
les engrais.**

▼ 1 **Il y a plusieurs réponses possibles.**

---

le texte (lecture du titre et des sous-
titres, observation des illustrations), puis
à émettre des hypothèses sur le contenu
du texte.

Faites lire le texte de présentation (en
haut de la page 63 du manuel) pour
découvrir l'intention de lecture.

Si vous le jugez nécessaire, faites rappeler les stratégies d'identification des
mots. Faites valoir encore une fois l'importance de visualiser ce qui est lu et
d'anticiper la suite du texte.

⚙️ Réalisation

• Invitez les élèves à lire individuellement
le texte. Portez une attention particulière à ceux qui éprouvent encore des
difficultés en lecture.

Formez ou faites former des tandems. Proposez aux coéquipiers de partager les informations recueillies lors de la lecture du texte.

Reprenez chaque partie du texte de la page 63 du manuel, et invitez les élèves à émettre des suggestions pour corriger les situations qui y sont exposées. Comment éviter que les gaz d'échappement des voitures et des usines se retrouvent dans l'atmosphère? Que faire des produits nocifs dont on se débarrasse en les jetant à la mer? Comment remplacer les engrais? Comment réduire la quantité des ordures ménagères?

Faites proposer des reconversions possibles des déchets recyclables (papier recyclé, métal refondu, etc.).

Amenez les élèves à suggérer des moyens très simples qu'eux-mêmes peuvent mettre en application pour éviter gaspillage et pollution et protéger la nature (maximiser l'utilisation du papier en y écrivant au recto et au verso, laisser leurs branches et leur écorce aux arbres, ne pas couper les fleurs sauvages, ne pas jeter des ordures dans la nature, veiller à ramasser les crottes de son chien lorsqu'on le promène, utiliser avec modération les essuie-tout et les mouchoirs de papier, ne pas éclairer inutilement toutes les pièces de la maison, etc.). Notez ces moyens au tableau, en invitant les enfants à distinguer ce qui relève du gaspillage, de la pollution, ou encore de la protection de la nature.

Faites identifier au moins une mesure qui pourrait être mise en pratique dans la classe (écrire sur une feuille de papier des deux côtés et sur toute la surface avant de la jeter).

Proposez aux élèves de s'engager à mettre au moins deux de ces moyens en pratique. Suggérez-leur d'en ajouter d'autres quand ils auront pris l'habitude d'opter pour des comportements responsables afin de protéger l'environnement.

Regroupez par deux les tandems formés lors de l'activité précédente.

Proposez aux élèves de partir à la recherche d'illustrations (dans des revues, journaux ou calendriers) de lieux divers. Demandez-leur de songer à des endroits familiers ou non dont l'aspect a été transformé sous l'effet de constructions désordonnées, de négligence, de gaspillage ou de pollution, ou de l'abandon de certaines vocations initiales du lieu (dépotoirs de pneus; terrains vagues où s'accumulent toutes sortes d'objets hétéroclites; cours d'eau pollués par les déversements des bateaux, des usines, des terres agricoles, des amoncellements de neige mêlée de calcium; détournement du lit des rivières pour les fins de production d'électricité; coupes à blanc de forêts; etc.).

Attribuez à chaque coéquipier et coéquipière l'une des quatre parties du texte de la page 63 du manuel D (pollution, engrais, mer, déchets).

Regroupez les élèves reliés à une même thématique, par exemple «la mer».

Distribuez-leur des illustrations se rapportant à leur thème. Invitez-les à relire le passage relatif à ce même thème et à échanger leur point de vue pour imaginer comment le lieu pouvait être à l'origine. Demandez-leur comment, selon eux, il serait possible de l'améliorer.

Reformez les équipes de départ afin que chaque élève fasse part à son groupe de leurs échanges dans les groupes «thématiques».

 Intégration et réinvestissement

• Présentez aux élèves la situation d'écriture suivante.

Proposez-leur d'avoir un œil de détective pour observer, lors de leurs déplacements entre la maison et l'école, des manifestations de pollution ou de gaspillage (papiers et rebuts dans les rues et les terrains vagues, plantes ou arbustes brûlés par le calcium épandu sur les routes pendant l'hiver, utilisation de

pesticides nocifs pour certains êtres vivants, etc.). La ville et la campagne ne susciteront pas les mêmes observations.

<u>Demandez aux élèves de diviser une feuille en deux colonnes, d'y inscrire à gauche leurs observations et à droite, un correctif suggéré ou une mesure préventive.</u>

<u>Faites avec les élèves un retour sur les étapes du processus d'écriture.</u> Notez au tableau les éléments suivants, à titre d'aide-mémoire :

– planification : partage de ses observations, de ses connaissances et de son expérience, exploration des idées liées au projet d'écriture en groupe (carte d'exploration ou vocabulaire thématique) ;

– rédaction : mise en mots des observations ; utilisation d'un symbole pour les mots dont l'orthographe est douteuse ;

– révision : s'assurer de la présence et de la pertinence de toutes ses idées et vérifier le choix des termes précis et variés ;

– correction : vérification de la présence de tous les mots dans la phrase, de l'ordre des mots, de la ponctuation et rectification, s'il y a lieu, de l'orthographe d'usage et grammaticale ;

– transcription : fidèle, soignée ;

– lecture finale : vérification de tous les aspects ;

– diffusion et autoévaluation : présentation du texte à la classe.

Sélectionnez des copies qui vous permettent de démontrer certains éléments de stylistique ou de grammaire aux élèves. Demandez aux auteurs de ces textes la permission de les présenter devant la classe.

<u>Lors de la présentation des textes, posez une série de questions pour permettre aux élèves de découvrir les points de stylistique ou de grammaire à observer et à améliorer.</u>

<u>Proposez une autoévaluation aux élèves.</u> Vérifiez avec eux ce qui, dans cette activité, a été le plus facile et le plus difficile. Comment ont-ils surmonté les difficultés éprouvées ?

En général, les élèves ont-ils aimé cette activité d'écriture ? Profitez de l'occasion pour leur permettre individuellement d'énoncer l'activité d'écriture qu'ils préfèrent (poème, récit, lettre, etc.).

**RETOUR
SUR
L'ENSEIGNEMENT**

• Selon vous, l'objectif de cette situation d'apprentissage (prendre conscience des effets désastreux de la pollution et du gaspillage sur l'environnement et s'engager individuellement à y remédier) est-il atteint ?

• Les élèves ont-ils mentionné de nouveaux éléments que vous pourriez noter en vue de les réutiliser l'an prochain ?

• Pour ce qui est de la compétence en lecture, la classe manifeste-t-elle les capacités et les habiletés requises ? Si certains élèves requièrent encore de l'aide, à quel niveau est-ce ? Avez-vous les ressources pour la leur donner ?

• Les élèves maîtrisent-ils la démarche du processus d'écriture ? Quelle étape ne présente plus aucune difficulté ? Sur laquelle trébuchent-ils encore ? Quelle proportion de la classe en est affectée ? Que pourriez-vous entreprendre pour améliorer, sinon corriger, la situation ?

Astuce et suggestions (ENRICHISSEMENT)

Correspondance verte

Invitez les élèves à écrire une lettre au maire ou à la mairesse de la ville ou du village, à l'éditeur ou à l'éditrice du journal local, pour leur faire part de leurs craintes à la suite des observations qu'ils ont faites. Pour que la lettre soit constructive, faites-leur ajouter les suggestions de solutions trouvées.

TIC

Solutions alternatives

Pour réaliser cette activité, l'élève devra avoir recours à un moteur de recherche[1].

Il est préférable que l'élève soit accompagné par un ou une élève plus vieux ou plus vieille pour réaliser cette activité.

Les élèves auront à trouver des renseignements sur les solutions alternatives d'énergie.

Donnez les consignes suivantes aux élèves:

1. Ouvrez le fureteur.

2. Ouvrez la banque de signets (favoris) et choisissez un moteur de recherche.

3. Inscrivez les mots ÉNERGIE SOLAIRE ou encore, ÉNERGIE ÉOLIENNE ou ÉNERGIE MARÉE-MOTRICE[2].

4. Visitez des sites qui sont pertinents.

5. Trouvez des renseignements pertinents sur la forme d'énergie choisie.

6. Imprimez.

7. Comparez les résultats de votre recherche avec ceux d'un ou d'une camarade de classe.

[1] Vous trouverez une liste de moteurs de recherche à la fin de ce module.

[2] Ne pas oublier de mettre les expressions entre guillemets anglais (" ").

Activité 1

Activité 2

_____

Rappel :
*Réalisez
l'étape 1 du projet.*

Notes personnelles

_____
_____
_____
_____
_____
_____
_____
_____
_____
_____
_____
_____
_____
_____
_____
_____

Fais le point avec Astuce

Astuce et sa rubrique reviennent faire le point avec les élèves. Comment évoluent leurs compétences en lecture et en écriture ? Qu'en est-il de leurs réussites, de leurs progrès et de leurs difficultés ? C'est ce que les diverses activités proposées ici leur permettront de mesurer.

BUT

Réactiver, dans un nouveau contexte, les composantes des compétences en lecture et en écriture travaillées au cours des deux dernières semaines.

ORGANISATION DE LA CLASSE

Collectif, équipes de deux, équipes de trois ou de quatre, individuel

MATÉRIEL NÉCESSAIRE

Par élève : manuel D (pages 65, 66, 67)

TEMPS SUGGÉRÉ

180 min

SAVOIRS ESSENTIELS DES DIFFÉRENTES COMPÉTENCES

L LIRE DES TEXTES VARIÉS
E ÉCRIRE DES TEXTES VARIÉS

Connaissances liées au texte :
▶ Exploration et utilisation d'éléments caractéristiques de différents genres de textes ;
▶ Exploration de quelques éléments littéraires à des fins d'utilisation ou d'appréciation : expressions - jeux de sonorités - figures de style (répétition) ;
▶ Prise en compte des éléments de la situation de communication : intention, contexte, formes du registre standard ;
▶ Prise en compte d'éléments de cohérence : idées rattachées au sujet.

Connaissances liées à la phrase :
▶ Recours à la ponctuation : point ;
▶ Reconnaissance et utilisation du groupe du nom : Pronom, Nom, Dét. + Nom ;
▶ Accords dans le groupe du nom : Dét. + Nom ;
▶ Exploration et utilisation du vocabulaire en contexte ;
▶ Utilisation de l'orthographe conforme à l'usage.

Stratégies de lecture :
▶ Stratégies de reconnaissance et d'identification des mots d'un texte ;
▶ Stratégies de gestion de la compréhension ;
▶ Stratégies d'évaluation de sa démarche.

Stratégies d'écriture :
▶ Stratégies de planification ;
▶ Stratégies de mise en texte ;
▶ Stratégies de révision ;
▶ Stratégies de correction ;
▶ Stratégies d'évaluation de sa démarche.

Techniques :
▶ Apprentissage de la calligraphie ;
▶ Utilisation de manuels de référence.

> Cette rubrique permet d'aborder des connaissances relevant du domaine des arts, plus spécifiquement de la discipline **arts plastiques**. Toutefois, aucune compétence dans ce domaine ne sera développée.

Notes personnelles

ACTION EN CLASSE

Fou de joie

Quand je vois le ciel bleu
rempli d'oiseaux
qui chantent et qui dansent,

quand j'entends
le bruit du ruisseau
qui murmure à deux pas de chez moi,

quand je sens l'odeur
des feuilles,
la caresse du vent sur mon visage,

quand je goûte la sève d'érable,
qui coule dans ma bouche
et sur mes mains,

quand je suis au beau milieu de tout ça,
je deviens fou de joie.

Je contemple ce qui est plus grand que moi.
Je respecte ce qui est plus petit que moi.
Et le soir, en regardant les étoiles
qui filent à vive allure,
je fais le vœu que la terre soit belle et éternelle.

Robert Soulières

65

Je comprends ce que je lis

1. a) Que vois-tu en lisant la première strophe ?
   b) Qu'entends-tu en lisant la deuxième strophe ?
   c) Que sens-tu en lisant la troisième strophe ?

2. Remplace le mot souligné par un ou d'autres mots et donne un nouveau sens à la phrase.
   a) Je contemple ce qui est plus grand que moi.
   b) Je respecte ce qui est plus petit que moi.

3. a) Nomme deux éléments qui le font aimer la nature.
   b) Quel vœu fait l'auteur du texte ?

Je révise des sons

athlète	mathématique	orchestre	Thomas
chorale	méthode	psychologue	vœu
Christine	nœud	théâtre	

66

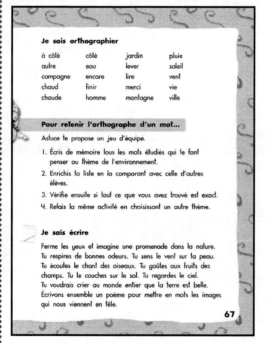

Je sais orthographier

à côté	côté	jardin	pluie
autre	eau	lever	soleil
campagne	encore	lire	vent
chaud	finir	merci	vie
chaude	homme	montagne	ville

Pour retenir l'orthographe d'un mot...

Astuce te propose un jeu d'équipe.

1. Écris de mémoire tous les mots étudiés qui te font penser au thème de l'environnement.
2. Enrichis ta liste en la comparant avec celle d'autres élèves.
3. Vérifie ensuite si tout ce que vous avez trouvé est exact.
4. Refais la même activité en choisissant un autre thème.

Je sais écrire

Ferme les yeux et imagine une promenade dans la nature. Tu respires de bonnes odeurs. Tu sens le vent sur ta peau. Tu écoutes le chant des oiseaux. Tu goûtes aux fruits des champs. Tu te couches sur le sol. Tu regardes le ciel. Tu voudrais crier au monde entier que la terre est belle. Écrivons ensemble un poème pour mettre en mots les images qui nous viennent en tête.

67

Remarque : Afin de simplifier la procédure, la présentation de la démarche est concentrée en un seul bloc. Vous pourriez toutefois décider d'en terminer avec chacune des activités dans son ensemble (préparation, réalisation, intégration et réinvestissement) avant d'aborder un autre aspect de la rubrique.

Un petit conseil : répartissez sur deux semaines l'étude des mots de *Je sais orthographier*.

Préparation

- Au besoin, reprenez les explications préparatoires à la marche à suivre dans les diverses activités de la rubrique *Fais le point avec Astuce*. Invitez les élèves à décrire la façon de procéder pour chaque cas afin de vous assurer qu'ils savent ce qu'il y a lieu de faire. À titre indicatif, voici l'essentiel de cette préparation.

JE COMPRENDS CE QUE JE LIS

- Invitez quelques volontaires à nommer la première partie de démarche de lecture (lecture du titre et observation des illustrations, formulation d'une intention de lecture et émission d'hypothèses sur le contenu).

Faites, au besoin, un rappel sur l'utilisation des stratégies de lecture. Demandez aux élèves de les nommer et de les décrire. Soulignez l'importance de visualiser ce qu'on lit et de relire les passages difficiles.

**ACTION
EN CLASSE
(SUITE)**

Redites aux élèves que la lecture est une activité individuelle, mais qu'il est possible d'opter pour une lecture en groupe pour s'entraider. Vous pouvez aussi «inviter» certains élèves à former un groupe avec vous.

JE RÉVISE DES SONS

• Faites une révision de quelques sons vus depuis le début de l'année, en insistant particulièrement sur ceux qui ne sont pas tout à fait maîtrisés. Servez-vous des observations que vous avez pu faire pour identifier les faiblesses des élèves. Notez toutefois que les sons à revoir dans cette rubrique peuvent ne pas correspondre à ceux sur lesquels trébuche votre groupe.

La rubrique propose une révision des sons [t], [k] et [ø] correspondant aux graphies **th, ch, œu.**

JE SAIS ORTHOGRAPHIER

• La rubrique propose la révision de certains mots du minidictionnaire d'*Astuce.*

POUR RETENIR L'ORTHOGRAPHE D'UN MOT...

• Animez une mise en commun des mots étudiés en lien avec le thème, et demandez aux élèves de se remémorer les diverses stratégies pour retenir l'orthographe d'un mot aux pages 139 et 140 du manuel D. Au besoin, servez-vous des mots du minidictionnaire à la page 134 du manuel D.

JE SAIS ÉCRIRE

• Rappelez ou faites rappeler, au besoin, les étapes du processus d'écriture. Notez-les au tableau pendant toute la durée de l'activité:

– planification: partage et choix des idées;

– rédaction: mise en mots et en phrases des idées, emploi d'un symbole pour repérer les mots dont l'orthographe est douteuse;

– révision: lecture pour vérifier et améliorer le vocabulaire, la variété et la précision des mots choisis;

– correction: lecture et rectification, s'il y a lieu, de la présence de tous les mots dans la phrase, la ponctuation (utilisation de la majuscule au début d'une phrase et du point à la fin, de même que de la virgule dans une énumération simple), la construction des phrases, de l'orthographe d'usage et grammaticale;

– transcription: fidèle, calligraphie soignée;

– lecture finale: vérification et rectification du texte à la lumière de tout ce qui précède;

– diffusion et autoévaluation: retour sur l'ensemble de l'activité.

 **Réalisation**

JE COMPRENDS CE QUE JE LIS

• Invitez les élèves à lire le texte *Fou de joie* à la page 65 du manuel, puis à répondre aux questions qui suivent.

JE RÉVISE DES SONS

• Demandez aux élèves de lire individuellement les mots de cette section de la rubrique.

Cette activité présente certains des sons étudiés au cours de l'année. Aussi nous vous suggérons, lors de la mise en commun des réponses, de prendre note des principales faiblesses des élèves afin de prévoir une révision plus systématique des sons sur lesquels elles portent.

La révision concerne les sons [t], [k] et [ø] correspondant aux graphies **th**, **ch** et **œu**.

Voici les regroupements que vous pourriez suggérer de faire. Demandez aux élèves de souligner ou d'encercler dans chaque mot les lettres correspondant au son recherché.

- Mots porteurs du son [t]: *athlète, Christine, mathématique, méthode, orchestre, théâtre, Thomas.*

- Mots porteurs du son [k]: *chorale, Christine, mathématiques, orchestre, psychologue.*

- Mots porteurs du son [ø]: *nœud, vœu.*

Informez les élèves qu'ils compareront leurs réponses à celles de leurs coéquipiers (les camarades avec lesquels ils feront équipe pour réaliser la prochaine activité).

JE SAIS ORTHOGRAPHIER

 ou

- Formez des équipes de trois ou de quatre élèves. Une fois terminée la mise en commun des réponses sur les sons, invitez-les à appliquer les diverses stratégies d'apprentissage de l'orthographe afin de mémoriser les mots de cette liste.

Conseillez aux élèves de consulter les pages 139 à 141 du manuel, avant d'appliquer les stratégies qui conviennent aux mots à retenir.

Rappel: Répartissez l'apprentissage des mots de cette liste dès l'amorce de cette partie du module.

Demandez aux élèves de se donner mutuellement à épeler des mots de la liste.

Faites ensuite réaliser l'activité proposée dans *Pour retenir l'orthographe d'un mot…*

JE SAIS ÉCRIRE

<u>NOTE</u>: Nous suggérons qu'au préalable les élèves écrivent individuellement leur texte, avant de faire une mise en commun des meilleures idées et d'en tirer parti dans un nouveau texte collectif. Vous pouvez cependant opter pour l'une ou l'autre formule.

- Laissez au tableau, en guise d'aide-mémoire, les étapes du processus d'écriture. Faites identifier par les élèves les diverses références qu'ils peuvent consulter au cours de l'activité. Placez-les bien en vue et rappelez qu'il est toujours possible de vous consulter ou de s'adresser à un pair en cas de difficulté.

Une fois les textes transcrits, faites-les lire à la classe. Invitez les auditeurs à se rappeler au moins une belle image et à l'associer à son auteur ou auteure.

 Intégration et réinvestissement

JE COMPRENDS CE QUE JE LIS

- Faites un retour sur le texte en invitant les élèves à identifier les stratégies auxquelles ils ont eu recours.

Faites une mise en commun des réponses aux questions de la page 66 du manuel. Au n° 2, proposez de découvrir le nouveau sens des phrases telles que modifiées par les élèves. Au besoin, ajoutez certains verbes intéressants: accepter, accueillir, chasser, craindre, défendre, imaginer, nommer, observer, peindre, etc.

Demandez si ce poème comporte des rimes. Faites remarquer que les rimes ne sont pas une condition essentielle pour qu'un texte soit un poème.

Invitez les élèves à relever des expressions qu'ils peuvent visualiser. Faites prendre conscience du fait que ces

2
ACTION
EN CLASSE
(SUITE)

visualisations pourraient se traduire en dessins. Si vous disposez de temps, proposez à la classe de rendre sur papier quelques-unes de ces images.

JE RÉVISE DES SONS

• Animez une mise en commun des regroupements et demandez aux élèves de mentionner les sons particulièrement difficiles à identifier. Prenez-en note afin d'y revenir un peu plus tard.

Invitez les élèves qui ont pu identifier la plupart des mots porteurs des divers sons à expliquer comment ils s'y sont pris.

JE SAIS ORTHOGRAPHIER

 ou

• Invitez un ou une porte-parole par équipe à relater les stratégies appliquées à la mémorisation des mots de la liste.

Faites un retour sur le jeu proposé dans *Pour retenir l'orthographe d'un mot…*

JE SAIS ÉCRIRE

NOTE : Cette partie est facultative si vous avez opté pour un travail d'écriture individuel.

• Demandez à chaque élève de mentionner l'image qu'il ou elle a retenue dans chacun des textes de ses camarades, et d'en indiquer l'auteur ou l'auteure.

Inscrivez au tableau les phrases retenues par la classe. Si vous avez noté des images et des phrases particulièrement intéressantes, ajoutez-les.

Proposez aux élèves d'écrire collectivement un beau texte sur le printemps à partir des images notées au tableau.

Faites grouper les phrases qui ont une même thématique afin de constituer de petits paragraphes.

Faites assembler les paragraphes en un poème collectif qui portera le titre «Hymne au printemps». Si les élèves ont dessiné quelques-unes des images qu'évoque le poème de Robert Soulières, proposez-leur d'en faire un montage qui sera exposé dans la classe.

Faites un retour sur l'ensemble de la rubrique et demandez aux élèves s'ils se rendent compte des progrès qu'ils ont faits depuis le début de l'année.

Invitez-les à noter l'activité de la rubrique qui leur plaît particulièrement et celle qu'ils trouvent moins intéressante. Faites aussi identifier ce qui est réussi et ce qui mérite encore un peu d'effort.

Demandez aux élèves de réfléchir à ce qui suit : Y a-t-il un lien entre plaisir et réussite ? entre indifférence (ou déplaisir) et difficulté ?

3
RETOUR
SUR
L'ENSEIGNEMENT

• Considérez-vous que les élèves maîtrisent les habiletés nécessaires pour réaliser les activités proposées dans *Fais le point avec Astuce* ?

• Les croyez-vous de plus en plus en mesure d'identifier leurs réussites et leurs difficultés ?

• Les élèves en difficulté vous demandent-ils généralement de les aider ? Pouvez-vous déterminer ce qui ne va pas dans leur démarche d'apprentissage ?

• Quels aspects mériteraient d'être travaillés davantage au cours des prochaines semaines ?

1

**PLANIFICATION
DE
L'ENSEIGNEMENT**

BUT

Découvrir que le recyclage permet non seulement de réutiliser certains objets, mais qu'il suscite parfois la création de véritables œuvres d'art.

ORGANISATION DE LA CLASSE

Collectif, individuel

MATÉRIEL NÉCESSAIRE

• *Par élève: manuel D (page 68)*

• *Pour la conso- lidation: activité complé- mentaire 63*

À FAIRE

Apporter un livre d'art contenant des œuvres de Picasso, dont des sculptures faites d'objets de recyclage.

TEMPS SUGGÉRÉ

150 min

PICASSO, UN AS DU RECYCLAGE

Économies de bouts de chandelle? Détrompez-vous! Dans notre civilisation, on jette les choux gras. Que de gaspillage! Plastique, verre, papier, métal et quantité d'autres choses passent allègrement à la poubelle. Pourtant, les ressources naturelles à partir desquelles sont fabriqués ces divers objets ne sont pas inépuisables. Il existe désormais des solutions de rechange qui peuvent donner un deuxième souffle à ces objets en les réintroduisant dans le cycle de production.

SAVOIRS ESSENTIELS DES DIFFÉRENTES COMPÉTENCES

L LIRE DES TEXTES VARIÉS

Connaissances liées au texte :

▶ Exploration et utilisation d'éléments caractéristiques de différents genres de textes;
▶ Prise en compte des éléments de la situation de communication : intention, contexte, formes du registre standard;
▶ Prise en compte d'éléments de cohérence : idées rattachées au sujet.

Stratégies de lecture :

▶ Stratégies de reconnaissance et d'identification des mots d'un texte;
▶ Stratégies de gestion de la compréhension;
▶ Stratégies d'évaluation de sa démarche.

Techniques :

▶ Utilisation de manuels de référence.

Cette situation d'apprentissage permet d'aborder des connaissances relevant du domaine des arts, plus spécifiquement de la discipline **arts plastiques.** Toutefois, aucune compétence dans ce domaine ne sera développée.

_____

_____

_____

_____

_____

_____

_____

2

ACTION
EN CLASSE

ACTIVITÉ DE
CONSOLIDATION

Activité complémentaire 63 :
Une boîte de rangement
(équipes et individuel)

– Fabriquer une boîte de rangement à partir d'objets de recyclage.

▶ L'élève gère son matériel, son lieu de travail et son temps.

CORRIGÉ
MANUEL D, PAGE 68

▼ **1** Il y a plusieurs réponses possibles.

▼ **1** Il y a plusieurs réponses possibles.

Remarque : Prenez le temps de lire le contenu des situations d'apprentissage 5 et 7. Peut-être alors déciderez-vous d'en faire un tout, puisque les sujets des textes sont de même nature. Si vous optez pour une mégasituation d'apprentissage, allouez environ 500 min (soit un peu plus d'une semaine) à sa réalisation. Dans le présent guide, les situations d'apprentissage 5 et 7 sont traitées

indépendamment l'une de l'autre. Toutefois, la situation d'apprentissage 7 correspond à deux textes : *Toto en carton* et *Des trésors enterrés*.

⚙ Préparation

• Invitez les élèves à rappeler divers moyens visant la protection de la nature (en contrant le gaspillage et la pollution). S'ils n'ont pas mentionné le recyclage parmi ces mesures, revenez avec eux à la page 63 du manuel D, au paragraphe sous-titré *Que faire des déchets ?*

Faites nommer des objets recyclables et inscrivez-les au tableau. Une fois la liste dressée, demandez aux élèves d'imaginer de quelle façon chacun d'eux peut être recyclé.

Leur arrive-t-il personnellement d'utiliser des objets recyclés ? Si oui, lesquels ?

Vérifiez s'il existe un service de ramassage dans leur ville ou leur village. Est-ce que leurs parents participent au recyclage de certains objets ? Quels sont précisément ces objets ? Dans quoi les dépose-t-on pour la récupération ?

Voyez si les élèves connaissent quelques-unes des normes à respecter en ce qui concerne les objets destinés à la récupération (bocaux en verre rincés et débarrassés de leur étiquette en papier ; journaux ficelés ; objets triés selon leur matériau). Procurez-vous le dépliant habituellement émis par votre municipalité au sujet de ces aspects.

Demandez aux élèves, individuellement, de se préparer à la lecture. Faites-leur un rappel des stratégies (adopter une attitude positive, survoler le texte [lecture du titre et observation des illustrations], formuler une intention de lecture [apprendre comment Picasso était un as du recyclage], émettre des hypothèses sur le contenu).

Demandez aux élèves ce qu'ils savent de Picasso. Ont-ils déjà entendu ce nom? Se souviennent-ils de la page de titre du module où il a été évoqué? Qu'ont-ils retenu de cet artiste?

Invitez les élèves à porter une attention particulière à la sculpture. Peuvent-ils identifier les objets qui la composent?

 Réalisation

• Proposez aux élèves de lire individuellement le texte de la page 68 du manuel D. S'il y a lieu, regroupez ceux qui éprouvent des difficultés et, avec eux, cherchez des stratégies susceptibles de les aider.

Faites diviser une feuille en deux colonnes. Dans celle de gauche, faites inscrire les objets de recyclage utilisés par Picasso. Dans celle de droite, faites noter ce que cet objet est devenu dans la sculpture.

 Intégration et réinvestissement

• Invitez les élèves à émettre leurs commentaires sur l'œuvre de Picasso reproduite à la page 68 du manuel D. Auraient-ils pu deviner que cette sculpture représentait une petite fille sautant à la corde? Quelle était leur interprétation de cette œuvre?

Formez des équipes de quatre. Invitez chaque élève à choisir un objet de recyclage. Proposez ensuite à l'équipe de créer une sculpture ou une décoration où s'intégreront tous les objets de recyclage retenus par les membres. L'objet produit peut être décoratif ou utilitaire.

Invitez les équipes à présenter leur création à la classe.

Si vous avez apporté un livre contenant des reproductions d'œuvres de Picasso, faites-les voir aux élèves. Signalez-leur que dans ses divers modes d'expression, l'art ne reproduit jamais tout à fait fidèlement la réalité; l'artiste transpose celle-ci à travers sa perception et sa sensibilité. Faites observer le tracé, le choix des couleurs, la répartition des volumes dans certaines des toiles ou sculptures de Picasso.

Invitez les élèves à exprimer leur opinion sur l'œuvre de Picasso.

• Croyez-vous avoir sensibilisé vos élèves à la nécessité de recycler ce qui peut l'être grâce à cette situation d'apprentissage? Quelles attitudes ou quels commentaires de leur part vous le confirment?

• Comment les enfants ont-ils réagi aux œuvres de Picasso? Ont-ils mesuré la différence entre la réalité et la vision de l'artiste?

• La préparation à la lecture a-t-elle permis à tous de lire le texte de façon autonome? Si tel n'est pas le cas, les difficultés sont-elles liées au décodage des mots? à la compréhension des phrases?

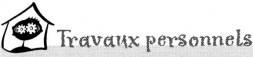

Travaux personnels

Invitez les élèves à dénicher des objets de recyclage à la maison. Avec la permission des parents, demandez-leur d'en disposer pour créer un nouvel objet à offrir à quelqu'un (ex. : un pot ou une boîte de conserve recouvert de papier de bricolage peut se transformer en contenant à crayons). Faites apporter l'objet recyclé en

classe et demandez à son créateur ou à sa créatrice de dire de quoi il est constitué, de décrire sa fabrication, d'en donner l'utilité et de mentionner à qui il est destiné. Une exposition dans la classe pourrait permettre à tous d'admirer les créations produites.

Astuce et suggestions (ENRICHISSEMENT)

Rebuts et art

Demandez au ou à la recherchiste de la bibliothèque de mettre à la disposition des élèves des livres d'art présentant des œuvres de Picasso et Miró, deux artistes « recycleurs ».

Invitez les élèves à y relever des sculptures dans lesquelles ils parviennent à identifier des objets de recyclage. Faites-leur indiquer quelle sculpture ils préfèrent et pourquoi.

TIC

Recyclage

Pour réaliser cette activité, l'élève utilisera le dessin vectoriel.

Préparez un document en vectoriel que vous nommerez RECYCLAGE, avec une mise en pages en format paysage et, au centre de la page, du texte (par exemple, REMPLACER CE TEXTE PAR VOTRE PROPRE MESSAGE) en utilisant un très gros caractère. Déposez une copie de ce document dans le dossier personnel de chaque élève.

Les élèves auront à trouver une formule pour encourager le recyclage.

Donnez les consignes suivantes aux élèves :

1. Ouvrez le document intitulé RECYCLAGE dans votre dossier personnel.

2. Écrivez un message incitant au recyclage[1].

3. Sauvegardez le message.

4. Imprimez.

[1] Si votre éditeur vectoriel a une banque de dessins, vous pouvez aussi demander à vos élèves de choisir une illustration pertinente pour agrémenter la présentation de leur travail.

Rappel :
Réalisez
l'étape 2 du projet.

Situation d'apprentissage 6

LIRE POUR RIRE

Ah! Coquin! Ce chien est décidément un modèle d'obéissance...

SAVOIRS ESSENTIELS DES DIFFÉRENTES COMPÉTENCES

BUT

Concrétiser sa compréhension de la bande dessinée par une création originale.

ORGANISATION DE LA CLASSE

Collectif, équipes de deux, individuel

MATÉRIEL NÉCESSAIRE

*Par élève:
manuel D
(page 68), feuille reproductible 18.5, crayons à colorier ou crayons-feutres*

À FAIRE

Photocopier la feuille reproductible et la distribuer aux élèves.

TEMPS SUGGÉRÉ

30 min

L **LIRE DES TEXTES VARIÉS**
E **ÉCRIRE DES TEXTES VARIÉS**
A **APPRÉCIER DES ŒUVRES LITTÉRAIRES**

Connaissances liées au texte :

▶ Exploration et utilisation d'éléments caractéristiques de différents genres de textes;
▶ Exploration de quelques éléments littéraires à des fins d'utilisation ou d'appréciation : personnages, temps et lieux du récit, séquence des événements;
▶ Exploration et utilisation de la structure des textes;
▶ Prise en compte des éléments de la situation de communication : intention, contexte, formes du registre standard;
▶ Prise en compte d'éléments de cohérence : idées rattachées au sujet, reprise de l'information en utilisant des termes substituts (pronoms).

Connaissances liées à la phrase :

▶ Recours à la ponctuation : point;
▶ Reconnaissance et utilisation du groupe du nom : Pronom, Nom, Dét. + Nom;
▶ Accords dans le groupe du nom : Dét. + Nom;
▶ Exploration et utilisation du vocabulaire en contexte;
▶ Utilisation de l'orthographe conforme à l'usage.

Stratégies de lecture :

▶ Stratégies de reconnaissance et d'identification des mots d'un texte;
▶ Stratégies de gestion de la compréhension;
▶ Stratégies d'évaluation de sa démarche.

Stratégies d'écriture :

▶ Stratégies de planification;
▶ Stratégies de mise en texte;
▶ Stratégies de révision;
▶ Stratégies de correction;
▶ Stratégies d'évaluation de sa démarche.

Stratégies liées à l'appréciation d'œuvres littéraires :

▶ S'ouvrir à l'expérience littéraire;
▶ Établir des liens avec ses expériences personnelles;
▶ Échanger avec d'autres personnes.

Techniques :

▶ Apprentissage de la calligraphie;
▶ Utilisation de manuels de référence.

Cette situation d'apprentissage permet d'aborder des connaissances relevant du domaine des arts, plus spécifiquement de la discipline **arts plastiques**. Toutefois, aucune compétence dans ce domaine ne sera développée.

Notes personnelles

_____
_____
_____
_____
_____
_____
_____
_____
_____
_____
_____
_____
_____
_____
_____
_____
_____
_____
_____
_____
_____
_____
_____
_____
_____
_____
_____
_____
_____
_____
_____
_____
_____
_____

ACTION EN CLASSE

Demandez aux élèves de mettre au brouillon leurs idées de même que les illustrations qui composeront la bande dessinée.

Proposez-leur des pistes qui leur serviront au moment de l'exploration des idées. Voici des suggestions de questions en ce sens. Écrivez-les au tableau en guise d'aide-mémoire.

– 1re vignette : Où se passe l'histoire ? Quand se déroule-t-elle ? Que fait Coquin au début de l'histoire ? Y a-t-il quelqu'un (une personne, un animal) avec lui ? Si oui, qui est-ce ?

– 2e vignette : Qu'arrive-t-il à Coquin ? À quel problème se heurte-t-il ? Qu'est-ce qui va le faire changer d'action ?

– 3e vignette : Que fait Coquin pour se tirer d'affaire ?

– 4e vignette : Comment se termine l'aventure de Coquin ? Est-ce amusant ? Sur quel trait de caractère de Coquin cette bande dessinée met-elle l'accent ?

Animez une exploration des idées en reprenant chaque question et en ajoutant au tableau, en guise de réponse, ce que les élèves proposeront.

De façon à vous assurer que l'intention d'écriture est bien comprise, faites-la énoncer par quelques élèves. Demandez à chaque équipe de déterminer à qui elle destine sa bande dessinée (parents, ami ou amie, élève de la classe ou d'un autre groupe, élève qui ne connaît pas Coquin, etc.).

S'il vous reste de la place au tableau, écrivez-y les étapes du processus d'écriture que les enfants énonceront. Toutes les étapes jusqu'à la transcription devraient se faire préalablement au brouillon.

– Planification : émission et choix des idées (pour quatre vignettes) ;

– rédaction : mise en mots et en phrases des idées, vocabulaire précis et varié ;

– révision : vérifier et améliorer les idées et le vocabulaire ;

 Préparation

- Invitez les élèves à une lecture individuelle de la bande dessinée, page 68 du manuel D.

 ou

Avec l'ensemble de la classe, animez une mise en commun de la compréhension du texte. Si vous le préférez, faites réaliser la mise en commun en équipes de deux, après avoir constitué les tandems.

Proposez aux élèves la situation d'écriture suivante, soit d'imaginer une nouvelle aventure à Coquin. Remettez-leur la feuille reproductible 18.5 en guise de support. Suggérez la réalisation de cette activité en coopération. En équipes de deux, un ou une élève écrit le texte de la première vignette et l'autre réalise un dessin en lien avec ce texte ; les rôles sont inversés pour la deuxième vignette, et ainsi de suite. Les coéquipiers doivent s'entendre sur le contenu général de la bande dessinée et de chaque vignette en particulier.

2

**ACTION
EN CLASSE
(SUITE)**

– correction : lecture et rectification, s'il y a lieu, de l'orthographe d'usage et grammaticale ; révision, au besoin, des règles d'accord des mots dans le groupe du nom et des contenus disciplinaires couverts dans les leçons de grammaire précédentes, présence de tous les mots dans le bon ordre, ponctuation adéquate ;

– transcription : sur la feuille reproductible 18.5 ;

– lecture finale : vérification globale du texte ;

– diffusion et autoévaluation : remise de la bande à son ou à sa destinataire.

NOTE : Si la leçon de grammaire proposée dans le guide du module 17 (p. 65) et portant sur le pluriel des adjectifs n'a pas été réalisée, vous pouvez la faire dans le cadre de cette situation d'écriture. Toutefois, nous vous rappelons que cette notion ne fait pas partie des savoirs essentiels du 1er cycle. Il ne faut donc pas s'attendre à ce que les élèves réalisent tous les accords dans leurs productions écrites.

 Réalisation

• Demandez aux élèves de mettre au brouillon les illustrations (quatre vignettes) de même que les textes qui y sont associés.

Faites-les transcrire sur la feuille reproductible 18.5 au moment où les élèves en arrivent à cette étape dans le processus d'écriture.

Proposez aux élèves de colorier leurs illustrations.

 Intégration et réinvestissement

• Avant la remise de la bande dessinée à son ou à sa destinataire, invitez les élèves à s'échanger leurs œuvres.

Proposez à des volontaires de lire à la classe le texte de leur bande dessinée. Faites comparer les récits et remarquer la diversité des situations imaginées.

Demandez aux élèves s'ils ont aimé écrire une bande dessinée. Quelles activités d'écriture leur procurent le plus de satisfaction (rédiger un récit, une bande dessinée, un poème, un texte d'information ou une carte d'invitation) ?

3

**RETOUR
SUR
L'ENSEIGNEMENT**

• Les élèves ont-ils compris le sens de la bande dessinée dans le manuel ? Y en a-t-il parmi eux qui éprouvent des difficultés à associer texte et illustration ? À l'inverse, certains sont-ils plus à même de comprendre le sens du texte grâce au support de l'illustration ?

• Que pensez-vous des bandes dessinées produites par les élèves ? Compte tenu des résultats, la préparation a-t-elle été adéquate ? Sinon, quel aspect devrait être pris en compte pour de meilleurs résultats ?

• Y a-t-il un lien évident entre les illustrations et le texte ? un fil conducteur d'une vignette à l'autre ? une chute intéressante (conclusion de l'histoire) ?

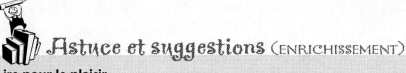

Astuce et suggestions (ENRICHISSEMENT)

Lire pour le plaisir

Invitez les élèves à se plonger dans la lecture de bandes dessinées figurant dans les revues pour enfants ou dans les livres de la bibliothèque.

TIC

Une autre aventure de Coquin

Pour réaliser cette activité, l'élève utilisera le traitement de texte.

Il s'agit simplement de transcrire le texte écrit à la main.

Il serait intéressant de sensibiliser les élèves à l'utilisation du dictionnaire électronique pour réaliser cette activité.

Donnez les consignes suivantes aux élèves :

1. Ouvrez le traitement de texte.

2. Transcrivez le texte sur la nouvelle aventure de Coquin.

3. Corrigez électroniquement le texte.

4. Sauvegardez le texte.

5. Imprimez.

Notes personnelles

_____

_____

_____

_____

_____

_____

_____

_____

_____

_____

_____

_____

_____

_____

_____

_____

_____

_____

_____

_____

_____

_____

PLANIFICATION DE L'ENSEIGNEMENT

BUTS

• Faire preuve de créativité en réalisant un objet à partir d'éléments recyclables.

• Découvrir mille et une choses merveilleuses nées du recyclage.

ORGANISATION DE LA CLASSE

Collectif, équipes de deux, individuel

MATÉRIEL NÉCESSAIRE

• Par élève : manuel D (pages 69, 70, 71 et 72), objets recyclables apportés de la maison, matériel de bricolage (colle, ciseaux, etc.)

• Pour le soutien : feuille reproductibles 18.6 et 18.7

À FAIRE

Inviter les enfants à dénicher dans la maison des objets recyclables (propres et en bon état) et, avec la permission des parents, à les apporter en classe. Cette invitation pourrait être lancée dès le début du module.

TEMPS SUGGÉRÉ

200 min

TOTO EN CARTON
DES TRÉSORS ENTERRÉS

Les dépotoirs pourraient certainement être soumis à une cure d'amaigrissement ! Ils ne sont pas près, hélas, de crier famine. Pourtant, semer l'idée de recycler finira bien par donner des fruits… mais pas sur les mêmes terrains !

SAVOIRS ESSENTIELS DES DIFFÉRENTES COMPÉTENCES

L **LIRE DES TEXTES VARIÉS**
C **COMMUNIQUER ORALEMENT**

Connaissances liées au texte :

▶ Exploration et utilisation d'éléments caractéristiques de différents genres de textes ;
▶ Prise en compte des éléments de la situation de communication : intention, contexte, formes du registre standard ;
▶ Prise en compte d'éléments de cohérence : idées rattachées au sujet.

Stratégies de lecture :

▶ Stratégies de reconnaissance et d'identification des mots d'un texte ;
▶ Stratégies de gestion de la compréhension ;
▶ Stratégies d'évaluation de sa démarche.

Stratégies de communication orale :

▶ Stratégies d'exploration ;
▶ Stratégies de partage ;
▶ Stratégies d'écoute ;
▶ Stratégies d'évaluation.

Techniques :

▶ Utilisation de manuels de référence.

> Cette situation d'apprentissage permet d'aborder des connaissances relevant du domaine des arts, plus spécifiquement de la discipline **arts plastiques**. Toutefois, aucune compétence dans ce domaine ne sera développée.

Notes personnelles

_____
_____
_____
_____
_____
_____
_____
_____
_____
_____
_____
_____
_____
_____
_____
_____
_____
_____
_____

2

ACTION EN CLASSE

ACTIVITÉ DE SOUTIEN

Feuilles reproductibles 18.6 et 18.7 : Les trésors de Marilou

– *Lire un texte pour trouver des informations.*

– *Exécuter des consignes.*

▶ *L'élève sélectionne les éléments d'information explicites dans un texte.*

Toto en carton

Marche à suivre

1 Sépare les deux moitiés de l'épingle à linge.

2 Colle-les sur les côtés du taille-crayon.

3 Découpe le visage dans le carton ondulé. Découpe ensuite les yeux et le nez. Puis, dessine la bouche.

4 Enfonce une extrémité du coton-tige dans le carton ondulé. Remplis le taille-crayon de pâte à modeler. Enfonce l'autre extrémité du coton-tige dedans.

5 Taille les deux bouts du crayon. Colle-le sur le taille-crayon. Découpe deux trous dans le tiroir de la boîte d'allumettes. Enfonce les pieds du bonhomme dedans.

Matériel

- 1 épingle à linge en bois
- de la colle
- 1 taille-crayon
- des ciseaux
- du carton ondulé
- 1 coton-tige
- de la pâte à modeler
- 1 crayon
- 1 tiroir de boîte d'allumettes

69

Tu te demandes sûrement quoi faire pour protéger ton environnement. Marilou a bien compris l'importance de la récupération. Lis le texte pour découvrir différents moyens de récupérer.

Des trésors enterrés

Est-ce que la montagne de déchets apparaissant sur cette page te semble différente de la scène de droite? Regarde de plus près. Plusieurs des éléments de la chambre sont fabriqués à partir d'objets qui auraient pu se retrouver au dépotoir. La maison de poupée près du lit de Marilou, par exemple, est faite de vieilles boîtes de carton. Peux-tu repérer d'autres trésors?

Réutiliser ce que tu jetterais normalement est une bonne façon de réduire le gaspillage et d'épargner de l'argent. Des bouteilles, des bocaux en verre et des contenants en plastique peuvent être réutilisés pour conserver les aliments et les boissons que tes parents achètent en vrac. Les feuillets publicitaires imprimés d'un seul côté font du beau papier à dessin. Laisse aller ton imagination et invente de nouveaux usages pour les objets mis au rebut.

70

71

72

Remarque: la marche à suivre pour fabriquer un objet à partir de matériaux recyclables figure à la page 69 du manuel D pour une question d'organisation. Il y a lieu toutefois d'amorcer cette situation d'apprentissage avec le texte *Des trésors enterrés*, pages 70 à 72.

 Préparation

• Invitez les élèves à nommer le célèbre artiste qui n'a pas hésité à utiliser des matériaux de recyclage pour créer des œuvres majeures. Mentionnez que Picasso n'est pas le seul à l'avoir fait, puisque Marilou s'est elle aussi servi de sa créativité pour donner un nouvel usage à des objets que la poubelle aurait pu engloutir...

Demandez aux élèves de se mettre dans des dispositions favorables à la lecture du texte de la page 70 du manuel D.

Proposez-leur de survoler le texte (lecture du titre et observation des illustrations), puis d'expliciter le sens du titre et de nommer quelques-uns des objets recyclés qu'ils observent dans la chambre de Marilou.

Amenez les élèves à formuler une intention de lecture (lire pour découvrir différents moyens de récupérer) et à émettre des hypothèses sur le contenu du texte.

CORRIGÉ

MANUEL D, PAGE 72

▼ 1 **Du papier peint et du tissu, des sacs de lait, des boîtes de céréales, de vieux bocaux, de vieux gants et de vieilles chaussettes.**

▼ 2 **Il y a plusieurs réponses possibles.**

S'il y a lieu, revoyez avec la classe les diverses stratégies de lecture.

 Réalisation

• Laissez les élèves faire une lecture autonome du texte. Mettez-vous toutefois à la disposition de ceux qui pourraient éprouver des difficultés.

Demandez à quelques élèves de dire ce qu'ils retiennent de leur lecture. Faites mentionner les deux grands avantages du recyclage (réduire le gaspillage et économiser de l'argent). Faites rappeler quels matériaux selon le texte peuvent être recyclés (bocaux en verre, contenants en plastique, feuillets publicitaires).

2

ACTION EN CLASSE

(SUITE)

Revenez aux illustrations des pages 70 et 71 du manuel D. Faites associer des objets recyclables dans la page de gauche avec ce en quoi ils se sont transformés, à la page 71.

Admirez avec les enfants les illustrations de la page 72 du manuel D. Faites relever les divers matériaux utilisés pour fabriquer les objets qui y figurent. Attirez aussi l'attention sur le superbe Astuce recyclé !

Demandez aux élèves de mentionner d'autres matériaux qui auraient pu être utilisés, ou encore d'autres objets qui auraient pu être créés à l'aide des matériaux desquels on a tiré parti à la page 72 du manuel D.

Lancez aux élèves le défi de créer à leur tour un bel objet ou un objet utile à partir des objets recyclables qu'ils ont apportés ou encore, pour une alternative, de créer un nouveau jouet à partir de matériaux recyclables.

 ou

Remarque : L'exploitation proposée ci-dessous peut être remplacée par le bricolage de la page 69 du manuel. Celle qui figure ici est moins dirigée et fait plutôt appel à la créativité, au sens de l'organisation et à la débrouillardise des élèves. D'autres situations de bricolage à partir d'éléments recyclables sont proposées dans *Astuce et suggestions*. Il ne s'agit pas de multiplier inutilement ces exercices, mais de faire prendre conscience aux élèves qu'il existe d'innombrables possibilités de donner une autre vocation à un objet destiné à être mis au rebut, et ce, à un coût presque nul.

Déterminez si le travail se fera en équipes de deux, individuellement, ou au choix des élèves. S'ils optent pour un travail individuel, invitez-les toutefois à s'entraider, à échanger sur les matériaux à utiliser et à partager le matériel.

Demandez à tous les élèves de faire preuve d'initiative et d'imagination pour produire un bricolage original.

Lisez avec le groupe le texte de la page 69 du manuel D. Faites remarquer que la réalisation du bricolage se fait en procédant étape par étape.

Nous vous rappelons que vous pouvez réaliser soit l'activité de la page 69 du manuel, soit celle que nous proposons ci-dessous.

Invitez les élèves à déterminer avec vous les étapes à suivre pour leur propre bricolage.

Voici les points essentiels à dégager de cet exercice.

– Analyse : il importe de réfléchir à la tâche à accomplir. Quel objet réaliser ? Quels matériaux seront nécessaires ?

– Planification : par quoi commencer ? Qu'est-ce qui devra être entrepris ensuite ? dans les phases subséquentes ?

– Réalisation : utiliser ses connaissances et son expérience, veiller à réunir le matériel, s'ajuster si une difficulté surgit, mener à bien le projet sans se décourager.

– Évaluation : prendre conscience des réussites et des difficultés, envisager d'autres façons de travailler dans une situation analogue, réfléchir aux méthodes de travail utilisées.

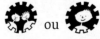 ou

Invitez les élèves à réaliser le bricolage en tandems ou en solo, selon la formule retenue.

Demandez à chaque élève ou à chaque équipe, selon le cas, de présenter son objet à la classe. La présentation pourrait porter sur les matériaux utilisés, la procédure observée, les difficultés éprouvées en cours de réalisation, les modifications apportées au projet initial, la nouvelle vocation de l'objet et, s'il y a lieu, la personne à laquelle il est destiné.

2

ACTION EN CLASSE (SUITE)

Invitez les élèves à s'exprimer dans une langue québécoise orale standard, en surveillant leur articulation et le volume de leur voix.

Redites l'importance de choisir des termes aussi précis que possible pour décrire l'objet. Peut-être est-il opportun de donner à cette occasion le vocabulaire des matériaux et des caractéristiques des objets (bois, verre, pierre, métal, papier, carton, polystyrène, etc.; ondulé, rugueux, lisse, rond, carré, etc.).

Prévoyez une période de questions à la fin de chaque présentation.

Intégration et réinvestissement

- Invitez les élèves qui ont éprouvé des difficultés lors de la lecture à exposer comment ils se sont tirés d'affaire.

Demandez aux élèves de présenter leur évaluation sur le bricolage réalisé. Quelles difficultés ont-ils surmontées? Les méthodes de travail utilisées se sont-elles avérées efficaces? Quels points amélioreraient-ils dans un prochain bricolage analogue? Que voient-ils comme réussite dans ce travail?

3

RETOUR SUR L'ENSEIGNEMENT

- Vos élèves sont-ils de plus en plus conscientisés au problème du gaspillage des matériaux recyclables?

- Reprendriez-vous la même activité de bricolage?

- Comment évaluez-vous personnellement les résultats du bricolage?

- Vos élèves vous semblent-ils avoir assimilé les caractéristiques d'une communication efficace quand ils s'expriment oralement?

Travaux personnels

Demandez aux élèves d'observer et de noter pendant deux jours le recyclage qui se fait à la maison. Faites aussi noter un cas de recyclage qui a été négligé.

De retour en classe, animez une mise en commun des observations de chacun et de chacune.

Astuce et suggestions (ENRICHISSEMENT)

1. Une marotte

Faites fabriquer une marotte avec des objets de recyclage et suggérez de monter un spectacle sur les beautés de la nature et sur les moyens à prendre pour la préserver. Ce spectacle pourrait être présenté à d'autres classes ou, pourquoi pas, à tous les élèves de l'école.

2. Activité salissante… mais agréable

Remettez individuellement aux élèves une moitié de page de journal avec la consigne d'y dessiner une ville ou un village avec des pastels gras. Invitez-les à couvrir de couleurs toute la surface de la feuille. Les divers dessins réunis pourraient constituer une mégalopole!

TIC

Comme Picasso

Pour réaliser cette activité, l'élève utilisera le dessin vectoriel.

Il serait important de préparer un coin de la classe pour afficher les productions des élèves.

Il serait préférable de sensibiliser les élèves aux toiles de Picasso, surtout à celles qui comportent des formes géométriques, cela afin de leur donner des idées de production[1].

Les élèves auront à réaliser un tableau à la façon de Picasso en utilisant les outils de dessin vectoriel.

Donnez les consignes suivantes aux élèves :

1. Ouvrez l'application de dessin vectoriel.

2. Réalisez une œuvre détaillée portant sur le printemps à la façon de Picasso.

3. Imprimez.

4. Affichez à l'endroit prévu à cet effet.

[1] Vous trouverez une liste de sites sur Picasso dans les sites Internet présentés à la fin de ce module.

Rappel :
Réalisez
l'étape 3 du projet.

Notes personnelles

_____

_____

_____

_____

_____

_____

_____

_____

_____

_____

_____

_____

_____

_____

_____

_____

_____

_____

_____

_____

_____

_____

BUT

Se laisser emporter au royaume des légendes en écoutant un récit d'origine mexicaine.

ORGANISATION DE LA CLASSE

Collectif

MATÉRIEL NÉCESSAIRE

• *Par élève : manuel D (pages 73 à 76).*

• *Pour le soutien : activité complémentaire 64*

À FAIRE

Demander à la personne qui s'occupe de la bibliothèque de mettre en réserve quelques livres sur le Mexique, adaptés aux enfants de 7 et 8 ans.

TEMPS SUGGÉRÉ

150 min

Situation d'apprentissage 8

UNE HISTOIRE À ÉCOUTER

Il y eut un *avant*, puis un *après*. Avant, la tristesse et le silence régnaient sur la terre et sur la grisaille des jours. Après survinrent la joie et les rires : le bonheur venait de naître sur la terre. Ce jour-là, en effet, les dieux avaient créé la musique.

SAVOIRS ESSENTIELS DES DIFFÉRENTES COMPÉTENCES

C COMMUNIQUER ORALEMENT
A APPRÉCIER DES ŒUVRES LITTÉRAIRES

Connaissances liées au texte :

▶ Exploration et utilisation d'éléments caractéristiques de différents genres de textes ;
▶ Exploration de quelques éléments littéraires à des fins d'utilisation ou d'appréciation : personnages, temps et lieux du récit, séquence des événements ;
▶ Prise en compte des éléments de la situation de communication : intention, contexte, formes du registre standard ;
▶ Prise en compte d'éléments de cohérence : idées rattachées au sujet, reprise de l'information en utilisant des termes substituts (pronoms).

Stratégies de communication orale :

▶ Stratégies d'exploration ;
▶ Stratégies de partage ;
▶ Stratégies d'écoute ;
▶ Stratégies d'évaluation.

Stratégies liées à l'appréciation d'œuvres littéraires :

▶ S'ouvrir à l'expérience littéraire ;
▶ Établir des liens avec ses expériences personnelles ;
▶ Se représenter mentalement le contenu ;
▶ Échanger avec d'autres personnes.

U CONSTRUIRE SA REPRÉSENTATION DE L'ESPACE, DU TEMPS ET DE LA SOCIÉTÉ

Connaissances liées à l'univers social (ici et ailleurs) :

▶ Groupes (besoins, conditions de vie) ;
▶ Paysages (Mexique).

Techniques relatives à l'univers social :

▶ Temps : calcul de durée (décalage horaire entre deux endroits) ;
▶ Espace : localisation (carte, globe terrestre ou mappemonde), lecture et décodage de documents (textes et illustrations).

> Cette situation d'apprentissage permet d'aborder des connaissances relevant du domaine des arts, plus spécifiquement des disciplines **musique** et **arts plastiques**. Toutefois, aucune compétence dans ce domaine ne sera développée.

2

ACTION
EN CLASSE

ACTIVITÉ DE SOUTIEN

*Activité complé-
mentaire 64 :
Visualisation
(collectif)*

– *Laisser venir les
images suggérées
par des mots et
exprimer ce que
l'on ressent.*

▶ *L'élève exprime
ses sentiments,
ses doutes, ses
questions, ses
hypothèses, ses
perceptions
ou son point
de vue.*

⚙ Préparation

- Demandez aux élèves s'il y en a parmi eux qui sont déjà allés au Mexique. Si oui, invitez-les à évoquer les souvenirs qu'ils en ont gardé : paysages, maisons, habitants, température, végétation et nourriture.

Si, dans votre groupe, vous avez des élèves d'origine mexicaine, voyez ce qu'ils peuvent apprendre à leurs pairs sur le Mexique. Sinon, demandez-leur d'interroger leurs parents sur les aspects énumérés au premier paragraphe. Invitez-les, si c'est possible, à apporter des objets ou des vêtements caractéristiques, qu'ils pourraient présenter à la classe.

Si personne du groupe n'a visité le Mexique ou n'en est originaire, demandez tout de même aux élèves de dire ce qu'ils savent de ce pays, de ses paysages, de ses habitants et de leurs coutumes. Il est possible que certains préjugés soient énoncés. Profitez-en pour faire

2

ACTION EN CLASSE

(SUITE)

prendre conscience aux enfants que les idées qu'ils véhiculent ne sont pas toujours conformes à la réalité.

Si des livres ont été mis en réserve à la bibliothèque, amenez-y les élèves afin qu'ils puissent ajouter de nouvelles connaissances à celles qu'ils ont peut-être déjà sur le Mexique. Faites observer les illustrations qui fourniront des renseignements précieux sur les coutumes (vêtements, nourriture, maisons, fêtes) et sur les paysages du Mexique.

De retour en classe, faites ouvrir le manuel D à la page 73. Lisez avec les élèves le préambule d'Andrés. Renseignez-les sur ce qu'on appelle une légende: récit traditionnel populaire, plus ou moins fabuleux, qui propose une explication à l'existence d'un certain nombre de réalités et de phénomènes.

Situez le Mexique sur la carte, au bas de la page, ou sur une mappemonde ou un globe terrestre. Soulignez que les États-Unis séparent le Québec du Mexique.

Parlez du décalage horaire, nettement moins prononcé que celui qu'il y a entre le Québec et la Corée. Faites-le constater en revenant à la page 19 du manuel D.

Présentez les personnages de la légende *Comment Ah Kin Xooc changea de nom.*

Associez les illustrations avec certains de ces dieux en vous servant des pages 74 et 75 du manuel D. (Il est important de ne pas montrer tout de suite l'illustration représentant Ah Kin Xooc à la page 76 du manuel D. Par ailleurs, simplifiez au maximum la prononciation des noms propres.)

– Le dieu des dieux: Hunab Ku (non illustré);

– le dieu des cieux, fils de Hunab Ku: Itzamna (représenté à la page 74 du manuel D);

– la déesse de la Lune, épouse de Itzamna: Ixchel (non représentée);

– le dieu du Vent: Kukulkan (1re illustration à partir du haut de la page 75 du manuel D);

– le dieu de l'Eau: Chaac (2e illustration, page 75 du manuel D);

– le dieu des Mers: Yunmchaac (3e illustration, page 75 du manuel D);

– le dieu de la Nuit: Khan Puccikal (4e illustration, page 75 du manuel D);

– le dieu des Oiseaux: Wayom Chichichch (dernière illustration, bas de page 75 du manuel D).

(Ah Kin Xooc: on ne mentionne pas de quoi il est le dieu. Surtout, ne parlez pas de son nouveau nom, qui est révélé à la page 76 du manuel D. Dites aux élèves qu'ils l'apprendront à la fin du récit.)

Vous pourriez ne pas identifier les dieux par leur nom et vous contenter de mentionner ce sur quoi règne chacun d'eux (ex.: dieu du Vent, dieu des Mers, etc.). Écrivez ces attributs au tableau si vous croyez faciliter ainsi l'écoute. Si vous nommez les dieux, simplifiez autant que possible la prononciation de leurs noms.

 Réalisation

• Proposez aux élèves de s'installer confortablement pour écouter la légende mexicaine. Si un coin de la classe est aménagé pour ce faire, regroupez-y vos élèves.

Faites la lecture du texte jusqu'à *décida Itzamna*, 2e ligne, page 75 du manuel D.

Demandez aux élèves ce que le fils du dieu des dieux avait offert aux hommes pour les rendre aussi heureux que lui (l'écriture et les livres). Quel en fut le résultat? (Les hommes ne changeaient pas et ne se réjouissaient même pas des beautés de la nature.)

Invitez les élèves à formuler ici des suggestions pour parvenir à rendre heureux les habitants de la Terre.

Poursuivez jusqu'à la fin du texte.

 Intégration et réinvestissement

• Proposez aux élèves de dire ce qu'ils ont compris de la légende. Quel sera désormais le nom de Ah Kin Xooc? (prince des chanteurs et des musiciens) Montrez l'illustration représentant Ah Kin Xooc, à la page 76 du manuel D.

2

**ACTION
EN CLASSE
(SUITE)**

Comme les élèves ont appris qu'une légende est une explication poétique d'une réalité, demandez-leur de quelle réalité il s'agit ici.

Demandez aux élèves s'ils croient que la musique peut rendre les gens plus heureux. Faites nommer des événements de la vie où la musique tient une grande place (mariage, funérailles, célébrations diverses). Vous pourriez laisser les élèves parler librement des diverses sortes de musique, du lien entre danse et musique, etc. Vérifiez si certains d'entre eux prennent des cours de musique ou font partie d'une chorale et, le cas échéant, invitez-les à parler des émotions, du plaisir que leur procure cette activité.

Faites relever les beautés de la nature que Ah Kin Xooc a réunies en vue de créer la musique. Prenez quelques minutes pour évoquer les bruits de la nature qui sont généralement reconnus comme poétiques (le murmure du vent, le bruit de l'eau qui coule, le bruissement des feuilles, etc.). Faites nommer d'autres bruits de la nature (roulements de tonnerre, chutes d'eau, chants des

oiseaux, cris des animaux, hurlements d'un vent de tempête, silence de la neige qui feutre tous les sons, etc.).

Invitez les élèves à nommer ce qu'ils considèrent personnellement comme des beautés de la nature.

Demandez-leur de relever, dans le module, un ou des textes qui parlent des beautés de la nature. (*Les hirondelles font le printemps*, page 58; *Fou de joie*, page 65.)

Permettez aux élèves d'exprimer leur appréciation quant aux illustrations. Pourquoi les personnages sont-ils représentés par des traits étranges? Faites établir un lien entre ces illustrations et le nom des dieux (forme d'art et désignation propres au Mexique d'autrefois).

Proposez à quelques élèves de se relayer pour raconter la légende dans ses grandes lignes.

Faites faire un lien entre cette légende et le thème du module: «Notre belle Terre». (Dans la légende, il est question des habitants de la Terre et de l'intervention des divers éléments de la nature pour leur procurer le bonheur. Or, la Terre et la nature sont au centre du module.)

3

**RETOUR
SUR
L'ENSEIGNEMENT**

- Les élèves se sont-ils mis dans les meilleures dispositions pour faire une écoute attentive du récit?

- Ont-ils participé aux échanges?

 TIC

Les adorateurs de Ah Kin Xooc

Pour réaliser cette activité, l'élève devra faire une recherche sur le Web en utilisant un moteur de recherche.

Donnez les consignes suivantes aux élèves:

1. Ouvrez le fureteur.

2. Sélectionnez un moteur de recherche dans la banque de signets.

3. Inscrivez le mot MAYAS dans le champ de recherche.

4. Sélectionnez quelques sites pour trouver des renseignements sur les Mayas.

5. Imprimez les pages les plus intéressantes.

6. Présentez la recherche devant le groupe.

*Rappel:
Réalisez l'étape 3
du projet (suite).*

PLANIFICATION DE L'ENSEIGNEMENT

BUT

Mesurer, dans un nouveau contexte, le degré de maîtrise des contenus relatifs aux compétences en lecture et en écriture, vus au cours de cette deuxième moitié du module.

ORGANISATION DE LA CLASSE

Collectif, équipes de deux, équipes de trois ou de quatre, individuel

MATÉRIEL NÉCESSAIRE

Par élève : manuel D (pages 77, 78 et 79), feuilles reproductibles 18.8, 18.9 et Fais le point avec Astuce 2

À FAIRE

Photocopier les feuilles reproductibles 18.8, 18.9 et Fais le point avec Astuce 2

TEMPS SUGGÉRÉ

180 min

Fais le point avec Astuce

L'heure est venue de prendre le pouls des compétences en lecture et en écriture. À travers les diverses activités proposées, les élèves prendront conscience de leurs réussites, de leurs progrès et de leurs difficultés. Ce sera l'occasion pour vous de déterminer où il y a lieu de mettre l'accent au cours des prochains modules.

SAVOIRS ESSENTIELS DES DIFFÉRENTES COMPÉTENCES

L **LIRE DES TEXTES VARIÉS**
E **ÉCRIRE DES TEXTES VARIÉS**

Connaissances liées au texte :

- ► Exploration et utilisation d'éléments caractéristiques de différents genres de textes ;
- ► Exploration de quelques éléments littéraires à des fins d'utilisation ou d'appréciation : personnages, lieux du récit, séquence des événements ;
- ► Exploration et utilisation de la structure des textes ;
- ► Prise en compte des éléments de la situation de communication : intention, contexte, formes du registre standard ;
- ► Prise en compte d'éléments de cohérence : idées rattachées au sujet, reprise de l'information en utilisant des termes substituts (pronoms).

Connaissances liées à la phrase :

- ► Recours à la ponctuation : point ;
- ► Reconnaissance et utilisation du groupe du nom : Pronom, Nom, Dét. + Nom ;

- ► Accords dans le groupe du nom : Dét. + Nom ;
- ► Exploration et utilisation du vocabulaire en contexte ;
- ► Utilisation de l'orthographe conforme à l'usage.

Stratégies de lecture :

- ► Stratégies de reconnaissance et d'identification des mots d'un texte ;
- ► Stratégies de gestion de la compréhension ;
- ► Stratégies d'évaluation de sa démarche.

Stratégies d'écriture :

- ► Stratégies de planification ;
- ► Stratégies de mise en texte ;
- ► Stratégies de révision ;
- ► Stratégies de correction ;
- ► Stratégies d'évaluation de sa démarche.

Techniques :

- ► Apprentissage de la calligraphie ;
- ► Utilisation de manuels de référence.

Notes personnelles

Fais le point avec Astuce

Les maisons de Paola

Paola se promène à vélo. Tout à coup, elle aperçoit une grosse boîte de carton sur le trottoir. La boîte est vide, complètement vide. Paola transporte la boîte dans le champ derrière la maison. Elle s'en fait une jolie cabane.

Mais soudain, TOC! TOC! TOC!, un lièvre frappe à la porte en disant :

– Nous avons froid. Pouvons-nous nous réchauffer, ma famille et moi?

– Bien sûr, répond Paola.

Le lièvre fait entrer tous ses enfants dans la cabane de Paola. Ils sont si nombreux que Paola ne peut plus bouger.

Alors, Paola a une idée. Elle monte sur son vélo et elle arpente les rues, les parcs et les ruelles. Elle trouve plusieurs grosses boîtes et elle fabrique une maison pour chacun des lièvres.

Les lièvres n'ont plus froid. Ils se tiennent bien au chaud dans les jolies cabanes de Paola. Tout est bien qui finit bien.

Gilles Tibo

77

Je comprends ce que je lis

1. a) Quel est le nom de la petite fille?
   b) Donne deux adjectifs pour décrire la boîte au début de l'histoire.
   c) Que fait la petite fille avec cette boîte?

2. a) Où est la cabane?
   b) Qui frappe à la porte?
   c) Qui entre dans la cabane de Paola?

3. a) Quel est le moyen de transport utilisé par Paola?
   b) Où Paola trouve-t-elle des boîtes vides?
   c) Que fait Paola avec les boîtes vides?

Je révise des sons

chandail	éventail	rayon	travail
écureuil	moyen	soleil	voyage
épouvantail	orteil	sommeil	yeux

78

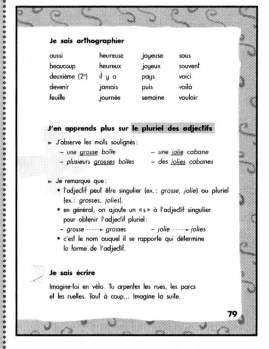

Je sais orthographier

aussi	heureuse	joyeuse	sous
beaucoup	heureux	joyeux	souvent
deuxième (2ᵉ)	il y a	pays	voici
devenir	jamais	puis	voilà
feuille	journée	semaine	vouloir

J'en apprends plus sur le pluriel des adjectifs

▶ J'observe les mots soulignés :
   – une _grosse_ boîte   – une _jolie_ cabane
   – plusieurs _grosses_ boîtes   – des _jolies_ cabanes

▶ Je remarque que :
   • l'adjectif peut être singulier (ex. : grosse, jolie) ou pluriel (ex. : grosses, jolies).
   • en général, on ajoute un «s» à l'adjectif singulier pour obtenir l'adjectif pluriel :
     – grosse ⸺ grosses   – jolie ⸺ jolies
   • c'est le nom auquel il se rapporte qui détermine la forme de l'adjectif.

Je sais écrire

Imagine-toi en vélo. Tu arpentes les rues, les parcs et les ruelles. Tout à coup... Imagine la suite.

79

- N'oubliez pas toutefois de répartir sur deux semaines l'étude des mots de _Je sais orthographier_.

Préparation

- Reprenez, au besoin, les explications préparatoires à la marche à suivre dans les diverses activités de cette rubrique. Invitez les élèves à décrire la façon de procéder en chaque cas, afin de vous assurer que tous savent ce qu'il y a lieu de faire. À titre indicatif, voici l'essentiel de cette préparation.

JE COMPRENDS CE QUE JE LIS

- Invitez quelques élèves à nommer la première partie de la démarche de lecture d'un texte (lecture du titre et observation des illustrations afin de formuler une intention de lecture et d'émettre des hypothèses sur le contenu).

  Rappelez, s'il y a lieu, l'avantage d'utiliser les stratégies de lecture. Demandez aux élèves de les nommer et de les décrire. Soulignez également l'importance de visualiser le contenu d'un texte et de relire certains passages difficiles.

  Redites aux élèves que la lecture est une activité individuelle, mais qu'ils peuvent opter pour une lecture en groupe pour s'entraider. Vous pouvez aussi «inviter» certains d'entre eux à se joindre à vous afin d'être soutenus dans cette activité.

JE RÉVISE DES SONS

- Faites une révision de quelques sons vus depuis le début de l'année, en insistant particulièrement sur ceux qui ne

sont pas tout à fait maîtrisés. Servez-vous des observations que vous avez pu faire pour identifier les faiblesses des élèves. Notez toutefois que les sons proposés dans cette rubrique peuvent ne pas correspondre à ceux sur lesquels trébuche votre groupe.

La rubrique propose la révision des sons : [a+j] – *ail*; [ɘ+j] – *euil*; [j] – *y*; [ɛ+j] – *eil*.

JE SAIS ORTHOGRAPHIER

- Demandez aux élèves de se remémorer les diverses stratégies connues pour retenir l'orthographe des mots. Au besoin, revoyez avec eux les pages 139 à 141 du manuel D pour appliquer ces stratégies comme il convient.

JE SAIS ÉCRIRE

- Rappelez ou faites rappeler, au besoin, les étapes du processus d'écriture :

  - planification : partage et choix des idées ;

  - rédaction : mise en mots et en phrases des idées, emploi d'un symbole pour repérer les mots dont l'orthographe est douteuse, variété et précision des mots choisis ;

  - révision : lecture pour vérifier et rectifier, s'il y a lieu, la présence de tous les mots dans la phrase, la ponctuation, la construction des phrases ;

  - correction : lecture et rectification, s'il y a lieu, de l'orthographe d'usage et grammaticale ;

  - transcription : fidèle, calligraphie soignée ;

  - lecture finale : vérification de l'ensemble du texte ;

  - diffusion et autoévaluation : retour sur l'ensemble de l'activité.

Réalisation

JE COMPRENDS CE QUE JE LIS

Invitez les élèves à lire le texte de la page 77 du manuel D, puis à répondre aux questions qui suivent, à la page 78.

Formez des tandems et distribuez à chaque élève les feuilles reproductibles 18.8 et 18.9 : *Les maisons de Paola*. Faites remplir l'organisateur graphique qui y est proposé.

NOTE : Cet organisateur graphique est présenté en cinq temps. Selon la capacité de compréhension des élèves de votre classe, vous pouvez le modifier afin qu'il corresponde au récit en trois temps (début, milieu et fin) proposé pour le premier cycle dans le Programme.

- Situation de départ : Paola, qui se promène à vélo, aperçoit une énorme boîte de carton vide. Elle la transporte dans le champ derrière chez elle pour s'en faire une maison.

- Événement déclencheur : un lièvre frappe à sa porte. Il a froid et veut entrer se réchauffer avec sa famille.

- Problème : le nombre de lièvres dans la maison empêche Paola de bouger.

- Dénouement : en vélo, Paola circule dans les rues, les ruelles et les parcs, et finit par dénicher d'autres boîtes avec lesquelles elle fabrique une maison pour chaque lièvre.

- Situation finale : les lièvres sont désormais bien au chaud dans les maisons de Paola.

Animez une mise en commun de cette activité. Veillez à ce que chaque étape du récit soit comprise. Informez les élèves qu'ils auront un récit à composer à la toute fin de la rubrique et qu'ils

pourront tirer parti de l'organisateur graphique (feuille reproductible 18.8) pour le construire.

Invitez les élèves à répondre individuellement aux questions de compréhension de la page 78 du manuel D. Ne confiez qu'un ou deux blocs de questions aux élèves faibles. Par contre, lancez aux plus forts le défi de répondre aux questions du troisième bloc.

JE RÉVISE DES SONS

• Demandez aux élèves de lire individuellement les mots proposés dans cette section de la rubrique.

Cette activité présente certains des sons étudiés au cours de l'année. Aussi, lors de la mise en commun des réponses, importe-t-il de prendre note des principales faiblesses des élèves et de prévoir une révision systématique des sons en cause.

La révision porte sur les sons : [a+j] – ***ail*** ; [ə+j] – ***euil*** ; [j] – *y* ; [ɛ+j] – ***eil***.

Voici les regroupements que vous pourriez suggérer de faire. Demandez aux élèves de souligner ou d'encercler dans chaque mot les lettres correspondant au son recherché.

– Mots porteurs des sons [a+j] : *chan**dail**, épouvant**ail**, évent**ail**, trav**ail***.

– Mot porteur des sons [ə + j] : *écur**euil***.

– Mots porteurs des sons [wa + j] : *mo**y**en, vo**y**age*.

– Mots porteurs des sons [ɛ + j] : *ort**eil**, ra**y**on, sol**eil**, somm**eil***.

– Mot porteur du son [j] : *y**eux***.

– Mot porteur du son [ø] : *y**eux***.

Informez les élèves qu'ils compareront leurs réponses avec celles de leurs coéquipiers (les camarades avec lesquels ils feront équipe pour réaliser la prochaine activité).

 ou

• Formez des équipes de trois ou de quatre élèves. Une fois terminée la mise en commun des réponses sur les sons, invitez-les à appliquer les diverses stratégies d'apprentissage de l'orthographe afin de mémoriser les mots de cette liste.

Conseillez aux élèves de consulter les pages 139 à 141 du manuel D avant d'appliquer les stratégies qui conviennent aux mots à retenir.

Rappel : Répartissez l'apprentissage des mots de cette liste dès l'amorce de cette partie du module.

Pour terminer, demandez aux élèves de se donner mutuellement à épeler des mots de la liste.

Présentez aux élèves la règle de formation du pluriel des adjectifs. Écrivez les exemples au tableau et faites constater la modification qui s'opère lorsqu'on passe du singulier au pluriel.

Lisez cette section de la rubrique avec le groupe. (La leçon portant sur la formation du pluriel des adjectifs a été présentée à la page 65 du module 17, en même temps que la règle de formation du féminin des adjectifs. Au besoin, faites un retour sur ces notions avec la classe. Comme la même règle s'applique aux deux notions, elles apparaissent en une seule leçon dans le guide, alors que le manuel de l'élève présente deux leçons distinctes.)

J'EN APPRENDS PLUS SUR LE PLURIEL DES ADJECTIFS

• Si vous avez jugé approprié de donner la leçon de grammaire du module 17 (p. 65) sur le pluriel des adjectifs (proposée

également au cours de la situation d'apprentissage 6 du module 18), revoyez avec les élèves les notions qui y ont été exposées. Revenez également sur la formation du féminin des adjectifs, et faites-leur relever dans leurs projets d'écriture des exemples d'adjectifs.

JE SAIS ÉCRIRE

- Laissez au tableau, en guise d'aide-mémoire, les étapes du processus d'écriture. Faites identifier par les élèves les diverses références qu'ils peuvent consulter au cours de l'activité. Placez-les bien en vue et rappelez qu'il est toujours possible de vous consulter ou de s'adresser à un pair en cas de difficulté.

Au moment déterminé, invitez les élèves à tirer parti de l'organisateur graphique pour les besoins de leur rédaction.

Circulez dans la classe et lisez tous les textes avant leur transcription. Soulignez-y non seulement ce qui doit être corrigé ou amélioré, mais aussi ce qui est digne de mention.

Une fois les textes transcrits, invitez les élèves à les lire à la classe. Invitez les auditeurs à se rappeler au moins une idée originale mise en mots et à l'associer à son auteur ou auteure.

 Intégration et réinvestissement

JE COMPRENDS CE QUE JE LIS

- Invitez les élèves à identifier les stratégies auxquelles ils ont eu recours.

Faites une mise en commun des réponses aux questions de la page 78 du manuel D.

Invitez les élèves à proposer des illustrations qui pourraient soutenir le texte. Demandez-leur de lire le passage du texte qui y correspond.

JE RÉVISE DES SONS

- Animez une mise en commun des regroupements, et demandez à chaque élève de mentionner les sons qui lui ont été difficiles à identifier. Prenez-les en note afin d'y revenir sous peu.

Invitez les élèves qui ont pu identifier la plupart des mots porteurs des sons demandés à expliquer comment ils y sont parvenus.

JE SAIS ORTHOGRAPHIER

- Invitez un ou une porte-parole par équipe à indiquer les stratégies appliquées à la mémorisation des mots de la liste.

Choisissez quelques-uns des mots de la liste et demandez à des élèves de les épeler.

JE SAIS ÉCRIRE

- Demandez à chaque élève de mentionner l'idée originale qu'il ou elle a retenue dans les textes de ses camarades et d'indiquer qui en est l'auteur ou l'auteure.

Invitez les élèves à classer individuellement les activités d'écriture (poésie, récit, lettre, texte d'invitation, texte d'information) de la plus intéressante à la moins intéressante.

Faites un retour sur l'ensemble de la rubrique et demandez aux élèves s'ils réalisent qu'en début d'année probablement personne dans le groupe n'aurait pu accomplir le travail qui y a été demandé.

Invitez chacun et chacune à noter l'activité de la rubrique qui lui plaît particulièrement et celle qui a le moins d'intérêt à ses yeux. Faites aussi noter ce qui est réussi et ce qui l'est moins.

Demandez aux élèves d'examiner ce qu'ils ont écrit : Y a-t-il un lien entre satisfaction et réussite ? entre désintérêt (ou déplaisir) et difficulté ?

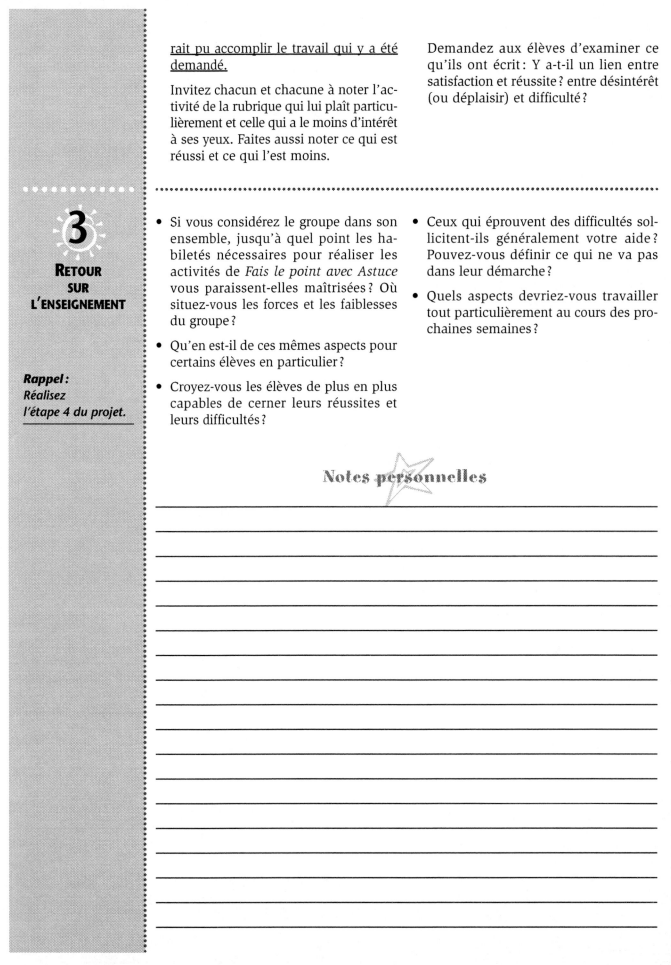

3
RETOUR SUR L'ENSEIGNEMENT

Rappel :
Réalisez l'étape 4 du projet.

- Si vous considérez le groupe dans son ensemble, jusqu'à quel point les habiletés nécessaires pour réaliser les activités de *Fais le point avec Astuce* vous paraissent-elles maîtrisées ? Où situez-vous les forces et les faiblesses du groupe ?

- Qu'en est-il de ces mêmes aspects pour certains élèves en particulier ?

- Croyez-vous les élèves de plus en plus capables de cerner leurs réussites et leurs difficultés ?

- Ceux qui éprouvent des difficultés sollicitent-ils généralement votre aide ? Pouvez-vous définir ce qui ne va pas dans leur démarche ?

- Quels aspects devriez-vous travailler tout particulièrement au cours des prochaines semaines ?

Notes personnelles

À l'ordinateur avec Marilou

Le module 18 comprend trois activités distinctes:

- une activité de navigation
  – *Une simple question d'écologie*;

- une activité de navigation
  – *Notre belle planète bleue*;

- une activité de diaporama
  – *L'histoire de Flora*.

Activité 1

UNE SIMPLE QUESTION D'ÉCOLOGIE

TYPE D'ACTIVITÉ

Activité simple, autonome

MATÉRIEL NÉCESSAIRE

Dossier MODULE 18 du cédérom

TEMPS SUGGÉRÉ

Environ 10 min par élève

- Cette activité de navigation est axée sur la sélection de l'information. Elle favorise le développement d'une compétence d'ordre intellectuel (sélectionner), d'une compétence d'ordre méthodologique (utiliser un fureteur) et de deux compétences disciplinaires (le français – écoute et lecture – et les sciences). Certaines directives sont données en mode vocal, d'autres en mode écrit.

- Il est proposé à l'élève d'aider Marilou à sensibiliser les gens pour qu'ils deviennent plus respectueux de leur environnement.

- Vous trouverez la démarche proposée pour réaliser l'activité 1 dans le dossier MODULE 18 du cédérom.

- Il faut prévoir environ 10 min par élève pour réaliser cette activité.

Activité 2

NOTRE BELLE PLANÈTE BLEUE

TYPE D'ACTIVITÉ

Activité moyenne, requérant l'aide d'un ou d'une élève d'une classe supérieure.

MATÉRIEL NÉCESSAIRE

Dossier MODULE 18 du cédérom

TEMPS SUGGÉRÉ

De 15 à 25 min par élève

- Cette activité de navigation est axée sur la collecte et la sélection de l'information. Elle favorise le développement de compétences d'ordre intellectuel (retenir et sélectionner), de deux compétences d'ordre méthodologique (utiliser un fureteur, utiliser les menus) et de deux compétences disciplinaires (le français – lecture – et les sciences). Toutes les directives sont données en mode écrit.

- Il est proposé à l'élève de situer la planète Terre dans le système solaire. L'élève sera aussi incité ou incitée à prendre connaissance des caractéristiques de cette planète par rapport aux autres planètes qui gravitent autour du Soleil.

- Vous trouverez la démarche proposée pour réaliser l'activité 2 dans le dossier MODULE 18 du cédérom.

- Il faut prévoir entre 15 et 25 min par élève.

Activité 3

L'HISTOIRE DE FLORA

TYPE D'ACTIVITÉ
Activité complexe, autonome

MATÉRIEL NÉCESSAIRE
Dossier MODULE 18 du cédérom

TEMPS SUGGÉRÉ
Environ 20 min par élève

- Dans cette activité, l'élève doit créer un diaporama en respectant les étapes de croissance d'une plante. Elle favorise le développement d'une compétence d'ordre intellectuel (respecter une séquence logique), d'une compétence d'ordre méthodologique (exploiter les TIC pour bâtir un diaporama) et d'une compétence disciplinaire (le français). Certaines directives sont données oralement, d'autres le sont par écrit.

- Il est proposé à l'élève de reconstituer les étapes de croissance d'une plante annuelle.

- Vous trouverez la démarche proposée pour réaliser l'activité 3 dans le dossier MODULE 18 du cédérom.

- Il faut prévoir environ 20 min par élève pour réaliser cette activité.

Notes personnelles

_____

_____

_____

_____

_____

_____

_____

_____

_____

_____

_____

_____

_____

_____

_____

_____

_____

_____

_____

_____

_____

_____

Activités d'animation littéraire

Pour ce module, deux animations de la lecture sont proposées. Le conte d'explication *La poudre magique* et le conte symbolique *Le jardin de Monsieur Préfontaine* abordent les mêmes sujets écologiques : la pollution et la destruction d'écosystèmes.

Variante: Vous pourriez animer que le conte *La poudre magique*.

Activité 1
LA POUDRE MAGIQUE

 Préparation

- La veille, avant de lire personnellement le conte, lisez le texte *Pour en savoir plus*, aux pages 30 et 31.

Les deux activités suivantes sont communes aux deux animations.

Animez une discussion portant sur une visite que les élèves ont déjà réalisée dans un parc, un jardin ou un potager. Faites préciser l'endroit, le propriétaire (parents, voisins, municipalité, etc.), le moment de l'année, etc. Demandez-leur ce qu'ils ont observé, ce qui a attiré leur attention, ce qui les a impressionnés, s'ils ont vu des plantes malades, etc.

Proposez aux élèves de dessiner un jardin extraordinaire. Le plus beau des jardins qu'ils puissent imaginer ! Avant de passer à la réalisation, faites visualiser aux élèves un jardin mettant en valeur leurs cinq sens. Après chaque visualisation, animez un échange avec les élèves.

La vue. Qu'avez-vous vu dans ce jardin ? (fleurs, arbres, arbustes, fruits, animaux, aménagement, meubles, construction, etc.)

L'ouïe. Quels sons avez-vous entendus ? D'où proviennent-ils ? (animaux, eau d'un ruisseau, eau d'une fontaine, voix, etc.)

L'odorat. Quelles odeurs avez-vous senties ? Étaient-elles agréables ? (parfum des fleurs) désagréables ? (pourriture, déchets humains, excréments d'animaux, etc.) ?

Le toucher. Vos mains ont-elles touché des choses douces ? rudes ? piquantes ?

Le goût. À quoi avez-vous goûté ? (légumes, fruits, fines herbes, etc.)

Après cette visualisation, invitez les élèves à réaliser leur dessin.

Variante: Les élèves pourraient créer une grande murale à la gouache en pain. Les élèves regroupés en équipes sont responsables des différents éléments de la composition de l'œuvre: personnages, végétation (arbres, arbustes, fleurs, potager), animaux, aménagements divers (mobilier, portiques, construction, etc.), plan d'eau, etc.

Réalisation

- Dites aux élèves qu'ils écouteront une histoire de Jean-Pierre Guillet qui a écrit plusieurs histoires sur la pollution et la conservation de la nature : *Mystère aux Îles-de-la-Madeleine* (1992) et *Enquête sur la falaise* (1992) aux éditions Quintin dans la collection «Nature jeunesse»; *La fête à l'eau* (1993), *La machine à*

BUTS
- Anticiper certains événements de l'histoire à partir des illustrations.

- Se remémorer des éléments narratifs du conte en observant les illustrations après la lecture du texte.

- Établir des liens entre des éléments de l'illustration et ceux du texte.

- Établir des liens entre les situations d'apprentissages 3 et 4 du manuel et un conte à visée scientifique.

- Établir des liens entre le contenu écologique de deux contes et leurs connaissances.

- Comparer certains éléments narratifs de ces deux contes.

- Reconnaître pourquoi les deux contes pourraient intéresser la naturaliste Nathalie Juteau.

ORGANISATION DE LA CLASSE
Collectif, en équipes, individuel

MATÉRIEL NÉCESSAIRE
La poudre magique par Jean-Pierre Guillet, Waterloo, Quintin, 1993, 31 p., feuille de papier pour dessiner et crayons-feutres ou grand papier blanc

et gouache en pain, les autres titres de l'auteur voir l'étape «Préparation»

LIEU ET TEMPS

La veille : en classe pour réaliser le dessin d'un jardin.

La journée de l'animation de la lecture : en classe, les élèves sont assis par terre, en demi-cercle, près de l'enseignant ou de l'enseignante.

Cette activité devrait idéalement être réalisée après la situation d'apprentissage 4.

bulles (1994) et enfin *La poudre magique* (1993) édités aussi aux éditions Quintin dans la collection «Contes écologiques». Montrez ces livres en informant les enfants que l'auteur a utilisé des renseignements scientifiques pour écrire ses histoires. Après avoir écouté attentivement le conte *La poudre magique* et participé activement à l'animation, ils pourront savoir pourquoi cette histoire est susceptible d'intéresser la naturaliste Nathalie Juteau.

NOTE : Dans un conte à visée scientifique, les élèves de 7-8 ans n'ont pas toutes les connaissances nécessaires ni le discernement requis pour distinguer les éléments narratifs relevant de l'imaginaire de ceux qui sont scientifiques. Toutefois, la réalisation des activités des situations d'apprentissage, pages 60 à 64, permettra aux élèves d'être plus habiles pour relever les aspects scientifiques du conte.

Faites lire le titre et observer l'illustration ; demandez ensuite aux élèves de tenter d'établir un lien entre le titre et l'illustration. Puis, montrez le texte imprimé sur la quatrième de couverture. Demandez aux élèves pourquoi il est important de lire ce texte avant d'emprunter un livre à la bibliothèque ou de l'acheter en librairie. (Ce texte ne résume jamais l'ensemble d'une histoire, seulement le début.) Lisez le texte de présentation de la quatrième de couverture et demandez aux élèves en quoi ce texte ressemble à leur anticipation. Enfin, incitez-les à répondre à la question du texte de présentation.

NOTE : Tout au long de l'animation, avant de lire une double page, faites observer l'illustration ; invitez les élèves à anticiper dans leur tête. Après la lecture du texte de la double page, demandez aux élèves de se remémorer, dans leur tête, la partie de l'histoire correspondant à l'illustration que vous leur montrez de nouveau.

Les questions suivantes permettront aux élèves de développer une meilleure compréhension du récit et d'en anticiper certains événements.

Après la lecture de la page 4 :

– *Quels secrets le magicien pourrait-il connaître ?*

(Avant que les élèves répondent à la question, demandez-leur de se rappeler du titre du conte et du texte de présentation.)

Après la lecture du premier paragraphe de la page 7 :

– *En visitant un jardin, avez-vous déjà fait les mêmes observations que le magicien ? Avez-vous remarqué d'autres choses qui auraient intéressé le magicien ? insectes morts ? feuilles ou fleurs pourries au sol ?, etc.*

Après la lecture de la page 8 :

– *Quel pourrait être cet autre secret ?*

(Avant que les élèves répondent à la question, demandez-leur de se rappeler du titre du conte et du texte de présentation.)

Après la lecture de la page 13 :

– *Avec quelle idée êtes-vous d'accord ? Celle du roi ou celle de la princesse ? Expliquez pourquoi.*

Faites établir des liens entre le contenu scientifique du conte et leurs connaissances. Les élèves utiliseront certainement les renseignements des textes, pages 60 à 64.

Après la lecture du premier paragraphe de la page 17 :

– *Malheureusement qu'arrive-t-il ? Expliquez pourquoi.*

Faites établir des liens entre le contenu scientifique du conte et leurs connaissances. Les élèves utiliseront certainement les renseignements des textes, pages 60 à 64.

Après la lecture du premier paragraphe de la page 20 :

– *Alors, que pourrait-il arriver aux humains ?*

Après la lecture du premier paragraphe de la page 21 :

– *Pourquoi les sujets du roi réagissent-ils ainsi ?*

À la page 22 : Après « […] que cela pourrait nuire aux humains »

– *Croyez-vous aux paroles de Mouk Tchouk, le magicien ? Expliquez pourquoi.*

À la page 25 : Après « Sire papa, j'ai trouvé la solution ! »

– *D'après vous quelle pourrait être cette solution ?*

Après la lecture de la page 25 :

– *Croyez-vous que le miel peut être un vrai antidote pour guérir plantes, animaux et humains ? (Ayez en tête les renseignements des pages 30 et 31 lues la veille.)*

– *Pourquoi veut-il soigner également les animaux ?*

Faites établir des liens entre le contenu scientifique du conte et leurs connaissances. Les élèves utiliseront certainement les renseignements des textes, pages 60 à 64.

À la page 28 : Après « […] mais de façon raisonnable cette fois. »

– *D'après vous, comment s'y prendra-t-il ?*

Après la lecture du premier paragraphe :

– *Croyez-vous que ces moyens sont meilleurs que la poudre magique utilisée auparavant ? Expliquez pourquoi.*

Faites établir des liens entre le contenu scientifique du conte et leurs connaissances. Les élèves utiliseront certainement les renseignements des textes, pages 60 à 64.

Après la lecture de la page 29 :

– *Vous arrive-t-il d'observer, comme la princesse Clémentine, des insectes, « ces petits êtres de la nature » ? Quels plaisirs ressentez-vous à ce moment ?*

 **et** **Intégration**

• Faites observer leur dessin personnel ou leur murale collective, puis demandez-leur ce qu'ils pourraient ajouter à leur jardin, en se remémorant le conte.

Présentez aux élèves les deux autres albums de la collection « Contes écologiques » en lisant leur quatrième de couverture. Ensuite, offrez-leur de les leur prêter. Suggérez-leur d'emprunter aussi les autres livres de la sélection pour les lire ou pour se les faire lire par une personne adulte à la maison.

Demandez aux élèves si, d'après eux, la naturaliste Nathalie Juteau trouverait ce conte intéressant. Dites-leur d'expliquer pourquoi.

Notes personnelles

Activité 2

LE JARDIN DE MONSIEUR PRÉFONTAINE

BUTS

- Anticiper certains événements de l'histoire à partir des illustrations.

- Se remémorer des éléments narratifs du conte en observant les illustrations après la lecture du texte.

- Établir des liens entre des éléments de l'illustration et ceux du texte.

- Établir des liens entre les situations d'apprentissage 3 et 4 du manuel et un conte.

ORGANISATION DE LA CLASSE
Collectif, individuel

MATÉRIEL NÉCESSAIRE

Le jardin de Monsieur Préfontaine *par Annouchka Gravel Galouchko, Laval, Les 400 coups, 1997, 31 p. (Les grands albums), les autres titres de l'auteur (voir l'étape « Préparation »), des instruments de musique empruntés au ou à la spécialiste en musique.*

LIEU ET TEMPS
Le lendemain de l'animation du conte La poudre magique.

NOTE : Pour faciliter l'animation de cet album non paginé, nous nous référons quand même à une pagination, en considérant la page de titre comme la page un de l'album.

Pour mieux comprendre ce conte symbolique qui présente des difficultés de compréhension (vocabulaire et structure) nous proposons deux façons de le lire : paraphrasez certaines phrases dont le vocabulaire ou l'expression est difficile à comprendre ; placez avant les paroles d'un personnage qui sont rapportées directement : le verbe déclaratif ou la proposition incise. Par exemple, remplacez « Faites taire cette fontaine ! hurlait Corbeau » par « Corbeau hurlait : Faites taire cette fontaine ! »

🌀 Réalisation

- Annoncez aux élèves qu'ils écouteront l'histoire d'Annouchka Gravel Galouchko.

- Faites lire le titre et observer l'illustration surréaliste (les élèves seront fascinés par les personnages « bizarres ») ; demandez-leur ensuite de tenter d'établir un lien entre le titre et l'illustration. Après avoir montré la quatrième de couverture de cet album, demandez aux élèves quelle différence il y a entre cette page et celle de l'album *La poudre magique* (pas de texte de présentation).

NOTE : Avant de lire une page, faites observer aux élèves l'illustration surréaliste, des plus détaillées, en attirant leur attention sur les éléments iconographiques idoines au texte. Après la lecture de la page, demandez aux élèves de se remémorer la partie de l'histoire correspondant à l'illustration que vous leur montrez de nouveau.

Les questions suivantes permettront aux élèves de développer une meilleure compréhension du récit et d'en anticiper certains événements.

Après la lecture de la page 2 :

Faites observer les dessins des élèves ou la murale, en relisant le passage suivant : « Des fruits, des fleurs, des parfums, des couleurs [...] Une musique [...] ». Effectuez une pause entre chaque élément.

Après la lecture du premier paragraphe de la page 7 :

« Les vergers, dans ses yeux, devenaient des mines d'or. »

Demandez aux élèves d'expliquer cette image.

Après la lecture de la page 9 :

– *D'après vous, pourquoi Marguerite lui remit-elle la clé du jardin avec un léger sourire ? Pourquoi Marguerite, la jardinière au grand cœur, ne s'oppose-t-elle pas au projet de M. Corbeau comme l'a fait la princesse Clémentine lorsque le magicien Mouk Tchouk a présenté son projet à son père, le roi ?*

Après la lecture de la page 10 :

Demandez aux élèves d'expliquer pourquoi « Les petits animaux s'enfuirent et les oiseaux firent silence. »

« Corbeau tourna le dos à ses espoirs et quitta le jardin pour toujours. »

– *D'après vous, pour quelle raison Corbeau quitta-t-il le jardin pour toujours ?*

– *Qu'arrivera-t-il maintenant au jardin ? à Firmin Préfontaine ?*

Faites expliquer aux élèves leurs propositions.

Faites établir des liens entre le contenu scientifique du conte et leurs connaissances. Les élèves utiliseront certainement les renseignements des textes, pages 60 à 64.

Après la lecture de la page 15 :

– *D'après vous, pourquoi Firmin a-t-il dû envoyer tous ses employés ?*

Après la lecture de la page 18 :

Demandez aux élèves d'expliquer cette image : « Un jour que l'horloge tentait de réveiller Firmin, le coucou, son petit-fils, se mit à sonner à tue-tête et à contretemps. »

Après la lecture du premier paragraphe de la page 22 :

Faites compléter la phrase par les élèves.

« Oh ! souffla-t-il. Je vous ferai revivre… »

– *Que fera revivre Firmin ? Comment s'y prendra-t-il ?*

Après la lecture de la page 25 :

– *Pourquoi Firmin dormit-il si paisiblement ?*

Après la lecture de la page 30 :

Les élèves improvisent, avec les instruments de musique empruntés au spécialiste, une musique qui évoquerait celle entendue par Firmin dans son nouveau jardin. Cette activité pourrait aussi être réalisée au local de musique par l'enseignant ou l'enseignante en musique.

 Intégration

• Faites observer aux élèves leur dessin personnel ou leur murale collective, puis demandez-leur ce qu'ils pourraient ajouter à leur jardin, en se remémorant le conte.

Demandez aux élèves de relever les ressemblances entre les deux contes. Il importe que vous animiez la discussion en vous appuyant sur les principaux personnages des récits, de leurs gestes et paroles des lieux, des événements malheureux et heureux, etc. Ensuite, les élèves déterminent le conte qu'ils préfèrent en justifiant leur choix.

Présentez l'autre album de cette auteure-illustratrice :

Shò et les dragons d'eau, (1995, 30 p.). Elle a également illustré *Mala et le perle de pluie*, un conte indien (1996, 32 p.) Ces deux albums sont édités chez Anick Press.

Demandez aux élèves si la naturaliste Nathalie Juteau trouverait ce conte intéressant. Faites expliquer pourquoi.

Offrez aux élèves de le leur prêter. Suggérez-leur d'emprunter aussi les autres livres de la sélection pour les lire ou pour se les faire lire par une personne adulte à la maison.

Lorsqu'un ou une élève vous rend un livre, faites-lui la proposition de vous parler de sa lecture (ses sentiments éprouvés ; opinion d'ensemble ; niveau d'appréciation des illustrations, des personnages et des événements ; caractéristiques de l'histoire, etc.).

Invitez les élèves à faire connaître leur « coup de cœur », pour les deux contes, sur la grande affiche, dans le coin de lecture, ou dans leur *Album souvenirs de mes lectures* ; il leur faut y inscrire le titre du livre, le nom de l'auteur ou de l'auteure ainsi que celui de l'illustrateur ou de l'illustratrice ; et justifier oralement leur appréciation.

Demandez aux élèves quelle trace ils aimeraient conserver de cette lecture dans leur *Album souvenirs de mes lectures* (le dessin d'un personnage ? le dessin d'un passage drôle, triste, captivant, énervant ? la photo d'un modelage en pâte à modeler d'un personnage ou d'un objet ? des mots nouveaux dont il ou elle ne connaissait pas le sens ? un court commentaire ? etc.). Les élèves peuvent réaliser cette activité à la maison.

Effectuez les prêts. S'il y a des élèves qui désirent emprunter le même livre, le tirage au sort peut-être une modalité à envisager.

Enfin, assurez-vous que le livre, une fois rendu, est remis dans le coin de lecture afin qu'un ou une autre élève puisse l'emprunter à son tour.

BIBLIOGRAPHIE

NOTRE BELLE TERRE

Texte littéraire : fiction

MULLER, Gerda, *Mon arbre*, Paris, Gallimard jeunesse, 1993, 58 p. (Folio benjamin).

Texte littéraire : bande dessinée

ROSENSTIEHL, Agnès, *Mimi Cracra. L'herbe !* Paris, Seuil jeunesse, 2000, 41 p.

Texte littéraire : comptines et poésie

ARNOULD, Sophie, *101 poésies et comptines du bout du pré pour partir à la découverte de la nature*, Paris, Bayard, 1998, 216 p.

Textes courants

BAUMBUSCH, Brigitte, *La nature*, Paris, Nathan, 1999, 29 p. (Tralal'art)

BOUR, Laura, *Découvre les secrets de la nature*, Paris, Gallimard, 1996, 33 p. (Découverte benjamin)

COWCHER, Helen, *Antarctique*, Paris, Albin Michel, 1990, 33 p.

GANERI, Anita, *La Terre*, Saint-Lambert, Héritage, 1994, 32 p. (Questions-réponses, 6 / 9 ans)

J'aime la nature, Amsterdam, Time-Life/Fisher-Price, 1991, 63 p. (Mes livres préférés)

LE ROCHAIS, Marie-Ange, *Le chemin de l'école*, Paris, L'École des loisirs, 1998, 29 p. (Archimède)

LLEWELLYN, Claire, *Terre : découvre les merveilles de la vie terrestre / Mer : explore le monde caché sous l'océan*, Markham, Scholastic, 1999, 16 p. (Pile ou face)

LYE, Keith, *La Terre*, Paris, Larousse, 1992, 124 p. (Ma première encyclopédie)

METTLER, René, *La nature au fil des heures*, Paris, Gallimard jeunesse, 1999, 32 p.

SCHMID, Eleonore, *La terre : source de vie*, Zurich, Nord-Sud, 1994, 25 p.

SELS, Dirk, *La Terre sens dessus dessous*, Aartselaar, Chantecler, 1996, 35 p.

VANDEWIELE, Agnès, *L'imagerie de la Terre*, Paris, Fleurus, 1995, 131 p.

Aussi : *La Terre : pour la faire connaître aux enfants de 5 à 8 ans*, 1994, 27 p.

D'AUTRES CHAGRINS

Textes littéraires : fiction

BERTRON, Agnès, *Une maman comme le vent*, Arles, Actes Sud junior, 2000, 29 p. (Les histoires sages)

DALE, Elizabeth, *Igor*, Paris, Gallimard jeunesse, 1997, 28 p. (Folio benjamin)

HELLINGS, Colette, *Le grand-père de Tom est mort*, Paris, Mango jeunesse, 2000, 24 p.

KRINGS, Antoon, *Oscar le cafard*, Paris, Gallimard jeunesse, 1996, 25 p. (Giboulées. Drôles de petites bêtes)

ORAM, Hiawyn, *Blaireau a des soucis*, Paris, Gallimard, jeunesse, 1999, 46 p. (Folio benjamin)

WOETS, Freddy, *Étoile d'amour*, Paris, Père Castor Flammarion, 1999, 25 p.

Texte littéraire : comptines et poème

HOESTLANDT, Jo, *4 comptines pour les petits chagrins*, Paris, Père Castor, Flammarion, 1998, 14 p. (Petits câlins)

ENFIN LE PRINTEMPS !

Textes littéraires : fiction

BARKLEM, Jill, *Le printemps,* Paris, Gautier-Languereau, l999, 32 p. (Les Souris des quatre saisons)

CARNEY, Margaret, *L'érablière de mon grand-père,* Richmond Hill, Scholastic, l997, 30 p.

DAHAN, André, *Histoire de printemps : la surprise de Camille,* Tournai, Casterman, l994, 24 p. (Les Quatre saisons)

DUNBAR, Joyce, *Attends donc le printemps !* Paris, Gallimard, l994, 25 p.

Aussi dans la collection «Folio benjamin» (l995)

GUIDOUX, Marcus, *Les beaux jours,* Paris, Nathan, 1995, 12 p.

PFISTER, Marcus, *Flocon trouve un ami,* Zurich, Nord-Sud, l992, 12 p. (Un livre d'images Nord-Sud)

TIBO, Gilles, *Simon fête le printemps,* Montréal, Livres toundra, l990, 24 p. (Simon)

WALTERS, Catherine, *Maman, c'est bientôt le printemps ?,* Paris, Gründ, l997, 25 p.

Texte littéraire : légendes

Le Printemps, Paris, Hachette, l992, 37 p. (Mes premières légendes)

Textes littéraires : comptines et poésie

AMIOT, Karine-Marie, *Printemps,* Paris, Fleurus, 2000, 29 p. (Mes comptines pour les jours de...)

MONDOU, Marie-Hélène, et DUPUY-SAUZE, Marianne, *Le printemps,* Magnard jeunesse, 2000, 13 p. (Une année de comptines et de poésies)

Textes courants

LUCHT, Irmgard, *Cette nuit-là,* France, Ravensburger, l999, 26 p.

LUFF, Vanessa, *Le vieux verger,* Paris, L'École des loisirs, l995, 29 p. (Archimède)

ÉCOSYSTÈME

Recyclage

Textes courants

BONAR, Veronica, *Le bois,* Montréal, École active, l998, 30 p. (Le traitement des déchets)

Aussi : *Le métal, Les aliments, Le papier, Le plastique, Le verre.*

BOURGEOIS, Paulette, *Les éboueurs,* Richmond Hill, Scholastic, l991, 30 p. (Dans mon coin)

DYOTTE, Guy, *Joufou respecte l'environnement,* Saint-Laurent, Trécarré, l991, 32 p. (Joufou)

NAKANO, Hirotaka, *Tout pourrit,* Paris, L'École des loisirs, l993, 29 p. (Archimède)

Conservation

Textes littéraires : fiction

BAKER, Jeannie, *Forêt secrète,* Paris, Circonflexe, l995, 32 p.

BENEVELLI, Alberto, *Sors de mon bois !* Paris, Bilboquet, l995, 25 p.

EDUAR, Gilles, *La ruse du dragon,* Paris, Albin Michel jeunesse, l999, 32 p.

FROMENTAL, Jean-Luc, *Le pygmée géant,* Paris, Seuil jeunesse, l996, 33 p.

GRAVEL GALOUCHKO, Annouchka, *Le jardin de Monsieur Préfontaine,* Laval, Les 400 coups, l997, 31 p. (Les grands albums)

Conservation (suite)

GUILLET, Jean-Pierre, *La poudre magique*, Waterloo, Quintin, 1993, 31 p.

Aussi: *La machine à bulles* (1994), *La fête à l'eau* (1993).

PFISTER, Marcus, *Justine et la pierre de feu*, Zurich, Nord-Sud, 1997, 25 p. (Un livre d'images Nord-Sud)

Texte littéraire: conte

ZAVREL, Stepan, *Le dernier arbre*, Paris, Bilboquet, 1995, 25 p.

Texte littéraire: roman

DRAC, Romain, *Sauvons les sapins!* Toulouse, Éditions Milan, 1999, 36 p. (Milan poche cadet. Tranche de vie)

Texte littéraire: bande dessinée

SAINT MARS, Dominique de, *Lili veut protéger la nature*, Fribourg, Calligram, 1995, 45 p. (Ainsi va la vie. Max et Lili)

Texte courant

ROZENBLAT, Anne, *Lou n'en fait qu'à sa tête*, Paris, Hatier, 1999, 26 p. (Zéro bobo)

PICASSO

Texte littéraire: fiction

LADEN, Nina, *Meuhtisse et Picochon*, Paris, Circonflexe, 1999, 33 p. (Albums)

Textes courants

GIRARDET, Sylvie, *Les tableaux de Pablo Picasso*, Paris, Réunion des musées nationaux / Musée en herbe, 2000, 37 p. (Salut l'artiste!)

HART, Tony, *Picasso*, Saint-Lambert, Héritage, 1995, 21 p. (Enfants célèbres)

SORBIER, Frédéric, *Pablo Picasso*, Paris, Gallimard jeunesse, 1996, 30 p. (Mes premières découvertes de l'art)

Pour les élèves du troisième cycle

COLENO, Nadine, *Petite tache au pays de Picasso*, Paris, Regard, 1993, 30 p. (Petite tache au pays...)

LAMARCHE, Hélène, *Le Picasso des enfants*, Montréal, Musée des beaux-arts de Montréal, 1985, 24 p.

MASON, Antony, *Picasso*, Saint-Lambert, Héritage, 1995, 32 p. (Les grands maîtres de l'art)

RODARI, Florian, *Un dimanche avec Picasso*, Genève, Skira, 1991, 57 p. (Un dimanche avec)

Pour les enseignants et les enseignantes

LORIA, Stefano, *Picasso, la révolution des formes*, Paris, Hatier, 1995, 64 p. (Terre de Sienne)

ROBINSON, Annette, *Picasso au Musée Picasso*, Paris, Scala, 1999, 125 p. (Tableaux choisis)

ART ET RECYCLAGE

Textes courants

BAUMBUSCH, Brigitte, *La nature*, Paris, Nathan, 1999, 29 p. (Tralal'art)

CHABOT, Jean-Philippe, *La sculpture*, Paris, Gallimard jeunesse, 1995, 35 p. (Mes premières découvertes de l'art)

DUPUIS-LABBÉ, *Picasso sculpteur*, Paris, Gallimard, 2000, (Découverte Gallimard. Hors série)

KOTTKE, Wilma, *La boîte à idées des petits*, Tournai, Casterman, 1995, 127 p.

MERLEAU-PONTY, Claire, *Les secrets de l'art kanak*, Paris, Réunion des musées nationaux, 1999, 29 p. (Salut l'artiste!)

ART ET RECYCLAGE (SUITE)

Petit pas nature, Paris, Mango jeunesse, 1999, 43 p. (Je découvre avec Patouille)

PICASSO, Pablo, *Les objets Picasso*, Paris, Assouline, 1995, 79 p. (Mémoire de l'art) [Picasso, artiste du recyclage.]

THEULET-LUZIÉ, Bernadette, *Récup' créations*, Tournai, Casterman, 1996, 157 p.

Textes littéraires : fiction

HEITZ, Bruno, *Lapinus, sculpteur sur carotte*, Paris, Hachette, 1991, 32 p. (Cadou album)

VOLTZ, Christian, *Comme chaque matin*, Rodez, Rouergue, 1998, 36 p. [Les illustrations sont réalisées à partir de matériaux récupérés.]

D'AUTRES TRÉSORS

Textes littéraires : fiction

BAUMANN, Kurt, *Le trésor de l'île*, Paris, Bilboquet, 1995, 25 p.

BUTTERWORTH, Nick, *La chasse au trésor*, Paris, Père Castor Flammarion, 1996, 28 p.

HANEL, Wolfram, *Le trésor de l'arc-en-ciel*, Zurich, Nord-Sud, 1997, 24 p. (Un livre d'images Nord-Sud)

ICHIKAWA, Satomi, *Chasse aux trésors*, Paris, L'École des loisirs, 1997, 37 p.

LOBATO, Arcadio, *La chasse au trésor*, Paris, Épigones, 1994, 25 p.

SCHNEIDER, Antonie, *Le trésor de Petit Jules*, Zurich, Nord-Sud, 1995, 25 p. (Un livre d'images Nord-Sud)

TIBO, Gilles, *Simon et la chasse au trésor*, Montréal, Livres Toundra, 1996, 24 p. (Simon)

TREMBLAY, Carole, *Marie-Baba et les 40 rameurs*, Saint-Lambert, Dominique et compagnie, 1998, 30 p.

Texte littéraire : légendes

Les Trésors, Paris, Hachette, 1993, 37 p. (Mes premières légendes)

Texte courant

DELAFOSSE, Claude, *J'observe les trésors engloutis*, Paris, Gallimard jeunesse, 1999, 35 p. (Mes premières découvertes. J'observe)

Notes personnelles

_____
_____
_____
_____
_____
_____
_____
_____
_____
_____
_____
_____
_____

SITES INTERNET

Répertoire des moteurs de recherche appropriés pour des enfants

1. *Sssplash* est un moteur de recherche qui a été spécialement conçu pour permettre à des jeunes de 7 à 14 ans de faire des recherches appropriées à leur âge.

   http://sssplash.fr

2. *La toile du Québec* est un moteur de recherche québécois. Il est possible de faire une recherche sur le Web québécois, le Web francophone ou sur tout le Web.

   http://www.toile.qc.ca

3. *Francité* est un moteur de recherche québécois complet.

   http://www.francite.com

4. *Altavista* est le moteur de recherche le plus puissant du Web. Il est rapide et fiable. Il propose une section en français pour le site canadien d'*Altavista*.

   http://www.altavistacanadien.com

Répertoire de sites portant sur le printemps

1. *Floraison par saison*

   Printemps, été, automne, hiver

   http://www.ville-epinal.r/parc_jardins/floraison_par_saison.htm

2. *Au Cactus Francophone – Cactus et Plantes Succulentes*

   Choisir FRANÇAIS... Articles, glossaire, noms vernaculaires, conseils de culture, photos, trucs et astuces.

   http://www.cactuspro.com/

3. *Jade Flor*

   Culture de lys, d'amaryllis et de muguet...

   http://www.jadeflor.com/

4. *Les conseils du pro*

   Interface très efficace. Grande quantité de renseignements de qualité.

   http://www.jardinage.net/pro

5. *Page web de Jocelyne McCaughan – peintre naturaliste*

   Sa démarche artistique, ses publications, ses œuvres, etc.

   http://www.geocities.com/SoHo/Gallery/9243/

6. *Jean-Pierre Vallée – artiste naturaliste et historique*

   Choisir FRANÇAIS, puis choisir la GALERIE.

   http://www.jean-pierre.vallee.mauricie.net/

7. *Jacquie Comboroure – photographe naturaliste*

   Choisir CHASSE PHOTO.

   http://perso.wanadoo.fr/j.c.photonature/

Répertoire de sites portant sur l'écologie et l'environnement

1. *L'écologie sur la toile*

   L'écologie sur la toile est une liste de liens classés par thèmes, privilégiant les sites francophones et/ou européens. Vous y trouverez des liens sur les sites concernant l'écologie ou l'environnement. Un site très complet.

   http://www.amisdelaterre.org/ecotoile/

2. *Terre vivante – l'écologie pratique*

   Quatre thèmes : jardinage bio, habitat écologique, énergies renouvelables, gestion de l'eau.

   http://www.terrevivante.org/

3. *Upper World*

   Choisir le lien FRANÇAIS. Un site qui met l'emphase sur le visuel.

   http://www.upperworld.com/

4. *Les Écologistes de l'Euzière*

   Deux hyperliens pertinents : la nature, l'éducation à l'environnement.

   http://www.educ-envir.org/ ~ euziere/

Répertoire de sites sur Picasso

1. *Le Musée Picasso*

   Présentation des œuvres de l'artiste.

   http://www.musexpo.com/france/
   picasso/index.html

2. *ArtModes.com*

   Une série d'œuvres de Picasso.

   http://www.artmodes.com/Picasso/
   picasso.html

Notes personnelles

_____
_____
_____
_____
_____
_____
_____
_____
_____
_____
_____
_____
_____
_____
_____
_____
_____
_____
_____
_____
_____
_____
_____
_____
_____

Astuce et compagnie

Agathe Carrières • Colette Dupont • Doris Cormier

2e année du premier cycle
Module 19

Guide d'enseignement C et D

LES ÉDITIONS CEC INC.

Directrice de l'édition
Carole Lortie

Directrice de la production
Danielle Latendresse

Directrice de la coordination
Isabel Rusin

Chargées de projet
Ginette Rochon
Isabel Rusin

Correctrices d'épreuves
Marielle Chicoine
Ginette Rochon

Rédacteurs
Lise Labbé (moyens d'évaluation)
Michelle Leduc (activités d'animation littéraire)
André Roux (TIC)

Conception graphique
et réalisation technique
Axis communication
Productions Fréchette et Paradis inc.

Illustration de la couverture
Nicolas Debon

Les auteurs désirent remercier Chantal Harbec, enseignante à l'école Des-Quatre-Vents de la commission scolaire Marie-Victorin, Lise Labbé, consultante en didactique du français et en évaluation des apprentissages, et Ginette Vincent, conseillère pédagogique à la commission scolaire Marie-Victorin, pour leurs précieuses remarques et suggestions en cours de rédaction.

Dans cet ouvrage, la féminisation des titres de fonctions et des textes est conforme aux règles d'écriture proposées par l'Office de la langue française dans le guide *Au Féminin*, produit par Les publications du Québec, 1991.

Les Éditions CEC inc. remercient le gouvernement du Québec de l'aide financière accordée à l'édition de cet ouvrage par l'entremise du Programme de crédit d'impôt pour l'édition de livres, administré par la SODEC.

Dépôt légal : 1er trimestre 2002
Bibliothèque nationale du Québec
Bibliothèque nationale du Canada

ISBN 2-7617-1581-0

Imprimé au Canada
1   2   3   4   5   05   04   03   02   01

Table des matières

En ce qui concerne l'ÉVALUATION, la section «Matériel reproductible» de votre guide d'enseignement vous propose plusieurs moyens et outils d'évaluation.

NOTE: Les passages soulignés dans le présent guide d'enseignement constituent une mise en relief des étapes les plus importantes du déroulement pédagogique.

travail individuel

travaux personnels

travail en équipes

activités d'enrichissement

travail collectif

activités d'animation littéraire

technologies de l'information
et de la communication (TIC)

PRÉSENTATION

Bravo la vie !

Il y eut un arc-en-ciel gigantesque. Après le déluge, le soleil reparut. Une fois le bateau échoué, Noé en rabattit le panneau et tous les animaux, ankylosés, sortirent, courant dans toutes les directions. Certains atteignirent les pôles, d'autres plongèrent dans la mer, tandis qu'un certain nombre allèrent se perdre au fond de la jungle. Quelques bêtes escaladèrent les montagnes, d'autres refusèrent d'en faire autant et peuplèrent les déserts. D'autres encore élirent domicile dans les zones tempérées de la Terre. Les animaux qui aimaient la compagnie des hommes se laissèrent domestiquer et habitèrent avec eux. Ainsi firent les ancêtres de Coquin, d'Astuce et de sa souris. Noé, voyant ce spectacle inusité, s'écria « Bravo la vie ! »

Les animaux s'accouplèrent et donnèrent naissance à de nombreux petits. Ils devinrent vite des parents attentionnés. Les humains aussi mirent au monde des enfants. La tendresse, l'amour et la douceur enveloppèrent les bébés, garçons et filles. De célèbres tableaux ont immortalisé ces doux moments où une maman et un papa s'extasient devant leur poupon endormi en lui fredonnant une berceuse. Avec un peu d'imagination on entend les parents qui murmurent « Bravo la vie ! »

COMPÉTENCES DISCIPLINAIRES, COMPÉTENCES TRANSVERSALES ET DOMAINES GÉNÉRAUX DE FORMATION CIBLÉS DANS CE MODULE

COMPÉTENCES DISCIPLINAIRES

Français

L Lire des textes variés

E Écrire des textes variés

C Communiquer oralement

A Apprécier des œuvres littéraires

Science et technologie

S Explorer le monde de la science et de la technologie

Univers social

U Construire sa représentation de l'espace, du temps et de la société

COMPÉTENCES TRANSVERSALES

Ordre intellectuel

▶ Exploiter l'information

▶ Mettre en œuvre sa pensée créatrice

DOMAINES GÉNÉRAUX DE FORMATION

Orientation et entrepreneuriat

▶ Offrir à l'élève des situations éducatives lui permettant d'entreprendre et de mener à terme des projets orientés vers la réalisation de soi et l'insertion dans la société

Vivre-ensemble et citoyenneté

▶ Permettre à l'élève de participer à la vie démocratique de l'école ou de la classe et de développer des attitudes d'ouverture sur le monde et de respect de la diversité

TABLEAU SCHÉMATIQUE DES COMPÉTENCES EN FRANÇAIS ET DE LEURS COMPOSANTES

Légende

S renvoie à la situation d'apprentissage concernée.

P renvoie au projet.

F renvoie à la rubrique *Fais le point avec Astuce* (F1 = partie 1 / F2 = partie 2).

A renvoie à une activité d'animation littéraire (A1 = activité 1 / A2 = activité 2).

COMPÉTENCE 1 :
Lire des textes variés

COMPOSANTE A : *Construire du sens à l'aide de son bagage de connaissances et d'expériences*
▶ P, S1, A1, S2 à S4, F1, S5 à S9, F2

COMPOSANTE B : *Utiliser le contenu des textes à diverses fins*
▶ S1, A1, S2, S4, F1, S5 à S8, F2

COMPOSANTE C : *Réagir à une variété de textes lus*
▶ P, S1, A1, S2 à S4, F1, S5 à S7, S9, F2

COMPOSANTE D : *Utiliser les stratégies, les connaissances et les techniques requises par la situation de lecture*
▶ P, S1, A1, S2 à S4, F1, S5 à S9, F2

COMPOSANTE E : *Évaluer sa démarche de lecture en vue de l'améliorer*
▶ P, S1 à S4, F1, S5 à S9, F2

COMPÉTENCE 2 :
Écrire des textes variés

COMPOSANTE A : *Recourir à son bagage de connaissances et d'expériences*
▶ P, S1, A1, S2, S3, F1, S5, F2

COMPOSANTE B : *Explorer la variété des ressources de la langue écrite*
▶ P, S1, A1, S2, S3, F1, S5

COMPOSANTE C : *Exploiter l'écriture à diverses fins*
▶ A1, S2, S5

COMPOSANTE D : *Utiliser les stratégies, les connaissances et les techniques requises par la situation d'écriture*
▶ P, S1, A1, S2, S3, F1, S5, F2

COMPOSANTE E : *Évaluer sa démarche d'écriture en vue de l'améliorer*
▶ P, S1, S2, S3, F1

COMPÉTENCE 3 :
Communiquer oralement

COMPOSANTE A : *Explorer verbalement divers sujets avec autrui pour construire sa pensée*
▶ P, A1, S3, S4, S7, S8, A2, S9

COMPOSANTE B : *Partager ses propos durant une situation d'interaction*
▶ P, A1, S3, S4, S7, S8, A2, S9

COMPOSANTE C : *Réagir aux propos entendus au cours d'une situation de communication orale*
▶ P, A1, S3, S4, S7, S8, A2, S9

COMPOSANTE D : *Utiliser les stratégies et les connaissances requises par la situation de communication*
▶ P, A1, S3, S4, S7, S8, A2, S9

COMPOSANTE E : *Évaluer sa façon de s'exprimer et d'interagir en vue de les améliorer*
▶ P, S3, S4, S7 à S9

COMPÉTENCE 4 :
Apprécier des œuvres littéraires

COMPOSANTE A : *Explorer des œuvres variées en prenant appui sur ses goûts, ses intérêts et ses connaissances*
▶ P, A1, A2

COMPOSANTE B : *Recourir aux œuvres littéraires à diverses fins*
▶ P, S1, A1, S3, S6, A2, S9

COMPOSANTE C : *Porter un jugement critique ou esthétique sur les œuvres explorées*
▶ P, A1, A2, S9

COMPOSANTE D : *Utiliser les stratégies et les connaissances requises par la situation d'appréciation*
▶ P, A1, A2, S9

COMPOSANTE E : *Comparer ses jugements et ses modes d'appréciation avec ceux d'autrui*
▶ P, A1, A2, S9

TABLEAU DE PLANIFICATION DES APPRENTISSAGES

LÉGENDE

R renvoie à une feuille reproductible.
AC renvoie à une activité complémentaire.

Semaine 1

	Sons	Lire des textes variés	Écrire des textes variés	Communiquer oralement	Apprécier des œuvres littéraires	ACTIVITÉS DE SOUTIEN	ACTIVITÉS DE CONSOLIDATION	TRAVAUX PERSONNELS	ACTIVITÉS D'ENRICHISSEMENT	TIC
1 Et si on chantait... **L E A** Manuel, p. 83 Guide, p. 20		Lecture individuelle. Présence de rimes (graphies différentes). Progression du récit. Révision de l'ordre alphabétique et classement du nom des animaux selon cet ordre. Lecture des textes de l'activité d'écriture.	Rédaction d'un récit d'une scène imaginée sur le bateau de Noé. Planification du texte à l'aide d'un remue-méninges. Rappel de l'importance de suivre les étapes du processus d'écriture.		Texte : littéraire qui met en évidence le choix des mots, des images et des sonorités (**chanson**); Supports : manuel scolaire, disque ou audiocassette.		AC-65		X	X
Activité d'animation littéraire 1 **L E C A** Guide, p. 75		Lecture de titres de livres d'Henriette Major. Lecture de consignes, de questions et d'intentions d'écoute. Choix d'un texte d'Henriette Major dans le manuel.	Lettre à l'auteure pour lui faire connaître l'appréciation des chansons du manuel.	Retour sur les intentions d'écoute. Présentations des chansons (lues ou chantées) d'Henriette Major.	Textes : littéraires et courants ; Support : livres de genres variés d'Henriette Major, dont *Fantôme d'un soir* (**récit**) ; Expérience : classe ou bibliothèque.					
Projet – Étape 1 **L E C A** Manuel, p. 109 Guide, p. 17		Exploration et utilisation du vocabulaire en contexte (foire du livre).		Présentations des livres préférés et justification des choix. Formes du français québécois oral standard. Articulation nette. Ajustement du volume de la voix.	Textes : littéraires et courants ; Support : livres variés ; Expérience : foire du livre.					
2 La naissance des animaux **L E S** Manuel, p. 86 Guide, p. 26		Observation du mode de présentation des textes. Énumération des étapes de la démarche de lecture et des stratégies. ...	Prise en note des éléments d'information sur le processus entourant la naissance (ovipares et vivipares). ...			R-19.2	R-19.1		X	X

Semaine	Activité								
Semaine 1	Projet – Étape 2 L E C A Manuel, p. 109 Guide, p. 18	Exploration et utilisation du vocabulaire en contexte (science et technologie : naissance).	Rédaction d'un texte racontant les circonstances entourant sa propre naissance. Rappel des étapes du processus d'écriture.						
	Exploration et utilisation du vocabulaire en contexte (foire du livre).	Rédaction des textes d'invitation et de remerciements. Rédaction du texte des affiches.	Discussions en équipes. Répétitions d'une chanson, d'un sketch.	Textes : littéraires et courants ; Support : livres variés ; Expérience : foire du livre.	R-19.3 R-19.4	X	X	X	
Semaine 2	Une visite au musée Je connais une magicienne L E C A Manuel, p. 88 Guide, p. 31	Liens entre les illustrations, la toile et le poème. Utilisation des stratégies. Relevé des rimes (graphies différentes).	Rédaction d'un récit (moment de bonheur passé auprès de sa maman) ou d'un poème pour sa maman. Rappel des étapes du processus d'écriture et de l'interdépendance des étapes.	Vocabulaire nécessaire à l'analyse et à l'appréciation d'une toile. Discussions sur ce que représente sa propre maman et sur les caractéristiques de celle décrite dans le poème. Présentations des illustrations et lecture des textes ou des poèmes.	Texte : littéraire qui met en évidence le choix des mots, des images et des sonorités (**poème**); Support : manuel scolaire.				
	Projet – Étape 3 L E C A Manuel, p. 109 Guide, p. 18	Exploration et utilisation du vocabulaire en contexte (foire du livre).	Rédaction des textes d'invitation et de remerciements. Rédaction du texte des affiches.	Discussions en équipes. Répétitions d'une chanson, d'un sketch.	Textes : littéraires et courants ; Support : livres variés ; Expérience : foire du livre.				
	Des parents attentionnés L C S U Manuel, p. 91 Guide, p. 39	Exploration et utilisation du vocabulaire en contexte (les manchots). Utilisation des stratégies.		Discussions sur divers comportements, diverses règles de vie selon les groupes. Vocabulaire relatif à la science et à la technologie, et à l'univers social. Énumération de règles qui assurent le bon fonctionnement d'une communication orale qui se fait en groupe, donc en société.	AC-66	X	X	X	

TABLEAU DE PLANIFICATION DES APPRENTISSAGES

LÉGENDE
R renvoie à une feuille reproductible.
AC renvoie à une activité complémentaire.

	Sons	Lire des textes variés	Écrire des textes variés	Communiquer oralement	Apprécier des œuvres littéraires	ACTIVITÉS DE SOUTIEN	ACTIVITÉS DE CONSOLIDATION	TRAVAUX PERSONNELS	ACTIVITÉS D'ENRICHISSEMENT	TIC
Semaine 2 Fais le point avec Astuce 1 **L E** R-19.5 R-19.6 Manuel, p. 93 Guide, p. 43	Révision Consonnes + lettre /	Compréhension de texte. Énumération des étapes préparatoires à la lecture et des stratégies. Schéma narratif.	Orthographe d'usage : mots de la liste, stratégies d'acquisition, jeu (nouvelles questions), classement des mots selon la stratégie d'acquisition utilisée. Rappel des diverses étapes du processus d'écriture. Rédaction d'un texte pour présenter un animal farfelu.							
Semaine 3 ⑤ Bête pas bête **L E** Manuel, p. 96 Guide, p. 49		Lecture et compréhension des règles du jeu.	Rédaction de nouvelles règles du jeu. Préparation d'un jeu d'associations à partir des expressions inscrites sur le jeu. Insistance sur une bonne calligraphie et une bonne orthographe des mots.					X	X	X
⑥ Le voyage de Marie-Luce **L A** Manuel, p. 98 Guide, p. 53		Exploration et utilisation du vocabulaire en contexte (les caractéristiques des différentes races de chiens). Lecture en équipes de trois (le lecteur, Marie-Luce et la maîtresse du saint-bernard). Recherche à la bibliothèque sur les races de chiens.			Texte : littéraire qui raconte (**récit**) ; Support : manuel scolaire.	AC-67	R-19.7 R-19.8		X	X

TABLEAU DE PLANIFICATION   **page 10**   MODULE 19

Activité	Démarche	Contenu	Support / Texte	Références	X	X
7 Des animaux qui s'adaptent **L** **C** **S** **U** Manuel, p. 100 Guide, p. 57	Mise en commun des étapes de préparation à la lecture. Lecture individuelle. Exploration et utilisation du vocabulaire en contexte (animaux et paysages).	Vocabulaire relatif à la science et à la technologie, et à l'univers social.		R-19.9 R-19.10 R-19.11	X	X
8 Chez la vétérinaire **L** **C** Manuel, p. 103 Guide, p. 60	Utilisation des stratégies de lecture. Lecture individuelle. Mise en commun du contenu du texte.	Recherche sur un animal. Réalisation de fiches. Présentations des résultats de la recherche en équipes de quatre. Regroupements des animaux par familles.		R-19.12 AC-68 R-19.13 R-19.14	X	X
Activité d'animation littéraire 2 **C** **A** Guide, p. 78		Explication de certains passages. Anticipation de différents moments de l'histoire. Appréciation de l'histoire.	Texte : littéraire qui raconte (**roman**) ; Support : livre *Une saison au paradis* par Sylvain Trudel.			
9 Lire pour rire **L** **C** **A** Manuel, p. 104 Guide, p. 64		Compréhension de la bande dessinée. Présentations de l'histoire de la bande dessinée préférée et des raisons motivant ce choix. Formulation de phrases décrivant Coquin. Formes du français québécois oral standard. Articulation nette. Ajustement du volume de la voix. Vocabulaire précis. Qualité d'écoute.	Textes : littéraires qui racontent (**bandes dessinées**) ; Support : manuels scolaires C et D.		X	X

Semaine 3

Semaine 4

TABLEAU DE PLANIFICATION DES APPRENTISSAGES

LÉGENDE
R renvoie à une feuille reproductible.
AC renvoie à une activité complémentaire.

	SUGGESTIONS					FRANÇAIS				
	TIC	ACTIVITÉS D'ENRICHISSEMENT	TRAVAUX PERSONNELS	ACTIVITÉS DE CONSOLIDATION	ACTIVITÉS DE SOUTIEN	Sons	Lire des textes variés	Écrire des textes variés	Communiquer oralement	Apprécier des œuvres littéraires
Semaine 4 — Projet – Étape 4 **L E C A** Manuel, p. 109 Guide, p. 19									Présentations des stands. Remerciements adressés aux invités.	Textes : littéraires et courants ; Support : livres variés; Expérience : foire du livre.
Fais le point avec Astuce 2 **L E** Manuel, p. 105 Guide, p. 68						Révision Consonnes + lettre *r*	Compréhension de texte. Mention des étapes préparatoires à la lecture et des stratégies.	Orthographe d'usage : mots de la liste, stratégies d'acquisition, classement des mots selon la stratégie d'acquisition utilisée. Retour sur la leçon de grammaire : le féminin et le pluriel des adjectifs (module 17).		
À l'ordinateur avec Marilou **L T** Manuel, p. 108 Guide, p. 73										

Note: Ce tableau de planification est proposé seulement à titre indicatif. Les activités *À l'ordinateur avec Marilou* peuvent être réalisées au moment qui vous convient.

Les étapes 2 et 3 du projet peuvent s'échelonner jusqu'à la situation d'apprentissage 7, en tenant compte de la date de présentation de la foire.

Notes personnelles

Notes personnelles

BUT
Organiser une grande foire du livre à partir de L'Album souvenir de mes lectures ou du florilège élaboré dans le cadre des activités d'animation littéraire.

ORGANISATION DE LA CLASSE
Collectif, équipes de quatre, individuel

MATÉRIEL NÉCESSAIRE
- *Par élève:*
  manuel D (pages 109 et 110), livre de lecture préféré
- *Par équipe:*
  cartons, crayons-feutres ou gouache, ruban adhésif, table

À FAIRE
Demander aux élèves, quelques jours avant le début du projet, d'apporter leur livre de lecture préféré.

TEMPS SUGGÉRÉ
Temps global: 360 min (70 min à l'étape 1; 140 min aux étapes 2 et 3; 150 min à l'étape 4)

UNE GRANDE FOIRE DU LIVRE

En cette fin de cycle où de nombreuses heures ont été consacrées à la lecture tant dans le manuel que par le biais des activités littéraires, quelle bonne idée que d'organiser une foire du livre! Les élèves, soumis quotidiennement à la publicité des médias, adoreront faire la promotion de leur livre préféré.

SAVOIRS ESSENTIELS DES DIFFÉRENTES COMPÉTENCES

L LIRE DES TEXTES VARIÉS
E ÉCRIRE DES TEXTES VARIÉS
C COMMUNIQUER ORALEMENT
A APPRÉCIER DES ŒUVRES LITTÉRAIRES

Connaissances liées au texte:
- Exploration et utilisation d'éléments caractéristiques de différents genres de textes;
- Exploration de quelques éléments littéraires à des fins d'utilisation ou d'appréciation: personnages, temps et lieux du récit, séquence des événements, expressions - jeux de sonorités - figures de style (répétition, comparaison, onomatopée, allitération, rimes);
- Exploration et utilisation de la structure des textes;
- Prise en compte des éléments de la situation de communication: intention, contexte, formes du registre standard;
- Prise en compte d'éléments de cohérence: idées rattachées au sujet, reprise de l'information en utilisant des termes substituts (pronoms).

Connaissances liées à la phrase:
- Recours à la ponctuation: point;
- Reconnaissance et utilisation du groupe du nom: Pronom, Nom, Dét. + Nom;
- Accords dans le groupe du nom: Dét. + Nom;
- Exploration et utilisation du vocabulaire en contexte;
- Utilisation de l'orthographe conforme à l'usage.

Stratégies de lecture:
- Stratégies de reconnaissance et d'identification des mots d'un texte;
- Stratégies de gestion de la compréhension;
- Stratégies d'évaluation de sa démarche.

Stratégies d'écriture:
- Stratégies de planification;
- Stratégies de mise en texte;
- Stratégies de révision;
- Stratégies de correction;
- Stratégies d'évaluation de sa démarche.

Stratégies de communication orale:
- Stratégies d'exploration;
- Stratégies de partage;
- Stratégies d'écoute;
- Stratégies d'évaluation.

Stratégies liées à l'appréciation d'œuvres littéraires:
- S'ouvrir à l'expérience littéraire;
- Établir des liens avec ses expériences personnelles;
- Échanger avec d'autres personnes.

Stratégies liées à la gestion et à la communication de l'information:
- Sélectionner des éléments d'information utiles (réponses aux questions, nouvelles informations, etc.);
- Regrouper ou classifier les éléments d'information retenus;
- Choisir un mode de présentation pertinent (ex.: affiche, exposé, saynète, etc.);
- Présenter oralement, par écrit ou selon un mode multimédia, les résultats de sa démarche.

Techniques:
- Apprentissage de la calligraphie;
- Utilisation de manuels de référence.

Ce projet permet d'aborder des connaissances relevant du domaine des arts, plus spécifiquement des disciplines **musique**, **art dramatique** et **arts plastiques**. Toutefois, aucune compétence dans ce domaine ne sera développée.

Notes personnelles

_____

_____

_____

_____

_____

_____

_____

_____

Un projet en classe

Une grande foire du livre

Astuce et ses amis t'ont fait découvrir la lecture sous toutes ses formes. Depuis près de deux ans, tu as apprivoisé la lecture à travers les chansons, les poèmes, les contes... Avec les autres élèves de ta classe, vous allez maintenant organiser une grande foire du livre.

Les élèves de la classe d'Ali et de Marilou ont pensé mettre sur pied différentes activités dans le cadre de ce projet de grande foire du livre:
– inviter un auteur ou une auteure;
– inviter un conteur ou une conteuse;
– organiser une exposition de livres, de revues ou d'albums préférés;
– échanger des coups de cœur pour l'été qui vient.

109

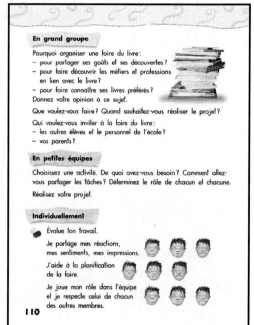

En grand groupe

Pourquoi organiser une foire du livre:
– pour partager ses goûts et ses découvertes?
– pour faire découvrir les métiers et professions en lien avec le livre?
– pour faire connaître ses livres préférés?
Donnez votre opinion à ce sujet.

Que voulez-vous faire? Quand souhaitez-vous réaliser le projet?

Qui voulez-vous inviter à la foire du livre:
– les autres élèves et le personnel de l'école?
– vos parents?

En petites équipes

Choisissez une activité. De quoi avez-vous besoin? Comment allez-vous partager les tâches? Déterminez le rôle de chacun et chacune.

Réalisez votre projet.

Individuellement

Évalue ton travail.

Je partage mes réactions, mes sentiments, mes impressions.

J'aide à la planification de la foire.

Je joue mon rôle dans l'équipe et je respecte celui de chacun des autres membres.

110

Remarque: Il pourrait être intéressant de jumeler des classes de 2ᵉ année du premier cycle pour réaliser cette activité. Par la suite, vous pourriez former des équipes peu importe la classe à laquelle appartiennent les élèves. Les enseignants ou les enseignantes pourraient se partager les diverses tâches à accomplir.

 Étape 1: Jamais sans mon livre
(Après la situation d'apprentissage 1. Durée suggérée: 70 min)

• Formez des équipes de quatre. Invitez chaque élève à choisir une ou deux pages de son *Album souvenir de mes lectures* ou florilège (réalisé au cours des activités d'animation littéraire) et à les présenter aux membres de son équipe.

Demandez à chacun ou à chacune de présenter son livre préféré à ses coéquipiers, en justifiant son choix. Les présentations peuvent également se réaliser sans livres, mais elles risqueraient d'être moins dynamiques.

Invitez chaque équipe à nommer un ou une porte-parole qui présentera à la classe les livres préférés de son groupe.

Accordez le temps nécessaire au ou à la porte-parole des équipes pour faire la présentation des livres choisis. Insistez pour que la communication se fasse dans une langue québécoise orale standard, que l'articulation soit franche et que le volume de voix soit assez élevé pour que tous puissent entendre. Invitez les auditeurs à porter attention à ce qui est dit. Prévoyez une période de questions.

Faites réaliser la diversité et la richesse des choix faits par l'ensemble de la classe.

Mentionnez aux élèves qu'il serait intéressant de réaliser un projet au cours duquel ils pourraient faire connaître leurs livres préférés à d'autres personnes. Expliquez-leur qu'une foire du livre a comme objectif de promouvoir les livres les plus intéressants.

Lisez avec les élèves le contenu de la page 109 du manuel D. Voyez s'ils connaissent un auteur ou une auteure, ou encore un conteur ou une conteuse qui accepterait de présider la foire. Le MEQ dispose d'une banque de noms d'auteurs susceptibles de rencontrer les élèves.

Présentez un éventail d'activités complémentaires qui pourraient se dérouler durant la foire du livre afin d'amener les élèves à en proposer d'autres (théâtre de marionnettes présentant un épisode tiré d'un des livres présentés, lecture publique d'un extrait de livre, bande dessinée présentant les grandes lignes d'un récit… sans la fin, port du costume du personnage principal, maquette présentant l'univers principal d'un livre, promotion d'un livre par une affiche, etc.).

Lisez le texte *En grand groupe* à la page 110 du manuel D, et laissez les élèves répondre librement aux questions qui y sont posées. Recherchez le consensus le plus large possible.

Notez au tableau les raisons pour lesquelles les élèves aimeraient organiser une foire, ainsi que les groupes de personnes qu'ils désireraient y inviter.

Selon l'ampleur du projet, il se pourrait que la foire se limite à la classe.

Déterminez avec les élèves l'équipe qui se chargera d'inviter les gens, s'il y a lieu. Si des invitations sont lancées, confiez à une autre équipe la responsabilité d'accueillir et de guider les visiteurs.

Demandez aux élèves qui se chargeront de rédiger les textes d'invitation et de remerciements de vous présenter leur brouillon après la situation d'apprentissage 3. Invitez-les à coucher leurs idées (invitation ou remerciements) sur papier, à se relire et à se corriger. Voyez s'il reste des fautes et aidez les élèves à les corriger avant la mise au propre du texte et l'envoi des invitations (assez tôt dans le mois) ou des remerciements.

Laissez aux équipes le soin de déterminer ce qu'elles veulent faire. Avec les élèves, fixez la date et le lieu de la foire. Suggérez qu'elle se tienne de préférence vers la fin de la période prévue pour ce module.

 Étapes 2 et 3 : Avec un livre, les couleurs sont plus éclatantes de fraîcheur !
(Après la situation d'apprentissage 2. Durée suggérée : 140 min. Au besoin, jusqu'à la situation d'apprentissage 7, en tenant compte de la date de présentation de la foire)

• Reformez les équipes en place lors de la conception du projet ou encore proposez aux élèves d'en former d'autres à partir de leurs intérêts et leurs préférences.

Invitez les équipes à s'entendre sur le contenu de leur participation à la foire du livre. Suggérez-leur de noter les choix de chacun et chacune, puis de procéder par élimination. Par exemple, chaque membre de l'équipe pourrait discuter de son livre préféré après avoir réalisé une affiche, puis l'équipe pourrait présenter, sous forme de saynètes, le résumé d'un des livres.

Demandez à chaque équipe d'exprimer ses choix.

Proposez à chacune des équipes d'organiser un stand ou une autre activité (selon les choix) pour la présentation de ses livres. Faites déterminer le coin de la classe qui sera réservé au stand de chaque équipe.

Invitez les élèves à lire *En petites équipes*, à la page 110 du manuel, et assurez-vous que les équipes déterminent le matériel qui leur sera nécessaire pour l'élaboration des stands. Proposez-leur de présenter aussi leur florilège ou *Album souvenirs de mes lectures* lors de la foire.

Selon le projet choisi, demandez aux équipes de confier des responsabilités à chacun de ses membres: rédaction des phrases présentant le livre, application de la couleur, recherche de vêtements, pratique des pas de danse, répétition d'une chanson ou d'un sketch, etc.

Pour toute rédaction, demandez de transposer les idées en mots (textes courts de style publicitaire), de réviser le texte et de le corriger avant de vous le remettre. Avec les élèves qui sont concernés, voyez s'il y a des corrections à faire avant de transcrire le texte au propre sur l'affiche.

Rappelez que plus d'un livre par équipe peut faire l'objet d'une promotion.

 Étape 4 : Un livre, c'est bien meilleur le matin ! Pourquoi pas le soir ?
(Avant ou après la 2e rubrique *Fais le point avec Astuce*. Durée suggérée : 150 min)

• Invitez les élèves à réaliser leur stand : choix de l'emplacement, mise en place des éléments de décoration, disposition des livres sur une table, etc.

S'il y a des invités (auteur ou auteure, conteur ou conteuse, autres élèves, membres de la direction, parents), suggérez aux élèves de former un comité d'accueil.

Placez les membres du comité d'accueil à la porte de la classe et aux endroits stratégiques afin de pouvoir guider les invités pendant leur visite.

Au départ des invités, voyez à ce que les remerciements se fassent simplement et avec le sourire.

Une fois le projet terminé, faites procéder individuellement à l'évaluation de l'activité réalisée, en retournant à la page 110 du manuel D.

Notes personnelles

_____

_____

_____

_____

_____

_____

_____

_____

_____

_____

_____

_____

Situation d'apprentissage 1

BUTS

- *Faire la connais-
  sance d'un
  personnage fort
  ancien.*

- *Le chanter.*

- *Laisser son ima-
  gination filer au
  rythme du crayon
  pour ajouter à
  l'incroyable
  aventure de ce
  personnage.*

ORGANISATION DE LA CLASSE

*Collectif, équipes
de deux, individuel*

MATÉRIEL NÉCESSAIRE

- *Par élève :
  manuel D
  (pages 83 à 85),
  feuille blanche,
  crayons à colorier
  ou crayons-
  feutres, colle et
  ciseaux*

- *Pour la classe :
  un grand carton
  assez rigide*

- *Pour la
  consolidation :
  activité complé-
  mentaire 65*

TEMPS SUGGÉRÉ

100 min

ET SI ON CHANTAIT...

Vous souvenez-vous de Noé ? Oui, celui qui fut le héros du déluge ! Eh bien le voici de nouveau sur la portée musicale, accompagné de toute sa ménagerie, et ce, pour le plus grand plaisir des élèves.

SAVOIRS ESSENTIELS DES DIFFÉRENTES COMPÉTENCES

L LIRE DES TEXTES VARIÉS
E ÉCRIRE DES TEXTES VARIÉS
A APPRÉCIER DES ŒUVRES LITTÉRAIRES

Connaissances liées au texte :

- Exploration et utilisation d'éléments caractéristiques de différents genres de textes ;
- Exploration de quelques éléments littéraires à des fins d'utilisation ou d'appréciation : personnages, expressions - jeux de sonorités - figures de style (répétition, rimes) ;
- Prise en compte des éléments de la situation de communication : intention, contexte, formes du registre standard ;
- Prise en compte d'éléments de cohérence : idées rattachées au sujet, reprise de l'information en utilisant des termes substituts (pronoms).

Connaissances liées à la phrase :

- Recours à la ponctuation : point ;
- Reconnaissance et utilisation du groupe du nom : Pronom, Nom, Dét. + Nom ;
- Accords dans le groupe du nom : Dét. + Nom ;
- Exploration et utilisation du vocabulaire en contexte ;
- Utilisation de l'orthographe conforme à l'usage.

Stratégies de lecture :

- Stratégies de reconnaissance et d'identification des mots d'un texte ;
- Stratégies de gestion de la compréhension ;
- Stratégies d'évaluation de sa démarche.

Stratégies d'écriture :

- Stratégies de planification ;
- Stratégies de mise en texte ;
- Stratégies de révision ;
- Stratégies de correction ;
- Stratégies d'évaluation de sa démarche.

Stratégies liées à l'appréciation d'œuvres littéraires :

- S'ouvrir à l'expérience littéraire ;
- Établir des liens avec ses expériences personnelles ;
- Se représenter mentalement le contenu ;
- Échanger avec d'autres personnes.

Techniques :

- Apprentissage de la calligraphie ;
- Utilisation de manuels de référence et d'outils informatiques.

> Cette situation d'apprentissage permet d'aborder des connaissances relevant du domaine des arts, plus spécifiquement des disciplines **musique** et **arts plastiques**. Toutefois, aucune compétence dans ce domaine ne sera développée.

Notes personnelles

_____

_____

_____

_____

_____

_____

2 ACTION EN CLASSE

ACTIVITÉ DE CONSOLIDATION

Activité complémentaire 65 : Dessine-moi un animal (en équipes).

– *Décrire un animal en utilisant un vocabulaire le plus précis possible de façon à ce que notre partenaire puisse le dessiner.*

▶ *L'élève évalue sa communication orale à partir des facteurs qui ont contribué à la réussite de sa communication.*

À la manière de Berthe Morisot

Remarque : Le module 19 propose plusieurs situations d'écriture, mais il est impossible de les faire réaliser toutes. À vous de choisir celles que vous préférez.

À la manière de Berthe Morisot

• Avant d'aborder la situation d'apprentissage 1, faites un survol du module avec vos élèves. Comme vous en avez pris l'habitude, commentez-en brièvement le contenu et demandez aux élèves de choisir la page où ils ont le plus hâte d'arriver et de vous dire pourquoi.

Revenez à la page de titre et invitez les élèves à exprimer ce que représente pour eux l'illustration (formes, couleurs, impressions, composition du dessin).

Faites lire le titre aux élèves et demandez-leur d'établir des liens entre celui-ci et l'illustration.

Informez les élèves qu'Alex Jutras, l'auteur du dessin, a utilisé un crayon de cire pour tracer le croquis de son dessin et qu'il a ensuite utilisé de la gouache pour remplir les formes qu'il a dessinées.

Dites aux élèves qu'Alex s'est inspiré de l'œuvre de Berthe Morisot pour réaliser son dessin. À tout hasard, demandez si un ou une élève de la classe a déjà entendu parler de cette artiste ou de son œuvre.

Invitez les élèves à se rendre à la page 88 de leur manuel pour y voir une œuvre de l'artiste. Faites trouver un point commun entre le dessin d'Alex et la toile de Berthe (les deux présentent une adulte, vraisemblablement une mère, veillant sur un ou une enfant qui se repose).

Présentez brièvement Berthe Morisot en vous inspirant des notes qui suivent. Dites aux élèves qu'ils en apprendront davantage sur l'artiste et sur son œuvre lorsqu'ils seront rendus à la page 88 de leur manuel.

Berthe Morisot a vécu en France au XIXe siècle.

Au cours de ses études en peinture, elle se rend au musée du Louvre pour y copier les œuvres des grands maîtres.

En début de carrière, elle peint des paysages où la nature revêt les couleurs de l'automne.

Peu à peu, elle prend pour thème les personnes qui l'entourent.

Vers la trentaine, elle rejoint le groupe des peintres impressionnistes (qui peignent par petites touches, en appliquant les couleurs les unes à côté des autres, sans préalablement les mélanger sur la palette).

À la fin de sa vie, elle peint plus de portraits que de paysages.

 Préparation

- Invitez les élèves à lire le titre de la chanson, à la page 84 du manuel. Dites-leur ensuite qu'il s'agit d'une chanson folklorique modifiée par Mme Henriette Major.

Demandez aux élèves si certains d'entre eux connaissent déjà cette chanson. Dans l'affirmative, invitez-les à la fredonner et à en commenter le sujet.

 Réalisation

- Demandez à quelques élèves de lire l'intention de lecture à la page 84 du manuel (découvrir le grand-père Noé tout en chantant).

Lisez le texte qui apparaît dans le coin supérieur gauche de cette même page.

Invitez les élèves à faire une lecture individuelle du texte de la chanson.

Faites une mise en commun des informations recueillies dans le texte. Demandez aux élèves de nommer les animaux qui, selon la chanson, sont montés dans le bateau. Écrivez au tableau le nom des divers animaux mentionnés (*chats, chiens, chevaux, éléphants, crocodiles, gazelles, serpents, gorilles, papillon*, etc.).

Faites écouter la chanson aux élèves et invitez-les à la chanter en lisant les paroles dans le manuel.

Demandez aux élèves si le texte de la chanson comporte des rimes. Si oui, faites-les relever et écrivez-les au tableau. Faites remarquer qu'un même son peut avoir différentes graphies (*Noé / navigué; capitaine / lointaine; bateau / eau; refuge / déluge; flots / animaux; démène / ramènent; chiens / lapins; bêtes / fête; éléphants / serpents; rassemblés / monter; galère / croisière; cessé / posé; semaines / plaine; libéré / passagers; terre / mère*).

ACTION EN CLASSE (SUITE)

Faites résumer aux élèves chaque couplet de la chanson et amenez-les à réaliser la progression du récit (couplet 1: Noé fait construire le bateau pour se protéger du déluge; couplet 2: Noé rassemble les animaux; couplet 3: Noé fait monter les animaux dans le bateau; couplet 4: après le déluge, Noé libère les animaux).

Faites un retour avec les élèves sur l'ordre alphabétique et demandez-leur de classer, selon cet ordre, les noms d'animaux que vous avez précédemment inscrits au tableau.

 Intégration et réinvestissement

• Informez les élèves qu'ils vont maintenant réaliser, en équipes, une murale représentant le bateau de Noé qui se balance sur les flots ainsi que les personnes et animaux qui s'y trouvent. Les élèves peuvent s'inspirer du texte de la chanson aux pages 84 et 85 du manuel D.

Proposez que deux équipes se chargent de représenter le bateau sur les flots, alors que les autres dessineront ou bien une personne ou bien un animal présent sur le bateau.

Formez des équipes de deux élèves. Sur des bouts de papier, inscrivez le nom des personnes et des animaux qui seront représentés sur la murale. Écrivez aussi «bateau» et «flots» sur deux papiers différents.

Faites tirer les élèves qui auront à réaliser le dessin soit du bateau, soit d'une personne, soit d'un animal. Quand les élèves réussissent à s'entendre sur le partage des tâches, il est inutile de procéder à un tirage.

Demandez que les dessins soient de dimensions qui conviennent au format du carton qui formera la murale.

Une fois l'arche dessinée et collée sur la murale, invitez les coéquipiers à faire de même avec le dessin d'un des habitants de l'arche (personne ou animal).

Demandez aux élèves d'émettre leur opinion sur la murale maintenant achevée: originalité, couleurs, occupation de l'espace, beauté des dessins, éléments logiques/illogiques, etc.

Invitez les élèves à imaginer une scène qui se serait passée sur le bateau de Noé pendant le déluge. Faites-en le sujet d'un récit que chacun ou chacune composera.

Planifiez le contenu du texte par un remue-méninges: *Quels personnages ou animaux allez-vous faire intervenir dans votre récit? Dans quelle partie du bateau se trouveront-ils?* Rappelez aux élèves qu'il pleut sans arrêt et que l'eau monte toujours autour du bateau… *Que font les personnages ou les animaux? Que se disent-ils? Sont-ils impatients de regagner la terre? Sont-ils heureux d'avoir été épargnés? Que leur serait-il arrivé si Noé ne les avait pas choisis?* Écrivez au tableau les principales idées émises par les élèves ainsi que les mots ou expressions que certains ne connaissent pas.

Demandez à un ou à une élève de reformuler dans ses propres mots les données du projet d'écriture (rédiger un court récit de la scène qu'il a imaginée). Rappelez l'importance de suivre les étapes du processus d'écriture: planification, rédaction, révision, correction, transcription, lecture finale, diffusion et autoévaluation.

Pendant la composition, circulez dans la classe pour poser des questions, donner des pistes, faire des suggestions.

Proposez aux élèves d'écrire leur texte à l'ordinateur et, si le support d'élèves plus âgés est possible, de tirer d'une banque d'images celles qui se rapportent à l'histoire (exemples: animaux, bateau, paysages, etc.).

Prévoyez une séance de lecture collective ou d'échange de textes afin de faire connaître aux autres la scène qu'on a imaginée.

Invitez les élèves à mentionner les situations d'écriture qu'ils préfèrent : récit, poème, lettre, texte d'information, etc.

Demandez aux élèves qui ont éprouvé des difficultés d'en faire part et d'indiquer les stratégies qu'ils ont utilisées pour les vaincre. Invitez certains élèves qui ont déjà connu de telles difficultés

à révéler comment ils s'y sont pris pour les surmonter.

Remarque : si vous ne retenez pas la situation d'écriture proposée ici, vous pourriez la transformer en dramatique. Faites construire une arche et des marottes représentant les animaux choisis, puis demandez d'imaginer une conversation qu'auraient pu avoir ceux-ci.

3

RETOUR
SUR
L'ENSEIGNEMENT

- Certains élèves éprouvent-ils toujours de la difficulté à lire de façon autonome ? Selon vous, ces lecteurs ont-ils besoin d'un soutien pour régler leur difficulté ? Quelques-uns d'entre eux sont-ils en voie de pouvoir lire avec plus de facilité ?

- De quel ordre sont les difficultés qu'éprouvent les lecteurs ?

- Comment la réalisation de la murale s'est-elle déroulée ? Quels sont les aspects les plus positifs à retenir de cette activité ? Quels problèmes ont surgi ? Notez-les pour tenter de les prévenir lors d'une prochaine activité.

- Si vous avez fait réaliser l'activité d'écriture, quelles sont les étapes du processus d'écriture qui ne sont pas encore complètement acquises ? Quelles sont celles qui se font machinalement ?

Astuce et suggestions (ENRICHISSEMENT)

Dramatisation

Faites enregistrer sur cassette le récit imaginé lors de la situation d'écriture. Ce travail pourrait se faire en équipes de deux ou trois élèves pour ceux qui veulent ajouter

des éléments sonores à leur histoire : pluie, coups de tonnerre, cris d'animaux, musique de circonstance, etc. Placez la cassette au centre d'écoute et invitez les élèves à y entendre les histoires de leurs camarades.

TIC

Le bateau

Pour cette activité, les élèves utiliseront l'application de dessin vectoriel. Pour créer leur dessin, ils s'inspireront de la chanson de la 1ʳᵉ situation d'apprentissage de ce module.

Il serait intéressant de préparer cette activité en montrant aux élèves comment annuler une action à l'aide de cette fonction du menu ÉDITION.

Demandez à l'élève de produire un tableau qui illustre la chanson.

Donnez les consignes suivantes aux élèves :

1. Ouvrez l'application de dessin vectoriel.

2. En utilisant les différents outils de dessin vectoriel, produire un tableau illustrant des animaux et le bateau de Noé avant le déluge.

3. Sauvegardez le tableau dans votre dossier personnel.

4. Imprimez (en couleurs, si possible).

5. Affichez.

Activité 1

Rappel :
Réalisez
l'étape 1 du projet.

Situation d'apprentissage 2

LA NAISSANCE DES ANIMAUX

Même les scientifiques capables de cloner animaux et humains sont émerveillés par le mystère de la vie qui se renouvelle sans cesse dans la chaleur de la couvaison et de la gestation. De l'animal le plus infime jusqu'à l'être humain, quel miracle que celui de la naissance !

SAVOIRS ESSENTIELS DES DIFFÉRENTES COMPÉTENCES

BUT

Relever les informations d'un texte portant sur le phénomène de la naissance des animaux.

ORGANISATION DE LA CLASSE

Collectif, équipes de trois, individuel

MATÉRIEL NÉCESSAIRE

- *Par élève : manuel D (pages 86 et 87), fiche d'assez grand format, crayons à colorier ou crayons-feutres*

- *Pour le soutien : feuille reproductible 19.2*

- *Pour la consolidation : feuille reproductible 19.1*

À FAIRE

- *Faire mettre en réserve à la bibliothèque des livres traitant de la naissance des animaux et adaptés à l'âge des élèves.*

- *Préparer des bouts de papier, et inscrire au recto un mot sur chacun : «insectes», «oiseaux» ou «poissons».*

L **LIRE DES TEXTES VARIÉS**
E **ÉCRIRE DES TEXTES VARIÉS**

Connaissances liées au texte :

- Exploration et utilisation d'éléments caractéristiques de différents genres de textes ;
- Prise en compte des éléments de la situation de communication : intention, contexte, formes du registre standard ;
- Prise en compte d'éléments de cohérence : idées rattachées au sujet, reprise de l'information en utilisant des termes substituts (pronoms).

Connaissances liées à la phrase :

- Recours à la ponctuation : point ;
- Reconnaissance et utilisation du groupe du nom : Pronom, Nom, Dét. + Nom ;
- Accords dans le groupe du nom : Dét. + Nom ;
- Exploration et utilisation du vocabulaire en contexte ;
- Utilisation de l'orthographe conforme à l'usage.

Stratégies de lecture :

- Stratégies de reconnaissance et d'identification des mots d'un texte ;
- Stratégies de gestion de la compréhension ;
- Stratégies d'évaluation de sa démarche.

Stratégies d'écriture :

- Stratégies de planification ;
- Stratégies de mise en texte ;
- Stratégies de révision ;
- Stratégies de correction ;
- Stratégies d'évaluation de sa démarche.

Techniques :

- Apprentissage de la calligraphie ;
- Utilisation de manuels de référence.

S **EXPLORER LE MONDE DE LA SCIENCE ET DE LA TECHNOLOGIE**

Connaissances liées à la science et à la technologie :

- Univers vivant : phénomène de la naissance chez les animaux et chez les humains (couvaison, gestation).

PLANIFICATION DE L'ENSEIGNEMENT (SUITE)

Au verso inscrire un autre mot sur chacun d'eux : « kangourou », « ourse » ou « humains ». Prévoir autant de petits papiers que vous avez d'élèves et toujours y répéter (recto / verso) les mêmes mots : insectes / kangourous, oiseaux / ourse, poissons / humains.

TEMPS SUGGÉRÉ
100 min

_____

2

ACTION EN CLASSE

ACTIVITÉ DE SOUTIEN

Feuille reproductible 19.2 :
Les animaux et leurs petits
(individuel)

– *Compléter le texte avec les mots suggérés.*

▶ *L'élève formule des hypothèses tout au long de sa lecture.*

86

87

 Préparation

- <u>Faites ouvrir le manuel D aux pages 86 et 87.</u> Demandez aux élèves d'observer le mode de présentation des textes, les formes dans lesquelles ils se trouvent, la couleur de fond, la présence d'illustrations, etc.

  Invitez quelques élèves à énumérer les étapes préparatoires à la lecture (adopter une attitude favorable, faire un survol du texte, formuler une intention de lecture ou lire celle qui est proposée dans le manuel, émettre des hypothèses sur le contenu du texte).

Laissez aux élèves le temps de se préparer, puis faites-leur émettre des hypothèses.

 Réalisation

- <u>Formez des équipes de trois élèves. Faites tirer à chaque coéquipier ou coéquipière un bout de papier sur lequel se trouvent deux mots différents : insectes / kangourou, oiseaux / ourse, poissons / humains.</u>

  <u>Suggérez aux élèves de fouiller dans leurs connaissances et de se référer à leurs expériences antérieures pour ensuite écrire sur une fiche ce qu'ils savent du processus qui entoure la naissance</u>

*Feuille reproduc-
tible 19.1 :*
**La naissance
des animaux**
(en équipes).

– *Écrire les mots
suggérés dans la
bonne colonne.*

▶ *L'élève classe
les éléments d'in-
formation issus
d'un texte à l'aide
d'outils de consi-
gnation relative-
ment simples.*

des individus des deux groupes tirés. Si certains élèves ne connaissent pas le phénomène, demandez-leur d'émettre des hypothèses sur le sujet.

Demandez aux coéquipiers de partager leurs connaissances et de les enrichir en notant les informations fournies par les autres membres de l'équipe. Ainsi, chaque équipe couvre les six groupes d'individus mentionnés dans le texte.

Demandez aux élèves de revenir aux pages 86 et 87 du manuel, et d'y repérer le passage qui traite de l'être vivant dont ils ont tiré le nom.

Invitez les élèves à faire une lecture in-dividuelle de ce passage. Rappelez-leur qu'ils peuvent s'entraider s'ils éprouvent des difficultés.

Faites ajouter les nouvelles informations ainsi recueillies à celles déjà écrites durant le travail en équipes.

Reformez les équipes de trois cons-tituées au début de l'activité et faites procéder à une mise en commun des informations puisées dans le texte.

 **Intégration et
réinvestissement**

• Invitez les élèves qui ont tiré des pa-piers faisant mention du même être vi-vant à se regrouper pour un partage des connaissances. Faites ajouter les infor-mations qui auraient été oubliées.

Invitez les équipes à choisir un ou une porte-parole pour chaque être vivant étudié. Demandez aux porte-parole de présenter à l'ensemble de la classe les informations colligées par les équipes.

Invitez les élèves à nommer des êtres vivants qui se reproduisent selon les modèles présentés dans le manuel : ovipares (monde des volailles et des oiseaux où les œufs sont couvés) et vivipares (monde des mammifères dont les ours et les êtres humains font partie).

Faites un retour avec les élèves sur les connaissances qu'ils possédaient avant la lecture et sur celles qu'ils ont acquises en lisant le texte. Les connaissances acquises avant la lecture étaient-elles toutes exactes ?

Demandez aux élèves s'ils ont aimé coucher sur papier des informations et si cette forme d'écriture leur plaît. Faites nommer les situations d'écriture qui leur sont les plus agréables.

Invitez quelques élèves à énumérer les avantages de l'écriture telle que prati-quée au cours de la présente situation d'apprentissage (mettre sur papier ce qu'on connaît, ajouter ce que les autres connaissent, ajouter ce que le texte ré-vèle afin de ne rien oublier. L'écriture des informations sur une feuille permet de se sentir plus à l'aise lorsque vient le temps de communiquer des renseigne-ments aux autres.).

Questionnez les élèves pour savoir si l'intention de lecture a été atteinte.

Demandez aux élèves de se faire ra-conter les circonstances qui ont entouré leur naissance : date et heure, endroit, jour de la première sortie, premiers visi-teurs, cadeaux reçus, émotions ressen-ties par les parents, faits cocasses, etc.

De retour en classe, faites rédiger aux élèves un texte comportant ces rensei-gnements. Circulez dans la classe pour poser des questions, donner des pistes, faire des suggestions.

Proposez aux élèves d'enjoliver leur feuille de travail en y ajoutant si possi-ble une photo d'eux lorsqu'ils étaient bébés, ou celle de tout autre bébé.

Variante : Demandez aux élèves de pla-cer la photo au verso de leur texte et invitez-les par la suite à dire quel est, d'après eux, le plus beau bébé !

Invitez quelques élèves à rappeler les étapes du processus d'écriture : plani-fication, rédaction, révision, correction, transcription, diffusion.

Avant d'afficher les textes, demandez aux élèves d'échanger leurs copies et de lire quelques productions.

3

**RETOUR
SUR
L'ENSEIGNEMENT**

- Les élèves ont-ils réagi positivement à cette façon de recueillir de l'information?

- Dans l'ensemble, la lecture des textes a-t-elle été facile ou ardue?

Astuce et suggestions (ENRICHISSEMENT)

En furetant

Invitez les élèves à se présenter à la bibliothèque et à y choisir de la documentation sur la naissance d'une autre catégorie d'êtres vivants (moutons, chèvres, chevaux, vaches, chiens, chats, etc.). Faites remplir des fiches de renseignements semblables à celles réalisées en classe. Affichez-les au babillard après qu'elles auront été présentées à la classe.

TIC

Une visite dans un zoo virtuel

Pour réaliser cette activité, vous aurez aussi à créer une banque de signets intitulée ZOOS dans laquelle vous aurez inséré des sites portant sur le sujet.

Sensibilisez les élèves à une recherche sélective qui peut déboucher sur autre chose, encouragez-les à faire preuve d'adaptabilité s'ils ne trouvent pas exactement ce qu'ils recherchent afin qu'ils gardent l'esprit ouvert à de nouvelles découvertes enrichissantes.

Donnez les consignes suivantes aux élèves:

1. Choisissez un animal sauvage sur lequel vous aimeriez trouver des renseignements relatifs à la naissance et aux soins des parents.

2. Ouvrez le fureteur.

3. Ouvrez la banque de signets intitulée ZOOS.

4. Essayez de trouver des renseignements sur la naissance et les soins parentaux relatifs à l'animal choisi pour la recherche.

5. Imprimez la page que vous trouvez la plus intéressante.

6. Présentez votre recherche à vos camarades.

Rappel:
Réalisez
l'étape 2 du projet.

Situation d'apprentissage 3

UNE VISITE AU MUSÉE
JE CONNAIS UNE MAGICIENNE

Une maman, tout droit sortie de l'an 1872, est en adoration devant son enfant endormi. C'est plus qu'une toile, plus qu'une œuvre d'art. C'est l'expression de l'un des plus beaux sentiments humains. Les choses sont-elles différentes en ce début de XXIe siècle ? Que non ! L'essentiel est éternel.

BUTS

- *Découvrir une nouvelle artiste et peindre à sa manière.*

- *Lire et écrire un texte où les émotions et les sentiments viennent colorer les propos.*

ORGANISATION DE LA CLASSE

Collectif, équipes de deux, individuel

MATÉRIEL NÉCESSAIRE

- *Par élève : manuel D (pages 88 à 90)*

- *Pour l'activité artistique : un demi-carton blanc, un pastel gras ou un crayon de cire, un pinceau et un bol d'eau, des essuie-tout, de la gouache liquide (bleu, rouge, jaune, noir et blanc), une assiette en carton ou en styromousse*

- *Pour la consolidation : feuilles reproductibles 19.3 et 19.4*

À FAIRE

Apporter en classe un livre ou une affiche illustrant un fœtus à diverses étapes de son développement.

TEMPS SUGGÉRÉ

120 min

SAVOIRS ESSENTIELS
DES DIFFÉRENTES COMPÉTENCES

L LIRE DES TEXTES VARIÉS
E ÉCRIRE DES TEXTES VARIÉS
C COMMUNIQUER ORALEMENT
A APPRÉCIER DES ŒUVRES LITTÉRAIRES

Connaissances liées au texte :

- ▶ Exploration et utilisation d'éléments caractéristiques de différents genres de textes ;
- ▶ Exploration de quelques éléments littéraires à des fins d'utilisation ou d'appréciation : expressions - jeux de sonorités - figures de style (comparaison, rimes) ;
- ▶ Prise en compte des éléments de la situation de communication : intention, contexte, formes du registre standard ;
- ▶ Prise en compte d'éléments de cohérence : idées rattachées au sujet, reprise de l'information en utilisant des termes substituts (pronoms).

Connaissances liées à la phrase :

- ▶ Recours à la ponctuation : point ;
- ▶ Reconnaissance et utilisation du groupe du nom : Pronom, Nom, Dét. + Nom ;
- ▶ Accords dans le groupe du nom : Dét. + Nom ;
- ▶ Exploration et utilisation du vocabulaire en contexte ;
- ▶ Utilisation de l'orthographe conforme à l'usage.

Stratégies de lecture :

- ▶ Stratégies de reconnaissance et d'identification des mots d'un texte ;
- ▶ Stratégies de gestion de la compréhension ;
- ▶ Stratégies d'évaluation de sa démarche.

Stratégies d'écriture :

- ▶ Stratégies de planification ;
- ▶ Stratégies de mise en texte ;
- ▶ Stratégies de révision ;
- ▶ Stratégies de correction ;
- ▶ Stratégies d'évaluation de sa démarche.

Stratégies de communication orale :

- ▶ Stratégies d'exploration ;
- ▶ Stratégies de partage ;
- ▶ Stratégies d'écoute ;
- ▶ Stratégies d'évaluation.

Stratégies liées à l'appréciation d'œuvres littéraires :

- ▶ S'ouvrir à l'expérience littéraire ;
- ▶ Établir des liens avec ses expériences personnelles ;
- ▶ Se représenter mentalement le contenu ;
- ▶ Échanger avec d'autres personnes.

Techniques :

- ▶ Apprentissage de la calligraphie ;
- ▶ Utilisation de manuels de référence et d'outils informatiques.

> Cette situation d'apprentissage permet d'aborder des connaissances relevant du domaine des arts, plus spécifiquement de la discipline **arts plastiques**. Toutefois, aucune compétence dans ce domaine ne sera développée.

Notes personnelles

_____
_____
_____
_____
_____
_____
_____
_____
_____
_____
_____
_____
_____
_____
_____
_____
_____
_____

ACTION
EN CLASSE

ACTIVITÉ DE
CONSOLIDATION

*Feuilles reproductibles
19.3 et 19.4 :
Je connais une
magicienne
(en équipes)*

– *Répondre aux
questions.*

▶ *L'élève reconnaît
les caractéristiques d'un poème.*

CORRIGÉ

MANUEL D, PAGE 88

▼ 1 Une mère.

▼ 2 Elle chante une berceuse à son
enfant.

2

ACTION EN CLASSE (SUITE)

Préparation

- Demandez aux élèves s'ils se souviennent de certains artistes ou de certaines reproductions présentés dans leurs manuels C et D au cours de l'année. Qu'ont-ils retenu de ces artistes ou de leurs œuvres ?

Élargissez le débat en proposant aux élèves de nommer d'autres artistes qu'ils connaissent. Demandez-leur s'ils ont vu des œuvres réalisées par un ou une de ces artistes et s'il peuvent les comparer avec celles d'un ou de plusieurs artistes qui leur ont été présentés dans leur manuel C et D.

<u>Faites ouvrir le manuel à la page 88 et laissez aux élèves le temps de se familiariser avec ce qui y est présenté: sujet, personnages, indices d'époque, sentiments provoqués, etc.</u>

<u>Parlez aux élèves de l'auteure de cette toile, Berthe Morisot, en vous inspirant des notes rédigées à la fin de la présente situation d'apprentissage.</u>

Poursuivez la période d'observation du tableau qui apparaît à la page 88 du manuel et faites intervenir l'intuition, l'imagination et la logique des élèves. Pour ce faire, posez-leur les questions suivantes : *Qui est la femme représentée sur la toile ? Que fait-elle ? À quel moment de la journée pourrait-on bien être ? Quelles couleurs Berthe Morisot a-t-elle utilisées pour peindre ce tableau ? Qu'est-ce qui se dégage de cette toile ? de l'amour ? de la douceur ? de la violence ? de la tendresse ? Imaginez la berceuse que cette femme chante à son enfant ; pouvez-vous la fredonner ? Quelle chanson vous chantait votre maman (ou la personne qui la remplace) pour vous endormir quand vous étiez petit ? Aujourd'hui, de quelle façon vous endormez-vous ?*

Demandez à chaque élève de plonger dans ses souvenirs et d'en relever un où, avec sa mère (ou la personne qui la remplace), il ou elle a connu un moment de bonheur et de douceur.

<u>Dites aux élèves que le tableau, intitulé *Le berceau*, présente Edma, la sœur de Berthe Morisot.</u> Edma vient d'avoir un enfant. Sur cette toile, Berthe fait ressortir le sentiment de bonheur qu'éprouve la mère en regardant avec tendresse son enfant endormi.

2 ACTION EN CLASSE (SUITE)

 Réalisation

- Informez chaque élève qu'il ou elle aura à réaliser une peinture à la manière de Berthe Morisot afin de représenter le moment de bonheur et de douceur qu'il ou elle a puisé à même ses souvenirs. Rappelez que Mme Morisot aimait les tonalités claires avec une préférence pour le gris, le bleu et le blanc.

Faites réaliser d'abord un croquis sur carton avant d'utiliser la gouache. Il s'agit de tracer les grandes lignes de la composition à l'aide d'un pastel ou d'un crayon de cire, en dessinant des personnages assez grands pour occuper l'espace pictural du carton.

Demandez aux élèves d'avoir recours aux couleurs qu'utilisait Berthe Morisot. Apprenez-leur à se servir du blanc pour pâlir les couleurs, ce qui s'appelle *faire un dégradé.*

Si vous le pouvez, faites écouter quelques berceuses pendant l'activité artistique.

Poursuivez cette situation d'apprentissage en invitant les élèves à lire le texte qui apparaît aux pages 89 et 90 du manuel.

Invitez les élèves à établir des liens entre les illustrations du texte de Mireille Villeneuve et le tableau de Berthe Morisot (dans chaque illustration tout comme dans le tableau, il y a deux personnages : une mère et son petit).

Lisez le titre *Je connais une magicienne* et demandez aux élèves de faire un survol du texte et d'émettre des hypothèses à savoir qui peut bien être cette magicienne et quel sera le contenu du texte.

Présumez que les élèves découvriront que la magicienne est une maman.

Invitez les élèves à parler de leur mère (ou de celle qui la remplace) : ce qu'elle représente pour eux, ce qu'elle fait, ses principales qualités, ce qu'ils aiment le plus faire avec elle, ce qui les surprend le plus chez elle, etc.

Demandez aux élèves s'ils connaissent une femme qui attend un bébé. *Est-elle heureuse ? Parle-t-elle déjà à son bébé ? A-t-elle hâte qu'il naisse pour le voir et le prendre dans ses bras ?*

Présentez, si possible, des illustrations d'un fœtus à diverses étapes de son développement. Faites prendre conscience aux élèves de la complexité et de la beauté de cette forme de vie.

Demandez aux élèves si certains d'entre eux ont déjà vu une échographie alors qu'ils étaient fœtus. Si oui, demandez-leur quelles ont été leurs impressions.

Faites des liens entre la gestation et la naissance de certains mammifères d'une part, et le développement du fœtus et la naissance chez les êtres humains d'autre part.

Invitez les élèves à émettre une intention de lecture (lire un poème qui parle d'une maman et découvrir pourquoi elle est une magicienne).

Formez des équipes de deux élèves qui se partageront la lecture du poème, au gré des strophes.

Animez une mise en commun et notez au tableau les caractéristiques de la maman décrite dans le poème.

Proposez aux élèves de choisir l'une ou l'autre des situations d'écriture suivantes : raconter un moment de douceur et de bonheur passé auprès de sa maman ou de quelqu'un qu'on aime beaucoup ; composer un poème pour sa maman ou un être cher en s'inspirant du poème des pages 89 et 90 du manuel.

Faites rappeler par quelques élèves les étapes du processus d'écriture et soulignez l'interdépendance qui existe entre chacune de ces étapes. Pendant la composition, circulez dans la classe pour poser des questions, donner des pistes, faire des suggestions.

2
ACTION
EN CLASSE
(SUITE)

Prévoyez une présentation des illustrations réalisées préalablement par les élèves et une lecture des textes d'accompagnement ou des poèmes.

Suggérez aux élèves d'offrir leur illustration et leur texte (ou poème) à leur mère (ou à la personne qui la remplace) à l'occasion de la fête des Mères.

Si le budget de l'école le permet, vous pourriez faire assembler les textes afin de produire un album qui serait remis à chaque être cher. Une fois les albums montés, chaque élève pourrait coller sa propre illustration sur la première de couverture.

 Intégration et réinvestissement

- Revenez à l'œuvre de Berthe Morisot et demandez aux élèves si elle fait maintenant partie de leurs toiles favorites. Faites justifier les réponses.

Invitez les élèves à réfléchir au degré de difficulté rencontré lors de la lecture du poème. Si certains ont utilisé des stratégies de dépannage, demandez-leur de les identifier en indiquant à quel endroit du poème elles leur ont été utiles.

Demandez aux élèves de relever les rimes du poème. Écrivez-les au tableau et faites remarquer qu'un même son peut avoir plusieurs graphies.

Amenez les élèves à nommer les raisons qui les ont incités soit à rédiger un texte, soit à composer un poème.

Demandez aux élèves qui ont composé un poème s'ils y ont inséré des rimes. Faites réaliser qu'un texte peut être considéré comme poème même s'il ne contient pas de rimes.

Invitez les élèves à remarquer la réaction de leur mère (ou de l'être aimé) quand ils lui remettront l'illustration et le texte, et ce, afin de pouvoir en parler en classe le lendemain de la fête des Mères.

3
RETOUR
SUR
L'ENSEIGNEMENT

- Vos élèves sont-ils maintenant plus familiers avec l'étude d'une œuvre d'art ? Se souviennent-ils des œuvres et des artistes déjà présentés ? Font-ils des liens entre les œuvres ou les artistes ? Peuvent-ils faire part de leur préférence et la justifier ?

- L'activité artistique *À la manière de Berthe Morisot* s'est-elle déroulée de façon satisfaisante ?

- Quelles difficultés les élèves ont-ils éprouvées au cours de la lecture ? De quelle manière avez-vous aidé les élèves qui ont eu de la difficulté à lire certains passages ?

- Si vous deviez refaire cette situation d'apprentissage, quels sont les éléments que vous conserveriez ? que vous changeriez ? Notez vos observations.

 Travaux personnels

Invitez chaque élève à parler avec sa maman (ou une autre mère) de ce qu'elle ressentait alors qu'elle était enceinte.

Astuce et suggestions (ENRICHISSEMENT)

Pour maman (ou celle qui la remplace)

Faites préparer une carte pour la fête des Mères.

Faites bricoler un petit cadeau pour maman (ou l'être cher). Proposez de chercher des idées dans des livres ou revues de bricolage à la bibliothèque en demandant l'assistance du ou de la bibliothécaire.

 TIC

Abécédaire personnel

Pour réaliser cette activité, vous devez déjà avoir un fichier de traitement de texte intitulé ABÉCÉDAIRE où il y a des sauts de sections pour chaque lettre de l'alphabet (chaque section étant d'ailleurs identifiée par une lettre de l'alphabet). Une copie de ce fichier se trouve déjà dans chacun des dossiers de vos élèves, car cette activité a été commencée au module 11.

Demandez à l'élève de choisir deux ou trois mots dans le module 19 de *Astuce*.

Donnez les consignes suivantes aux élèves :

1. Ouvrez le fichier ABÉCÉDAIRE.

2. Relisez les mots qui ont été inscrits la dernière fois.

3. Écrivez les mots choisis.

4. Corrigez les mots écrits à l'aide du dictionnaire électronique qui est inclus dans le traitement de texte.

5. Sauvegardez le fichier.

Rappel :
Réalisez
l'étape 3 du projet.

Notes personnelles

_____

_____

_____

_____

_____

_____

_____

_____

_____

_____

_____

_____

_____

_____

_____

_____

Biographie de Berthe Morisot

Berthe Morisot est née le 14 janvier 1841 à Bourges, en France, dans une famille très fortunée. Elle est la troisième d'une famille de quatre enfants. Les parents encouragent leur goût pour la peinture en leur offrant des leçons auprès de peintres célèbres dont Guichard, qui amène Berthe et sa sœur Edma à copier les œuvres des grands maîtres au musée du Louvre. Puis, elles font part de leur désir de peindre en plein air. C'est avec le grand peintre Corot qu'elles vont illustrer les paysages et leur lumière extérieure. Bientôt, Corot les recommande à un autre grand maître, Oudinot, qui complétera leur formation.

Au début de sa carrière, Berthe Morisot a le souci, comme Corot, de dissimuler le plus possible son coup de pinceau. Elle peint des paysages et fait des recherches sur les changements de lumière. On sent une certaine mélancolie dans ses tableaux, où règne une atmosphère automnale (*Vieux chemin à Auvers*, 1863). Puis, peu à peu, elle peint ceux qui l'entourent : sa mère et sa sœur Edma, qui lui sert souvent de modèle (*La lecture*, 1870, et *Le berceau*, 1872). Ce dernier tableau, présenté à la page 88 du manuel, est une huile sur toile réalisée peu avant que Berthe Morisot ne se joigne aux impressionnistes. Ce tableau est le plus célèbre de tout l'œuvre de Berthe Morisot.

C'est en 1868, en faisant une copie de Rubens au Louvre, que Berthe Morisot fait la rencontre d'Édouard Manet, qui lui demande de servir de modèle pour *Le balcon*. Elle accepte et c'est ainsi qu'il immortalise sa beauté et ses traits sur plusieurs de ses tableaux. Une grande amitié naît, et les deux artistes s'influencent mutuellement dans leur façon de peindre.

Après 1870, dans une atmosphère très amicale, Berthe Morisot trouve son style au sein du groupe des impressionnistes. Elle rencontre Renoir et Monet, qui font partie de ce groupe d'artistes et qui deviennent ses amis. Elle saisit le sens de leurs recherches picturales, c'est-à-dire peindre ce que l'œil voit réellement, leur manière de traiter la lumière et le mouvement. Elle aime leur façon d'appliquer les couleurs les unes à côté des autres sans les avoir mélangées sur la palette. Elle apprécie aussi cette façon de faire disparaître le contour des objets et les contrastes. Ce nouveau style viendra influencer plusieurs artistes.

En décembre 1874, après une longue amitié, Berthe Morisot épouse Eugène, le frère de Manet. La même année, elle participe avec ses amis à la première exposition des impressionnistes. C'est une figure féminine marquante au sein du groupe des impressionnistes. Elle se joint à toutes leurs expositions, sauf à la quatrième, en 1878, année de la naissance de sa fille Julie.

À cette époque, Berthe Morisot présente dans ses tableaux un sentiment de bien-être et de sérénité. Elle transcrit l'émotion d'un moment, d'un instant. Elle peint ce qu'elle voit, une image simple et sincère du spectacle qui l'entoure. Le dessin est toujours vaporeux et les formes ne sont pas nettement délimitées. Les traces de son pinceau sont très visibles, les touches très longues et surtout très désordonnées. Elle préfère les tons clairs, et le gris, le bleu et le blanc dominent toujours. Son œuvre est très gaie. Durant toutes ces années, ses modèles préférés seront son mari Eugène et sa fille Julie.

Dans les dernières années de sa vie, Berthe Morisot est en réaction contre les impressionnistes. Elle doute de son œuvre et de sa valeur. Comme Renoir, elle revient à un style plus défini et s'attarde plus au portrait qu'au paysage. Elle prépare ses compositions de tableau en faisant au préalable des études aux pastels ou à l'aquarelle. Avant de prendre ses pinceaux, elle dessine sur la toile un dessin assez élaboré. Sa palette change pour des couleurs plus vives et plus contrastantes comme le rouge, le vert et le bleu violet (*Le cerisier*, 1891).

Le 2 mars 1895, après une courte maladie, Berthe Morisot s'éteint à l'âge de 54 ans. Elle nous laisse en héritage plus de 416 tableaux, 191 pastels, 240 aquarelles, 8 gravures et 2 sculptures. Elle laisse peu de tableaux de la période de sa jeunesse, les ayant presque tous détruits. Elle livre une œuvre remplie de fraîcheur et de spontanéité qui raconte les souvenirs d'une vie.

Situation d'apprentissage 4

DES PARENTS ATTENTIONNÉS

Appelons-le Manchoton puisqu'il est le rejeton d'une maman et d'un papa manchots. Alors que Manchoton n'était qu'un embryon dans son œuf, papa était roi du foyer pendant que maman travaillait inlassablement à l'extérieur. Difficile à croire ? Lisez plutôt…

SAVOIRS ESSENTIELS DES DIFFÉRENTES COMPÉTENCES

BUTS

- Lire un texte afin de découvrir ce qui caractérise une espèce animale.

- Établir une comparaison entre ses us et coutumes et ceux des humains.

ORGANISATION DE LA CLASSE

Collectif, équipes de deux, individuel

MATÉRIEL NÉCESSAIRE

- Par élève : manuel D (pages 91 et 92)

- Pour le soutien : activité complémentaire 66

À FAIRE

Se documenter sur la vie sociale des meutes de loups et, si possible, sur les règles de vie en société pour d'autres espèces animales (chats, autres félins, éléphants, etc.).

TEMPS SUGGÉRÉ

100 min

L **LIRE DES TEXTES VARIÉS**
C **COMMUNIQUER ORALEMENT**

Connaissances liées au texte :

- ▶ Exploration et utilisation d'éléments caractéristiques de différents genres de textes ;
- ▶ Prise en compte des éléments de la situation de communication : intention, contexte, formes du registre standard ;
- ▶ Prise en compte d'éléments de cohérence : idées rattachées au sujet, reprise de l'information en utilisant des termes substituts (pronoms).

Stratégies de lecture :

- ▶ Stratégies de reconnaissance et d'identification des mots d'un texte ;
- ▶ Stratégies de gestion de la compréhension ;
- ▶ Stratégies d'évaluation de sa démarche.

Stratégies de communication orale :

- ▶ Stratégies d'exploration ;
- ▶ Stratégies de partage ;
- ▶ Stratégies d'écoute ;
- ▶ Stratégies d'évaluation.

Techniques :

- ▶ Utilisation de manuels de référence.

S **EXPLORER LE MONDE DE LA SCIENCE ET DE LA TECHNOLOGIE**

Connaissances liées à la science et à la technologie :

- ▶ Univers vivant : les caractéristiques du comportement de certaines espèces animales (manchots, humains, loups).

U **CONSTRUIRE SA REPRÉSENTATION DE L'ESPACE, DU TEMPS ET DE LA SOCIÉTÉ**

Connaissances liées à l'univers social (ici et ailleurs) :

- ▶ Groupes (règles communes de fonctionnement en classe, à l'école, en famille ; comparaison entre les humains et certains animaux vivant en société et ayant des règles de vie à respecter).

Des parents attentionnés

C'est l'hiver antarctique au pôle Sud. Sur la banquise recouverte d'un manteau blanc, les manchots empereurs se promènent.

Le manchot empereur est un des plus beaux manchots. La queue courte, le dos noir, le ventre blanc crème, il ressemble à un petit homme en habit de soirée. Sur la terre, la démarche lente et maladroite de ce grand oiseau est très drôle !

Les manchots empereurs vivent dans d'immenses colonies. Pour se retrouver, le mâle et la femelle de chaque couple ne cessent de crier. Quel brouhaha !

91

Au mois de mai, la maman pond un unique œuf. Le papa le pose sur ses pieds. Il le recouvre d'un repli de la peau de son ventre pour le garder au chaud.

Pendant deux mois, les mâles couvent sans rien manger et les femelles partent pour la pêche.

Lorsque la maman revient, elle prend soin du petit poussin qui vient de naître. C'est une adorable boule de duvet gris, avec une tête toute noire et deux grosses taches blanches autour des yeux.

À l'âge de deux mois, les jeunes se rassemblent dans une immense crèche. Parfois, ils rejoignent leur papa et leur maman pour manger. Mais gare aux méchants oiseaux ! Les pétrels géants et les becs-en-fourreau, véritables brigands, attendent leurs proies...

À cinq mois, les jeunes manchots sont assez grands pour aller à la mer. Hop, premier plongeon ! Ils découvrent alors l'océan, inondé d'une lumière très pure, sous un soleil féerique.

92

Préparation

• <u>Demandez aux élèves d'ouvrir leur manuel aux pages 91 et 92, et de faire un survol du texte</u> (lecture du titre et observation des illustrations).

<u>Invitez les élèves à identifier l'animal vedette dans ces pages, le manchot.</u> (Les élèves diront sans doute qu'il s'agit d'un pingouin. Apprenez-leur que les pingouins vivent dans les mers arctiques, près du pôle Nord, tandis que le manchot représenté ici vit dans les mers antarctiques, près du pôle Sud.)

<u>Activez les connaissances des élèves en leur demandant tout ce qu'ils savent sur les manchots.</u>

Faites énoncer l'intention de lecture qui apparaît au-dessus du texte : lire pour découvrir ce en quoi les manchots sont des parents attentionnés.

<u>Faites anticiper le contenu du texte : ce que font les manchots pour être des parents attentionnés.</u>

<u>Demandez aux élèves s'ils savent ce qui distingue un ovipare d'un vivipare. S'ils le savent, invitez-les à caractériser le manchot. Dans le cas contraire, apprenez-leur qu'un animal ovipare se reproduit par des œufs qu'il pond avant</u>

CORRIGÉ
MANUEL D, PAGE 92

▼ **1 D'un œuf qui éclôt.**

2 Le père couve l'œuf sous un repli de la peau de son ventre ; la mère part à la pêche. À son retour, c'est elle qui prend soin du petit.

<u>ou après la fécondation, tandis qu'un animal vivipare donne naissance à des petits déjà développés, qui ne sont pas dans une coquille.</u> (Le manchot est ovipare.)

Réalisation

• <u>Formez des équipes de deux élèves qui liront individuellement le texte des pages 91 et 92 du manuel.</u>

Rappelez aux coéquipiers qu'ils peuvent s'entraider s'ils éprouvent des difficultés de compréhension.

<u>Invitez les coéquipiers à partager leur compréhension du texte après la lecture de chaque paragraphe.</u>

Procédez à une mise en commun des caractéristiques du comportement des manchots, d'abord comme parents, ensuite comme enfants.

Notez les informations provenant du texte et faites établir des liens entre les connaissances déjà acquises et celles fournies par la lecture. S'il y a lieu, faites rectifier les données antérieures à la lecture (exemple : les manchots vivent au pôle Nord).

Invitez les élèves à comparer le rôle des papas manchots à celui des papas humains. Demandez-leur quelles sont les ressemblances et les différences entre les rôles joués par les deux groupes ?

Faites remarquer aux élèves que les manchots vivent eux aussi en société. Demandez-leur comment, d'après eux, ils se comportent en société, comment ils arrivent à se retrouver.

Demandez aux élèves s'ils connaissent d'autres animaux qui vivent en société (une meute de loups avec un chef et des subordonnés) et qui ont des règles de vie (ce qu'un loup peut faire et ce qu'il ne peut pas faire).

Faites remarquer que les animaux ont, tout comme les humains, des règles à respecter lorsqu'ils vivent en société.

 ### Intégration et réinvestissement

- Amenez les élèves à se rendre compte qu'en classe ils forment une société et que celle-ci est régie par des règles de vie. Faites-leur réaliser qu'il en va de même pour l'école.

Invitez les élèves à relever les règles de vie en classe, puis celles de l'école.

Rappelez que la communication orale se fait en groupe, donc en société. Faites énoncer certaines règles qui assurent le bon fonctionnement d'une communication orale (respect du tour de parole, écoute attentive des propos des autres, adoption d'un volume de voix et d'une articulation qui permettent à tous de bien entendre, implication comme locuteur ou locutrice, etc.).

Demandez aux élèves si, d'après eux, une famille forme une société. Invitez-les à énumérer les règles de vie régissant leur famille (heure du coucher, du lever, du bain, des repas, d'écoute de la télévision, de sortie après le souper ; normes de rangement des vêtements ; responsabilité de chacun concernant les tâches domestiques, etc.).

Discutez avec les élèves des différents rôles dans la classe (enseignant ou enseignante, élèves), dans l'école (directeur ou directrice, enseignants ou enseignantes, secrétaires, concierges, surveillants ou surveillantes, élèves), dans la famille (parents, enfants).

Faites prendre conscience aux élèves de l'importance de travailler en équipe dans un esprit de coopération et de solidarité. Laissez-les transmettre le résultat de leur réflexion.

Invitez les élèves à commenter le texte qu'ils viennent de lire.

Faites remarquer aux élèves le chemin qu'ils ont parcouru depuis le début du cycle, soit depuis septembre, et félicitez-les pour les efforts qu'ils ont accomplis et les résultats qu'ils ont obtenus.

- Pendant la lecture, avez-vous remarqué s'il y avait des élèves qui semblaient ne pas s'intéresser au texte ? qui lisaient à contrecœur ? Si c'est le cas, prenez quelques minutes avec eux pour trouver une façon de leur venir en aide.

- Les élèves avaient-ils une bonne connaissance des manchots avant d'effectuer la lecture du texte ?

- Quelles ont été les principales réactions des élèves en lisant le texte ?

- Les élèves étaient-ils au courant de la hiérarchie et des règles de vie qui existent chez plusieurs espèces animales ?

Travaux personnels

Demandez aux élèves de remplir deux fiches, une pour les parents manchots et une autre pour les enfants manchots, en y indiquant les caractéristiques physiques des uns et des autres.

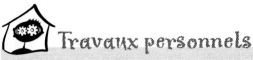

Astuce et suggestions (ENRICHISSEMENT)

Questions brillantes!

Faites composer une série de questions (deux ou trois par élève) portant sur le texte. Après avoir relu ces questions et les avoir corrigées au besoin, faites-les transcrire sur une fiche. Invitez les élèves à s'échanger leurs fiches et à répondre aux questions posées.

TIC

Oiseaux polaires

Pour réaliser cette activité, l'élève devra avoir recours à un moteur de recherche[1].

Il est préférable d'être accompagné par un ou une élève plus vieux ou plus vieille pour réaliser cette activité.

Les élèves auront à trouver des renseignements sur les oiseaux polaires.

Donnez les consignes suivantes aux élèves:

1. Ouvrez le fureteur.

2. Ouvrez la banque de signets (favoris) et choisissez un moteur de recherche.

3. Inscrivez les mots PINGOUIN, MANCHOT, MANCHOT ROYAL, MANCHOT EMPEREUR[2].

4. Visitez les sites qui sont pertinents.

5. Trouvez des renseignements pertinents sur ces oiseaux polaires.

6. Imprimez.

7. Comparez les résultats de votre recherche avec ceux d'un ou d'une camarade.

[1] Vous trouverez une liste de moteurs de recherche à la fin de ce module.

[2] Ne pas oublier de mettre les mots entre guillemets anglais (" ").

Notes personnelles

_____

_____

_____

_____

_____

_____

_____

_____

_____

BUT

Permettre tant aux enseignants qu'aux élèves de fixer ponctuellement l'état des compétences en lecture et en écriture après deux semaines de travail.

ORGANISATION DE LA CLASSE

Collectif, équipes de deux, équipes de quatre, individuel

MATÉRIEL NÉCESSAIRE

• *Par élève :
manuel D
(pages 93 à 95),
une feuille et un
crayon, feuilles
reproductibles
19.5 et 19.6*

À FAIRE

Photocopier la feuille reproductible 19.5

TEMPS SUGGÉRÉ

180 min

Fais le point avec Astuce

Lire pour comprendre, lire pour décoder adéquatement, écrire les mots dont l'orthographe a été fixée par l'usage, écrire un texte où les idées se transforment en mots et en phrases pour redevenir des idées dans la tête d'un ou d'une lectrice ; voilà qui résume les activités de la présente rubrique. Que d'habiletés et de connaissances sous-jacentes pour actualiser les compétences à lire et à écrire !

SAVOIRS ESSENTIELS DES DIFFÉRENTES COMPÉTENCES

L LIRE DES TEXTES VARIÉS
E ÉCRIRE DES TEXTES VARIÉS

Connaissances liées au texte :

▶ Exploration et utilisation d'éléments caractéristiques de différents genres de textes ;
▶ Exploration de quelques éléments littéraires à des fins d'utilisation ou d'appréciation : personnages, temps et lieux du récit, séquence des événements ;
▶ Exploration et utilisation de la structure des textes ;
▶ Prise en compte des éléments de la situation de communication : intention, contexte, formes du registre standard ;
▶ Prise en compte d'éléments de cohérence : idées rattachées au sujet, reprise de l'information en utilisant des termes substituts (pronoms).

Connaissances liées à la phrase :

▶ Recours à la ponctuation : point ;
▶ Reconnaissance et utilisation du groupe du nom : Pronom, Nom, Dét. + Nom ;

▶ Accords dans le groupe du nom : Dét. + Nom ;
▶ Exploration et utilisation du vocabulaire en contexte ;
▶ Utilisation de l'orthographe conforme à l'usage.

Stratégies de lecture :

▶ Stratégies de reconnaissance et d'identification des mots d'un texte ;
▶ Stratégies de gestion de la compréhension ;
▶ Stratégies d'évaluation de sa démarche.

Stratégies d'écriture :

▶ Stratégies de planification ;
▶ Stratégies de mise en texte ;
▶ Stratégies de révision ;
▶ Stratégies de correction ;
▶ Stratégies d'évaluation de sa démarche.

Techniques :

▶ Apprentissage de la calligraphie ;
▶ Utilisation de manuels de référence.

Notes personnelles

ACTION EN CLASSE

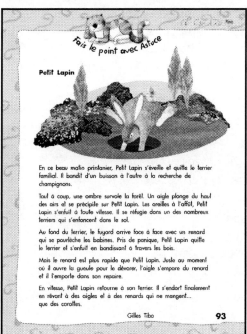

Fais le point avec Astuce

Petit Lapin

En ce beau matin printanier, Petit Lapin s'éveille et quitte le terrier familial. Il bondit d'un buisson à l'autre à la recherche de champignons.

Tout à coup, une ombre survole la forêt. Un aigle plonge du haut des airs et se précipite sur Petit Lapin. Les oreilles à l'affût, Petit Lapin s'enfuit à toute vitesse. Il se réfugie dans un des nombreux terriers qui s'enfoncent dans le sol.

Au fond du terrier, le fuyard arrive face à face avec un renard qui se pourlèche les babines. Pris de panique, Petit Lapin quitte le terrier et s'enfuit en bondissant à travers les bois.

Mais le renard est plus rapide que Petit Lapin. Juste au moment où il ouvre la gueule pour le dévorer, l'aigle s'empare du renard et l'emporte dans son repaire.

En vitesse, Petit Lapin retourne à son terrier. Il s'endort finalement en rêvant à des aigles et à des renards qui ne mangent... que des carottes.

Gilles Tibo

93

Je comprends ce que je lis

1. a) Écris le nom des trois animaux mentionnés dans l'histoire.
   b) Où vit Petit Lapin ?
   c) À quel animal appartient l'ombre qui survole la forêt ?

2. a) Où Petit Lapin va-t-il se cacher lorsqu'il est pris en chasse ?
   b) Qui Petit Lapin rencontre-t-il alors ?
   c) Quelle est la réaction de Petit Lapin ?

3. a) Qui vient sauver la vie de Petit Lapin ?
   b) Une fois dans son terrier, à quoi rêve Petit Lapin ?
   c) Est-ce que tu t'es déjà trompé de porte en allant visiter une personne ?

Je révise des sons

aigle	glissade	plume	repli
camoufler	plongeon	remplir	simplement
éclosion	pluie	renifler	véritable

94

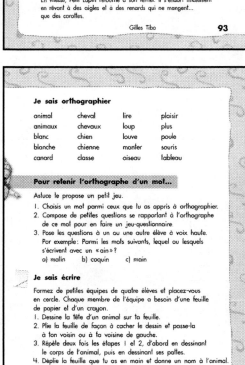

Je sais orthographier

animal	cheval	lire	plaisir
animaux	chevaux	loup	plus
blanc	chien	louve	poule
blanche	chienne	monter	souris
canard	classe	oiseau	tableau

Pour retenir l'orthographe d'un mot...

Astuce te propose un petit jeu.
1. Choisis un mot parmi ceux que tu as appris à orthographier.
2. Compose de petites questions se rapportant à l'orthographe de ce mot pour en faire un jeu-questionnaire.
3. Pose les questions à un ou une autre élève à voix haute. Par exemple : Parmi les mots suivants, lequel ou lesquels s'écrivent avec un « ain » ?
   a) malin   b) coquin   c) main

Je sais écrire

Formez de petites équipes de quatre élèves et placez-vous en cercle. Chaque membre de l'équipe a besoin d'une feuille de papier et d'un crayon.
1. Dessine la tête d'un animal sur la feuille.
2. Plie la feuille de façon à cacher le dessin et passe-la à ton voisin ou à ta voisine de gauche.
3. Répète deux fois les étapes 1 et 2, d'abord en dessinant le corps de l'animal, puis en dessinant ses pattes.
4. Déplie la feuille que tu as en main et donne un nom à l'animal.
5. Compose un petit texte pour présenter cet animal farfelu.

95

Remarque : Afin de simplifier la procédure, les étapes de préparation, réalisation, intégration et réinvestissement ont été regroupées en un seul bloc. Vous pourriez décider de compléter l'ensemble de chacune des activités avant d'aborder un autre aspect de la rubrique.

Répartissez sur les deux semaines de la première partie du présent module l'apprentissage des mots qui apparaissent à la section *Je sais orthographier*.

Préparation

JE COMPRENDS CE QUE JE LIS

- Invitez quelques élèves à énumérer les étapes préparatoires à la lecture (lecture du titre et observation des illustrations, anticipation du contenu, formulation de l'intention de lecture). Suggérez aux élèves de consulter la page 142 du manuel.

  Rappelez aux élèves qu'ils devront faire une lecture individuelle du texte. Cependant, invitez ceux qui éprouvent de la difficulté à se regrouper autour de vous. Invitez les plus talentueux à épauler un ou une camarade de classe.

  Mentionnez que la lecture sera suivie de questions de compréhension.

JE RÉVISE DES SONS

- Cette section propose aux élèves une révision des consonnes jumelées avec la lettre *l*. Idéalement, vous devriez revoir les sons (étudiés depuis septembre) que les élèves maîtrisent moins bien, et consulter les notes que vous avez prises

2
ACTION
EN CLASSE
(SUITE)

en observant les élèves. Il est donc possible que les sons qui font l'objet de cette révision ne correspondent pas aux difficultés particulières de certains élèves.

JE SAIS ORTHOGRAPHIER

- Revoyez avec les élèves les stratégies d'acquisition de l'orthographe d'usage vues depuis le début du cycle. Référez-vous aux pages 139 à 141 du manuel.

  Lisez avec les élèves l'invitation d'Astuce à participer au jeu de l'orthographe qu'il propose à la page 95 du manuel.

JE SAIS ÉCRIRE

- Revoyez avec les élèves les diverses étapes du processus d'écriture: planification, rédaction, révision, correction, transcription, lecture finale, diffusion et autoévaluation.

  Rappelez aux élèves que, pendant le processus d'écriture, ils peuvent utiliser un symbole pour identifier les mots dont l'orthographe leur est douteuse. Mentionnez-leur qu'ils peuvent aussi consulter un ou une camarade, l'enseignant ou l'enseignante, une liste de mots ou des livres de référence.

  Encouragez les élèves à soigner leur calligraphie (taille et espacement entre les lettres et entre les mots).

 Réalisation

JE COMPRENDS CE QUE JE LIS

- Invitez les élèves à lire individuellement le texte de la page 93 du manuel.

  Avant que les élèves ne répondent aux questions qui apparaissent à la page 94 du manuel, faites-leur prendre conscience de l'ampleur de la tâche qu'ils auront à réaliser en ce qui concerne le schéma narratif de la feuille repro-

ductible 19.5.

NOTE: Ce schéma narratif est présenté en cinq temps. Selon la capacité de compréhension des élèves de votre classe, vous pouvez le modifier afin qu'il corresponde au récit en trois temps (début, milieu et fin) proposé pour le premier cycle dans le Programme.

Invitez les élèves à relire certains passages du texte pour identifier les différentes étapes du schéma narratif:

- Situation de départ: Petit Lapin quitte son terrier pour aller cueillir des champignons.

- Élément déclencheur: À la vue d'un aigle survolant la forêt, Petit Lapin cherche refuge dans un terrier.

- Problème: Un renard dans le terrier est prêt à dévorer Petit Lapin, qui s'enfuit à toute vitesse.

- Résultat: Au moment de dévorer Petit Lapin, le renard est happé par l'aigle.

- Fin: Petit Lapin, de retour à son terrier, rêve à des renards et à des aigles qui ne mangeraient que des carottes.

Assurez-vous de soutenir les élèves tout au long de cette démarche.

Invitez ensuite les élèves à répondre aux questions de compréhension de la feuille reproductible *Fais le point avec Astuce 1: Je comprends ce que je lis*.

JE RÉVISE DES SONS

- Formez des équipes de deux.

  Demandez aux coéquipiers de faire en alternance la lecture des mots proposés à la page 94.

 ou

Invitez les élèves à relever les consonnes jumelées à la lettre *l* dans le texte qui

2
ACTION EN CLASSE
(SUITE)

apparaît aux pages 91 et 92 (*blanc, plus, ressemble, couple, repli, adorable, blanches, rassemblent, véritables, plongeon*). Si le travail de recherche s'est fait individuellement, demandez aux élèves de comparer leurs réponses avec celles de leur coéquipier ou coéquipière.

JE SAIS ORTHOGRAPHIER

- Demandez aux élèves, en équipes de deux, de lire chacune des stratégies d'acquisition de l'orthographe, puis de regrouper les mots de la liste proposée à la page 95 du manuel selon la stratégie qui leur semble la meilleure pour mémoriser ces mots. Il est possible que certains mots de la liste ne se rapportent à aucune stratégie.

Conseillez aux élèves de consulter les pages 139 à 141 du manuel pour relever chaque stratégie.

Invitez les élèves à préparer individuellement des questions semblables à celle qui est suggérée à la page 95 du manuel, puis à les poser à son coéquipier ou à sa coéquipière. Mentionnez aux élèves qu'il est plus facile de composer des questions si on regroupe d'abord des mots qui contiennent le même son. Reste à voir, avant de formuler la question, si les graphies sont identiques ou différentes.

Poursuivez le jeu en demandant aux équipes d'échanger leurs questions.

JE SAIS ÉCRIRE

- Formez des équipes de quatre et demandez à chaque élève d'apporter une feuille et un crayon.

Invitez des élèves à lire les consignes 1, 2 et 3, à la page 95 du manuel.

À la consigne 2, indiquez que la tête de l'animal doit être dessinée sur la partie supérieure de la feuille (environ le quart de la feuille) et que le haut de la feuille

doit être plié par-dessus la tête déjà dessinée. Ensuite, cette feuille est remise à l'élève de gauche.

Pour le dessin du corps, proposez d'utiliser l'équivalent de deux fois l'espace réservé à la tête. Faites plier la partie supérieure (déjà pliée sur la tête) par-dessus le corps et faites remettre le tout à l'élève de gauche.

Faites dessiner les pattes dans le dernier quart de la feuille avant de la faire remettre à l'élève de gauche.

Faites lire les consignes 4 et 5, et invitez les élèves à donner un nom à l'animal bizarre qu'ils ont découvert et à rédiger un texte de présentation pour ce spécimen.

Demandez à un ou à une élève de reformuler, dans ses mots, les données du projet d'écriture.

Au besoin, rappelez les étapes du processus d'écriture.

Faites justifier le choix du nom attribué à l'animal. On aura peut-être réuni des syllabes provenant du nom de chacun des animaux dessinés (exemple : che-grepin pour [che]val, [gre]nouille et la[pin], soit respectivement la tête, le corps et les pattes de l'animal dessiné).

Aidez les élèves à trouver et à verbaliser des idées. Puis, posez-leur quelques questions : *S'agit-il d'un animal terrestre ? marin ? amphibie ? Quel est son habitat ? son poids ? sa taille ? De quoi se nourrit-il ? Est-ce un animal à poils ? à plumes ? à carapace ? Vit-il de façon solitaire ou grégaire ? Hiberne-t-il ou migre-t-il ? Est-il sédentaire ou nomade ?*

Faites rédiger par chacun ou chacune un texte sur le sujet en demandant de respecter les étapes du processus d'écriture.

Circulez dans la classe pour poser des questions, donner des pistes, faire des suggestions.

2

**ACTION
EN CLASSE
(SUITE)**

Notez les principales fautes commises afin d'y revenir, que ce soit en grand groupe ou en petits groupes.

 **Intégration et réinvestissement**

JE COMPRENDS CE QUE JE LIS

- Animez une mise en commun des réponses.

Invitez les élèves qui ont éprouvé des difficultés en lecture à mentionner les stratégies qu'ils ont utilisées pour parvenir à comprendre le texte.

Demandez aux élèves s'ils croient qu'ils se sont améliorés en lecture. Dans l'affirmative, laissez-les en expliquer les raisons.

Faites imaginer quelques scénarios différents quant à la conclusion du texte sur Petit Lapin. Vous pourriez suggérer de choisir d'autres prédateurs que l'aigle et le renard, et de vérifier si les nouveaux ennemis sont encore au-dessus de la tête de Petit Lapin ou dissimulés dans un terrier.

JE RÉVISE DES SONS

- Invitez quelques élèves à lire les mots de la liste qui apparaît à la page 94 du manuel.

Faites un retour sur les mots relevés dans le texte des pages 91 et 92 du manuel.

JE SAIS ORTHOGRAPHIER

- Recueillez les jeux-questionnaires et servez-vous-en pour interroger les élèves.

Faites épeler en petits groupes les mots de la liste qui apparaît à la page 94 du manuel.

JE SAIS ÉCRIRE

- Faites présenter les divers animaux ainsi que les textes d'accompagnement. Affichez ensuite sur un mur de la classe ces êtres bizarroïdes.

Demandez aux élèves s'ils ont aimé cette expérience d'écriture.

Faites identifier par les élèves les situations d'écriture qui leur plaisent (poésie, récit, description, information, invitation, chanson, etc.).

Invitez les élèves qui croient avoir progressé en écriture à mentionner leur plus grande réussite (trouver des idées, rédiger, réviser, corriger, transcrire).

Faites prendre conscience à chaque élève des progrès qu'il ou elle a réalisés depuis septembre.

3

**RETOUR
SUR
L'ENSEIGNEMENT**

- Quels renseignements avez-vous recueillis sur le groupe ou sur certains élèves quant à leur compétence à lire un texte (compréhension et décodage)? Qu'en est-il de la compétence à écrire (orthographe d'usage et texte)?

- Étant donné qu'il ne reste qu'un module et demi à parcourir avec les élèves, quelles sont les interventions que vous comptez faire auprès du groupe ou de certains élèves?

Situation d'apprentissage 5

BÊTE PAS BÊTE

Les années ont beau se succéder, les jeux de société ont toujours la cote. Les joueurs se lancent dans la partie… les dés roulent, les pions se déplacent sur les cases, on gagne une fois, on perd une autre fois… Éternel recommencement, d'une partie à l'autre !

SAVOIRS ESSENTIELS
DES DIFFÉRENTES COMPÉTENCES

L **LIRE DES TEXTES VARIÉS**
E **ÉCRIRE DES TEXTES VARIÉS**

Connaissances liées au texte :
▶ Exploration et utilisation d'éléments caractéristiques de différents genres de textes ;
▶ Prise en compte des éléments de la situation de communication : intention, contexte, formes du registre standard ;
▶ Prise en compte d'éléments de cohérence : idées rattachées au sujet.

Connaissances liées à la phrase :
▶ Recours à la ponctuation : point ;
▶ Reconnaissance et utilisation du groupe du nom : Pronom, Nom, Dét. + Nom ;
▶ Accords dans le groupe du nom : Dét. + Nom ;

▶ Exploration et utilisation du vocabulaire en contexte ;
▶ Utilisation de l'orthographe conforme à l'usage.

Stratégies de lecture :
▶ Stratégies de reconnaissance et d'identification des mots d'un texte ;
▶ Stratégies de gestion de la compréhension ;
▶ Stratégies d'évaluation de sa démarche.

Stratégies d'écriture :
▶ Stratégies de planification ;
▶ Stratégies de mise en texte ;
▶ Stratégies de révision ;
▶ Stratégies de correction.

Techniques :
▶ Apprentissage de la calligraphie ;
▶ Utilisation de manuels de référence.

2 ACTION EN CLASSE

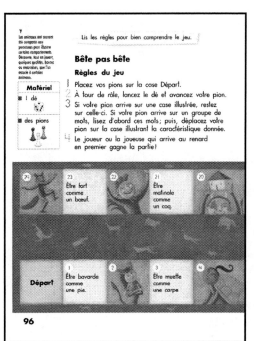

Pages 96-97 du manuel:

Lis les règles pour bien comprendre le jeu.

Bête pas bête

Règles du jeu

1. Placez vos pions sur la case Départ.
2. À tour de rôle, lancez le dé et avancez votre pion.
3. Si votre pion arrive sur une case illustrée, restez sur celle-ci. Si votre pion arrive sur un groupe de mots, lisez d'abord ces mots; puis, déplacez votre pion sur la case illustrant la caractéristique donnée.
4. Le joueur ou la joueuse qui arrive au renard en premier gagne la partie!

Matériel
- 1 dé
- des pions

Être fort comme un bœuf.
Être matinale comme un coq.
Départ
Être bavarde comme une pie.
Être muette comme une carpe.

Être peureux comme un lièvre.
Être lente comme une tortue.
Être paresseuse comme une couleuvre.
Être doux comme un agneau.
Être rusé comme un renard.
Être sale comme un cochon.
Être orgueilleux comme un paon.
Être têtue comme une mule.

96   97

 Préparation

- Invitez les élèves à ouvrir leur manuel aux pages 96 et 97. Demandez-leur si certains d'entre eux, lors du survol du module, avaient trouvé ces pages intéressantes au point d'avoir hâte d'y arriver. Quelles étaient les raisons de ce choix?

Proposez aux élèves de faire un effort afin de se rappeler les jeux présentés dans le manuel C, module 12.

Demandez aux élèves s'ils connaissent la procédure à suivre pour jouer au jeu qui leur est présenté ici (former des équipes de deux ou de trois, préparer le matériel [pions et dé], lire les règles du jeu, comprendre les règles du jeu, déterminer l'ordre dans lequel on jouera [consensus d'équipe obtenu, par exemple, en déterminant qu'après que tous aient lancé le dé à tour de rôle le joueur ou la joueuse ayant le plus haut [ou le plus bas] pointage jouera le premier ou la première, s'entend sur une compréhension univoque des règles).

 ou **Réalisation**

- Invitez les élèves à jouer en leur rappelant qu'il ne faut pas être trop triomphant dans la victoire ou trop déçu dans la défaite!

Rappelez aux élèves qu'en cas de litige ils doivent retourner lire les règles du jeu.

Proposez aux coéquipiers de compliquer davantage le jeu en se dotant de règles supplémentaires (exemple: un arrêt sur la pie, case 1, équivaudra à ne pas pouvoir parler avant deux autres tours; un arrêt sur la tortue, case 13, entraînera de passer un tour; un arrêt sur le coq, case 21, fera reculer le joueur ou la joueuse de deux cases, etc.).

Variante: Proposez aux coéquipiers d'inventer une ou deux nouvelles règles de jeu, de les écrire sur une feuille, puis de tester ces règles en jouant. Si le jeu peut se dérouler sans anicroches avec ces règles additionnelles, faites-les échanger avec d'autres équipes.

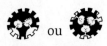 ou

Intégration et réinvestissement

- Invitez les élèves à préparer un jeu d'associations à partir des expressions inscrites sur le jeu.

  Distribuez deux séries de cartons (chacune d'une couleur différente) et invitez les élèves à écrire sur les cartons de la première série une expression en omettant le nom de l'animal concerné (exemple : être bavard comme...). Sur les cartons d'une autre couleur faites écrire le nom de l'animal.

  Pour ce travail, demandez aux élèves de soigner la calligraphie et l'orthographe des mots.

  Faites placer chaque série de cartons dans des sacs de plastique.

  Invitez les élèves à tirer un carton dans l'un ou l'autre des sacs, puis à l'associer soit au bon animal, soit à la bonne caractéristique.

Augmentez l'intérêt pour ce jeu en notant au tableau d'autres expressions (exemples : être malin comme un singe, prudent comme un serpent, agile comme un chat, fidèle comme un chien, heureux comme un poisson dans l'eau, gai comme un pinson, etc.).

Proposez aux élèves de procéder comme ils l'ont fait avec les expressions du jeu.

Demandez aux élèves de placer les nouveaux cartons avec les autres, dans les sacs prévus à cette fin, puis de commencer une nouvelle pige.

Faites un retour sur le déroulement de l'activité en posant, par exemple, les questions suivantes : *Qu'est-ce qui a bien fonctionné et pourquoi ? Qu'est-ce qui a moins bien fonctionné et pourquoi ?*

Demandez aux élèves quel jeu ils ont préféré : le jeu du manuel, le jeu avec des règles supplémentaires ou le jeu d'associations. Faites expliquer les choix.

- Les élèves ont-ils bien compris en quoi consiste ce genre d'activités ? Certains comportements ont-ils nécessité une intervention de votre part ?

- Les élèves ont-ils pu facilement ajouter des règles de jeu ?

- Le jeu d'associations a-t-il suscité l'intérêt des élèves ?

 Travaux personnels

Proposez aux élèves d'apporter leur manuel à la maison et de jouer à *Bête pas bête* avec un parent, un frère ou une sœur qui peut comprendre les règles du jeu. Suggérez-leur de demander à cette personne d'y ajouter des règles. Proposez-leur aussi d'apporter à la maison un ensemble de jeu d'associations.

Astuce et suggestions (ENRICHISSEMENT)

De la maison à l'école

Proposez aux élèves qui le peuvent d'apporter de la maison un jeu dans lequel il est question d'animaux. Demandez-leur de le présenter à la classe, d'en montrer les diverses composantes et d'en faire connaître les règles.

Laissez le temps aux élèves de jouer en classe à ces nouveaux jeux.

 TIC

Qualités animales

Pour réaliser cette activité, l'élève utilisera l'application de dessin vectoriel.

Les élèves auront à créer un macaron pour valoriser une des qualités décrites dans leur manuel aux pages 96 et 97 (fort comme un bœuf, matinal comme un coq, rusé comme un renard, muet comme une carpe, doux comme un agneau, etc.).

Donnez les consignes suivantes aux élèves :

1. Ouvrez l'application de dessin vectoriel.

2. Utilisez un des outils géométriques pour créer un macaron.

3. Écrivez l'expression sur le macaron[1].

4. Imprimez.

5. Collez votre macaron sur un carton assez rigide et découpez-le.

6. Offrez votre macaron à un ou à une camarade de classe.

[1] Si votre éditeur vectoriel a une banque de dessins, vous pouvez aussi demander à vos élèves de choisir une illustration pertinente pour agrémenter le macaron.

Notes personnelles

_____

_____

_____

_____

_____

_____

_____

_____

_____

_____

_____

_____

_____

_____

_____

_____

Situation d'apprentissage 6

LE VOYAGE DE MARIE-LUCE

Si le chien est le meilleur ami de l'homme, pourrait-on dire que la puce est la meilleure amie du chien? D'escale en escale, Marie-Luce découvre les subtiles caractéristiques des divers pelages canins. Mais qui est donc cette mystérieuse Marie-Luce?

SAVOIRS ESSENTIELS DES DIFFÉRENTES COMPÉTENCES

BUT

Lire un récit contenant diverses péripéties.

ORGANISATION DE LA CLASSE

Collectif, équipes de trois, individuel

MATÉRIEL NÉCESSAIRE

- *Par élève: manuel D (pages 98 et 99)*
- *Pour le soutien: activité complémentaire 67*
- *Pour la consolidation: feuilles reproductibles 19.7 et 19.8*

À FAIRE

Faire mettre en réserve à la bibliothèque des revues et des livres présentant diverses races de chiens et adaptés à l'âge des élèves.

TEMPS SUGGÉRÉ

100 min

L LIRE DES TEXTES VARIÉS
A APPRÉCIER DES ŒUVRES LITTÉRAIRES

Connaissances liées au texte:

▶ Exploration et utilisation d'éléments caractéristiques de différents genres de textes;
▶ Exploration de quelques éléments littéraires à des fins d'utilisation ou d'appréciation: personnages, temps et lieux du récit, séquence des événements;
▶ Exploration et utilisation de la structure des textes;
▶ Prise en compte des éléments de la situation de communication: intention, contexte, formes du registre standard;
▶ Prise en compte d'éléments de cohérence: idées rattachées au sujet, reprise de l'information en utilisant des termes substituts (pronoms).

Stratégies de lecture:

▶ Stratégies de reconnaissance et d'identification des mots d'un texte;
▶ Stratégies de gestion de la compréhension;
▶ Stratégies d'évaluation de sa démarche.

Stratégies liées à l'appréciation d'œuvres littéraires:

▶ S'ouvrir à l'expérience littéraire;
▶ Établir des liens avec ses expériences personnelles;
▶ Se représenter mentalement le contenu;
▶ Échanger avec d'autres personnes.

Stratégies liées à la gestion et à la communication de l'information:

▶ Inventorier et organiser ses questions portant sur le sujet à traiter;
▶ Sélectionner des éléments d'information utiles (réponses aux questions, nouvelles informations, etc.);
▶ Présenter oralement les résultats de sa démarche.

Techniques:

▶ Utilisation de manuels de référence.

•••••••••••••••
ACTIVITÉ DE SOUTIEN
•••••••••••••••

Activité complémentaire 67 :
Domino du chien
(en équipes).

– *Association d'informations et d'illustrations.*

– *Façonnage de papier pour décorer un animal.*

▶ *L'élève sélectionne les éléments d'information explicites dans un texte.*

▶ *L'élève coopère en art.*

•••••••••••••••
ACTIVITÉ DE
CONSOLIDATION
•••••••••••••••

Feuilles reproductibles 19.7 et 19.8 :
Le voyage de Marie-Luce (individuel)

– *Reconstituer la chronologie d'un récit.*

– *Écrire une nouvelle fin à cette histoire.*

▶ *L'élève formule des hypothèses tout au long de sa lecture.*

Découvre les aventures de Marie-Luce.

Le voyage de Marie-Luce

Marie-Luce a passé l'hiver sur le dos de Léo, un gros saint-bernard. Mais, au printemps, elle décide de déménager. Elle en a assez de l'épaisse fourrure de Léo.

– La prochaine fois que Léo sort dehors, je dois me trouver un nouveau manteau, se dit Marie-Luce. Mais le gros Léo ne sort pas très souvent. Il préfère dormir au coin du feu.

Ce matin, Marie-Luce n'en peut plus d'attendre. Elle pique avec vigueur le paresseux. Léo ouvre un œil et puis les deux. Il se gratte furieusement.

Sa maîtresse le regarde et fronce les sourcils.

– Va gratter tes puces dehors, dit la dame à son chien.

Dans le jardin, Léo s'installe sur une grosse pierre chauffée par le soleil. Il continue sa sieste.

– Ah non! grogne Marie-Luce. Il ne va pas encore paresser.

98

À ce moment, un joli teckel s'approche de Léo. Un, deux, trois, hop! Marie-Luce saute sur le nouveau manteau.

– Ouyouyouille, fait Marie-Luce. Cette fourrure de poils courts est trop piquante! Elle s'y agrippe pourtant de toutes ses forces en mordant énergiquement dans la peau du chien. L'animal sursaute. Il file comme une flèche jusqu'au parc. Pour se soulager, il se roule dans le sable.

Au bord du carré de sable, un caniche joue avec des enfants. Il porte une belle fourrure bouclée. Marie-Luce n'hésite pas un instant. Elle quitte le teckel piquant et bondit sur l'oreille du caniche, que son jeune maître appelle César.

Marie-Luce passe des jours merveilleux. Elle se multiplie à l'infini dans les douces frisettes de César. Mais, un jour, le jeune maître du chien découvre Marie-Luce. On met aussitôt quelques gouttes d'un produit anti-puces sur la nuque de César. Marie-Luce et ses enfants se sauvent alors à toute vitesse.

Où est Marie-Luce maintenant? Elle loge sur un mignon fox-terrier. Ensemble, ils ont pris l'avion...

Mireille Villeneuve

99

CORRIGÉ
MANUEL D, PAGE 98

▼ **1** **Il y a plusieurs réponses possibles.**

2 **Il y a plusieurs réponses possibles.**

Préparation

• Invitez les élèves à faire un survol du texte et à avancer des hypothèses sur l'identité de Marie-Luce. Notez les hypothèses au tableau.

Faites formuler l'intention de lecture : lire pour découvrir les aventures de Marie-Luce.

Demandez aux élèves s'ils peuvent identifier les races auxquelles appartiennent les chiens présentés dans le manuel.

Si oui, invitez-les à donner quelques caractéristiques de ces races. Notez au tableau les informations recueillies auprès des élèves.

Réalisation

• Demandez aux élèves de faire une lecture individuelle du texte. Observez les comportements des élèves qui ne semblent pas intéressés ou qui sont en difficulté, et intervenez auprès d'eux pour leur permettre une lecture satisfaisante.

CORRIGÉ
MANUEL D, PAGE 99

▼ **1** **Marie-Luce est une puce.**

Animez une mise en commun des diverses péripéties de Marie-Luce en invitant quelques élèves à résumer chacune d'elles.

Demandez aux élèves de relever les caractéristiques des chiens présentés aux pages 98 et 99 du manuel (saint-bernard : gros, fourrure épaisse, aime dormir au chaud à l'intérieur ; teckel : poils courts et piquants ; caniche : fourrure bouclée ; fox-terrier : aucune caractéristique n'est mentionnée dans le texte).

Lisez le dernier paragraphe aux élèves, et demandez-leur d'imaginer la suite du récit en posant la question suivante : *Où est rendue Marie-Luce ?*

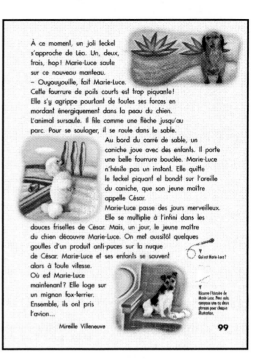

Formez des équipes de trois. À tour de rôle, les élèves font office de lecteur, personnifient Marie-Luce ou représentent la maîtresse du saint-bernard en lisant les paroles prononcées respectivement par Marie-Luce ou par la dame.

2

ACTION
EN CLASSE
(SUITE)

Intégration et réinvestissement

- Amenez les élèves à la bibliothèque et demandez-leur d'y trouver de l'information sur les races de chiens. Favorisez une recherche en équipes portant sur les chiens présentés dans le manuel ou autres : suggérez aux élèves qui ont un chien de race de chercher de l'information sur celui-ci. Proposez à ceux qui n'ont pas de chien de se documenter sur une race qu'ils aiment. Une seule information provenant d'illustrations ou de courts textes pourrait être suffisante. Reliez les nouvelles connaissances à celles qui ont été inscrites au tableau à l'étape précédente.

  Demandez aux élèves qui le désirent de présenter l'une des races de chiens qu'ils ont observées dans les livres et les revues à la bibliothèque : taille, forme du museau, des oreilles, couleurs, texture et longueur du pelage, catégorie de chiens (travail, chasse, amusement, etc.).

3

RETOUR
SUR
L'ENSEIGNEMENT

- Comment les élèves se sont-ils comportés pendant cette lecture ?

- La recherche sur les races de chiens les a-t-elle intéressés ?

- Des propositions originales sur la fin probable du texte ont-elles été faites ?

Astuce et suggestions (ENRICHISSEMENT)

Animaux sous les feux de la rampe

Suggérez aux élèves de choisir un livre dont les acteurs principaux sont des animaux. Faites présenter l'histoire qui y est racontée par le biais d'un théâtre de marionnettes, d'un jeu d'acteurs, d'une lecture ou d'un enregistrement. Enfin, invitez les élèves à créer une affiche faisant la promotion du livre choisi.

Si certains élèves ne connaissent aucun livre du genre demandé, orientez-les vers les fables de La Fontaine qui sont bien adaptées à leur âge.

TIC

Des puces, des puces ou des puces...

Cette activité permettra de sensibiliser l'élève à l'impact des mots homophones lorsqu'il fait une recherche en utilisant un moteur de recherche.

L'élève sera invité à trouver trois sens au mot PUCES (le parasite, la composante informatique et l'endroit où on se rend pour vendre et / ou acheter des objets à bon prix).

Donnez les consignes suivantes aux élèves :

1. Ouvrez le fureteur.

2. Ouvrez la banque de signets (favoris) et choisissez un moteur de recherche.

3. Inscrivez le mot PUCES.

4. En explorant des sites, trouvez trois sens différents au mot PUCES.

5. Imprimez les renseignements pertinents qui appuient vos découvertes.

6. Comparez les résultats de votre recherche avec ceux d'un ou d'une camarade.

BUTS

- *Prendre conscience de la faculté d'adaptation des animaux à leur milieu de vie.*

- *Réaliser que cette adaptation est nécessaire à la survie de l'espèce.*

ORGANISATION DE LA CLASSE

Collectif, équipes de deux, individuel

MATÉRIEL NÉCESSAIRE

- *Par élève : manuel D (pages 100 à 102)*

- *Pour le groupe : atlas, livres, revues, encyclopédies, etc. sur les animaux*

- *Pour la consolidation : feuilles reproductibles 19.9, 19.10 et 19.11*

À FAIRE

- *Prévoir du matériel de référence sur les divers habitats des animaux.*

- *Prévoir des photos ou des illustrations d'un même milieu, montrant des transformations de paysages provoquées par les éléments humains.*

TEMPS SUGGÉRÉ

110 min

DES ANIMAUX QUI S'ADAPTENT

Il fait –30 ºC à l'extérieur. Dans les maisons, les systèmes de chauffage tournent à plein régime. Pourtant, dehors, mille et une petites bêtes affrontent les rigueurs du climat et survivent là où l'hypothermie risquerait d'emporter tout être humain. Ailleurs, la chaleur est suffocante.

Les humains font la sieste à l'ombre dans des pièces où les ventilateurs tournent à plein régime. Pourtant, dehors, mille et une petites bêtes résistent à l'absence d'eau et de fraîcheur. L'adaptation au milieu est une question de survie pour les êtres vivants.

SAVOIRS ESSENTIELS DES DIFFÉRENTES COMPÉTENCES

L **LIRE DES TEXTES VARIÉS**
C **COMMUNIQUER ORALEMENT**

Connaissances liées au texte :

▶ Exploration et utilisation d'éléments caractéristiques de différents genres de textes ;
▶ Prise en compte des éléments de la situation de communication : intention, contexte, formes du registre standard ;
▶ Prise en compte d'éléments de cohérence : idées rattachées au sujet, reprise de l'information en utilisant des termes substituts (pronoms).

Stratégies de lecture :

▶ Stratégies de reconnaissance et d'identification des mots d'un texte ;
▶ Stratégies de gestion de la compréhension ;
▶ Stratégies d'évaluation de sa démarche.

Stratégies de communication orale :

▶ Stratégies d'exploration ;
▶ Stratégies de partage ;
▶ Stratégies d'écoute ;
▶ Stratégies d'évaluation.

Techniques :

▶ Utilisation de manuels de référence.

S **EXPLORER LE MONDE DE LA SCIENCE ET DE LA TECHNOLOGIE**

Connaissances liées à la science et à la technologie :

▶ Univers vivant : caractéristiques de certains animaux, adaptation d'un animal à son milieu (anatomie, comportement, etc.).

U **CONSTRUIRE SA REPRÉSENTATION DE L'ESPACE, DU TEMPS ET DE LA SOCIÉTÉ**

Connaissances liées à l'univers social (ici et ailleurs) :

▶ Paysages (exploration et comparaison de paysages : désert, banquises polaires, mer, montagnes, forêt et jungle ; distinction entre éléments naturels et humains).

Techniques relatives à l'univers social :

▶ Espace : lecture et décodage de documents (textes et illustrations), utilisation de repères et des points cardinaux (atlas, globe terrestre ou mappemonde).

2

ACTION EN CLASSE

●●●●●●●●●●●●

ACTIVITÉ DE
CONSOLIDATION

●●●●●●●●●●●●

*Feuilles reproduc-
tibles 19.9,
19.10 et 19.11:
Des animaux
dans différents
milieux de vie
(en équipes)*

– *Associer des
animaux à leur
milieu de vie.*

▶ *L'élève relie ses
nouvelles connais-
sances à ses
connaissances
antérieures.*

▼
Observe les paysages
derrière les animaux.
En quoi sont-ils
différents?

Lis pour en connaître un peu plus sur la
capacité d'adaptation de quelques animaux.

Des animaux qui s'adaptent

La gerboise creuse des galeries tapissées d'herbe
sèche. Elle reste toute la journée dans son terrier
pour se protéger de la chaleur. La nuit, elle sort
pour manger.

Le renard polaire est parfaitement adapté au climat
arctique. Son épais manteau est très chaud. Entre ses
doigts se trouvent de longs poils qui le protègent des
engelures. La forme assez courte de ses oreilles et de
son museau l'aide à garder la chaleur de son corps.

100

Dans les mers froides, la baleine bleue se gave de
crevettes. Son épaisse couche de graisse la protège
contre le froid. Pour la naissance de son petit, la
baleine bleue part vers les mers plus chaudes.

La vigogne est capable de vivre sur des sommets de
montagnes où l'air est extrêmement rare. Sa fourrure
laineuse la protège du froid. Ses poumons sont si
gros qu'ils peuvent contenir une grande quantité
d'oxygène. Cet animal peut même courir à une
vitesse de 45 kilomètres à l'heure. C'est vraiment
le champion de l'endurance physique.

101

La marmotte passe une grande partie de la journée
à manger de l'herbe. À l'automne, elle rentre dans
son terrier et prépare son tapis d'herbe sèche. Elle
dormira bien au chaud, sa graisse lui servant de
nourriture pour l'hiver.

Le paresseux porte bien son nom. Il dort 18 heures
par jour, suspendu à un arbre. Il vit dans des endroits
chauds et humides. Il évite toute perte d'énergie en ne
bougeant presque pas et en mangeant les feuilles qui
sont près de lui. Quand il n'y a plus de feuilles à sa
portée, il monte plus haut ou il change d'arbre.

▼
Connais-tu des animaux
qui utilisent d'autres
moyens pour se protéger
du froid ou de la
chaleur? Si tu n'en
connais pas, fais une
petite recherche. Prépare
une fiche d'identification
pour nous présenter
un de ces animaux.

102

■

CORRIGÉ

MANUEL D, PAGE 100

▼ 1 **La gerboise est entourée de sable;
le renard polaire, de neige et de
glace; la baleine, d'eau; la vigogne,
de montagnes; la marmotte, de
forêt; le paresseux, de forêt
tropicale humide.**

■

CORRIGÉ

MANUEL D, PAGE 102

▼ 1 **Il y a plusieurs réponses possibles.**

2

ACTION
EN CLASSE
(SUITE)

Préparation

- Demandez aux élèves de se préparer à la lecture.

Animez une mise en commun sur les étapes qu'ont suivies les élèves pour la préparation à la lecture du texte apparaissant aux pages 100 à 102 de leur manuel. Demandez-leur ce qu'ils ont fait en leur posant des questions du genre : *Qu'avez-vous fait dans un premier temps ?* (Un survol : lecture du titre et observation des illustrations.) *Avez-vous anticipé le contenu ?* (Les animaux dans leur habitat.) *Quelle intention de lecture avez-vous formulée ?* (Lire pour en connaître un peu plus sur la capacité d'adaptation de quelques animaux.)

Invitez les élèves à s'approcher d'une mappemonde, d'un globe terrestre, ou à utiliser un atlas. Faites situer les points cardinaux (le nord dans la partie supérieure, le sud dans la partie inférieure, l'ouest à gauche et l'est à droite). Assurez-vous que chaque élève est suffisamment latéralisé pour situer adéquatement les points cardinaux.

Faites nommer chacun des paysages présentés dans le manuel : le désert, les banquises polaires, la mer, les montagnes, la forêt et la jungle.

Interrogez les élèves sur les endroits de la terre où se trouvent ces divers paysages. Situez ces endroits sur le globe ou sur la carte. Demandez aux élèves de nommer les points cardinaux qui y correspondent.

Identifiez les animaux vedettes dans le texte : gerboise, renard polaire, baleine bleue, vigogne, marmotte et paresseux. Inscrivez-en les noms au tableau et invitez les élèves à faire part des caractéristiques qu'ils connaissent de ces animaux. Ajoutez ces caractéristiques au tableau.

Demandez aux élèves ce que veut dire «capacité de s'adapter». Invitez-les à donner des exemples tirés de leur propre expérience : s'adapter à un nouvel enseignant ou à une nouvelle enseignante, à

de nouveaux amis, à une nouvelle personne à la maison, à une nouvelle école, à ses lunettes, aux diverses saisons, etc.

Dites aux élèves que le texte va leur faire découvrir des animaux qui ont une grande capacité d'adaptation à leur environnement.

 Réalisation

- Invitez les élèves à faire une lecture individuelle du texte. Suggérez-leur de bien observer chaque illustration avant et après la lecture du paragraphe correspondant.

Procédez à une mise en commun des informations relevées dans le texte. Écrivez au tableau sous le nom de chacun des animaux les caractéristiques correspondantes.

Faites des regroupements (exemple : la gerboise et la marmotte tapissent leur terrier d'herbe sèche).

Faites établir des différences (exemple : le tapis d'herbe sèche protège la gerboise de la chaleur tandis qu'il protège la marmotte du froid).

Invitez les élèves à comparer les connaissances qu'ils avaient antérieurement et celles qu'ils ont acquises à la lecture du texte.

Demandez aux élèves si les paysages présentés sont entièrement naturels ou s'ils renferment des éléments humains. (Ils ne renferment que des éléments naturels.)

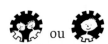 ou

Intégration et réinvestissement

- Invitez chaque élève à se représenter son environnement immédiat et à nommer certaines transformations qui y sont survenues (nouvelles constructions, coupes de bois, nouvelles routes, etc.). Faites prendre conscience aux élèves que certains développements

2
ACTION EN CLASSE (SUITE)

domiciliaires sont érigés là où il y avait autrefois de vastes champs et des animaux (vaches, chevaux, etc.).

Si vous avez pu vous procurer des photos ou des illustrations d'un même milieu à des époques différentes, présentez-les aux élèves et demandez-leur d'observer et d'identifier les transformations survenues.

Invitez les élèves à exprimer leur point de vue sur le genre de texte qu'ils viennent de lire. Ont-ils aimé découvrir de nouveaux animaux ou de nouvelles caractéristiques pour les animaux qu'ils connaissaient déjà ?

3
RETOUR SUR L'ENSEIGNEMENT

- Certains élèves éprouvent-ils encore de la difficulté en lecture ? Si oui, en connaissez-vous les causes ? Que pourriez-vous faire pour aider ces élèves ?

- Les élèves vous ont-ils semblé capables de reconnaître divers paysages naturels et de leur accoler certaines caractéristiques ?

- La connaissance du monde animal motive-t-elle les élèves à la lecture ?

Astuce et suggestions (ENRICHISSEMENT)

Les animaux chez eux

Demandez aux élèves de trouver d'autres animaux qui pourraient vivre dans les diverses régions présentées dans le texte. La recherche pourrait se faire à la bibliothèque. Faites reproduire sur un carton (un par carton) les paysages retenus et faites dessiner ou calquer les animaux qui y vivent. Faites découper, coller et nommer ces animaux.

TIC

À chacun son environnement

Pour réaliser cette activité, l'élève utilisera l'application de traitement de texte.

Vous aurez au préalable préparé un document intitulé GRILLE, que vous aurez placé dans le dossier personnel de chaque élève[1].

Ce document sera divisé en quatre sections différentes :

– Nom
– Habitat naturel
– Habitudes de vie
– Commentaires

Donnez les consignes suivantes aux élèves :

1. Ouvrez le document intitulé GRILLE qui se trouve dans votre dossier personnel.

2. Placez dans chaque section de la grille les renseignements appropriés (Nom – Habitat naturel – Habitudes de vie – Commentaires) relatifs aux six animaux présentés aux pages 100 à 102 de votre manuel.

3. Imprimez.

4. Comparez votre fiche avec celle d'autres camarades de classe.

[1] Placez la page en mode PAYSAGE, partagez la page en quatre colonnes, faites six sauts de section.

Situation d'apprentissage 8

CHEZ LA VÉTÉRINAIRE

Astuce et sa souris, tout comme Coquin, ont un médecin personnel. En fait, c'est une vétérinaire. Elle les voit tous les ans et parfois quand ils sont malades. Une vétérinaire, c'est extraordinaire ! Ça permet à nos amis Astuce, Coquin et la souris d'être en santé et de surgir tous les jours des pages du manuel !

SAVOIRS ESSENTIELS DES DIFFÉRENTES COMPÉTENCES

L **LIRE DES TEXTES VARIÉS**
C **COMMUNIQUER ORALEMENT**

Connaissances liées au texte :
▶ Exploration et utilisation d'éléments caractéristiques de différents genres de textes ;
▶ Prise en compte des éléments de la situation de communication : intention, contexte, formes du registre standard ;
▶ Prise en compte d'éléments de cohérence : idées rattachées au sujet, reprise de l'information en utilisant des termes substituts (pronoms).

Stratégies de lecture :
▶ Stratégies de reconnaissance et d'identification des mots d'un texte ;
▶ Stratégies de gestion de la compréhension ;
▶ Stratégies d'évaluation de sa démarche.

Stratégies de communication orale :
▶ Stratégies d'exploration ;
▶ Stratégies de partage ;
▶ Stratégies d'écoute ;
▶ Stratégies d'évaluation.

Stratégies liées à la gestion et à la communication de l'information :
▶ Inventorier et organiser ses questions portant sur le sujet à traiter ;
▶ Sélectionner des éléments d'information utiles (réponses aux questions, nouvelles informations, etc.) ;
▶ Regrouper ou classifier les éléments d'information retenus ;
▶ Choisir un mode de présentation pertinent (ex. : affiche, exposé, saynète, etc.) ;
▶ Présenter oralement, par écrit ou selon un mode multimédia, les résultats de sa démarche.

Techniques :
▶ Utilisation de manuels de référence.

> Cette situation d'apprentissage permet d'aborder des connaissances relevant du domaine des arts, plus spécifiquement de la discipline **arts plastiques**. Toutefois, aucune compétence dans ce domaine ne sera développée.

ACTIVITÉ DE SOUTIEN

*Feuilles reproductibles 19.12,
19.13 et 19.14 :*
**Une visite à
l'animalerie**
(individuel)

– *Retrouver l'animal choisi à partir
d'indices.*

▶ *L'élève se rajuste
à la suite d'une
difficulté ou d'une
incompréhension.*

**ACTIVITÉ DE
CONSOLIDATION**

Activité complémentaire 68 :
**Mon cochon
d'Inde**
(en équipes)

– *Apprendre à connaître le cochon
d'Inde à partir
d'une planche
de jeu.*

▶ *L'élève sélectionne
les éléments
d'information
explicites
dans un texte.*

 Préparation

- Faites ouvrir le manuel aux pages 103 et 104.

  Invitez les élèves à se préparer à la lecture. Faites énumérer les étapes à suivre : lire le titre, faire un survol du texte, rassembler ses connaissances sur le sujet, anticiper le contenu, lire l'intention de lecture (au-dessus du titre, à la page 103 du manuel).

  Demandez à quelques élèves ce que le survol leur a permis de découvrir, ce qu'ils croient être le contenu du texte et l'intention de lecture.

  Activez les connaissances concernant le travail d'un ou d'une vétérinaire. Voici quelques suggestions de questions : *Connaissez-vous un ou une vétérinaire ? Quel est le lieu de son travail ? Est-ce un membre de votre parenté ? Pourquoi les personnes amènent-elles leur animal chez le ou la vétérinaire ?* (Vaccins, visite annuelle, stérilisation, pension, maladie, accident, euthanasie, ou autres.) *Quelles études doit-on réussir pour devenir vétérinaire ?* (Après le cégep, quatre années d'études en médecine vétérinaire, et parfois une spécialisation dans un autre établissement.) *Qui parmi vous aimerait devenir vétérinaire ? Pourquoi ?*

CORRIGÉ

MANUEL D, PAGE 104

▼ **1   Il y a plusieurs réponses possibles.**

Invitez les élèves à mentionner des qualités que devrait posséder tout bon ou toute bonne vétérinaire : compétence et connaissance, amour des animaux, douceur, empathie envers les maîtres des animaux, etc.

Demandez aux élèves s'ils savent comment les vétérinaires font pour conserver les informations relatives aux animaux qui vont dans leur clinique (dossier avec fiche d'identité et feuillets résumant chaque visite).

Si vous connaissez un ou une vétérinaire, ou si des élèves en connaissent un ou une qui accepterait de venir vous entretenir de sa profession, recevez-le ou recevez-la dans votre classe. Dans le dernier cas, supervisez la démarche de l'élève qui lancera l'invitation. Vous pourriez demander aux élèves de préparer à l'avance quelques questions, ou encore demander au ou à la vétérinaire de présenter sa profession, d'énumérer ses tâches préférées et de dire ce qu'il ou elle aime le moins dans son travail. Des questions portant sur les soins à apporter à certains animaux pourraient être posées.

Attirez l'attention des élèves sur les fiches des pages 103 et 104 du manuel. Faites énumérer les catégories de renseignements qui se trouvent sur chaque fiche : nom, famille, vie, passe-temps favori et signature.

 Réalisation

- Invitez les élèves à faire une lecture individuelle du texte.

Animez une mise en commun du contenu du texte (présentation de la profession de vétérinaire et contenu des fiches). Suggérez aux élèves de trouver un nom à la souris (page 104 du manuel). Si vous en avez le temps, vous pourriez faire présenter diverses races de chiens et de chats. Ayez un livre illustrant ces races.

Dites aux élèves qu'ils vont maintenant réaliser une recherche sur un animal en consultant les livres, les revues ou les encyclopédies mis à leur disposition à la bibliothèque.

Inscrivez au tableau les grandes catégories d'information à rechercher. Faites copier la liste des catégories d'informations et dites aux élèves de l'apporter avec eux à la bibliothèque. Voici des suggestions de catégories :

- Nom

- Habitat

- Nourriture

- Famille (voir les fiches aux pages 103 et 104 du manuel)

- Reproduction (vivipare, ovipare, nombre moyen de petits par portée, etc.)

- Taille

- Poids

- Espérance de vie

Sélectionnez parmi ces informations celles que vous jugez les plus faciles à recueillir par vos élèves. Il faudrait vous en tenir à des informations très simples.

Amenez le groupe à la bibliothèque pour que chacun ou chacune consulte les livres, les revues ou les encyclopédies mis en réserve afin de noter les informations demandées.

De retour en classe, demandez aux élèves de transcrire les renseignements sur une fiche en s'inspirant des fiches présentées dans le manuel, aux pages 103 et 104. Faites apposer dans le coin supérieur droit de la fiche un dessin de l'animal qui y est décrit.

Formez des équipes de quatre élèves qui se présenteront mutuellement l'animal qu'ils ont choisi.

Invitez les élèves à se servir de leur fiche comme support à leur présentation.

Rappelez l'importance d'une communication réussie : français québécois oral standard, articulation nette, volume de voix ajusté, mots choisis, écoute attentive, etc.

Intégration et réinvestissement

- Écrivez au tableau les noms des animaux présentés. Invitez les élèves à les regrouper selon leur famille (félins, canidés, rongeurs, etc.).

Poursuivez les regroupements à partir des critères suivants : animal sauvage / animal domestique ; animal de ferme / animal de compagnie ; animal du désert / animal de la banquise / animal de la mer / animal de la montagne / animal de la forêt / animal de la jungle.

Inscrivez sur un grand tableau les diverses familles auxquelles appartiennent les animaux présentés et invitez chaque élève à venir épingler sa fiche de renseignements dans l'espace réservé à la famille de son animal.

Demandez aux élèves s'ils ont aimé faire une recherche sur un animal. Si certains ont changé d'animal au cours de la recherche, demandez-leur pourquoi (manque de renseignements, animal choisi par plusieurs compagnons, etc.).

- Si vous avez eu la chance de recevoir un ou une vétérinaire dans la classe, quel en a été l'impact sur les activités de cette situation d'apprentissage? (Motivation accrue, recherche plus fouillée, etc.)

- Certains élèves ont-ils éprouvé de la difficulté à lire le ou les textes à la bibliothèque? Sur quoi leurs difficultés portaient-elles?

- Pendant la présentation en équipes des animaux, avez-vous dû intervenir? Si oui, pour quelles raisons? (Manque d'attention, niveau de langue trop familier, volume de la voix inadéquat, articulation faible, etc.).

Astuce et suggestions (ENRICHISSEMENT)

Rencontre animale

Faites choisir deux animaux parmi tous ceux qui ont été présentés au cours du module. Demandez aux élèves d'imaginer une rencontre entre les deux. Où sont-ils? Que font-ils? Que se disent-ils? Sont-ils des amis? S'entraident-ils? Faites préparer le scénario de la rencontre qui sera présentée à l'aide de marottes.

TIC

1. Fiche informatique

Invitez les élèves à faire une petite recherche à l'ordinateur sur les caractéristiques d'un animal afin d'en préparer la carte d'identité. Ils pourraient de plus consulter une banque d'images pour en savoir davantage sur l'apparence de la bête. La fiche de l'animal pourrait être réalisée à l'ordinateur. Une fois le travail complété, demandez aux élèves de l'afficher.

2. Une visite virtuelle chez le ou la vétérinaire

Pour réaliser cette activité, vous aurez aussi à créer une banque de signets intitulée VÉTÉRINAIRE dans laquelle vous aurez inséré des sites portant sur le sujet[1].

Donnez les consignes suivantes aux élèves:

1. Choisissez un animal domestique sur lequel vous aimeriez trouver des renseignements relatifs à la naissance et aux soins donnés par les parents.

2. Ouvrez le fureteur.

3. Ouvrez la banque de signets intitulée VÉTÉRINAIRE.

4. Essayez de trouver des renseignements sur des maladies d'animaux domestiques ou sur les soins à apporter aux animaux domestiques.

5. Imprimez la page que vous trouvez la plus pertinente.

6. Présentez les informations retenues à des camarades de classe.

[1] Vous trouverez une liste de sites d'intérêt sur les vétérinaires à la fin de ce module.

Activité 2

Situation d'apprentissage 9

LIRE POUR RIRE

C'est la visite annuelle de Coquin chez sa vétérinaire préférée. Flegmatique, Coquin? Aucune balle, aucun biscuit n'arriveront à lui faire perdre son attitude stoïque. Rien ne brisera sa belle immobilité, ne fera dériver son regard perdu dans le lointain… Oups! Mais où est-il passé? Que s'est-il passé?

SAVOIRS ESSENTIELS DES DIFFÉRENTES COMPÉTENCES

L LIRE DES TEXTES VARIÉS
C COMMUNIQUER ORALEMENT
A APPRÉCIER DES ŒUVRES LITTÉRAIRES

Connaissances liées au texte :

▶ Exploration et utilisation d'éléments caractéristiques de différents genres de textes;
▶ Exploration de quelques éléments littéraires à des fins d'utilisation ou d'appréciation : personnages, lieux du récit, séquence des événements;
▶ Exploration et utilisation de la structure des textes;
▶ Prise en compte des éléments de la situation de communication : intention, contexte, formes du registre standard;
▶ Prise en compte d'éléments de cohérence : idées rattachées au sujet.

Stratégies de lecture :

▶ Stratégies de reconnaissance et d'identification des mots d'un texte;
▶ Stratégies de gestion de la compréhension;
▶ Stratégies d'évaluation de sa démarche.

Stratégies de communication orale :

▶ Stratégies d'exploration;
▶ Stratégies de partage;
▶ Stratégies d'écoute;
▶ Stratégies d'évaluation.

Stratégies liées à l'appréciation d'œuvres littéraires :

▶ S'ouvrir à l'expérience littéraire;
▶ Établir des liens avec ses expériences personnelles;
▶ Échanger avec d'autres personnes.

Techniques :

▶ Utilisation de manuels de référence.

PLANIFICATION DE L'ENSEIGNEMENT

BUTS

• Déceler l'humour qui se cache derrière le texte et l'image.

• Choisir sa bande dessinée préférée et expliquer les raisons de son choix.

ORGANISATION DE LA CLASSE

Collectif, équipes de deux, individuel

MATÉRIEL NÉCESSAIRE

• Par élève : manuel D (page 104), manuel C

À FAIRE

Distribuer des exemplaires du manuel C aux élèves.

TEMPS SUGGÉRÉ

50 min

_____
_____
_____
_____
_____
_____
_____
_____
_____
_____
_____
_____
_____
_____
_____
_____
_____
_____
_____
_____
_____

2

**ACTION
EN CLASSE**

Préparation

- Faites ouvrir le manuel à la page 104. Invitez les élèves à faire un survol de la bande dessinée.

  Demandez-leur qui sont les personnages de cette bande dessinée. Faites anticiper l'aventure que va vivre Coquin.

Réalisation

- Invitez chaque élève à lire la bande dessinée et à se servir du support de l'image pour comprendre l'épisode présenté.

  Formez des équipes de deux qui partageront leur compréhension de la bande dessinée.

Remettez aux élèves, si possible, des exemplaires du manuel C. Invitez-les à feuilleter chaque module pour y retrouver les diverses aventures de Coquin.

Demandez aux élèves de choisir, parmi toutes les bandes dessinées vues depuis septembre, celle qu'ils préfèrent.

Invitez les élèves à mémoriser l'histoire que raconte la bande dessinée choisie.

Demandez aux élèves de trouver deux ou trois raisons qui expliquent leur choix.

Invitez les élèves à raconter à la classe le récit de leur bande dessinée favorite et à faire valoir les raisons de leur choix. Faites surveiller le niveau de langue, l'articulation des mots, le volume de la voix, le choix des termes, etc.

Insistez pour que les auditeurs soient attentifs aux présentations et incitez-les

par la suite à poser des questions qui clarifieront, le cas échéant, les propos du locuteur ou de la locutrice.

 Intégration et réinvestissement

- Demandez aux élèves s'ils ont été heureux de revenir à la rubrique *Lire pour rire*. Invitez-les à en donner les raisons. Le texte est-il plus facile à comprendre lorsqu'il est accompagné d'images ?

Faites tracer un portrait de Coquin. Pour aider les élèves, reprenez avec eux chaque situation et faites-leur relever la caractéristique de Coquin qui y est présentée. Notez au tableau ces traits de caractère et invitez les élèves à formuler quelques phrases décrivant Coquin.

Demandez aux élèves s'ils aimeraient avoir un chien comme Coquin. Un tel chien peut-il exister ailleurs que dans une bande dessinée ?

3

RETOUR
SUR
L'ENSEIGNEMENT

- Est-ce que, dans l'ensemble, les rubriques *Lire pour rire* présentées dans les manuels ont plu aux élèves ?

- Quelle a été l'attitude générale des élèves face à ces rubriques ?

- Ces rubriques ont-elles été des déclencheurs pour favoriser d'autres lectures ?

Astuce et suggestions (ENRICHISSEMENT)

Qui ? Quoi ? Où ? Quand ?

Tandis que les élèves ont entre les mains les manuels C et D, suggérez-leur de préparer un jeu-questionnaire portant sur le contenu des deux manuels. Formez des équipes de deux ou de trois élèves (la préparation peut aussi être individuelle). Attribuez un ou deux modules à chaque équipe (ou élève). Demandez aux élèves de choisir un texte à l'intérieur des modules dont ils sont responsables et de préparer deux ou trois questions sur ce texte. Il faut qu'on puisse trouver les réponses aux questions à l'intérieur du texte choisi. Faites écrire les questions et les réponses sur une feuille de brouillon. Demandez aux élèves de se relire et de corriger leurs questions s'il y a lieu avant de les transcrire au propre à la main ou à l'ordinateur.

Faites découper chaque question et, au verso, faites inscrire la réponse ainsi que le texte, la page de référence et le manuel (C ou D).

Pour jouer, divisez la classe en deux équipes. Permettez aux élèves de garder leurs manuels C et D. Recueillez toutes les questions.

Posez une des questions. Les élèves cherchent la réponse dans les manuels. Celui ou celle qui l'a trouvée lève la main. Si la réponse et la référence sont exactes, l'équipe marque un point. Si l'une ou l'autre des réponses est fausse, l'autre équipe a un droit de réponse.

La banque de questions pourrait s'allonger de jour en jour...

 TIC

Mes activités préférées dans *Astuce*

Pour réaliser cette activité, les élèves auront à regarder les manuels C et D d'*Astuce*.

Donnez les consignes suivantes aux élèves :

1. Regardez les manuels C et D d'*Astuce*.

2. Trouvez trois activités qui vous ont particulièrement plu.

3. Ouvrez l'application de traitement de texte.

4. Faites trois fiches où vous donnez, pour chaque activité, le titre, le numéro du manuel, la page où elle se trouve et un commentaire à son sujet.

5. Sauvegardez ce document dans votre dossier personnel.

6. Imprimez.

Rappel :
Réalisez
l'étape 4 du projet.

Notes personnelles

_____

_____

_____

_____

_____

_____

_____

_____

_____

_____

PLANIFICATION DE L'ENSEIGNEMENT

BUT

Permettre aux enseignants comme aux élèves de se faire une idée plus précise de l'état des compétences en lecture et en écriture, et ce, après deux semaines de travail.

ORGANISATION DE LA CLASSE

Collectif, équipes de deux, équipes de quatre, individuel

MATÉRIEL NÉCESSAIRE

• *Par élève : manuel D (pages 105 à 107)*

TEMPS SUGGÉRÉ

180 min

Lire pour comprendre, lire pour décoder adéquatement et écrire les mots dont l'orthographe a été fixée par l'usage constituent l'essentiel du contenu des activités de cette rubrique. Que d'habiletés et de connaissances sous-jacentes pour actualiser les compétences à lire et à écrire !

SAVOIRS ESSENTIELS DES DIFFÉRENTES COMPÉTENCES

L **LIRE DES TEXTES VARIÉS**
E **ÉCRIRE DES TEXTES VARIÉS**

Connaissances liées au texte :

▶ Exploration et utilisation d'éléments caractéristiques de différents genres de textes ;
▶ Exploration de quelques éléments littéraires à des fins d'utilisation ou d'appréciation : personnages, temps et lieux du récit ;
▶ Exploration et utilisation de la structure des textes ;
▶ Prise en compte des éléments de la situation de communication : intention, contexte, formes du registre standard ;
▶ Prise en compte d'éléments de cohérence : idées rattachées au sujet, principaux connecteurs ou marqueurs de relation (séquence), reprise de l'information en utilisant des termes substituts (pronoms).

Connaissances liées à la phrase :

▶ Reconnaissance et utilisation du groupe du nom : Pronom, Nom, Dét. + Nom ;
▶ Accords dans le groupe du nom : Dét. + Nom ;
▶ Exploration et utilisation du vocabulaire en contexte ;
▶ Utilisation de l'orthographe conforme à l'usage.

Stratégies de lecture :

▶ Stratégies de reconnaissance et d'identification des mots d'un texte ;
▶ Stratégies de gestion de la compréhension ;
▶ Stratégies d'évaluation de sa démarche.

Techniques :

▶ Apprentissage de la calligraphie ;
▶ Utilisation de manuels de référence.

_____
_____
_____
_____
_____
_____
_____
_____
_____
_____
_____
_____
_____
_____
_____
_____
_____
_____

2

**ACTION
EN CLASSE**

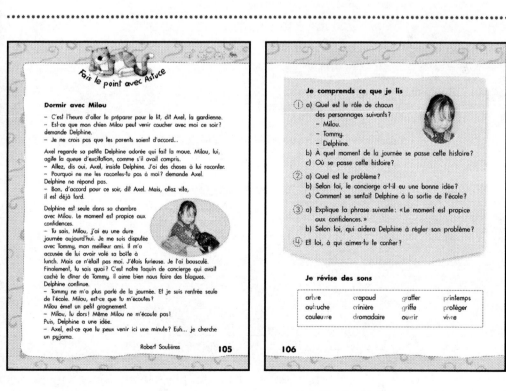

Fais le point avec Astuce

Dormir avec Milou

– C'est l'heure d'aller te préparer pour le lit, dit Axel, la gardienne.
– Est-ce que mon chien Milou peut venir coucher avec moi ce soir? demande Delphine.
– Je ne crois pas que tes parents soient d'accord...

Axel regarde sa petite Delphine adorée qui fait la moue. Milou, lui, agite la queue d'excitation, comme s'il avait compris.

– Allez, dis oui, Axel, insiste Delphine. J'ai des choses à lui raconter.
– Pourquoi ne me les racontes-tu pas à moi? demande Axel.

Delphine ne répond pas.

– Bon, d'accord pour ce soir, dit Axel. Mais, allez vite, il est déjà tard.

Delphine est seule dans sa chambre avec Milou. Le moment est propice aux confidences.

– Tu sais, Milou, j'ai eu une dure journée aujourd'hui. Je me suis disputée avec Tommy, mon meilleur ami. Il m'a accusée de lui avoir volé sa boîte à lunch. Mais ce n'était pas moi. J'étais furieuse. Je l'ai bousculé. Finalement, tu sais quoi? C'est notre taquin de concierge qui avait caché le dîner de Tommy. Il aime bien nous faire des blagues.

Delphine continue.

– Tommy ne m'a plus parlé de la journée. Et je suis rentrée seule de l'école. Milou, est-ce que tu m'écoutes?

Milou émet un petit grognement.

– Milou, tu dors! Même Milou ne m'écoute pas!

Puis, Delphine a une idée.

– Axel, est-ce que tu peux venir ici une minute? Euh... je cherche un pyjama.

Robert Soulières

105

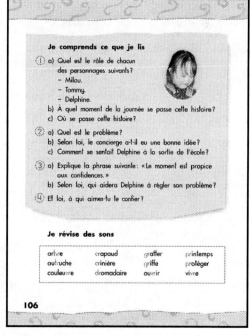

Je comprends ce que je lis

1) a) Quel est le rôle de chacun des personnages suivants?
   – Milou.
   – Tommy.
   – Delphine.
   b) À quel moment de la journée se passe cette histoire?
   c) Où se passe cette histoire?

2) a) Quel est le problème?
   b) Selon toi, le concierge a-t-il eu une bonne idée?
   c) Comment se sentait Delphine à la sortie de l'école?

3) a) Explique la phrase suivante: «Le moment est propice aux confidences.»
   b) Selon toi, qui aidera Delphine à régler son problème?

4) Et toi, à qui aimes-tu te confier?

Je révise des sons

arbre	crapaud	gratter	printemps
autruche	crinière	griffe	protéger
couleuvre	dromadaire	ouvrir	vivre

106

2

ACTION
EN CLASSE

(SUITE)

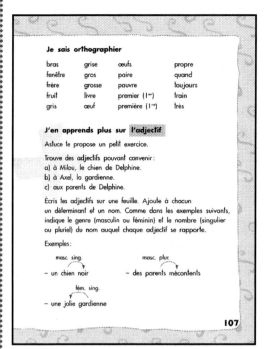

Je sais orthographier

bras	grise	œufs	propre
fenêtre	gros	paire	quand
frère	grosse	pauvre	toujours
fruit	livre	premier (1ᵉʳ)	train
gris	œuf	première (1ʳᵉ)	très

J'en apprends plus sur l'adjectif

Astuce te propose un petit exercice.

Trouve des adjectifs pouvant convenir :
a) à Milou, le chien de Delphine.
b) à Axel, la gardienne.
c) aux parents de Delphine.

Écris tes adjectifs sur une feuille. Ajoute à chacun un déterminant et un nom. Comme dans les exemples suivants, indique le genre (masculin ou féminin) et le nombre (singulier ou pluriel) du nom auquel chaque adjectif se rapporte.

Exemples :

masc. sing.
– un chien noir

masc. plur.
– des parents mécontents

fém. sing.
– une jolie gardienne

107

Remarque : Afin de simplifier la procédure, les étapes de préparation, réalisation, intégration et réinvestissement ont été regroupées en un seul bloc. Vous pourriez décider de compléter l'ensemble de chacune des activités avant d'aborder un autre aspect de la rubrique.

Répartissez sur les deux semaines de la deuxième partie du module l'apprentissage des mots qui apparaissent à la section *Je sais orthographier.*

Préparation

JE COMPRENDS CE QUE JE LIS

- Invitez les élèves à mentionner les étapes préparatoires à la lecture : survol du texte (lecture du titre et observation des illustrations), anticipation du contenu et formulation d'une intention de lecture). Suggérez-leur de consulter la page 142 du manuel.

  Rappelez aux élèves qu'ils devront faire une lecture individuelle du texte. Cependant, invitez ceux qui éprouvent de la difficulté à se regrouper afin de recevoir l'aide nécessaire. Invitez les plus talentueux à épauler un ou une camarade de classe.

Mentionnez que la lecture sera suivie de questions de compréhension.

JE RÉVISE DES SONS

- Cette section de la rubrique propose aux élèves une révision des consonnes jumelées avec un [r]. Idéalement, vous devriez revoir les sons (vus depuis septembre) que les élèves maîtrisent moins bien, et tenir compte des notes que vous avez prises en observant les élèves. Il est donc possible que les sons à revoir ici ne correspondent pas nécessairement aux difficultés de certains élèves.

JE SAIS ORTHOGRAPHIER

- Revoyez avec les élèves les stratégies d'acquisition de l'orthographe d'usage vues depuis le début du cycle. Référez-vous aux pages 139 à 141 du manuel.

 **Réalisation**

JE COMPRENDS CE QUE JE LIS

- Invitez les élèves à lire individuellement le texte de la page 105 du manuel.

  Demandez aux élèves de répondre aux questions sur le texte, à la page 106 du manuel. Tous les élèves devraient répondre aux questions des blocs 1, 2 et 4. Invitez les plus talentueux et les plus rapides à relever un défi en répondant aussi aux questions du bloc 3.

JE RÉVISE DES SONS

- Formez ou faites former des équipes de deux.

  Demandez aux coéquipiers de faire en alternance la lecture des mots proposés à la page 106 du manuel.

2

**ACTION
EN CLASSE
(SUITE)**

 ou

Invitez les élèves à relever les consonnes jumelées à la lettre *r* dans le texte de la page 105 du manuel (*préparer, crois, compris, chambre, propice, notre, rentrée, grognement*). Si le travail de recherche s'est fait individuellement, demandez aux élèves de comparer leurs réponses à celles de leur coéquipier ou coéquipière.

JE SAIS
ORTHOGRAPHIER

- Demandez aux élèves, en équipes de deux, de revoir chaque stratégie d'acquisition de l'orthographe et de regrouper les mots de la liste qui apparaît à la page 107 du manuel selon la stratégie qui permet le mieux de les mémoriser.

  Conseillez aux élèves de consulter les pages 139 à 141 du manuel pour revoir chaque stratégie.

J'EN APPRENDS PLUS
SUR L'ADJECTIF

- Si vous avez jugé approprié de donner la leçon de grammaire sur le féminin et le pluriel des adjectifs (module 17, page 65), lisez le contenu de cette section avec les élèves.

 ou

Faites réaliser l'exercice suggéré.

NOTE : L'accord de l'adjectif fait partie des connaissances à acquérir pendant les deuxième et troisième cycles, du primaire. Au premier cycle, l'accord ne devrait se réaliser qu'avec de l'aide.

 **Intégration et réinvestissement**

JE COMPRENDS CE
QUE JE LIS

- Animez une mise en commun des réponses données par les élèves aux questions qui apparaissent à la page 106 du manuel.

  Invitez les élèves qui ont eu des difficultés à lire le texte à mentionner les stratégies qu'ils ont utilisées pour finalement réussir à le comprendre.

  Demandez aux élèves s'ils croient qu'ils se sont améliorés en lecture. Si oui, laissez-les expliquer sur quoi porte l'amélioration.

  Poursuivez en demandant aux élèves d'imaginer d'autres dialogues pour Delphine et Axel.

JE RÉVISE DES SONS

- Invitez quelques élèves à lire les mots de la liste apparaissant à la page 106 du manuel.

  Faites un retour sur les mots relevés dans le texte de la page 105 du manuel.

JE SAIS
ORTHOGRAPHIER

- Invitez quelques élèves à faire part de leurs regroupements par stratégies. Faites comparer ces regroupements à ceux faits par d'autres élèves. Au besoin, servez-vous du tableau et invitez les élèves à démontrer comment ils ont procédé pour relier certains mots à certaines stratégies. Voyez s'il est possible que plus d'une stratégie convienne à la mémorisation de certains mots. Par ailleurs, il est possible que certains mots ne correspondent à aucune stratégie.

2
ACTION
EN CLASSE
(SUITE)

Terminez l'ensemble des activités de cette rubrique en invitant les élèves à réfléchir à leurs réussites, à l'amélioration qu'ils constatent en ce qui concerne la maîtrise de certaines compétences. Invitez-les aussi à réfléchir aux difficultés qui subsistent.

J'EN APPRENDS PLUS SUR L'ADJECTIF

Lorsque dans des situations d'écriture l'occasion se présente, soutenez les élèves dans l'accord de l'adjectif.

3
RETOUR
SUR
L'ENSEIGNEMENT

- Si vous avez procédé selon l'ordre des parties de cette rubrique, quels renseignements avez-vous obtenus sur le groupe ou sur certains élèves quant à leur compétence à lire un texte (compréhension et décodage)? Qu'en est-il de la maîtrise de l'orthographe d'usage et de la formation du féminin et du pluriel des adjectifs?

- Étant donné qu'il ne reste qu'un court module à parcourir avec les élèves, quelles sont les interventions que vous comptez faire avec le groupe ou avec certains élèves?

Notes personnelles

_____
_____
_____
_____
_____
_____
_____
_____
_____
_____
_____
_____
_____
_____
_____
_____
_____
_____
_____
_____
_____

À l'ordinateur avec Marilou

Le module 19 comprend trois activités distinctes :

- une activité d'observation
  - *Naissances* ;
- une activité de sondage
  - *Sondage sur les animaux domestiques* ;
- une activité de classification
  - *Comparaisons animalières.*

Activité 1

NAISSANCES

TYPE D'ACTIVITÉ
Activité simple, autonome

MATÉRIEL NÉCESSAIRE
Dossier MODULE 19 du cédérom

TEMPS SUGGÉRÉ
Environ 10 min par élève

- Cette activité d'observation va permettre à l'élève de prendre conscience des soins que certains animaux apportent à leurs bébés lors de la naissance (hygiène, alimentation, protection). L'élève peut faire cette activité par lui-même. Elle favorise le développement de compétences d'ordre intellectuel (placer une séquence en ordre, faire des liens), une compétence d'ordre méthodologique (classer) et une compétence disciplinaire (français). Toutes les directives sont données en mode vocal.

- Vous trouverez la démarche proposée pour réaliser l'activité 1 dans le dossier *MODULE 19* du cédérom.

- Il faut prévoir environ 10 min par élève pour réaliser cette activité.

Activité 2

SONDAGE SUR LES ANIMAUX DOMESTIQUES

TYPE D'ACTIVITÉ
Activité moyenne

MATÉRIEL NÉCESSAIRE
Dossier MODULE 19 du cédérom

TEMPS SUGGÉRÉ
De 15 à 20 min par élève

- Cette activité de sondage est axée sur la collecte et la compilation d'informations. Elle favorise le développement de deux compétences d'ordre intellectuel (recueillir, compiler) et d'une compétence d'ordre méthodologique (utiliser un tableur et un grapheur). Elle permet également d'aborder des connaissances relevant d'une discipline (mathématique - interprétation de graphiques) sans toutefois viser le développement de compétences. Toutes les directives sont données en mode oral. L'élève est invité ou invitée à s'informer auprès de ses pairs pour répertorier les animaux domestiques qu'ils ont à la maison.

- Vous trouverez la démarche proposée pour réaliser l'activité 2 dans le dossier *MODULE 19* du cédérom.

- Il faut prévoir entre 15 et 20 min par élève pour réaliser cette activité.

Activité 3

COMPARAISONS ANIMALIÈRES

TYPE D'ACTIVITÉ

Activité complexe, autonome

MATÉRIEL NÉCESSAIRE

Dossier MODULE 19 du cédérom

TEMPS SUGGÉRÉ

Environ 15 min par élève

• Cette activité est directement liée à l'activité du manuel de l'élève qui porte sur les similarités de comportement entre les animaux et les humains. L'élève doit associer l'illustration d'un animal avec celle d'un humain, et compléter l'expression qui les compare. Elle favorise le développement d'une compétence d'ordre intellectuel (classer) et d'une compétence disciplinaire (français).

Certaines directives sont données en mode oral et d'autres, en mode écrit. L'élève doit associer les éléments qui sont similaires.

• Vous trouverez la démarche proposée pour réaliser l'activité 3 dans le dossier *MODULE 19* du cédérom.

• Il faut prévoir environ 15 min par élève pour réaliser cette activité.

Notes personnelles

_____

_____

_____

_____

_____

_____

_____

_____

_____

_____

_____

_____

_____

_____

_____

_____

_____

_____

_____

_____

_____

_____

Activités d'animation littéraire

MERCI HENRIETTE MAJOR POUR TOUTES VOS BELLES CHANSONS !

NOTE : L'une des étapes importantes de l'animation consiste à présenter tous les livres écrits ou illustrés par une même personne. Ainsi, les élèves constatent que les livres peuvent avoir plusieurs publics : des lecteurs plus jeunes qu'eux et d'autres plus âgés. Cette présentation peut se faire à un moment variable d'une animation à l'autre.

En ce qui concerne Henriette Major, très peu de ses œuvres s'adressent aux élèves du premier cycle et, de plus, plusieurs titres sont épuisés et d'autres ont été élagués des bibliothèques scolaire et municipale, surtout ceux qui traitent des peuples et des sciences. Pour compléter la bibliographie proposée, consultez les répertoires des bibliothèques de votre école et de votre municipalité.

Cette animation est un réinvestissement de celle qui porte sur l'auteure Carole Tremblay (module 12, p. 96-97). Quatre courtes activités sont proposées. Vous pouvez les enchaîner tout au long du mois tel que proposé ci-après ou n'en sélectionner qu'une seule.

Préparation

- La phase préparatoire peut être réalisée telle quelle même si vous ne choisissez de ne réaliser qu'une seule activité.

Demandez aux élèves ce qu'ils ont le plus apprécié des chansons qu'Henriette Major a écrites spécialement pour les manuels *Astuce et compagnie*. Prenez en note les commentaires sur un grand papier blanc. (Ils seront réutilisés lors de la quatrième activité.)

Dites aux élèves que cette auteure a également écrit plusieurs livres, surtout pour les élèves des deuxième et troisième cycles du primaire. Dites-leur qu'Henriette Major a aussi écrit des romans, des poèmes, des contes, des documentaires, et qu'elle a traduit ou adapté des contes et des documentaires. Apprenez-leur qu'elle est de plus anthologiste, c'est-à-dire qu'elle choisit des comptines, des poèmes, des chansons ou des contes pour les réunir dans un volume. Lorsque vous référez à un type d'écrit (roman, conte, poésie, anthologie), présentez-en quelques titres et faites-les lire aux élèves.

Réalisation

- Annoncez aux élèves qu'ils réaliseront quatre courtes activités pour mieux connaître et apprécier cette auteure qui écrit depuis bien des années pour les jeunes.

Activité 1
À la recherche de renseignements biographiques

- Montrez aux élèves le texte apparaissant aux pages 15 et 16 du manuel D, qui témoigne de la passion de cette auteure pour la lecture et l'écriture. Demandez-leur ce qu'ils en ont retenu. Inscrivez au tableau leurs souvenirs. Lisez ensuite le texte à voix haute.

Formez ou faites former quatre équipes. Remettez à chacune d'elles un ensemble de livres de genres variés : roman, conte, documentaire, poésie, anthologie.

Inscrivez la consigne et les questions suivantes au tableau ; faites-les lire aux élèves : *Recherchez dans les livres des renseignements biographiques sur Henriette Major. De quelles façons complètent-ils ceux qui sont mentionnés dans le manuel ? Qu'avez-vous appris de nouveau sur cette auteure ? Chaque livre de la série « Sophie » offre un texte concis à*

LIEU ET TEMPS

En classe ou à la bibliothèque, les élèves sont assis en équipes à leur pupitre ou à leur table pour les première, deuxième et quatrième activités; pour la lecture du roman, les élèves sont assis par terre, en demi-cercle, près de l'enseignant ou de l'enseignante.

Les différentes activités de cette animation devraient idéalement être réalisées entre la situation d'apprentissage 1, Et si on chantait..., et la phase de réalisation du projet.

cet égard. Animez une discussion pour faciliter la compréhension de la tâche à accomplir.

Faites énumérer par les élèves les endroits où ils pourraient trouver les renseignements demandés (le texte de la quatrième de couverture, dans les pages précédant ou suivant l'histoire).

Conseillez aux élèves d'y référer durant le travail en équipes. Puis demandez aux équipes de chercher des notices biographiques dans la documentation reçue.

Lorsque les élèves découvrent des éléments biographiques, demandez-leur de vérifier s'il s'agit d'éléments nouveaux ou d'éléments déjà présents dans le manuel. Après une vingtaine de minutes, invitez les élèves à faire part de leurs trouvailles.

Pour compléter les renseignements biographiques, lisez aux élèves des passages de l'article sur l'auteure publié dans *Histoire de la littérature. Québec et francophonie Canada,* David, 2000, 826 p. (avec un dictionnaire des auteurs et des illustrateurs).

Demandez aux élèves quels sont les renseignements qui les ont le plus étonnés. Inscrivez-les sur une feuille. Ces données pourraient être réutilisées lors de l'écriture d'une lettre collective à l'auteure (voir activité 4).

Activité 2
Je lis un livre d'Henriette Major

• Inscrivez la question et la consigne suivantes au tableau, puis, faites-les lire par un ou une élève: *Quel livre d'Henriette Major aimeriez-vous lire individuellement? Expliquez pourquoi.*

Animez une discussion pour faciliter la compréhension de la tâche. (Demandez aux élèves les raisons pour lesquelles ils ne seraient pas incités à lire tel ou tel livre (trop épais, mots trop difficiles à décoder, trop de mots dont le sens est inconnu, etc.).

Distribuez à chaque équipe un ensemble de livres différent de celui qui a été remis lors de la première activité.

Proposez aux coéquipiers de se partager les tâches: un ou une élève donne le droit de parole (répartiteur ou répartitrice); un ou une élève prend des notes (secrétaire); un ou une élève donne le compte rendu de son équipe (porte-parole); un ou une élève s'assure que tous les équipiers respectent la tâche qui leur incombe et le temps alloué à l'échange (chronométreur ou chronométreuse).

Accordez aux équipes une vingtaine de minutes pour répondre à la question posée. Une fois le temps écoulé, animez un échange pour connaître les critères retenus. Invitez les élèves à préciser et à justifier leurs propos.

Informez-vous si certains élèves sont intéressés à emprunter un livre. Dans ce cas, occupez-vous de gérer l'emprunt. Envisagez la possibilité d'un tirage au sort si plusieurs élèves désirent le même livre.

Activité 3
L'écoute d'une histoire

• Annoncez aux élèves que vous leur lirez *Fantôme d'un soir,* et ce, sans les autoriser à poser des questions ni pendant ni immédiatement après l'écoute.

Dites aux élèves que l'histoire se déroule un soir d'Halloween. Mentionnez-leur que, même si cette fête a eu lieu il y a plusieurs mois (fin octobre), il serait intéressant pour eux d'écouter attentivement l'histoire d'Henriette Major car celle-ci veut leur livrer un message important.

Inscrivez au tableau les quatre intentions d'écoute, puis faites-les lire par des élèves: *connaître la leçon qu'Élodie tire de cette aventure, relever des traits de caractère d'Élodie, connaître ses relations avec ses parents, connaître ses relations avec ses amis.* Conviez tous les élèves à tenir compte de la première intention de lecture, puis invitez-les à choisir parmi les trois autres celle qui les intéresse particulièrement. Assurez-vous que chacune des intentions soit retenue par au moins trois élèves.

Avant de lire le texte aux élèves, montrez-leur chacune des illustrations du roman et demandez-leur d'anticiper le récit. Durant la lecture, ne remontrez pas les illustrations. Faites une lecture du texte aussi expressive que possible.

Après la lecture, animez un retour sur les intentions d'écoute. Ensuite, invitez les élèves à poser des questions sur l'histoire et à partager leurs impressions (donner leur opinion, faire connaître leurs sentiments, parler des personnages, des événements drôles, tristes, captivants ou énervants ou d'un mot dont ils ne connaissaient pas le sens, etc.).

Proposez par la suite aux élèves d'indiquer leur «coup de cœur» sur la grande affiche dans le coin de lecture ou dans leur *Album souvenirs de mes lectures*. Dites-leur d'y mentionner le titre du livre, le nom de l'auteure ainsi que celui de l'illustrateur ou de l'illustratrice. Invitez-les à donner leur appréciation en mode oral.

Enfin, questionnez les élèves pour savoir les traces qu'ils aimeraient conserver dans leur *Album souvenirs de mes lectures* : le dessin d'un personnage, un passage drôle, triste, captivant, énervant, une liste des mots nouveaux dont ils ne connaissaient pas le sens, un court commentaire personnel, etc. Demandez-leur s'ils préfèrent procéder à cette activité en classe ou à la maison.

Activité 4
Merci Henriette pour toutes vos belles chansons!

- Proposez à chacun et à chacune des élèves de choisir parmi les chansons d'Henriette Major celle qu'ils préfèrent.

Formez sept équipes. Distribuez à chacune les manuels d'*Astuce et compagnie* (C et D). Affichez les commentaires que vous avez pris en note lors de la première activité. Demandez à quelques élèves de les lire.

Conviez les élèves à se faire une opinion plus précise en relisant certaines des chansons qui apparaissent dans les deux manuels. Pour ce faire, laissez-leur une vingtaine de minutes.

Dites aux élèves de fixer leur opinion sur le texte qu'ils préfèrent et informez-les qu'ils auront à le lire ou à l'interpréter devant la classe. Offrez-leur deux modalités de fonctionnement : l'équipe choisit une chanson après consensus, ou bien chaque membre choisit une chanson et les élèves qui ont choisi la même se regroupent. Après que le choix aura été effectué, laissez une dizaine de minutes aux élèves pour répéter à voix haute la lecture ou la chanson. Passez ensuite à la présentation et à l'audition des textes ou chansons.

Invitez les élèves à écrire à l'auteure pour lui faire connaître leur appréciation des chansons écrites tout spécialement pour leurs manuels. Suggérez-leur de discuter en équipes de ce qu'ils aimeraient lui dire. Proposez-leur de tenir compte des commentaires formulés à l'activité 1. Procédez à la mise en commun des idées avant que soit écrite la lettre collective, que vous transcrirez sur un grand papier blanc fixé au tableau. Invitez les élèves qui le souhaiteraient à se relayer à l'ordinateur pour retranscrire le texte.

Préparation

- Transcrivez au tableau les titres des chapitres, que vous masquerez d'une grande feuille de papier. Fixez au tableau une carte géographique du sud du Québec.

Animez une discussion pour connaître les projets de vacances des élèves ou leurs plus beaux souvenirs estivaux. Si aucun ou aucune élève ne raconte une expérience relative aux animaux – visite au zoo, séjour à la ferme, prise en charge du chien ou du chat d'un voisin parti en vacances, etc. –, posez la question suivante : *Y a-t-il des élèves qui ont vécu une expérience, agréable ou non, avec un animal durant les vacances estivales ?*

Annoncez aux élèves que vous leur lirez un roman de Sylvain Trudel.

Faites lire le titre et établir des liens avec l'illustration. Puis invitez quelques élèves à dévoiler leur anticipation du récit. Pour la préciser, lisez le texte de présentation de la quatrième de couverture. Demandez-leur ensuite si cela les a aidés à fixer leur anticipation de lecture. Enfin, faites lire par les élèves les titres des chapitres inscrits au tableau ; demandez-leur en quoi ces titres précisent, le cas échéant, leur anticipation de lecture.

Dites aux élèves que Sylvain Trudel a écrit des comparaisons et utilisé des images surprenantes, et que vous en parlerez durant l'animation.

 Réalisation

- Conviez les élèves, tout au long de la lecture, à visualiser le texte et à tenir compte des différentes intentions d'écoute.

Séance 1
Chapitre 1

Avant de lire le chapitre, demandez aux élèves d'être attentifs à la lecture du texte pour trouver la façon dont se sert Sylvain Trudel pour dire que Janot avait hâte de partir ; mentionnez-leur qu'ils devront avoir à identifier cet indice à la fin de la lecture du chapitre. («Ma mère n'a pas à s'inquiéter, mes valises sont bouclées dès le 1er juin.»). En outre, ils devront expliquer une comparaison : «Pourtant, ma vie, comme une pomme, a besoin de ses deux moitiés pour être une pomme.» Si nécessaire, relisez des passages du texte pour aider les élèves à préciser leur explication.

Chapitre 2

Dites aux élèves que, dans le deuxième chapitre du roman, l'auteur décrit le trajet entre la maison de Janot et le chalet situé à Iberville, sur le bord du Richelieu. Sur la carte géographique, désignez la ville où habitent les élèves, puis Montréal et enfin Iberville, le lieu de vacances de Janot. Sur la carte du sud de la province, tracez-y un ou deux trajets que le père de Janot aurait pu emprunter pour se rendre au chalet. Demandez aux élèves ce que Janot et sa sœur ont pu observer en passant sur le pont Jacques-Cartier. Puis, tout le long du trajet, nommez les routes et autoroutes, villes et villages qu'ils ont traversés.

Conviez les élèves à être très attentifs à la lecture de ce chapitre, car Sylvain Trudel utilise de belles images, fait de belles comparaisons. Dites-leur de bien visualiser durant l'écoute car, à la fin de la lecture du chapitre, ils auront à identifier au moins une image ou comparaison. («[...] la forêt d'édifices» ; «Le ciel a le dos qui pique et les gratte-ciel le grattent» ; «Les grues du port sont des géants de métal qui fouillent le ventre des navires» ; «Les fleurs fermeront jusqu'à demain, comme des petits magasins de couleur» ; «Et la lune pareille à un nid de guêpes [...]» ; etc.).

En classe, les élèves sont assis par terre, en demi-cercle, près de l'enseignant ou de l'enseignante. Cette activité devrait idéalement être réalisée après la situation d'apprentissage 8 (Chez la vétérinaire). L'animation se déroule sur deux journées consécutives.

Aux pages 15 et 16 du livre, demandez aux élèves d'expliquer la réaction du père: «Ouf! soupire mon père. Il n'est pas parti avec la glace au printemps!»

Après la lecture du chapitre, demandez aux élèves d'énumérer les images et les comparaisons qu'ils ont reconnues. Relisez certains passages, si nécessaire, pour apporter des précisions.

Chapitre 3

Dites aux élèves que l'auteur, en plus de continuer à décrire ce paradis qu'est Iberville, nous présente un nouveau personnage, Manon. Invitez-les à bien visualiser car, à la fin de la lecture du chapitre, ils auront à dire si Manon est gentille, si elle va bien s'entendre avec Janot et sa sœur, Lucie («[...] elle nous saute au cou»; «Je vous attendais depuis des semaines»; «Manon est un chic brin de fille, un vrai velours»; «Elle est drôle, Manon»).

Faites expliquer l'expression descriptive «[...] avec une bavette et des pantoufles blanches» (p. 22), ainsi que l'image «[...] une réunion de sept philosophes» (p. 23).

Lors du retour sur l'intention d'écoute, si les élèves oublient de nommer des indices qui démontrent l'amitié qui unit Manon, Janot et Lucie, relisez certains passages.

Chapitre 4

Invitez les élèves à bien visualiser les différentes activités réalisées durant la journée par Janot, Lucie et Manon car, à la fin de la lecture du chapitre, ils devront en nommer au moins deux.

Faites expliquer le passage «Ainsi commencent nos journées, par une chanson, des rires et des secrets» (p. 28), ainsi que l'expression «[...] l'huile de coude» (p. 30).

Expliquez aux élèves le sens du passage «On pourrait croire que tout est parfait, l'été, à Iberville. Hélas! Il n'y a pas de paradis sans enfer» (p. 31). Puis demandez-leur ce qui peut tant déranger les personnes qui vivent dans un si bel en-

droit. Laissez-les échanger librement; ensuite, continuez la lecture des passages où l'auteur fait connaître cet «enfer».

Après la lecture de la page 33, posez la question suivante: *Que feront les amis avec un vieux chariot de supermarché?*

Lors du retour sur la situation d'écoute, si les élèves oublient de mentionner des activités réalisées par le trio d'amis, relisez certains passages.

Annoncez aux élèves que la lecture sera poursuivie lors d'une autre séance d'animation. Puis proposez-leur d'illustrer le dispensaire. Regroupez-les en équipes de trois: l'un dessine l'extérieur et les deux autres, une vue différente de l'intérieur. Affichez les dessins dans le coin de lecture.

Demandez à deux ou trois élèves de dire ce qu'ils ont retenu de la lecture de chaque chapitre, puis attirez leur attention sur les dessins illustrant le dispensaire. Enfin, faites-leur visualiser les actions que poseront les amis pour les animaux qui vont y séjourner.

Séance 2
Chapitre 5

Demandez aux élèves de bien visualiser le texte car, après la lecture du chapitre, ils auront à énumérer au moins trois animaux dont le trio d'apprentis vétérinaires a pris soin.

Faites expliquer les images «Pourquoi avaient-ils les yeux pochés, mais étaient heureux» (p. 39) et «Que c'est beau! On dirait une âme!» (p. 41).

Demandez aux élèves si certains d'entre eux sont en mesure d'expliquer le petit clin d'œil humoristique de Sylvain Trudel «"Clic". Le petit oiseau est sorti. Et le faisan s'est envolé [...]»

Après la lecture du chapitre, faites énumérer les animaux dont les trois personnages ont pris soin. Relisez certains passages si l'énumération est incomplète.

Invitez les élèves qui ont déjà eu de la peine à la mort d'un animal à raconter brièvement les circonstances entourant celle-ci. Demandez-leur ce qu'ils ont fait de l'animal mort. Laissez-leur le temps de raconter. Annoncez-leur que le titre du sixième chapitre révèle comment Janot, Lucie et Manon s'occupaient des animaux morts.

Chapitre 6

Invitez les élèves à bien visualiser le cimetière.

Faites expliquer les images «Le fragile ressort du cœur s'était brisé» (p. 45) et «Je cherche l'âme de la bécassine» (p. 46). Demandez aux élèves d'être très attentifs, car ils auront à dire si Lucie a raison de croire que l'âme de la bécassine s'envole vers le ciel. Relisez certains passages, si nécessaire. Puis posez la question suivante : *Pourquoi Janot ne contredit-il pas sa petite sœur Lucie ?*

Chapitre 7

Demandez aux élèves de répondre à la question «Quoi ? Qu'est-ce qui se passe ?» (p. 47)

Prévenez les élèves qu'ils doivent être attentifs après le premier paragraphe de la page 51 pour reconnaître des indices de la très grande peine de Manon afin d'être capables de les énumérer à la fin de la lecture. Après celle-ci, relisez certains passages si des indices ont été oubliés.

«Il faut faire quelque chose pour Manon pour la consoler ! Il faut l'aider !» (p. 52). Demandez aux élèves ce que, d'après eux, ses amis feront pour l'aider. Puis invitez-les à bien visualiser tous les moyens qu'utiliseront Janot et Lucie pour que Manon retrouve un peu de joie. Ils devront en nommer au moins deux après la lecture du chapitre. À la fin du chapitre, posez la question suivante : *Pourquoi sont-ils maintenant tous heureux ?*

Effectuez un retour sur les deux intentions d'écoute. Si la mémoire des élèves est défaillante, relisez certains passages.

Chapitre 8

Invitez les élèves à visualiser la fin de l'histoire de Sylvain Trudel où Janot est très triste : les vacances sont terminées, c'est le départ pour la ville, l'automne arrive à grands pas. Dites-leur qu'à la fin de la lecture du chapitre vous leur demanderez de nommer au moins un indice de la très grande tristesse de Janot ainsi que deux indices qui annoncent la venue de l'automne. Lorsque les élèves rappellent des indices de la tristesse de Janot, attirez leur attention sur certaines images : «[…] le cœur déchiré par le chagrin» ; «J'ai de la tristesse en boule dans les entrailles.» Ensuite, faites énumérer les signes avant-coureurs de l'automne. Relisez certains passages si des indices ont été oubliés.

Enfin, posez les questions suivantes aux élèves : *À la fin des vacances estivales, avez-vous déjà ressenti une aussi grande tristesse, une aussi grande peine ? Pourquoi ? Qui vous a consolés ? Qu'est-ce qui vous a consolés ?*

Intégration

- Faites énumérer aux élèves des preuves d'amour que portent Janot, Lucie et Manon aux animaux. Demandez-leur ce qu'ils seraient prêts à faire pour un animal blessé ou mort.

Présentez les autres livres de l'auteur en lisant les titres. Ensuite, exposez-les au coin de lecture et proposez aux élèves de leur prêter un livre (*Zoé et les petits diables*, édité chez HMH Hurtubise dans la collection Plus ; *Le grand voyage de Marco et de son chien Pistache*, édité à La courte échelle dans la collection Il était une fois ; *Le monsieur qui se prenait pour l'hiver, Le garçon qui rêvait d'être un héros, Le monde de Félix, Le roi qui venait du bout du monde, Le grenier de Monsieur Basile, Les dimanches de Julie, Le royaume de Bruno, L'ange de Monsieur Chose, Des voisins qui inventent le monde, Yan contre Max Denferre*, édités à La courte échelle dans la collection Premier roman).

Invitez les élèves à indiquer leur «coup de cœur» pour *Une saison au paradis* sur la grande affiche dans le coin de lecture ou dans leur *Album souvenirs de mes lectures*. Rappelez-leur d'y inscrire le titre du livre, le nom de l'auteur ainsi que celui de l'illustrateur ou de l'illustratrice. Invitez-les à donner leur appréciation en mode oral.

Demandez aux élèves les traces qu'ils aimeraient conserver de cette animation dans leur *Album souvenirs de mes lectures* (le dessin du dispensaire déjà réalisé, le dessin d'un personnage, un passage drôle, triste, captivant, énervant, des mots nouveaux dont ils ne connaissaient pas le sens, un court commentaire personnel, etc.). Suggérez aux élèves de réaliser cette activité à la maison.

Demandez-leur s'ils ont déjà lu un livre édité par La courte échelle dans la collection Premier Roman. Dans l'affirmative, dites-leur d'en mentionner le titre et l'auteur.

Invitez-les à témoigner de leur appréciation.

Notes personnelles

_____

_____

_____

_____

_____

_____

_____

_____

_____

_____

_____

_____

_____

_____

_____

_____

_____

_____

_____

_____

_____

_____

_____

BIBLIOGRAPHIE

VOYAGEONS AVEC NOÉ

Textes littéraires : fiction

Les Éléphants de Noé, Fribourg, Calligram, 1997, 35 p. (Petite bibliothèque Calligram. Conte)

TURNBULL, Ann, *Trop fatigués*, Paris, Kaléidoscope, 1993, 25 p.

YEOMAN, John, *L'arche de M. Nohet*, Paris, Gallimard, 1995, 32 p.

Textes courants

L'Arche de Noé, Zurich, Nord-Sud, 1997, 28 p. (Un livre d'images Nord-Sud)

COUSINS, Lucy, *L'arche de Noé*, Paris, Albin Michel jeunesse, 1993, 34 p.

REID, Barbara, *Deux par deux*, Richmond Hill, Scholastic, 1994, 29 p. [cassette sonore]

VALLON, Jacqueline, *L'histoire de Noé*, Paris, Gallimard jeunesse, 1997, 37 p. (Folio Benjamin. Les Histoires de la Bible)

OH ! LES BÉBÉS MIGNONS !

Textes littéraires : fiction

BEEKE, Jemma, *On recherche crocodile*, Paris, Père Castor Flammarion, 1997, 24 p.

BEN KEMOUN, Hubert, *L'œuf du coq*, Tournai, Casterman, 1999, 29 p. (Histoires Casterman. Pas si bêtes !)

BODAR, Jean, *La poule qui voulait pondre des œufs de Pâques*, Tournai, Casterman, 1996, 21 p. (Raconte-moi des histoires)

DELVAL, Marie-Hélène, *C'est mon nid !*, Paris, Père Castor Flammarion, 1997, 27 p. (Chanteloup)

DESMOINAUX, Christel, *L'œuf de madame Poule*, Paris, Hachette jeunesse, 1998, 33 p.

JOHANSEN, Hanna, *La poule qui voulait pondre des œufs en or*, Genève, La Joie de lire, 1999, 61 p.

LANGREUTER, Jutta, *Ça ? c'est mon nombril !*, Toulouse, Milan, 2000, 26 p.

MOURLEVAT, Jean-Claude, *Histoire de l'enfant et de l'œuf*, Paris, Mango jeunesse, 1997, 32 p.

MUNSCH, Robert, *Un bébé alligator ?*, Richmond Hill, Scholastic, 1997, 29 p.

RASCAL, *Poussin noir*, Paris, L'École des loisirs, 1997, 25 p. (Pastel)

Aussi : *Jaune d'œuf* (1993, 25 p.)

SANSONE, Adèle, *Mon poussin vert*, Zurich, Nord-Sud, 1999, 29 p. (Un livre d'images Nord-Sud)

SIMMONS, Jane, *Noémie et l'œuf mystérieux*, Paris, Gautier-Languereau, 1999, 34 p.

SYKES, Julie, *Les œufs de Paulette*, Namur, Mijade, 1997, 23 p.

WALTERS, Catherine, *Maman, c'est pour bientôt le bébé ?*, Paris, Gründ, 1999, 25 p.

WILLIS, Jeanne, *J'étais comment quand j'étais bébé ?*, Paris, Gallimard jeunesse, 2000, 27 p. (Album Gallimard)

Textes courants

BAILEY, Liza, *Bébés animaux*, Paris, Gründ, 1996, 26 p.

GUIDOUX, Valérie, *Le petit ours*, Paris, Mango jeunesse, 2000, 23 p. (Qui es-tu ?)

Aussi : *Le petit dauphin* (2000, 23 p.) ; *Le petit loup* (2000, 23 p.)

HELLER, Ruth, *Les poules ne sont pas les seules*, Richmond Hill, Scholastic, 1990, 43 p.

Textes courants (suite)

MAYNARD, Christopher, *Un bébé animal*, Paris, Gallimard, l994, 29 p. (Les Chemins de la découverte)

NOËL, Jean-Philippe, *Qui pond des œufs?*, Toulouse, Milan, 1992, 25 p. (Qui fait quoi?)

PEROLS, Sylvaine, *Avant la naissance*, Paris, Gallimard jeunesse, l997, 32 p. (Mes premières découvertes. L'histoire de la vie)

Aussi : *Grandir* (l998, 33 p.) ; *Naître* (l997, 34 p.) ; *Vivre ensemble* (l998, 33 p.) ; *L'histoire de la vie* (l999, 63 p., hors collection)

ROYSTON, Angela, *D'où viennent les bébés?*, Montréal, Libre expression, l997, 37 p.

WABBES, Maris, *Le bel œuf*, Paris, L'École des loisirs, l999, 37 p. (Archimède)

WOOD, Jeanny, *Les bébés animaux*, Saint-Lambert, Héritage, l996, 32 p. (Questions-réponses, 6 / 9 ans)

QUELLES BELLES PEINTURES !

Textes courants

Pour les élèves du 3ᵉ cycle

LOUMAYE, Jacqueline, *Renoir : un éternel été*, Tournai, Casterman, l996, 59 p. (Le Jardin des peintres)

SKIRA-VENTURI, Rosabianca, *Un dimanche avec Renoir*, Genève, Skira, l990, 58 p. (Un dimanche avec…)

SPENCE, David, *Renoir : la couleur de la nature*, Laval, G. Saint-Jean, l999, 31 p. (Les Grands maîtres)

Pour les adultes

BAILEY, Colin B., *Les portraits de Renoir : impressions d'une époque*, Paris / Ottawa, Gallimard / Musée des beaux-arts du Canada, l997, 384 p.

RENOIR, Auguste, *Renoir*, Paris, Gründ, l996, 271 p.

JOYEUX ANNIVERSAIRE, MAMAN ET GRAND-MAMAN

Textes littéraires : fiction

CLÉMENT, Claude, *La fête des Mères*, Paris, Fleurus, l996, 45 p. (L'Histoire est vraie. Bravo la famille !)

GOODE, Diane, *Un cadeau pour maman*, Paris, L'École des loisirs, l997, 32 p. (Pastel)

GOTTING, Jean-Claude, *L'anniversaire de maman*, Paris, Gallimard jeunesse, l999, 16 p. (Octavius. Quelle histoire !)

GUTMAN, Claude, *La fête des Mères*, Tournai, Casterman, l998, 27 p. (Histoires Casterman. Vive la grande école)

REID, Barbara, *Quelle belle fête !*, Richmond Hill, Scholastic, l997, 30 p.

RIFÀ, Fina, *L'anniversaire de grand-mère*, Montréal, École active, l993, 23 p. (Le Livre de la tortue)

TEULADE, Pascal, *Le plus beau de tous les cadeaux du monde*, Paris, L'École des loisirs, l996, 29 p. (Lutin poche)

MANCHOTS OU PINGOUINS ?

Textes littéraires : fiction

BAKER, Carolyn, *Les manchots s'habillent*, Paris, L'École des loisirs, 1999, 27 p. (Pastel)

INKPEN, Mick, *Bon voyage, Léo*, Paris, Nathan, 1992, 36 p.

WIESMULLER, Dieter, *César et Isidore*, Paris, Bayard, 1999, 37 p.

Docu-fiction

GERAGHTY, Paul, *Solo : une histoire naturelle*, Paris, Kaléidoscope, 1995, 32 p.

Textes courants

GUIDOUX, Valérie et DUBOIS, Philippe, *Le manchot*, Paris, Nathan, 2000, 29 p. (Animalou)

LING, Mary, *Le manchot*, Paris, Hachette, 1994, 21 p. (Regarde-les grandir)

Le Manchot, Paris, Bayard, 1998, 37 p. (Histoires d'animaux)

METTLER, René, *Le pingouin*, Paris, Gallimard jeunesse, 1995, 33 p. (Mes premières découvertes des animaux)

ROYSTON, Angela, *Le manchot empereur*, Paris, Nathan, 1994, 29 p. (Monde en poche. Poussin)

PETIT LAPIN DEVIENDRA GRAND

Texte littéraire : comptine

GUGGENMOS, Josef, *Lapin hop la hop*, Zurich, Nord-Sud, 1990, 27 p. (Nord-Sud poche)

Textes littéraires : fiction

BARKAN, Joanne, *Petit lapin a disparu*, Richmond Hill, Scholastic, 1995, 24 p.

BOUJON, Claude, *On a volé Jeannot Lapin*, Paris, L'École des loisirs, 1992, 34 p. (Lutin poche)

CAIN, Sheridan, *Hopla devient papa*, Paris, Gründ, 1998, 25 p.

DEBECKER, Benoît, *Qui a volé la carotte de Benjamin Lapin ?*, Paris, Éditions du Sorbier, 1999, 32 p.

HURIET, Geneviève, *Le grand livre de la famille Passiflore*, Toulouse, Milan, 1996, 73 p. (La Famille Passiflore) [3 tomes]

JERAM, Anita, *Mon Laperlimpimpin*, Paris, Gründ, 1999, 33 p.

KIMIKO, *Kenji et les crottes bleues*, Paris, L'École des loisirs, 1999, 28 p.

KRINGS, Antoon, *Adrien le lapin*, Paris, Gallimard jeunesse, 1998, 27 p. (Giboulées. Drôles de petites bêtes)

NILSSON, Ulf, *La petite sœur de Cricri-Lapin*, Paris, L'École des loisirs, 1995, 33 p. (Lutin poche)

PFISTER, Marcus, *Flocon se jette à l'eau*, Zurich, Nord-Sud, 1998, 25 p. (Les coups de cœur des éditions Nord-Sud)

Aussi : *Flocon trouve un ami* (1995, 25 p.) ; *Flocon le petit lapin des neiges* (1995, 25 p.)

RIORDAN, James, *Benjamin Lapin*, Namur, Mijade, 2000, 30 p.

SOLOTAREFF, Grégoire, *Le lapin à roulettes*, Paris, L'École des loisirs, 2000, 36 p.

TEULADE, Pascal, *Napoléon le lapin*, Paris, L'École des loisirs, 1998, 25 p.

TORTEL, Pascale, *C'est ma carotte !*, Paris, L'École des loisirs, 2000, 25 p. (Matou)

WILHELM, Hans, *Incorrigible Parfait*, Paris, Hachette jeunesse, 2000, 40 p.

Aussi : *Parfait a des ennuis* (2000, 42 p.)

Texte littéraire : roman

HELLMANN-HURPOIL, Odile, *Le lapin Valentin*, Paris, Grasset jeunesse, 1998, 47 p. (Lampe de poche)

Textes courants

AMOR, Safia, *Le lapin*, Paris, Nathan, 2000, 29 p. (Animalou)

BUTTERFIELD, Moira, *Je vis dans un terrier, qui suis-je ?*, Paris, Bilboquet, 1998, 32 p. (Qui suis-je ?)

HUGO, Pierre de, *Le lapin*, Paris, Gallimard jeunesse, 2000, 33 p. (Mes premières découvertes des animaux)

PATCHETT, Fiona, *Je m'occupe de mon lapin*, Londres, Usborne, 1999, 31 p. (Un animal chez moi)

ROYSTON, Angela, *Le lapin*, Paris, Hachette, 1991, 21 p. (Regarde-les grandir)

PROVERBES, MAXIMES ET JEUX DE MOTS

BEN KEMOUN, Hubert, *Pourtant, le dromadaire a bien bossé*, Paris, Casterman, 1999, 29 p. (Histoires Casterman. Pas si bêtes !)

CHICHESTER CLARK, Emma, *Suivez le guide !*, Paris, Kaléidoscope, 2000, 31 p.

FRONSACQ, Anne, *Mon grand imagier des animaux*, Paris, Père Castor Flammarion, 1999, 43 p. (Mon grand imagier…)

GARDINER, Lindsey, *Lola et Max*, Paris, Gautier-Languereau, 2000, 18 p.

LESLIE, Amanda, *Coucou, c'est nous !*, Paris, Gründ, 2000, 35 p.

LOUCHARD, Antonin, *Pas si bête !*, Paris, Seuil jeunesse, 1996, 33 p.

Myope comme une taupe, Saint-Hubert, Raton laveur, 1995, 22 p. (Collection 3 à 8 ans)

NIMIER, Marie, *Une mémoire d'éléphant*, Paris, Gallimard, 1997, 31 p.

Proverbes et animaux : 29 proverbes de la francophonie, Saint-Hubert, Raton laveur, 1994, 24 p. (Collection 3 à 8 ans)

Aussi : *Proverbes et animaux 2* (1994, 24 p.)

AH NON ! DES PUCES ET DES POUX !

Texte littéraire : conte

WENINGER, Brigitte, *Le bonnet rouge*, Zurich, Nord-Sud, 2000, 29 p. (Un livre d'images Nord-Sud)

Textes littéraires : fiction

DUFRESNE, Colette, *Le pou*, Waterloo, Quintin, 1991, 23 p. (Ciné-faune)

GUTMAN, Claude, *La dame des poux*, Tournai, Casterman, 1998, 27 p. (Histoires Casterman. Vive la grande école)

LILLEGARD, Dee, *Caché dans ma boîte*, Paris, Bilboquet, 1996, 28 p. (Les Petits galopins)

PEF, *Rendez-moi mes poux*, Paris, Gallimard jeunesse, 1984, 36 p. (Folio benjamin)

ROUER, Béatrice, *Tête-à-poux*, Paris, Nathan, 1996, 28 p. (Première lune)

WYLLIE, Stephen, *Une puce à l'oreille*, Paris, Gallimard, 1995, 25 p.

ZUAZUA, Luis, *Pas facile d'être un pou*, Paris, Gallimard jeunesse, 1997, 25 p. (Giboulées. Pas facile d'être…)

Aussi : *Loulou le pou* de Antoon KRINGS (1995, 25 p.)

Textes littéraires : romans

ROYER, Hugues, *Le trésor de l'abominable pou*, Paris Hatier, 1996, 47 p. (Ratus poche. Bons lecteurs, 7-8 ans)

Aussi : *Luce et l'abominable pou* (1993, 45 p.)

OÙ HABITES-TU ?

Textes littéraires : fiction

COMPANY, M., *Les ours dormeurs*, Paris, Seuil, 1992, 23 p. (Histoires de la forêt)

DE BEER, Hans, *Le voyage de Plume*, Zurich, Nord-Sud, 2000, 26 p. [cassette]

ESPINASSOUS, Louis, *À demain Petit Loup / À demain Petite Ourse*, Toulouse, Milan, 1998, 28 p.

FIÉVET, Anne-Sophie, *Un hiver de marmotte*, Paris, Kaléidoscope, 1999, 25 p.

HOPPE, Matthias, *La jungle en délire*, Paris, Bilboquet, 1996, 25 p.

KRAUSS, Ruth, *Par une journée d'hiver*, Paris, Kaléidoscope, 1991, 30 p.

WALTERS, Catherine, *Maman, c'est bientôt le printemps*, Paris, Gründ, 1999, 28 p.

Textes courants

AWAN, Shaila, *Habitants des terriers*, Paris, Gallimard, 1998, 19 p.

BAILEY, Lydia, *S.O.S. les animaux des montagnes*, Richmond Hill, Scholastic, 1994, 22 p. (S.O.S.)

BEAUMONT, Émilie, *Les animaux du froid*, Paris, Fleurus, 1991, 27 p. (L'Imagerie animale)

BENDER, Lionel, *Les animaux polaires*, Saint-Lambert, Héritage, 1991, 32 p. (Objectif nature)

BURTON, Robert, *Les maisons des animaux dans les déserts*, Paris, Hatier, 1991, 24 p. (L'œil vert)

Aussi : *Les maisons des animaux dans la jungle* (1990, 24 p.)

CHINERY, Michael, *Les animaux des pôles*, Paris, Larousse, 1992, 39 p. (Du tac au tac : réponses aux 7-9 ans)

PIUMINI, Roberto, *Mamans et bébés animaux de la montagne*, Paris, EDDL, 1999, 42 p. (Mamans et bébés animaux)

RICHARD, Klaus, *Les animaux du Grand Nord*, Amsterdam, Time-Life, 1996, 64 p. (Les Animaux et leurs secrets)

STIDWORTHY, John, *L'hibernation*, Saint-Lambert, Héritage, 1993, 32 p. (Pas bêtes, ces animaux)

VITE ! CHEZ LE VÉTÉRINAIRE !

Textes littéraires : fiction

ARDALAN, Haydé, *Milton chez le vétérinaire*, Genève, La Joie de lire, 1998, 32 p. (Milton)

BATET, Carmen, *Biscotte a des ennuis*, Toulouse, Milan, 1993, 24 p. (Biscotte et Benjamin)

COLE, Babette, *Gare au vétérinaire*, Paris, Seuil, 1992, 35 p. (Petit point)

FEIFFER, Jules, *Aboie, Georges !*, Paris, L'École des loisirs, 2000, 31 p. (Pastel)

JANOSCH, *Je te guérirai, dit l'ours*, Tournai, Casterman, 1999, 49 p. (Histoires Casterman)

TIBO, Gilles, *Les bobos des animaux*, Saint-Lambert, Dominique et compagnie, 1997, 30 p. (Petits secrets bien gardés)

Texte littéraire : roman

BOUCHER-MATIVAT, Marie-Andrée, *Un cadeau empoisonné*, Saint-Laurent, P. Tisseyre, 2000, 61 p. (Sésame)

QUINTIN, Michel, *Nardeau le petit renard*, Waterloo, Quintin, 1999, 43 p. (Saute-mouton)

Aussi : *Nardeau chez toubib Gatous* (1999, 43 p.)

Texte courant

HEWETSON, Sarah, *Si j'étais vétérinaire*, Saint-Lambert, Héritage, 1994, 21 p. (Si j'étais)

VIVE LES LIVRES ! VIVE LA LECTURE !

Textes littéraires : fiction

ALLANCÉ, Mireille d', *Enfin tranquille !*, Paris, L'École des loisirs, 1998, 29 p.

BARONIAN, Jean-Baptiste, *Rouletapir, le petit détective*, Paris, Grasset jeunesse, 1996, 25 p. (Lecteurs en herbe)

BOUJON, Claude, *Un beau livre*, Paris, L'École des loisirs, 1990, 32 p. (Lutin poche)

GOUICHOUX, René, *L'ogre nouveau est arrivé*, Paris, Nathan, 1998, 28 p. (Albums Nathan)

HEIDELBACH, Nikolaus, *Un livre pour Elle*, Paris, Seuil jeunesse, 1998, 30 p.

HEITZ, Bruno, *Les inventions de Maximus*, Paris, Albin Michel jeunesse, 1995, 48 p. (Zéphyr)

JANISCH, Heinz, *Un crocodile de trop*, Paris, Sorbier, 1995, 28 p. (Plume)

JONAS, Anne, *Tibert et Romuald*, Laval, Les 400 coups, 1999, 27 p.

KERLOC'H, Jean-Pierre, *L'histoire de toutes les histoires*, Toulouse, Milan, 1994, 23 p.

MARSHALL, Rita, *J'aime pas lire !*, Paris, Gallimard jeunesse, 1995, 31 p. (Folio Benjamin)

McPHAIL, David, *Edouard et les pirates*, Paris, Circonflexe, 1998, 35 p. (Albums)

MORGAN, Allen, *En avant, pirates !*, Montréal, La courte échelle, 1998, 24 p. (Drôles d'histoires)

NADJA, *La petite fille du livre*, Paris, L'École des loisirs, 1997, 33 p. (Lutin poche)

RASCAL, *C'est l'histoire d'un loup et d'un cochon*, Paris, L'École des loisirs, 2000, 28 p. (Pastel)

SAUER, Inge, *L'Échappée belle*, Arles, Actes sud junior, 1998, 29 p. (Les Albums tendresse)

SERRES, Alain, *Pourquoi un âne écrivit des livres pour les enfants*, Paris, Messidor — La Farandole, 1992, 31 p.

THOMPSON, Colin, *Le livre disparu*, Paris, Circonflexe, 1996, 32 p.

Textes littéraires : romans

MOLINA, Christine, *Du rififi à la bibliothèque*, Toulouse, Milan, 1999, 39 p. (Milan poche cadet. Aventure)

TIBO, Gilles, *Choupette et maman Lili*, Saint-Lambert, Dominique et compagnie, 1998, 43 p. (Carrousel. Mini-roman)

VACHON, Hélène, *Le délire de Somerset*, Saint-Lambert, Dominique et compagnie, 1999, 44 p. (Carrousel. Mini-roman)

HENRIETTE MAJOR

Textes littéraires : anthologies

Avec des yeux d'enfant, la poésie québécoise présentée aux enfants, Montréal, Québec, L'Hexagone / VLB éditeur, 2000, 166 p.

Chansons drôles, chansons folles choisies par Henriette Major, Fides, 2000, 123 p. [disque compact]

Aussi : *l00 comptines* (1999, 127 p. [avec disque compact])

Textes littéraires : contes

Histoires autour du poêle, Paris, La Farandole, 1980, 45 p.

Les lutins de Noël, Saint-Lambert, Héritage, 1987, 29 p.

Texte littéraire : poésie

Rimes et mots, Boucherville, Graficor, 1990, 48 p. [cassette]

Textes littéraires : romans

Comme sur des roulettes !, Saint-Laurent, Pierre Tisseyre, 1999, 100 p. (Papillon. C'est la vie)

Fantôme d'un soir, Saint-Lambert, Soulières, 1998, 47 p. (Ma petite vache a mal aux pattes)

La bulle baladeuse, Saint-Laurent, Pierre Tisseyre, 1998, 68 p. (Sésame)

La sorcière et la princesse, Saint-Lambert, Héritage, 1993, 121 p. (Pour lire)

La vallée des enfants, Montréal, Boréal, 1999, 109 p. (Boréal junior)

Leila au pays des pharaons, Saint-Laurent, Trécarré, 1998, 88 p. (Jeunes du monde)

Les mémoires d'une bicyclette, Saint-Lambert, Héritage, 1989, 124 p. (Pour lire avec toi)

Moi, mon père, Saint-Laurent, Pierre Tisseyre, 1996, 115 p. (Papillon)

Aussi : *Moi, ma mère* (1997, 125 p.)

Série «Sophie», Saint-Lambert, Héritage, Collection Pour lire, 1992-1996

Textes courants

DUBUC, Suzanne, *De fête en fête*, Saint-Lambert, Héritage, 1990, 32 p. (Je bricole)

MAJOR, Henriette, *François d'Assise*, Montréal, Fides, 1981, 80 p.

Adaptations ou traductions

Les arbres de Noël, Saint-Lambert, Héritage, 1993, 47 p.

MAJOR, Henriette, *L'Évangile en papier*, Montréal, Fides, 1995, 93 p.

MAJOR, Henriette, *Au Mexique*, Saint-Laurent, Études Vivantes, (1983-1984), 16 p. (Si tous les gens du monde)

MAJOR, Henriette, *L'atmosphère, les climats, l'eau*, Montréal, Études vivantes, 1983, 32 p. (Ma sœur la terre)

MELANÇON, André, *Comme les six doigts de la main*, Saint-Lambert, Héritage, 1986, 111 p. (Pour lire avec toi)

OBED, Ellen Bryan, *Le sombre épouvantail*, Saint-Lambert, Héritage, 1988, 30 p.

Notes personnelles

_____

_____

_____

_____

_____

_____

_____

_____

_____

_____

_____

_____

_____

_____

_____

_____

_____

SITES INTERNET

Répertoire de moteurs de recherche portant sur les zoos réels et virtuels

1. *L'Aquarium du Québec*

   Site portant sur les poissons et autres habitants marins.

   http://www.aquarium.qc.ca/

2. *Le Biodôme de Montréal*

   Environnement unique qui présente les animaux dans quatre types d'habitat.

   http://www.ville.montreal.qc.ca/ biodome/bdm.htm

3. *Le monde de Darwin*

   Anciennement *Cyberzoo*. Ce site de très grande qualité (lié à *CyberScol* et à *Rescol*) offre une quantité impression- nante d'informations sur les animaux. Quatre portes d'entrée: Sentiers écologi- ques, Atelier du chercheur, Centre d'in- terprétation et Expo-Nature.

   http://Darwin.CyberScol.qc.ca/

4. *Le Parc safari d'Hemmingford*

   Zoo où résident plus de 40 espèces ani- males.

   http://www.parcsafari.qc.ca

5. *Le Zoo de Granby*

   Un site qui offre trois niveaux d'utilisa- tion: expert, explorateur et scientifique. La carte du site permet une navigation facile.

   http://www.zoogranby.qc.ca

6. *Le Zoo de St-Félicien*

   Zoo des Hautes-Laurentides où résident plus d'une trentaine d'espèces animales du Canada.

   http://www.d4m.com/zoosauvage/ index.html

7. *ZOONET*

   Pour profiter d'une banque d'images, sans frais pour les établissements sco- laires.

   http://www.mindspring.com/~zoo net/gallery.html

Répertoire de moteurs de recherche appropriés pour les enfants

1. *Sssplash* est un moteur de recherche qui a été spécialement conçu pour permet- tre à des jeunes de 7 à 14 ans de faire des recherches appropriées à leur âge.

   http://www.sssplash.fr

2. La *Toile du Québec* est un moteur de recherche québécois. Il est possible de faire une recherche sur le Web québé- cois, le Web francophone ou sur tout le Web.

   http://www.toile.qc.ca

3. *Francité* est un moteur de recherche québécois. Il effectue des recherches très complètes.

   http://www.francite.com

4. *Altavista* est le moteur de recherche le plus puissant du Web. Il est rapide et fiable. Il y a une section en français pour le site canadien d'*Altavista*.

   http://www.altavistacanadien.com

Répertoire de sites portant sur les oiseaux polaires

1. *La voie verte — Région du Québec — Environnement Canada*

   Choisir RECHERCHE, puis écrire PIN- GOUIN.

   http://www.qc.ec.gc.ca/

2. *Le manchot des Galapagos*

   Fiche descriptive de cet animal polaire.

   http://www.horizon.fr/galapagos/ manchot.html

3. *Le muséum naturel d'histoire naturelle*

   Navigation difficile sur ce site, mais l'URL y est donné pour se rendre direc- tement au manchot.

   http://cimnts.mnhn.fr/Evolution/Gge. nsf/

Répertoire de sites portant sur les vétérinaires

1. *Vet City*

Un site français portant sur les animaux domestiques et comprenant de nombreuses rubriques, un glossaire, des jeux-concours et des informations.

http://www.vet-city.com/v2/fr/php/index.php3

2. *Hôpitaux vétérinaires Québec-métro*

Site relatif à la santé des chiens, des chats, des oiseaux et des reptiles.

Il faut cliquer sur le lézard pour avoir accès à de nombreuses rubriques : la mortalité fœtale, les puces, la stérilisation, la pension, l'hygiène dentaire, la responsabilité, la propreté, le toilettage, le danger du chocolat, la piscine, les animaux en voyage.

http://www.hvsjc.qc.ca/

Notes personnelles

_____

_____

_____

_____

_____

_____

_____

_____

_____

_____

_____

_____

_____

_____

_____

_____

_____

_____

_____

_____

_____

_____

_____

_____

_____

Astuce

et compagnie

Agathe Carrières • Colette Dupont • Doris Cormier

2e année du premier cycle
Module 20

Guide d'enseignement C et D

LES ÉDITIONS CEC INC.

Directrice de l'édition

Carole Lortie

Directrice de la production

Danielle Latendresse

Directrice de la coordination

Isabel Rusin

Chargées de projet

Ginette Rochon

Isabel Rusin

Correctrices d'épreuves

Marielle Chicoine

Ginette Rochon

Rédacteurs

Lise Labbé (moyens d'évaluation)

Michelle Leduc (activités d'animation littéraire)

André Roux (TIC)

**Conception graphique
et réalisation technique**

Axis communication

Productions Fréchette et Paradis inc.

Illustration de la couverture

Nicolas Debon

Les auteurs désirent remercier Chantal Harbec, enseignante à l'école Des-Quatre-Vents de la commission scolaire Marie-Victorin, Lise Labbé, consultante en didactique du français et en évaluation des apprentissages, et Ginette Vincent, conseillère pédagogique à la commission scolaire Marie-Victorin, pour leurs précieuses remarques et suggestions en cours de rédaction.

Dans cet ouvrage, la féminisation des titres de fonctions et des textes est conforme aux règles d'écriture proposées par l'Office de la langue française dans le guide *Au Féminin*, produit par Les publications du Québec, 1991.

Les Éditions CEC inc. remercient le gouvernement du Québec de l'aide financière accordée à l'édition de cet ouvrage par l'entremise du Programme de crédit d'impôt pour l'édition de livres, administré par la SODEC.

Dépôt légal : 1er trimestre 2002

Bibliothèque nationale du Québec

Bibliothèque nationale du Canada

ISBN 2-7617-1581-0

Imprimé au Canada

1   2   3   4   5   05   04   03   02   01

Table des matières

En ce qui concerne l'ÉVALUATION, la section « Matériel reproductible » de votre guide d'enseignement vous propose plusieurs moyens et outils d'évaluation.

NOTE : Les passages soulignés dans le présent guide d'enseignement constituent une mise en relief des étapes les plus importantes du déroulement pédagogique.

travail individuel

travaux personnels

travail en équipes

activités d'enrichissement

travail collectif

activités d'animation littéraire

technologies de l'information
et de la communication (TIC)

PRÉSENTATION

Astuce vous écrit

Chère enseignante et cher enseignant,

Voilà bien deux ans que nous cheminons ensemble et, pour vous avoir accompagnés à chaque page des manuels, je suis bien placé pour vous dire que nous avons accompli du beau travail !

Pour remplir agréablement les deux prochaines semaines, j'ai pensé que vous pourriez, avec vos élèves, parfaire vos connaissances sur la gent féline dont je suis, à ce qu'on dit, un membre avantageusement connu.

Les arts, la poésie, le récit des aventures du sympathique chat bleu, l'interprétation d'un rêve de mon cousin Arthur, de belles activités d'animation littéraire, une recherche rigoureuse et un court projet permettront de faire davantage connaître et aimer les compagnons de mon espèce. Et, comme je sais combien les élèves aiment écouter les contes que vous leur lisez si bien, j'en ai placé un à la fin du module.

Au fil des pages, au gré des jours, vous avez été des accompagnateurs incomparables et avez su motiver avec enthousiasme vos élèves. Pour cela, je vous tire mon chapeau !

Et, comme mon statut de chat me permet de prendre des vacances dès maintenant, je vous tire aussi ma révérence !

Bonnes vacances !

Astuce

NOTE AUX ENSEIGNANTS : Le module 20 s'échelonne sur une période de deux semaines, ce qui totalise 10 jours de classe. Nous proposons six situations d'apprentissage entrecoupées d'activités d'animation littéraire en lien avec les genres de textes étudiés.

Les lectures à voix haute suggérées dans ce module seront faites par les enseignants et suivies de l'activité *Tableau littéraire*. Nous proposons d'enchaîner les activités d'animation littéraire avec des périodes de lecture personnelle.

COMPÉTENCES DISCIPLINAIRES, COMPÉTENCES TRANSVERSALES ET DOMAINES GÉNÉRAUX DE FORMATION CIBLÉS DANS CE MODULE

COMPÉTENCES DISCIPLINAIRES

Français	Univers social
L Lire des textes variés	**U** Construire sa représentation de l'espace, du temps et de la société
E Écrire des textes variés	
C Communiquer oralement	
A Apprécier des œuvres littéraires	

COMPÉTENCES TRANSVERSALES

Ordre intellectuel

▶ Résoudre des problèmes

▶ Exercer son jugement critique

▶ Mettre en œuvre sa pensée créatrice

Ordre méthodologique

▶ Se donner des méthodes de travail efficaces

Ordre personnel et social

▶ Structurer son identité

Ordre de la communication

▶ Communiquer de façon appropriée

DOMAINE GÉNÉRAL DE FORMATION

Vivre-ensemble et citoyenneté

▶ Permettre à l'élève de participer à la vie démocratique de l'école ou de la classe et de développer des attitudes d'ouverture sur le monde et de respect de la diversité

TABLEAU SCHÉMATIQUE DES COMPÉTENCES EN FRANÇAIS ET DE LEURS COMPOSANTES

Légende

S renvoie à la situation d'apprentissage concernée.

P renvoie au projet.

A renvoie à une activité d'animation littéraire (A1 = activité 1 / A2 = activité 2 / A3 = activité 3 / A4 = activité 4).

COMPÉTENCE 1 :
Lire des textes variés

COMPOSANTE A : *Construire du sens à l'aide de son bagage de connaissances et d'expériences*
▶ P, S1, A1, S2, A2, S3, A3, S4, A4, S5

COMPOSANTE B : *Utiliser le contenu des textes à diverses fins*
▶ P, S3, A3, S4, A4, S5

COMPOSANTE C : *Réagir à une variété de textes lus*
▶ S1, A1, S2, A2, S3, S4, A4, S5

COMPOSANTE D : *Utiliser les stratégies, les connaissances et les techniques requises par la situation de lecture*
▶ P, S1, A1, S2, A2, S3, A3, S4, A4, S5

COMPOSANTE E : *Évaluer sa démarche de lecture en vue de l'améliorer*
▶ P, S1, A1, S2, A2, S3, A3, S4, A4, S5

COMPÉTENCE 2 :
Écrire des textes variés

COMPOSANTE A : *Recourir à son bagage de connaissances et d'expériences*
▶ P, S4, S5

COMPOSANTE B : *Explorer la variété des ressources de la langue écrite*
▶ P, S4, S5

COMPOSANTE C : *Exploiter l'écriture à diverses fins*
▶ P, S5

COMPOSANTE D : *Utiliser les stratégies, les connaissances et les techniques requises par la situation d'écriture*
▶ P, S4, S5

COMPOSANTE E : *Évaluer sa démarche d'écriture en vue de l'améliorer*
▶ P, S5

COMPÉTENCE 3 :
Communiquer oralement

COMPOSANTE A : *Explorer verbalement divers sujets avec autrui pour construire sa pensée*
  ▶ P, A1, S2, S3, A3, S4, A4, S5

COMPOSANTE B : *Partager ses propos durant une situation d'interaction*
  ▶ P, A1, S2, S3, A3, S4, A4, S5, S6

COMPOSANTE C : *Réagir aux propos entendus au cours d'une situation de communication orale*
  ▶ P, A1, S2, S3, A3, S4, A4, S5, S6

COMPOSANTE D : *Utiliser les stratégies et les connaissances requises par la situation de communication*
  ▶ P, A1, S2, A2, S3, A3, S4, A4, S5, S6

COMPOSANTE E : *Évaluer sa façon de s'exprimer et d'interagir en vue de les améliorer*
  ▶ P, S2, S3, S5

COMPÉTENCE 4 :
Apprécier des œuvres littéraires

COMPOSANTE A : *Explorer des œuvres variées en prenant appui sur ses goûts, ses intérêts et ses connaissances*
  ▶ P, A1, S2, A2, A3, A4

COMPOSANTE B : *Recourir aux œuvres littéraires à diverses fins*
  ▶ P, S1, A1, S2, A2, A3, S4, A4, S5, S6

COMPOSANTE C : *Porter un jugement critique ou esthétique sur les œuvres explorées*
  ▶ A1, S2, A2, A3, S4, A4, S5, S6

COMPOSANTE D : *Utiliser les stratégies et les connaissances requises par la situation d'appréciation*
  ▶ A1, S2, A2, A3, S4, A4, S5, S6

COMPOSANTE E : *Comparer ses jugements et ses modes d'appréciation avec ceux d'autrui*
  ▶ A1, S2, A2, A3, S4, A4, S5, S6

TABLEAU DE PLANIFICATION DES APPRENTISSAGES

R renvoie à une feuille reproductible.
AC renvoie à une activité complémentaire.

	FRANÇAIS					SUGGESTIONS				
	Sons	Lire des textes variés	Écrire des textes variés	Communiquer oralement	Apprécier des œuvres littéraires	Activités de soutien	Activités de consolidation	Travaux personnels	Activités d'enrichissement	TIC
1 Et si on chantait... Un petit mot d'Astuce **L A** Manuel, p. 112 Guide, p. 17		Lecture individuelle (chanson et lettre). Relevé des rimes. Observation des différentes parties de la lettre. Repérage des différents genres de textes du module.			Texte : littéraire qui met en évidence le choix des mots, des images et des sonorités (**chanson traditionnelle**), et courant (**lettre**); Supports : manuel scolaire, disque ou audiocassette.	R-20.1 R-20.2	R-20.3 à R-20.9		X	
Activité d'animation littéraire 1 **L C A** Guide, p. 46		Période de lecture personnelle.		Discussions en équipes et en grand groupe. Recherche d'arguments pour justifier le choix de l'adaptation préférée. Tableaux littéraires (récit).	Texte : littéraire qui raconte (**conte**); Supports : différentes adaptations du *Chat botté* (livres, audiocassettes), globe terrestre ou carte géographique.					
2 Chats d'ici et d'ailleurs **L C A** Manuel, p. 114 Guide, p. 23		Lecture individuelle des divers poèmes. Relevé des rimes (graphies différentes). Observation du calligramme. Indication des stratégies qui ont été utiles pour la lecture des passages difficiles.		Vocabulaire nécessaire à l'expression de sentiments, d'émotions, de réactions et d'opinions sur les chats et les poèmes présentés. Présentations du poème préféré et de celui le moins aimé. Justification de ces choix.	Textes : littéraires qui mettent en évidence le choix des mots, des images et des sonorités (**poèmes**). Support : manuel scolaire.				X	
Activité d'animation littéraire 2 **L A** Guide, p. 49		Relecture du poème choisi afin de réaliser un dessin. Lecture de divers poèmes afin d'en choisir un pour le récital de poésie.		Tableaux littéraires (poésie). Récital de poésie (lecture à voix haute, expressive).	Textes : littéraires qui mettent en évidence le choix des mots, des images et des sonorités (**poèmes**); ...					

Semaine 1

				AC-69	X

Semaine 1

3 Le chat en six leçons **L C**
Manuel, p. 118
Guide, p. 28

- Lecture individuelle.
- Notion de texte informatif.

- Partage des connaissances sur les chats.
- Comparaison des connaissances avant et après la lecture du texte.

Supports : anthologies ou recueils de poèmes;
Expérience : récital de poésie.

Activité d'animation littéraire 3 **L C A**
Guide, p. 51

- Lecture du titre, de la table des matières, de l'index, des titres et intertitres dans le corps du livre et de certains extraits de livres.
- Lecture d'un livre sur le chat ou autre félin.

- Discussions sur l'importance de comparer ses sources de renseignements.
- Présentations de différents ouvrages : le sujet et les différents aspects qui y sont abordés.
- Tableaux littéraires (ouvrage documentaire).

Textes : littéraires et courants;
Support : livres traitant de différents aspects des mœurs des chats.

Semaine 1

Projet – Étape 1 **L E C A**
Manuel, p. 128
Guide, p. 16

- Exploration et utilisation du vocabulaire en contexte (projet ayant pour thème le chat).

- Présentations d'idées originales et fantaisistes de projets.

Semaine 2

4 Je suis un chat bleu **L E C A**
Manuel, p. 120
Guide, p. 31

- Lecture individuelle.
- Repérage de « beaux mots », de « belles expressions » et de deux comparaisons.
- Différences et ressemblances entre ce texte (fictif) et celui des pages 118 et 119 (informatif).

- Rédaction d'un texte accompagnant un dessin (autre lieu visité par le chat bleu et action qu'il y a faite).

- Vocabulaire nécessaire à l'expression de sentiments, d'émotions, d'opinions, etc.
- Discussion sur les situations d'intolérance à la différence.
- Présentations des dessins et des textes.

Texte : littéraire qui raconte;
Support : manuel scolaire (extrait de *Je suis un chat bleu* par Anne Mirman).

TABLEAU DE PLANIFICATION DES APPRENTISSAGES

LÉGENDE

R renvoie à une feuille reproductible.
AC renvoie à une activité complémentaire.

Semaine 2

	Sons	Lire des textes variés	Écrire des textes variés	Communiquer oralement	Apprécier des œuvres littéraires	ACTIVITÉS DE SOUTIEN	ACTIVITÉS DE CONSOLIDATION	TRAVAUX PERSONNELS	ACTIVITÉS D'ENRICHISSEMENT	TIC
Activité d'animation littéraire 4 **L** **C** **A** Guide, p. 53		Lecture d'un ouvrage traitant des soins à prodiguer à un chat.		Discussions sur la notion de fugue chez l'animal. Tableau littéraire (récit). Discussions concernant le passage à représenter avec de la pâte à modeler. Présentations à la classe.	Textes : littéraires et courants; Supports : livre *La fugue* par Yvan Pommaux et ouvrages sur les soins à prodiguer aux chats.					
Projet – Étape 2 **L** **E** **C** **A** Manuel, p. 128 Guide, p. 16		Lectures et recherches nécessaires aux différents projets.	Écriture des textes (poèmes, récits, textes d'information) pour les différents projets.	Discussions afin d'établir les étapes de réalisation, le partage des tâches, etc.	Textes : littéraires et courants; Support : différents livres sur le chat.					
Lire pour rire (5) **L** **E** **C** **A** R-20.10 R-20.11 Manuel, p. 122 Guide, p. 35		Lecture personnelle de bandes dessinées.	Rédaction d'une nouvelle aventure mettant en vedette Arthur. Utilisation de l'organisateur graphique. Application du processus d'écriture étudié durant l'année.	Discussion servant à faire émerger des idées intéressantes, des caractéristiques d'Arthur, de nouveaux personnages, etc.	Textes : littéraires qui racontent (**bandes dessinées**); Supports : manuel scolaire, albums de bandes dessinées; Expérience : classe ou bibliothèque.				X	
Projet – Étape 2 (suite) **L** **E** **C** **A** Manuel, p. 128 Guide, p. 16		Lectures et recherches nécessaires aux différents projets.	Écriture des textes (poèmes, récits, textes d'information) pour les différents projets.	Discussions afin d'établir les étapes de réalisation, le partage des tâches, etc.	Textes : littéraires et courants; Support : différents livres sur le chat.					

Semaine 2

6 Une histoire à écouter **C A U** Manuel, p. 124 Guide, p. 40	Analyse du titre (personnage et lieu). Discussion sur le conte. Vocabulaire nécessaire à l'expression des idées et des sentiments. Tableau littéraire (récit). Relevé des ressemblances et des différences entre les divers récits du module.	Texte : littéraire qui raconte (**conte contemporain**); Supports : manuel scolaire, livres sur l'Autriche, globe terrestre ou mappemonde. R-20.12 R-20.13 R-20.14 R-20.15 R-20.16 AC-70
Projet – Étapes 3 et 4 **L E C A** Manuel, p. 128 Guide, p. 16	Présentations des projets. Formes du français québécois oral standard. Articulation nette. Ajustement du volume de la voix. Vocabulaire précis et varié. Qualité d'écoute.	
À l'ordinateur avec Marilou **L T** Manuel, p. 127 Guide, p. 44		

NOTE : Ce tableau de planification est proposé seulement à titre indicatif. Les activités *À l'ordinateur avec Marilou* peuvent être réalisées au moment qui vous convient.

Les feuilles reproductibles 20.3 à 20.8 (*Tableaux littéraires*) peuvent servir lors des lectures à voix haute suggérées dans les activités d'animation littéraire, aux pages 46 à 54 du présent guide. Les tableaux proposés sont à reproduire sur de grands cartons ou de grandes feuilles de manière à ce que le texte soit lisible par l'ensemble des élèves. Ils permettront de classer et de comparer les informations recueillies.

La feuille reproductible 20.9 (*Lecture personnelle*) peut servir aux élèves qui n'ont pas de florilège ou d'*Album souvenirs de mes lectures*. Elle permet aux élèves de garder des traces de leurs lectures personnelles.

Les feuilles reproductibles 20.14 à 20.16 sont des certificats d'honneur adressés à un ou une élève de la classe par un ou une autre élève pour souligner ses forces, ses réussites ou ses progrès.

Notes personnelles

_____
_____
_____
_____
_____
_____
_____
_____
_____
_____
_____
_____
_____
_____
_____
_____
_____
_____
_____
_____
_____
_____
_____
_____
_____
_____
_____
_____
_____
_____
_____
_____

Projet

CHAT : C'EST BEAU !

Ce dernier projet laisse une grande liberté aux élèves. La seule contrainte imposée est le thème : le chat. Les élèves auront à choisir et à préciser le projet qu'ils veulent réaliser. Le projet peut se faire en équipes ou individuellement, en tenant compte des préférences de chacun et de chacune, de la nature et de l'ampleur du travail à effectuer. Guidez les élèves vers le choix de projets réalistes. Favorisez la diversité pour éviter la monotonie que peut engendrer la répétition. Incitez les élèves à faire preuve de fantaisie et d'originalité.

SAVOIRS ESSENTIELS DES DIFFÉRENTES COMPÉTENCES

L LIRE DES TEXTES VARIÉS
E ÉCRIRE DES TEXTES VARIÉS
C COMMUNIQUER ORALEMENT
A APPRÉCIER DES ŒUVRES LITTÉRAIRES

Connaissances liées au texte :

▶ Exploration et utilisation d'éléments caractéristiques de différents genres de textes ;
▶ Prise en compte des éléments de la situation de communication : intention, contexte, formes du registre standard ;
▶ Prise en compte d'éléments de cohérence : idées rattachées au sujet.

Connaissances liées à la phrase :

▶ Recours à la ponctuation : point ;
▶ Reconnaissance et utilisation du groupe du nom : Pronom, Nom, Dét. + Nom ;
▶ Accords dans le groupe du nom : Dét. + Nom ;
▶ Exploration et utilisation du vocabulaire en contexte ;
▶ Utilisation de l'orthographe conforme à l'usage.

Stratégies de lecture :

▶ Stratégies de reconnaissance et d'identification des mots d'un texte ;
▶ Stratégies de gestion de la compréhension ;
▶ Stratégies d'évaluation de sa démarche.

Stratégies d'écriture :

▶ Stratégies de planification ;
▶ Stratégies de mise en texte ;
▶ Stratégies de révision ;
▶ Stratégies de correction ;
▶ Stratégies d'évaluation de sa démarche.

Stratégies de communication orale :

▶ Stratégies d'exploration ;
▶ Stratégies de partage ;
▶ Stratégies d'écoute.
▶ Stratégies d'évaluation.

Stratégies liées à l'appréciation d'œuvres littéraires :

▶ S'ouvrir à l'expérience littéraire ;
▶ Établir des liens avec ses expériences personnelles ;
▶ Se représenter mentalement le contenu ;
▶ Échanger avec d'autres personnes.

Stratégies liées à la gestion et à la communication de l'information :

▶ Inventorier et organiser ses questions portant sur le sujet à traiter ;
▶ Sélectionner des éléments d'information utiles (réponses aux questions, nouvelles informations, etc.) ;
▶ Regrouper ou classifier les éléments d'information retenus ;
▶ Choisir un mode de présentation pertinent (ex. : affiche, exposé, etc.) ;
▶ Présenter les résultats de sa démarche.

Techniques :

▶ Apprentissage de la calligraphie ;
▶ Utilisation de manuels de référence.

> Ce projet permet d'aborder des connaissances relevant du domaine des arts, plus spécifiquement des disciplines **musique**, **art dramatique** et **arts plastiques**. Toutefois, aucune compétence dans ce domaine ne sera développée.

BUT

Démontrer ses compétences à pratiquer des méthodes de travail efficaces, à résoudre les problèmes rencontrés, à faire preuve de créativité, à utiliser au besoin les TIC, à travailler en coopération s'il y a lieu, et à communiquer de façon appropriée lors de la présentation du résultat de son projet.

ORGANISATION DE LA CLASSE

Collectif, équipes de deux à quatre, individuel

MATÉRIEL NÉCESSAIRE

Par élève : manuel D (pages 128 et 129)

TEMPS SUGGÉRÉ

Temps global : 140 min

Notes personnelles

_____

_____

_____

_____

_____

_____

_____

_____

_____

_____

_____

_____

_____

_____

_____

_____

_____

_____

_____

_____

Un projet en classe

Chat : c'est beau !

On dit souvent que le chien est le meilleur ami de l'homme !
Comme on l'a vu dans ce module, le chat est également un fidèle
compagnon. Choisis une façon originale de présenter le chat ou
les membres de sa famille : ce sera ton projet.

Les élèves de la classe d'Ali et de Marilou ont des idées de
projets plein la tête. En voici quelques-unes :

– une murale illustrant la grande
famille des félidés, Astuce
en vacances ou Astuce qui
dit au revoir à Marilou
et à Ali ;
– un spectacle de marionnettes ;
– un livret de lecture présentant
les meilleurs moments vécus
en classe avec Astuce ;
– une collation bonne à
croquer sous la forme
d'un chat ;
– un spectacle de chant et
de danse pour dire
au revoir à Astuce.

128

En grand groupe

Et vous, qu'est-ce qui vous intéresse : la lecture, les arts, les sciences… ?
Comment pourriez-vous présenter le chat ou sa famille ? Qu'aimeriez-
vous connaître ou faire connaître de cet animal ?

En petites équipes

1. Décidez d'un projet commun.
2. À qui souhaitez-vous présenter votre projet ?
3. Comment allez-vous vous y prendre ? De
   quoi aurez-vous besoin ?
4. L'aide d'une personne-ressource sera-t-elle
   nécessaire ? Si oui, qui pourra être cette personne ?
5. Partagez les tâches.

Allez-y maintenant ! Au travail ! Astuce est impatient de pouvoir
admirer vos réalisations. N'oubliez surtout pas de l'inviter à votre
présentation !

Individuellement

Évalue ton travail.

J'utilise mes connaissances
et mes habiletés pour réaliser le projet.

J'effectue la tâche qui m'est assignée
et j'aide mon équipe à réaliser le projet.

J'explique ma démarche durant
la présentation.

129

Étape 1 : Du choc des idées, le chat sort du sac
(Temps suggéré : 20 min après la situation d'apprentissage 3)

- Afin de stimuler les élèves, lisez le texte d'introduction au projet, à la page 128 du manuel D. Poursuivez en lisant ou en vous inspirant de la section intitulée *En grand groupe*, en haut de la page 129.

Invitez les élèves à exprimer les idées qui leur viennent à l'esprit. Rappelez-leur que le projet doit avoir pour thème le chat, et qu'il doit être réalisé en peu de temps.

Incitez les élèves à présenter des idées originales, fantaisistes, en s'inspirant des suggestions faites à la page 128 du manuel. Notez les idées au tableau et ajoutez les nouvelles idées présentées durant les jours qui suivent.

Demandez aux élèves s'ils préfèrent travailler seuls ou en équipes. Dans la seconde éventualité, formez des équipes de deux à quatre élèves. Invitez les coéquipiers à préciser leur projet à l'aide du texte qui apparaît en haut de la page 129 du manuel.

Déterminez avec les élèves à qui ils présenteront leur réalisation et à quel moment ils le feront.

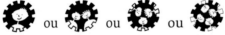

Étape 2 : Il y a plusieurs chats à fouetter
(Temps suggéré : 40 min après la situation d'apprentissage 4, et 40 min après la situation d'apprentissage 5)

- Allouez aux élèves suffisamment de temps pour préparer leur projet. Demandez-leur de commencer par en établir les étapes de réalisation.

Échangez avec les élèves pour prendre connaissance des projets retenus afin de vous assurer qu'ils sont réalisables. Guidez leurs choix pour faciliter la réalisation des projets.

Proposez aux coéquipiers de se répartir les tâches : répartition des textes, partage des étapes d'écriture, confection d'objets, de marionnettes, etc.

Rappelez l'importance que chacun ou chacune doit accorder à sa tâche afin que le projet soit mené de façon satisfaisante et à l'intérieur du temps imparti.

Faites démarrer la réalisation de l'activité.

Étape 3 : Le jour, tous les chats sont en couleurs
(Temps suggéré : 30 min après la situation d'apprentissage 6, dernier jour de classe)

- Invitez les élèves à présenter le résultat de leurs projets : spectacle, livret de lecture, poème, récit, texte d'information, collation, chant et danse, etc.

Insistez pour que les élèves fassent leur présentation dans une langue correcte (français québécois oral standard), en soignant leur articulation et en ajustant bien le volume de leur voix. Incitez-les à choisir des mots précis et variés. Rappelez aux auditeurs l'importance d'une écoute attentive afin de pouvoir poser des questions et de faire des commentaires.

Étape 4 : Mission accomplie...
(Temps suggéré : 10 min après la situation d'apprentissage 6, dernier jour de classe)

- Demandez à chaque élève, dans un premier temps, d'évaluer la réalisation du projet individuel ou d'équipe et, dans un deuxième temps, de s'autoévaluer à l'aide des affirmations qui apparaissent en bas de la page 129 du manuel D.

PLANIFICATION DE L'ENSEIGNEMENT

BUTS

• Faire la connaissance d'un nouveau peintre et de son art.

• Apprendre une chanson traditionnelle.

• Faire une réflexion sur ce que représente pour soi la lecture.

ORGANISATION DE LA CLASSE

Collectif, individuel

MATÉRIEL NÉCESSAIRE

• Par élève: manuel D (pages 111 à 114), feuilles reproductibles 20.1 et 20.2 (si les élèves écrivent à Astuce)

• Pour la consolidation: feuilles reproductibles 20.3 à 20.9 pour l'ensemble du module 20

ET SI ON CHANTAIT... UN PETIT MOT D'ASTUCE

Sa souris dans son baluchon, de la lecture pour tout l'été, Astuce s'en va au chalet. Mais il ne quitterait pas des amis de longue date sans leur laisser un petit mot amical.

Et, pour ne pas partir tout à fait, il invite ses amis à entendre une autre fois une page glorieuse de la vie d'un de ses ancêtres: le Chat botté en personne, vedette de l'animation littéraire 1, *Un chat*

SAVOIRS ESSENTIELS DES DIFFÉRENTES COMPÉTENCES

L **LIRE DES TEXTES VARIÉS**
A **APPRÉCIER DES ŒUVRES LITTÉRAIRES**

Connaissances liées au texte :

▶ Exploration et utilisation d'éléments caractéristiques de différents genres de textes;
▶ Exploration de quelques éléments littéraires à des fins d'utilisation ou d'appréciation : expressions - jeux de sonorités - figures de style (répétition, rimes);
▶ Prise en compte des éléments de la situation de communication : intention, contexte, formes du registre standard;
▶ Prise en compte d'éléments de cohérence : idées rattachées au sujet.

Stratégies de lecture :

▶ Stratégies de reconnaissance et d'identification des mots d'un texte;
▶ Stratégies de gestion de la compréhension;
▶ Stratégies d'évaluation de sa démarche.

Stratégies liées à l'appréciation d'œuvres littéraires :

▶ S'ouvrir à l'expérience littéraire;
▶ Établir des liens avec ses expériences personnelles;
▶ Se représenter mentalement le contenu;
▶ Échanger avec d'autres personnes.

Techniques :

▶ Utilisation de manuels de référence.

Cette situation d'apprentissage permet d'aborder des connaissances relevant du domaine des arts, plus spécifiquement des disciplines **musique** et **arts plastiques**. Toutefois, aucune compétence dans ce domaine ne sera développée.

PLANIFICATION DE L'ENSEIGNEMENT (SUITE)

À FAIRE

• *Si possible, apporter de la documentation (livres, revues) qui présente des œuvres de Matisse.*

• *Photocopier les feuilles reproductibles 20.1 et 20.2 (quantité nécessaire).*

TEMPS SUGGÉRÉ

140 min

2

**ACTION
EN CLASSE**

ACTIVITÉS DE
CONSOLIDATION

• *Feuilles reproduc-
tibles 20.3 à
20.8 :* Tableaux
littéraires
(collectif)

• *Feuille reproduc-
tible 20.9 :*
Lecture person-
nelle *(individuel)*

Au revoir Astuce

À la manière de Matisse

Et si on chantait...

Lis cette chanson qui te raconte l'histoire
du chalet de Jean.

Le vieux chalet

1. Là-haut sur la montagne,
   il y avait un vieux chalet.
   Murs blancs, toit de bardeaux,
   devant la porte, un vieux bouleau.
   Là-haut sur la montagne,
   il y avait un vieux chalet.

2. Là-haut sur la montagne
   croula le vieux chalet.
   La neige et les rochers
   s'étaient unis pour l'arracher.
   Là-haut sur la montagne
   croula le vieux chalet.

3. Là-haut sur la montagne,
   quand Jean vint au chalet
   pleura de tout son cœur
   sur les débris de son bonheur.
   Là-haut sur la montagne,
   quand Jean vint au chalet.

112

4. Là-haut sur la montagne,
   il y a un nouveau chalet,
   car Jean d'un cœur vaillant
   l'a rebâti plus beau qu'avant.
   Là-haut sur la montagne,
   il y a un nouveau chalet.

Chanson traditionnelle

113

Astuce tient à te présenter lui-même ce dernier
module. Lis la lettre qu'il t'a écrite.

Un petit mot d'Astuce

114

CORRIGÉ

MANUEL D, PAGE 113

▼ 1   Il y a plusieurs réponses possibles.

   2   Il y a plusieurs réponses possibles.

CORRIGÉ

MANUEL D, PAGE 114

▼ 1   Il y a plusieurs réponses possibles.

▼ 1   Un texte informatif, une histoire,
une bande dessinée, un conte, des
poèmes.

Préparation

• Invitez les élèves à ouvrir le manuel D à la page de présentation du module. Faites-leur lire le titre du module et observer le contenu de l'illustration *À la manière de Matisse*. Dites-leur que le dessin représente le vieux chalet d'Astuce, où celui-ci s'apprête à retourner pour les vacances. Faites-leur remarquer que la murale illustrée ici a été réalisée par des élèves de 2ᵉ année du premier cycle de l'école du Mai.

Faites un survol du module avec les élèves. La chanson de la page 112 du manuel fait référence au chalet de l'illustre félin qui, à la page 114, envoie une lettre à tous ses amis. Dites aux élèves que c'est Astuce lui-même qui leur présente le thème du module : les chats sous toutes leurs coutures, dans tous les genres de textes (comptine, chanson, poèmes, conte, récit, album illustré, texte informatif, etc.). Les pages du module en font foi.

Demandez aux élèves de choisir le chat qu'ils préfèrent dans les pages du module. Invitez-les à vous dire à quelle page ils ont le plus hâte d'arriver et pourquoi.

Proposez aux élèves d'apporter différents objets qui représentent des chats ou qui y sont associés, ou tout simplement des livres portant sur ces animaux. Prévoyez un espace où exposer les trouvailles. Invitez les élèves à les présenter à la classe au cours d'une période que vous aurez déterminée à l'avance ou pendant la situation d'apprentissage 3.

Revenez à la page de titre du module. Demandez aux élèves s'ils ont déjà entendu parler de Matisse. Invitez-les à nommer les caractéristiques de l'illustration, inspirées de la façon de peindre de Matisse (couleurs vives, scène joyeuse, présence d'animaux, etc.). Invitez les élèves à exprimer ce que cette page représente pour eux (les vacances, l'été, la joie de vivre, etc.).

Voici quelques notes biographiques sur Matisse dont vous pourrez vous inspirer pour présenter ce peintre aux élèves.

Henri-Émile Matisse est né le 31 décembre 1869 au Cateau-Cambrésis, dans le nord de la France, dans la ferme de ses grands-parents. Ses parents étaient négociants en grains et tenaient une épicerie à Bohain-en-Vermandois (Aisne). C'est là que grandit Henri.

Après des études en droit à la faculté de Paris (1887-1889), il suit des cours de dessin. Une appendicite le cloue au lit pendant une année. C'est durant cette période que, pour se distraire, il commence à peindre. Résultat : il abandonne le droit pour se consacrer à la peinture.

En 1895, il entre aux Beaux-Arts dans l'atelier de Gustave Moreau, dont il devient officiellement l'élève et qui lui conseille de faire des copies au Louvre. Il pratique une peinture aux tons sourds, très traditionnelle.

En 1897, il découvre les impressionnistes au musée du Luxembourg. Il suit aussi des cours de sculpture et participe à de nombreuses expositions à Paris, à New York, à Moscou, à Berlin, à Londres, à Bâle, etc.

À partir de 1917, il passe la plupart de ses hivers à Nice. Vers 1943, il commence des assemblages de morceaux de papier aux couleurs éclatantes qu'il colle sur une toile. (C'est de cette technique que se sont inspirés les élèves de l'école du Mai pour réaliser la murale illustrée à la page de présentation du module 20.)

Henri Matisse meurt le 3 novembre 1954, à Nice.

Si vous avez apporté des livres illustrant des œuvres de Matisse, faites-les voir aux élèves.

 Réalisation

• Invitez les élèves à revenir aux pages 112 et 113 du manuel. Laissez-les lire le titre de la chanson et apprenez-leur qu'il s'agit d'une chanson folklorique bien connue (chanson composée dans les années 1940 par le chanoine Joseph Bovet, sur un air suisse ancien, *Les plus belles chansons du temps passé,*

2

**ACTION
EN CLASSE
(SUITE)**

Hachette Jeunesse, 1995). Si certains des élèves la connaissent, proposez-leur de la fredonner.

Demandez aux élèves de lire individuellement les paroles de la chanson, puis d'établir des liens entre le vieux chalet décrit dans la chanson et l'illustration du chalet d'Astuce à la page de présentation du module 20.

Faites comparer le texte des trois premiers couplets avec l'illustration de la page 112 du manuel (le bouleau n'a pas été illustré).

Demandez aux élèves de relever les rimes du texte (*montagne/montagne*; *chalet/chalet*; *bardeaux/bouleau*; *montagne/montagne*; *chalet/chalet*; *rochers/arracher*; *montagne/montagne*; *chalet/chalet*, *cœur/bonheur*; *montagne/montagne*; *chalet/chalet*; *vaillant/avant*). Rappelez-leur qu'un même son peut avoir plusieurs graphies.

Invitez les élèves à écouter la chanson (sur cassette ou sur disque). Faites-la jouer à quelques reprises afin qu'ils puissent la mémoriser et la chanter à leur tour.

Vérifiez la compréhension du texte à l'aide des questions suivantes: *Avec quoi le toit du vieux chalet est-il recouvert? Pourquoi le vieux chalet s'est-il écroulé? Que veut dire, au couplet 3, l'expression «pleura de tout son cœur sur les débris de son bonheur»?*

Invitez les élèves à comparer l'illustration du vieux chalet avec celle du nouveau: *Quelles sont les ressemblances?* (couleur du toit, environnement des arbres et des rochers, deux fenêtres en avant au rez-de-chaussée, etc.) *Quelles sont les différences?* (les dimensions, la couleur du revêtement, le nombre d'étages, la présence d'une cheminée, d'un trottoir et d'une galerie pour le nouveau chalet)

Poursuivez cette situation d'apprentissage en invitant les élèves à faire une lecture individuelle de la lettre d'Astuce, à la page 114 du manuel.

Vérifiez la compréhension des élèves en les interrogeant à l'aide des questions suivantes: *Où Astuce s'en va-t-il? Quelles seront les activités de vacances d'Astuce? Quelle activité ne fera pas Astuce s'il est paresseux? De quoi Astuce veut-il s'assurer avant de quitter les élèves? Quel est le vœu le plus cher d'Astuce?*

Demandez aux élèves si le vœu d'Astuce (lire pour le plaisir) est une réalité pour eux. Invitez-les à expliquer le sens de l'expression «lire pour le plaisir». Invitez ceux qui le font à dire ce qu'ils ressentent quand ils lisent. Si possible, demandez-leur de dire quels sont les livres ou les histoires qu'ils ont aimés.

Invitez les élèves à repérer dans le module les différents genres de textes mentionnés dans la lettre d'Astuce. Demandez-leur d'en lire les titres. (Texte informatif: *Le chat en six leçons*, pages 118 et 119 du manuel; histoire: *Je suis un chat bleu*, pages 120 et 121 du manuel); bande dessinée: *Lire pour rire*, page 122 du manuel; histoire divertissante: *Le petit fantôme du château de sable*, pages 123 à 126 du manuel); poèmes: *Chats d'ici et d'ailleurs*, pages 115 à 117 du manuel).

Faites observer les différentes parties de la lettre d'Astuce: formule de salutation adressée au destinataire, message sous la forme de paragraphes, salutation à la fin et signature. Dites qu'on peut ajouter à une lettre le lieu de provenance et la date à laquelle elle est rédigée.

Vous pouvez proposer aux élèves d'écrire à Astuce. Pour ce faire, prévoyez une boîte dans la classe pour y déposer les missives et recevoir les réponses d'Astuce. À cette fin, utilisez les feuilles reproductibles 20.1 et 20.2 (*Lettres réponses d'Astuce*).

Intégration et réinvestissement

- Demandez aux élèves s'ils ont apprécié la présence d'Astuce tout au long de l'année. Invitez-les à dire ce qu'ils aiment d'Astuce et pourquoi. Proposez-leur de nommer diverses qualités d'Astuce et, si possible, faites-leur relier chacune de ces qualités à un événement relaté dans les manuels.

NOTE : Dans le présent module il n'y a pas de rubrique *Retour sur l'enseignement*. Le mois de juin étant celui des bilans, ceux-ci seront réalisés à partir des évaluations proposées par les milieux respectifs.

 ## Astuce et suggestions (ENRICHISSEMENT)

1. « Miauleries »

Si vous disposez d'un centre d'écoute en classe, faites entendre aux élèves les disques suggérés dans la discographie apparaissant à la page 59 du présent guide.

2. Chorégraphie

Proposez aux élèves de faire une chorégraphie en s'inspirant d'une pièce musicale qu'ils auront d'abord choisie. Suggérez-leur d'utiliser de grands foulards noués au bout d'un bâton. Un endroit sombre, avec un éclairage dirigé sur les danseurs, pourra rappeler *Le théâtre d'ombres* réalisé dans le cadre du module 3 (*Rêve et magie*).

Activité d'animation littéraire 1

Notes personnelles

_____

_____

_____

_____

_____

_____

_____

_____

_____

_____

_____

_____

_____

_____

_____

_____

_____

Situation d'apprentissage 2

PLANIFICATION DE L'ENSEIGNEMENT

BUTS

- *Découvrir le chat comme modèle d'inspiration pour les artistes et les poètes de tous les temps.*

- *Réaliser un calligramme.*

ORGANISATION DE LA CLASSE
Collectif, individuel

MATÉRIEL NÉCESSAIRE
Par élève : manuel D (pages 115 à 117)

À FAIRE

- *Apporter en classe des livres présentant des œuvres d'art (peintures, sculptures) illustrant des chats de toutes les époques à partir de l'Égypte ancienne (facultatif).*

- *Se procurer, si possible, une vidéocassette de Cats ou des disques mettant le chat en vedette.*

TEMPS SUGGÉRÉ
140 min

CHATS D'ICI ET D'AILLEURS

La fascination que le chat a exercée sur les artistes, les poètes et les musiciens lui a permis d'être immortalisé par des sarcophages, des mosaïques romaines, des toiles de maître et des sculptures où l'esthétique de ses formes est mise en valeur. Baudelaire et d'autres poètes en ont fait un dieu et l'ont célébré dans leurs vers. Le chat est un félin magnifique.

SAVOIRS ESSENTIELS DES DIFFÉRENTES COMPÉTENCES

L LIRE DES TEXTES VARIÉS
C COMMUNIQUER ORALEMENT
A APPRÉCIER DES ŒUVRES LITTÉRAIRES

Connaissances liées au texte :

- ▶ Exploration et utilisation d'éléments caractéristiques de différents genres de textes ;
- ▶ Exploration de quelques éléments littéraires à des fins d'utilisation ou d'appréciation : expressions - jeux de sonorités - figures de style (répétition, rimes) ;
- ▶ Prise en compte des éléments de la situation de communication : intention, contexte, formes du registre standard ;
- ▶ Prise en compte d'éléments de cohérence : idées rattachées au sujet, reprise de l'information en utilisant des termes substituts (pronoms).

Stratégies de lecture :

- ▶ Stratégies de reconnaissance et d'identification des mots d'un texte ;
- ▶ Stratégies de gestion de la compréhension ;
- ▶ Stratégies d'évaluation de sa démarche.

Stratégies de communication orale :

- ▶ Stratégies d'exploration ;
- ▶ Stratégies de partage ;
- ▶ Stratégies d'écoute ;
- ▶ Stratégies d'évaluation.

Stratégies liées à l'appréciation d'œuvres littéraires :

- ▶ S'ouvrir à l'expérience littéraire ;
- ▶ Établir des liens avec ses expériences personnelles ;
- ▶ Se représenter mentalement le contenu ;
- ▶ Échanger avec d'autres personnes.

Techniques :

- ▶ Utilisation de manuels de référence.

> Cette situation d'apprentissage permet d'aborder des connaissances relevant du domaine des arts, plus spécifiquement de la discipline **arts plastiques**. Toutefois, aucune compétence dans ce domaine ne sera développée.

Notes personnelles

ACTION EN CLASSE

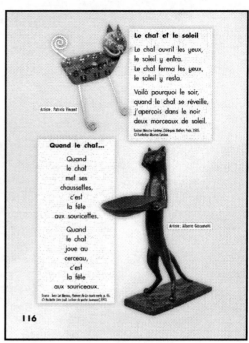

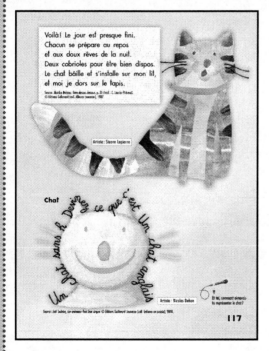

Préparation

- Demandez aux élèves s'ils ont déjà vu des tableaux ou des sculptures représentant des chats. Dans l'affirmative, tentez de savoir où ils ont vu ces œuvres. Faites décrire, si possible, le tableau ou la sculpture où le chat était représenté.

  Invitez les élèves à nommer d'autres situations où ils ont vu le chat être en ve-

---

CORRIGÉ

MANUEL D, PAGE 117

▼ 1 **Il y a plusieurs réponses possibles.**

---

dette (musique, cinéma, dessins animés, annonces publicitaires, affiches, etc.).

Plusieurs articles présentent le chat en effigie. Demandez aux élèves d'en nommer quelques-uns (papier à lettres, carnets d'adresses, cahiers, bibelots, calendriers, chandails en coton ouaté, etc.).

Informez-vous auprès des élèves s'ils ont déjà lu des poèmes ou autres genres de textes glorifiant le chat. Dans l'affirmative, demandez-leur d'en présenter le contexte (où était le chat, ce qu'on en disait, etc.).

Demandez aux élèves d'observer le contenu des pages 115 à 117 de leur manuel. Invitez-les à faire connaître leurs sentiments et leur opinion sur ce qu'ils y voient : *Quel chat préférez-vous ? Pourquoi ? Quel chat aimez-vous le moins ? Pourquoi ? Comparez ces chats à Astuce : forme, couleurs, taille, matériaux de fabrication, mimique. Selon vous, lequel de ces chats ressemble le plus à Astuce ? Lequel lui ressemble le moins ? Lequel auriez-vous aimé dessiner ?*

 Réalisation

- Invitez les élèves à faire une lecture individuelle des divers poèmes présentés aux pages 115 à 117 du manuel D.

Laissez les élèves exprimer leurs sentiments, leurs émotions et leurs réactions. Demandez-leur de présenter le poème qu'ils préfèrent et de donner les raisons de leur choix. Invitez-les aussi à présenter le poème qu'ils aiment le moins et à donner les raisons de leur réticence.

Faites relever les diverses rimes de ces poèmes (dans *Chats d'ici et d'ailleurs* à la page 115 du manuel: *perdu/nu, porte/morte, part/part/brouillard, apitoies/noie, peine/fontaine, boueux/yeux, morte/porte*; texte en bas de la page 115 du manuel: *rencontré/pelé/ramassé/barbouillé, vu/barbu, voit/moi*; dans *Le chat et le soleil* à la page 116 du manuel: *yeux/yeux, entra/resta, soir/noir, réveille/soleil*; dans *Quand le chat...* à la page 116 du manuel: *chaussettes/souricettes, cerceau/souriceaux*; à la page 117 du manuel: *fini/nuit/lit/tapis, repos/dispos*; dans *Chat*: *c'est/anglais*. Au besoin, notez au tableau les mots porteurs de rimes et faites observer qu'un même son peut avoir plusieurs graphies. Rappelez qu'un poème ne comporte pas nécessairement des rimes.

Attirez l'attention des élèves sur le dernier poème. Faites énoncer ce qui le rend original (sa présentation). Dites aux élèves qu'on appelle «calligramme» un poème écrit sur la forme d'un dessin représentant souvent le sujet du texte.

Demandez aux élèves quel poème ils trouvent le plus drôle. (Ce pourrait être le 2e, le 4e, le 5e ou le 6e.) Faites justifier les choix: *Dans quel poème le poète montre-t-il qu'il a pitié du chat?* (le 1er poème) *Quel poème renferme une explication sur la lumière dans les yeux du chat la nuit?* (le 3e poème)

Invitez les élèves à donner le titre de comptines qu'ils connaissent et dans lesquelles on trouve un ou des chats.

Faites prendre conscience aux élèves qu'un artiste ou un poète peut poser divers regards sur le chat. Montrez-leur les reproductions de chats qui apparaissent dans les livres d'art que vous avez apportés en classe. Faites-leur écouter, si possible, une pièce musicale d'un disque mettant en vedette le chat.

 Intégration et réinvestissement

Demandez aux élèves si certains d'entre eux ont éprouvé des difficultés au cours de leur lecture. Si oui, demandez à ces élèves d'identifier les passages qui leur ont paru les plus difficiles. Invitez-les à indiquer les stratégies qu'ils ont utilisées pour tenter de comprendre.

- Demandez aux élèves de dire dans leurs mots ce qu'est un calligramme. (Il faut qu'ils associent ce mot à un poème écrit sur la forme d'un dessin représentant le sujet du texte.)

Informez les élèves qu'ils auront à réaliser un calligramme. Invitez-les à choisir, parmi les poèmes des pages 115 à 117 du manuel, une phrase qui les inspire. Demandez-leur de dessiner sur une feuille la forme que prendra le calligramme (forme simple mais évocatrice du sujet, trait de crayon très prononcé).

Faites superposer une feuille blanche sur la silhouette déjà tracée, puis transcrire en suivant le pourtour du dessin la phrase ou l'extrait de poème préalablement choisi.

Astuce et suggestions (ENRICHISSEMENT)

1. Astuce dans tous ses états, à la manière de Matisse

Si vous avez pu montrer des reproductions d'œuvres d'art ayant pour sujet le chat, invitez les élèves à s'en inspirer pour réaliser une murale collective à la gloire d'Astuce. Proposez-leur d'imaginer Astuce dans mille et une situations (debout, assis, couché, aux aguets, sur le dos, perché sur une branche, en train de se laver, de boire, de manger, de se promener dans les champs, etc.).

Comme Matisse, qui utilisait beaucoup la technique du papier découpé, faites d'abord recouvrir une feuille blanche de taches de gouache de couleurs vives. Quand la gouache est sèche, demandez aux élèves de découper des formes figuratives et de les assembler de façon à reproduire un chat. Invitez les élèves à coller, de manière fantaisiste et harmonieuse, leur chat sur la murale collective.

2. Poème biscornu

Formez des équipes de quatre élèves. Distribuez des journaux à chaque équipe et demandez à chaque coéquipier ou coéquipière de découper deux mots écrits en gros caractères. Faites placer les mots dans un sac ou une boîte. Invitez par la suite les coéquipiers à tirer chacun ou chacune un mot et à le coller à tour de rôle sur une même feuille, de façon à ce que tous les mots soient les uns en dessous des autres, comme s'il s'agissait de vers. Conviez ensuite les coéquipiers à lire le poème et à lui trouver un titre. Faites échanger les poèmes et laissez aux élèves le temps de rire!

Activité d'animation littéraire 2

Notes personnelles

_____

_____

_____

_____

_____

_____

_____

_____

_____

_____

_____

_____

_____

_____

_____

_____

_____

_____

_____

_____

Situation d'apprentissage 3

LE CHAT EN SIX LEÇONS

N'en déplaise aux Félix et autres héros du cinéma ou du dessin animé, Astuce est le plus grand acteur félin qu'on ait connu. Découvrez cet artiste sous les feux de la rampe tandis qu'il se métamorphose pour devenir l'archétype parfait de la gent féline.

SAVOIRS ESSENTIELS DES DIFFÉRENTES COMPÉTENCES

L LIRE DES TEXTES VARIÉS

C COMMUNIQUER ORALEMENT

Connaissances liées au texte :

▶ Exploration et utilisation d'éléments caractéristiques de différents genres de textes ;

▶ Prise en compte des éléments de la situation de communication : intention, contexte, formes du registre standard ;

▶ Prise en compte d'éléments de cohérence : idées rattachées au sujet, reprise de l'information en utilisant des termes substituts (pronoms).

Stratégies de lecture :

▶ Stratégies de reconnaissance et d'identification des mots d'un texte ;

▶ Stratégies de gestion de la compréhension ;

▶ Stratégies d'évaluation de sa démarche.

Stratégies de communication orale :

▶ Stratégies d'exploration ;

▶ Stratégies de partage ;

▶ Stratégies d'écoute ;

▶ Stratégies d'évaluation.

Techniques :

▶ Utilisation de manuels de référence.

BUT

Lire pour découvrir la signification de certaines attitudes et de certains comportements félins.

ORGANISATION DE LA CLASSE

Collectif, individuel

MATÉRIEL NÉCESSAIRE

• *Par élève : manuel D (pages 118 et 119)*

• *Pour la consolidation : activité complémentaire 69*

À FAIRE

• *Inviter les élèves à apporter des objets en lien avec le chat.*

TEMPS SUGGÉRÉ

140 min

ACTIVITÉ DE
CONSOLIDATION

*Activité complé-
mentaire 69 :* Les
cousins d'Astuce
(en équipes)

— *Exécuter un col-
lage en coopéra-
tion, ayant pour
thème la famille
du chat.*

▶ *L'élève établit
des liens entre
l'univers du
texte et son
propre univers.*

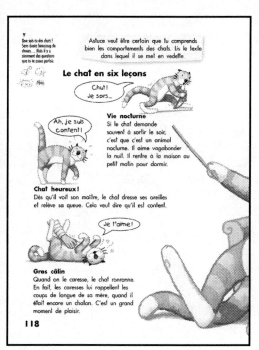

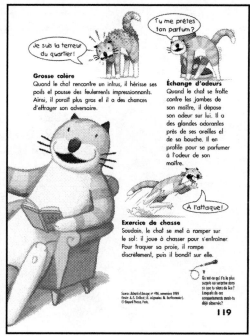

C O R R I G É

MANUEL D, PAGE 118

▼ 1   **Il y a plusieurs réponses possibles.**

C O R R I G É

MANUEL D, PAGE 119

▼ 1   **Il y a plusieurs réponses possibles.**

2   **Il y a plusieurs réponses possibles.**

 Préparation

- Invitez les élèves qui ont apporté des objets en lien avec le chat à les présenter à la classe. Faites regrouper ces objets sur une table pour que tous les élèves puissent les regarder.

Informez-vous auprès des élèves si quelques-uns d'entre eux ont un chat à la maison. Demandez à ceux qui en ont un de réfléchir aux comportements ou aux attitudes de leur chat. Par exemple, quand mon chat fait…, ça veut dire… Notez ces informations au tableau.

Invitez les élèves qui ont déjà lu un livre sur les habitudes du chat à faire part des informations qu'ils ont retenues. Notez ces informations au tableau.

Faites ouvrir le manuel aux pages 118 et 119. Demandez aux élèves de prendre quelques minutes pour faire un survol du texte (lecture du titre et observation des images), émettre une hypothèse de contenu pour chaque illustration et formuler une intention de lecture (lire pour

vérifier ou enrichir ses connaissances sur le comportement du chat).

 Réalisation

- Proposez aux élèves de faire une lecture individuelle du texte des pages 118 et 119 du manuel.

Vérifiez la compréhension du texte en interrogeant les élèves. Voici quelques suggestions de questions : *Où sont situées les glandes odorantes du chat ? Comment un chat fait-il pour paraître plus gros ? Pourquoi veut-il paraître plus gros ? Qui peut expliquer le sens des mots « intrus » et « feulement » dans la phrase « Quand le chat rencontre un intrus […] et pousse des feulements impressionnants. » ? Quels sont les deux mouvements que fait le chat qui veut attraper une proie ? Pourquoi le chat*

2

ACTION
EN CLASSE
(SUITE)

ronronne-t-il quand on le caresse? Quel message transmet le chat qui lève la queue et redresse les oreilles? Pourquoi dit-on que le chat est un animal nocturne?

Invitez les élèves à vérifier si certaines des informations écrites au tableau sont contredites par le texte du manuel. Ajoutez au tableau, vis-à-vis les aspects concernés ou dans une autre section, les connaissances que le texte ajoute à ce qui était déjà connu.

Faites prendre conscience de la richesse du texte et relier les connaissances antérieures aux connaissances nouvellement acquises.

Faites réaliser à chacun et à chacune des élèves un tableau en trois colonnes : *Ce que je sais, Ce que j'aimerais savoir, Ce que j'ai appris.*

Intégration et réinvestissement

- Demandez aux élèves s'ils savent à quelle grande famille animale appartient le chat (félins ou félidés). Faites identifier quelques espèces appartenant à cette même famille (lion, guépard, panthère, tigre, ocelot, etc.). Invitez les élèves qui ont lu sur ces espèces à dire ce qu'elles ont en commun avec le chat (mammifère, carnivore, griffes rétractiles, etc.). Avertissez les élèves de se référer aux connaissances qu'ils ont, de ne pas faire d'hypothèses.

Mentionnez d'autres habitudes propres au chat et demandez ce qu'elles signifient (aiguiser ses griffes sur un objet et uriner au bas d'un mur signifient que le chat marque son territoire ; miauler, qu'il demande à sortir ou à manger ; se laver les oreilles et le museau, qu'il a fini de manger ; creuser dans sa litière avec ses pattes de devant, qu'il enterre ses excréments pour qu'aucun ennemi ne puisse détecter sa présence, etc.).

Proposez à ceux qui le désirent d'effectuer une petite recherche, soit sur un félin autre que le chat soit sur d'autres comportements observables et signifiants chez le chat.

Astuce et suggestions (ENRICHISSEMENT)

Mini *Génies en herbe*

Invitez les élèves à fouiller les divers textes de ce module de même que des livres qu'ils ont déjà lus ou consultés pour en extraire des idées à rédiger sous forme de questions et réponses. Faites écrire les questions sur des fiches, une par fiche, et la réponse correspondante au verso. Au moyen de ces fiches, organisez un mini *Génies en herbe* où seront testées les connaissances sur le chat. Deux équipes de quatre élèves s'affronteront. Posez une question à un ou une élève de l'équipe A. Une bonne réponse donne un point à l'équipe. Une mauvaise réponse accorde un droit de réplique à un ou une élève de l'équipe B. Alternez d'une équipe à l'autre.

Il serait sage d'établir les règles de participation avant de débuter le jeu (droit de reprise, droit de consultation, questions sprint, etc.).

Activité d'animation littéraire 3

Situation d'apprentissage 4

1

PLANIFICATION DE L'ENSEIGNEMENT

BUT
Lire un texte qui révèle que la singularité, malvenue quand elle est incomprise, est une richesse quand elle est comprise.

ORGANISATION DE LA CLASSE
Collectif, individuel

MATÉRIEL NÉCESSAIRE
*Par élève:
manuel D
(pages 120 et 121)*

À FAIRE
Trouver, si possible, le livre Je suis un chat bleu *et l'apporter en classe.*

TEMPS SUGGÉRÉ
80 min

JE SUIS UN CHAT BLEU

La nuit, tous les chats sont gris, dit le proverbe. Mais est-ce vrai ? Il paraît qu'un chat bleu qui n'a pas les bleus se promène la nuit, comme le font tous les chats gris. Et le chat bleu croise des chats tout gris, longe des rues toutes pareilles, observe des maisons toutes semblables. Que vient donc faire un chat bleu au milieu de cette monotonie ? À vous de le découvrir…

SAVOIRS ESSENTIELS DES DIFFÉRENTES COMPÉTENCES

L LIRE DES TEXTES VARIÉS
E ÉCRIRE DES TEXTES VARIÉS
C COMMUNIQUER ORALEMENT
A APPRÉCIER DES ŒUVRES LITTÉRAIRES

Connaissances liées au texte :
▸ Exploration et utilisation d'éléments caractéristiques de différents genres de textes ;
▸ Exploration de quelques éléments littéraires à des fins d'utilisation ou d'appréciation : personnages, temps et lieux du récit, séquence des événements, expressions - jeux de sonorités - figures de style (comparaison) ;
▸ Prise en compte des éléments de la situation de communication : intention, contexte, formes du registre standard ;
▸ Prise en compte d'éléments de cohérence : idées rattachées au sujet, reprise de l'information en utilisant des termes substituts (pronoms).

Connaissances liées à la phrase :
▸ Recours à la ponctuation : point ;
▸ Reconnaissance et utilisation du groupe du nom : Pronom, Nom, Dét. + Nom ;
▸ Accords dans le groupe du nom : Dét. + Nom ;
▸ Exploration et utilisation du vocabulaire en contexte ;
▸ Utilisation de l'orthographe conforme à l'usage.

Stratégies de lecture :
▸ Stratégies de reconnaissance et d'identification des mots d'un texte ;
▸ Stratégies de gestion de la compréhension ;
▸ Stratégies d'évaluation de sa démarche.

Stratégies d'écriture :
▸ Stratégies de planification ;
▸ Stratégies de mise en texte ;
▸ Stratégies de révision ;
▸ Stratégies de correction.

Stratégies de communication orale :
▸ Stratégies d'exploration ;
▸ Stratégies de partage ;
▸ Stratégies d'écoute ;
▸ Stratégies d'évaluation.

Stratégies liées à l'appréciation d'œuvres littéraires :
▸ S'ouvrir à l'expérience littéraire ;
▸ Établir des liens avec ses expériences personnelles ;
▸ Se représenter mentalement le contenu ;
▸ Échanger avec d'autres personnes.

Techniques :
▸ Apprentissage de la calligraphie ;
▸ Utilisation de manuels de référence.

Cette situation d'apprentissage permet d'aborder des connaissances relevant du domaine des arts, plus spécifiquement de la discipline **arts plastiques**. Toutefois, aucune compétence dans ce domaine ne sera développée.

ACTION
EN CLASSE

Présentation

- Invitez les élèves à survoler le texte (lecture du titre et observation des illustrations) aux pages 120 et 121 du manuel. Demandez-leur s'ils croient que le contenu de ce texte est réel ou imaginaire. Faites justifier les réponses.

  Invitez les élèves à proposer une intention de lecture (lire pour découvrir qui est le chat bleu).

  Lisez aux élèves la référence bibliographique qui suit le texte et dites-leur que celui-ci est un extrait du livre *Je suis un chat bleu*. Si vous avez pu apporter ce livre en classe, montrez-le au groupe. Feuilletez-en les pages en vous assurant que chaque élève est en mesure de voir les illustrations.

Réalisation

- Invitez les élèves à lire individuellement le texte des pages 120 et 121 du manuel D.

  Vérifiez la compréhension des élèves en les interrogeant. Voici des suggestions de questions : *Que pense le chat bleu de*

CORRIGÉ

MANUEL D, PAGE 121

▼ 1 Une leçon de fierté.

---

l'opinion des lecteurs ? (Selon lui, les lecteurs trouvent bizarre qu'un chat soit bleu.) *Que pense le chat de sa situation ?* (Il trouve que c'est joli un chat bleu.) *Qu'a fait la fermière quand elle a vu le chat, à sa naissance ?* (Elle l'a jeté dans une bassine d'eau pleine de lessive.) *Ce geste a-t-il permis à la fermière d'obtenir le résultat escompté ?* (Non, le chat est resté bleu.) *Pourquoi la fermière a-t-elle donné un coup de pied au chat bleu ?* (Elle ne le voulait plus dans la maison, car il n'était pas conforme aux couleurs habituelles des chats.) *Montrez que la fermière ne peut accepter la différence.* (Elle dit qu'un toit doit être rouge, que l'herbe doit être verte, que les blés doivent être jaunes et que les chats doivent être gris, roux, noirs ou tigrés, pas d'une autre couleur.) *Pourquoi le chat bleu grimpait-il sur un toit ou une branche pour chasser les souris ?* (Ainsi, les souris le confondaient avec le ciel.) *Que veut dire le chat quand il écrit à propos de sa chasse aux souris : « [...] un petit bout de ciel leur tombait dessus » ?* (Puisque le chat

et le ciel se confondaient, c'était comme si un bout de ciel tombait sur les souris.*) *Le chat a-t-il été satisfait de sa visite à la mer? Expliquez.* (Non, il a été déçu car la mer, normalement bleue, lui parle des poissons normalement bleus, alors qu'un chat bleu, elle trouve ça bizarre.) *La mer est-elle tolérante envers le chat bleu?* (Non, elle n'accepte pas sa différence.) *Comparez la fermière et la mer, en quoi se ressemblent-elles?* (Toutes deux font preuve d'intolérance envers le chat bleu; elles n'acceptent pas qu'il soit différent.) *En quittant la mer, où le chat bleu est-il allé?* (À la ville.) *Que dit le chat à propos de la ville?* (Toutes les maisons dans toutes les rues sont pareilles.) *Qui consolera le chat?* (Une petite fille aux cheveux roux.) *Comparez le chat bleu et la petite fille aux cheveux roux. En quoi se ressemblent-ils?* (Tous deux sont différents de ce que l'on voit normalement.) *Quel sentiment la petite fille aux cheveux roux éprouve-t-elle à propos de sa chevelure?* (De la fierté.) *Quel est le nom de cette petite fille?* (Feu-de-Brousse.) *Pouvez-vous expliquer pourquoi la fille s'appelle ainsi?* (Ses cheveux sont flamboyants comme un feu de brousse.) *Où va habiter le chat bleu?* (Chez Feu-de-Brousse.) *À quoi le chat bleu compare-t-il la façon de dormir de Feu-de-Brousse et la sienne?* (À un soleil qui flamboie dans un ciel d'été.)

Animez un échange au cours duquel vous rappellerez que l'intolérance a causé bien des problèmes au chat bleu. Il n'était pas accepté parce qu'il était différent des autres chats. Pourtant, malgré sa différence, il était un vrai chat. Invitez les élèves à réfléchir à des situations de la vie de tous les jours où l'intolérance fait qu'on isole certaines personnes. Demandez-leur quelles sont les catégories de personnes qui ne sont pas toujours comprises du fait qu'elles sont différentes? (Handicapés physiques ou mentaux, personnes âgées ou de couleur, de races, de langues, de coutumes ou de religions différentes, etc.) De telles situations existent peut-être dans la classe. Abordez le sujet sans identifier les individus concernés.

Poursuivez l'échange en invitant ceux qui le désirent à exprimer leur réaction sur ce texte (opinions, sentiments, etc.).

Demandez aux élèves s'ils ont remarqué dans le texte certains mots ou expressions particulièrement jolis. Invitez-les à les retrouver et à expliquer pourquoi ils les aiment. (En voici quelques-uns à faire observer s'ils ne sont pas mentionnés par les élèves: Elles gambadaient de-ci de-là; un petit bout de ciel leur tombait dessus; sangloter; Ses cheveux étaient plus roux qu'un écureuil, plus flamboyants que le soleil [faites remarquer les deux comparaisons]; tignasse; on croit voir le soleil qui flamboie dans un ciel d'été.)

Intégration et réinvestissement

- Invitez les élèves à comparer ce texte avec celui des pages 118 et 119 du manuel D. Faites avec eux un relevé des ressemblances et des différences. (Ressemblances: les deux parlent de chats; les deux font interagir un chat avec des humains; les deux parlent de chasse; Astuce [dans les bulles] et le chat bleu parlent tous les deux. Différences: le premier texte est essentiellement informatif, alors que le deuxième est fictif; Astuce est un chat aux couleurs «normales» alors que le chat du deuxième texte est bleu, etc.)

Proposez aux élèves d'imaginer les lieux que le chat bleu a visités après avoir quitté la ferme et ce qu'il y a fait. Écrivez au tableau les lieux et les actions suggérés par les élèves.

Invitez les élèves à choisir l'un de ces lieux et à l'illustrer par un dessin où on pourra identifier le lieu en question et l'action du chat. Sous le dessin, faites écrire ces informations.

Invitez les élèves à présenter leur illustration et le texte qui l'accompagne.

Si vous avez pu vous procurer le livre *Je suis un chat bleu*, lisez aux élèves la version complète de l'histoire et invitez-les à observer les endroits visités par le chat et les actions qu'il y a faites.

2

ACTION
EN CLASSE
(SUITE)

Astuce et suggestions (ENRICHISSEMENT)

Jouets pour chats

Faites dresser une liste de jouets pour chats, jouets dont la fabrication serait facile à réaliser. Invitez les élèves à les confectionner et, s'ils ont un chat à la maison, à les expérimenter. Prévoyez faire un retour sur les réussites et les échecs… Par exemple, en présence du chat, lancer sur le plancher une feuille de papier froissée en boule. Résultat garanti.

Variantes

Lancer une papillote, du papier d'aluminium en boule, une noix de Grenoble, une balle de ping-pong. L'objet doit être suffisamment volumineux pour que le chat ne le mette pas en entier dans sa gueule.

Entourer d'une corde une bobine de fil vide. En tenant la corde, faire rouler à une vitesse qui permet parfois au chat de saisir la bobine. Si on va trop vite, le chat va rapidement se désintéresser.

Fabriquer un pendule à l'aide d'une corde nouée à une balle de styromousse ou à une bobine de fil vide. Faire osciller devant le chat à une hauteur où, à l'occasion, il peut l'attraper.

Utiliser un miroir et faire en sorte qu'un rayon de soleil le frappe et produise un reflet sur un mur. Dès que le chat verra ce reflet, la chasse commencera.

Entrouvrir un grand sac de papier comme ceux qu'on rapporte de l'épicerie. Quand le chat est dans le sac, il s'amuse follement.

Se procurer de l'herbe à chat (on en trouve à bon prix dans les commerces où l'on vend des produits pour animaux). En saupoudrer sur un jouet ou en verser une petite quantité par terre. Minet se roulera, se vautrera littéralement sur cette herbe magique. Il en mangera et en redemandera !

Remarque

Pour stimuler un chat, il faut diversifier les jouets : certains suspendus, d'autres par terre, d'autres contenus à l'intérieur d'un autre objet. (Par exemple, deux contenants à pilules de formats différents, l'un dans l'autre, ont l'avantage de faire du bruit et de rouler.)

**Activité
d'animation
littéraire 4**

Notes personnelles

_____

_____

_____

_____

_____

_____

_____

_____

_____

_____

_____

_____

_____

_____

1

PLANIFICATION DE L'ENSEIGNEMENT

BUTS
- *Saisir l'intention sous-jacente d'une bande dessinée.*

- *Comprendre le contenu d'une bande dessinée.*

- *Réaliser une bande dessinée où sont réinvesties les connaissances et les lectures de chacun et chacune.*

ORGANISATION DE LA CLASSE
Collectif, équipes de deux, individuel

MATÉRIEL NÉCESSAIRE
- *Par élève : manuel D (page 122), feuille divisée en quatre plages, crayons à colorier ou crayons-feutres, feuilles reproductibles 20.10 et 20.11*

À FAIRE
- *Préparer une feuille avec quatre plages pour la réalisation de la bande dessinée.*

- *Photocopier le nombre d'exemplaires nécessaires.*

- *Photocopier les feuilles reproductibles 20.10 et 20.11*

TEMPS SUGGÉRÉ
80 min

LIRE POUR RIRE

Il est vraiment coquin, ce Coquin ! Alors qu'on lui réserve une page entière du manuel pour lui permettre de prendre la vedette, le voici devenu muet, sidéré par le comportement d'Arthur, ce bizarre cousin d'Astuce. Quelle belle humilité se dégage de notre vedette canine !

SAVOIRS ESSENTIELS DES DIFFÉRENTES COMPÉTENCES

L LIRE DES TEXTES VARIÉS
E ÉCRIRE DES TEXTES VARIÉS
C COMMUNIQUER ORALEMENT
A APPRÉCIER DES ŒUVRES LITTÉRAIRES

Connaissances liées au texte :
- ▶ Exploration et utilisation d'éléments caractéristiques de différents genres de textes ;
- ▶ Exploration de quelques éléments littéraires à des fins d'utilisation ou d'appréciation : personnages, temps et lieux du récit, séquence des événements, expressions - jeux de sonorités - figures de style (onomatopée) ;
- ▶ Exploration et utilisation de la structure des textes ;
- ▶ Prise en compte des éléments de la situation de communication : intention, contexte, distinction des registres familier et standard, formes du registre standard ;
- ▶ Prise en compte d'éléments de cohérence : idées rattachées au sujet, reprise de l'information en utilisant des termes substituts (pronoms).

Connaissances liées à la phrase :
- ▶ Recours à la ponctuation : point ;
- ▶ Reconnaissance et utilisation du groupe du nom : Pronom, Nom, Dét. + Nom ;
- ▶ Accords dans le groupe du nom : Dét. + Nom ;
- ▶ Exploration et utilisation du vocabulaire en contexte ;
- ▶ Utilisation de l'orthographe conforme à l'usage.

Stratégies de lecture :
- ▶ Stratégies de reconnaissance et d'identification des mots d'un texte ;
- ▶ Stratégies de gestion de la compréhension ;
- ▶ Stratégies d'évaluation de sa démarche.

Stratégies d'écriture :
- ▶ Stratégies de planification ;
- ▶ Stratégies de mise en texte ;
- ▶ Stratégies de révision ;
- ▶ Stratégies de correction ;
- ▶ Stratégies d'évaluation de sa démarche.

Stratégies de communication orale :
- ▶ Stratégies d'exploration ;
- ▶ Stratégies de partage ;
- ▶ Stratégies d'écoute ;
- ▶ Stratégies d'évaluation.

Stratégies liées à l'appréciation d'œuvres littéraires :
- ▶ S'ouvrir à l'expérience littéraire ;
- ▶ Établir des liens avec ses expériences personnelles ;
- ▶ Échanger avec d'autres personnes.

Techniques :
- ▶ Apprentissage de la calligraphie ;
- ▶ Utilisation de manuels de référence.

> Cette situation d'apprentissage permet d'aborder des connaissances relevant du domaine des arts, plus spécifiquement de la discipline **arts plastiques**. Toutefois, aucune compétence dans ce domaine ne sera développée.

Notes personnelles

_____
_____
_____
_____
_____
_____
_____
_____

2 ACTION EN CLASSE

Invitez les coéquipiers à feuilleter le manuel et à y retracer les bandes dessinées de la rubrique *Lire pour rire*. Demandez à chacun et à chacune de choisir la bande dessinée qu'il ou elle préfère et de donner les raisons qui motivent ce choix. Si les élèves ont aussi à leur disposition le manuel C, les réponses seront plus variées.

Faites ouvrir le manuel D à la page 122 et faites remarquer que la rubrique occupe une page entière du manuel pour célébrer la fin de l'année scolaire.

 Réalisation

- Proposez à chaque élève de lire individuellement la bande dessinée de la page 122 du manuel D.

Formez des équipes de deux élèves qui partageront leur compréhension de la bande dessinée qu'ils viennent de lire.

Demandez à chaque équipe d'imaginer une autre fin à l'histoire racontée à la page 122 du manuel.

Regroupez les équipes de façon à ce qu'elles soient formées de quatre élèves. Invitez chaque équipe à présenter aux membres d'une autre équipe la fin de l'histoire qu'elle a imaginée.

 Préparation

- Demandez aux élèves qui est toujours en vedette dans les bandes dessinées de la rubrique *Lire pour rire*. Invitez-les à nommer quelques caractéristiques de Coquin qui sont révélées dans ces bandes. Écrivez ces caractéristiques au tableau.

Proposez aux élèves de nommer d'autres personnages qui sont parfois présents dans les bandes dessinées de Coquin. (son maître, un chat, un garçon sur une plage, une vétérinaire; le père Noël et des amis du maître de Coquin dans le manuel C).

2

**ACTION
EN CLASSE
(SUITE)**

 **Intégration et
réinvestissement**

- Demandez aux élèves ce qui distingue la bande dessinée de la page 122 du manuel des bandes dessinées précédentes. (Elle est plus longue, et surtout elle met en vedette le chat Arthur plutôt que Coquin.)

Invitez les élèves à émettre leurs commentaires à la suite de cette lecture. Amenez-les à réaliser qu'il nous arrive parfois de jouer les grands savants en ne parlant pas en connaissance de cause. C'est ainsi que le maître de Coquin et d'Arthur se trompe royalement.

Demandez aux élèves s'ils préfèrent Coquin ou Arthur comme vedette. *Lequel est le plus drôle? Lequel est le plus sympathique? D'après vous, lequel est le plus susceptible de vivre des aventures excitantes?*

Proposez aux élèves d'ajouter une page aux aventures d'Arthur. Pour ce faire, suggérez-leur de se servir des connaissances et de l'expérience qu'ils ont acquises en fréquentant Coquin.

Faites émerger des idées intéressantes en demandant aux élèves d'inventer des caractéristiques d'Arthur qui pourraient lui permettre de vivre une aventure amusante ou palpitante. Écrivez ces traits d'Arthur au tableau.

Demandez aux élèves de suggérer des personnages qui pourraient se retrouver dans la bande dessinée qu'ils vont écrire et illustrer. Faites-leur nommer les personnages du manuel. (Coquin, Marilou, Ali, Astuce, etc.). Invitez-les à imaginer des personnages qui donneraient un ton amusant ou apeurant à l'aventure. (un gros chien méchant, un homme ou une femme qui n'aime pas les chats, etc.).

Distribuez l'organisateur graphique qui les aidera à structurer leur récit (feuilles reproductibles 20.10 et 20.11) sous forme de livret.

NOTE : L'organisateur graphique des feuilles reproductibles 20.10 et 20.11 est présenté en quatre temps et sert à la bande dessinée

composée de quatre plages. Selon la capacité de compréhension des élèves de votre classe, vous pouvez le modifier afin qu'il corresponde au récit en trois temps (début, milieu et fin) proposé pour le premier cycle dans le Programme. Si tel est le cas, il vous faudra préparer une feuille avec trois plages pour la réalisation de la bande dessinée.

Faites d'abord organiser la plage 1 (situation de départ) : *Où Arthur se trouve-t-il? Quand ce récit se passe-t-il? Que fait Arthur? Y a-t-il d'autres personnages? Si oui, qui sont-ils?*

Faites identifier le problème à la plage 2 (problème) : *Quel est le danger ou le problème qui se présente? Quel événement survient? Où est Arthur? Que fait-il? Quelle est l'expression de son visage? Y a-t-il quelqu'un d'autre dans cette illustration? Si oui, de qui s'agit-il?*

Faites illustrer à la plage 3 (péripéties) l'action initiée par Arthur pour se sortir du danger : *Où Arthur se trouve-t-il? Que fait-il? Est-il seul? Sinon, que fait l'autre personnage?*

Faites imaginer à la plage 4 (solution et fin) les éléments qui vont dissiper le danger : un bruit, l'arrivée d'un autre personnage, la chute d'Arthur ou de l'autre personnage dans un tunnel ou un autre endroit, etc. *Comment cette aventure se terminera-t-elle? Qui sera présent sur la dernière plage? Si Arthur n'y est pas, où se trouve-t-il? Et, le cas échéant, où sont passés les autres personnages?*

 ou

Faites appliquer le processus d'écriture étudié durant l'année (planification, rédaction, révision, correction, transcription, lecture finale).

Apportez votre soutien aux élèves en manque d'imagination. Au besoin, revoyez avec eux les traits d'Arthur écrits au tableau ou certaines bandes dessinées mettant en vedette Coquin.

Questionnez les élèves pour vérifier la conformité entre le texte et les images.

Faites mettre au propre la bande dessinée réalisée individuellement ou en équipes de deux.

Invitez les élèves à présenter leur bande dessinée et à l'afficher à l'endroit prévu à cet effet.

Si le temps vous le permet, proposez aux élèves de faire une lecture personnelle de bandes dessinées. Cette activité pourrait se faire à la bibliothèque de l'école ou en classe. Vous pourriez aussi demander aux élèves d'apporter en classe un album de bandes dessinées provenant de la bibliothèque municipale ou de la maison.

 Astuce et suggestions (ENRICHISSEMENT)

Chats... chats... chats

Faites façonner avec de la pâte à modeler une famille de chats ou autres félins. Faites décorer l'intérieur d'une boîte de façon à recréer le milieu naturel de ces animaux. Faites placer les créations des élèves à l'intérieur de la boîte, puis organisez une exposition.

Notes personnelles

_____

_____

_____

_____

_____

_____

_____

_____

_____

_____

_____

_____

_____

_____

_____

_____

_____

_____

_____

_____

Situation d'apprentissage 6

UNE HISTOIRE À ÉCOUTER

Le fantôme de ce conte pourrait-il être le Petit Prince que Saint-Exupéry a immortalisé? Le Petit Prince devenu fantôme, direz-vous, ça ne se peut pas. Eh bien si! Voyez comme tout à coup on se souvient que l'essentiel est invisible pour les yeux.

SAVOIRS ESSENTIELS DES DIFFÉRENTES COMPÉTENCES

BUT

Par l'intermédiaire d'un conte, faire connaissance avec la mentalité des gens d'une autre nationalité.

ORGANISATION DE LA CLASSE

Collectif

MATÉRIEL NÉCESSAIRE

• *Par élève:
manuel D
(pages 123 à 126)*

• *Pour la classe:
une mappemonde
ou un globe
terrestre*

• *Pour la
consolidation:
feuilles repro-
ductibles 20.12
à 20.16, activité
complémen-
taire 70*

À FAIRE

Trouver et apporter en classe des livres sur l'Autriche (pay-sages, villes, etc.). Tenter d'avoir des livres adaptés à l'âge des élèves.

TEMPS SUGGÉRÉ

90 min

C COMMUNIQUER ORALEMENT
A APPRÉCIER DES ŒUVRES LITTÉRAIRES

Connaissances liées au texte:

▶ Exploration et utilisation d'éléments caractéristiques de différents genres de textes;
▶ Exploration de quelques éléments littéraires à des fins d'utilisation ou d'appréciation: personnages, temps et lieux du récit, séquence des événements;
▶ Exploration et utilisation de la structure des textes;
▶ Prise en compte des éléments de la situation de communication: intention, contexte, formes du registre standard;
▶ Prise en compte d'éléments de cohérence: idées rattachées au sujet, reprise de l'information en utilisant des termes substituts (pronoms).

Stratégies de communication orale:

▶ Stratégies d'exploration;
▶ Stratégies de partage;
▶ Stratégies d'écoute.

Stratégies liées à l'appréciation d'œuvres littéraires:

▶ S'ouvrir à l'expérience littéraire;
▶ Établir des liens avec ses expériences personnelles;
▶ Se représenter mentalement le contenu;
▶ Échanger avec d'autres personnes.

U CONSTRUIRE SA REPRÉSENTATION DE L'ESPACE, DU TEMPS ET DE LA SOCIÉTÉ

Connaissances liées à l'univers social (ici et ailleurs):

▶ Groupes (conditions de vie, besoins);
▶ Paysages (exploration, éléments naturels et humains).

Techniques relatives à l'univers social:

▶ Temps: calcul de durée (décalage horaire entre deux endroits);
▶ Espace: localisation (globe terrestre ou mappemonde), lecture et décodage de documents (textes et illustrations).

- *Feuilles reproductibles 20.12 et 20.13 : Le petit fantôme du château de sable (individuel)*

– Écouter une histoire. Répondre à des questions à l'aide du texte.

▶ L'élève sélectionne les éléments d'information explicites dans un texte.

Feuilles reproductibles 20.14 à 20.16 : Certificats d'honneur (individuel)

– Écrire un certificat à l'intention d'un ou d'une élève de la classe pour identifier ses forces.

▶ L'élève décrit ses réussites et ses progrès.

- *Activité complémentaire 70 : Une collation pour fêter les vacances (en équipes)*

– Lire et exécuter une recette en coopération.

⚙ Préparation

- Invitez les élèves à ouvrir leur manuel à la page 123. Lisez ou faites lire par un ou une élève le texte de présentation qui apparaît dans la bulle.

Sur une mappemonde ou sur un globe terrestre, invitez les élèves à situer le Québec et l'Autriche. Demandez-leur le nom de cette immense étendue d'eau qui sépare les deux endroits. (océan Atlantique) Informez-vous si certains élèves ont déjà vu cet océan, que ce soit en vacances au bord de la mer ou à l'occasion d'un voyage en Europe. Faites prendre conscience aux élèves que cet océan est très vaste et qu'il faut plusieurs heures pour le survoler et, ainsi, passer d'un continent à l'autre.

Attirez l'attention des élèves sur les horloges de la page 123 du manuel et sur la différence de six heures entre le Québec et l'Autriche.

▶ *L'élève constate l'utilité de la lecture dans sa vie personnelle, dans son milieu scolaire et dans la société.*

▶ *L'élève témoigne oralement de l'atteinte de son intention de lecture.*

À l'aide des livres que vous avez apportés, présentez les paysages de l'Autriche (montagnes, grandes villes, petits villages, belles campagnes, etc.). Dites aux élèves que les Autrichiens ressemblent beaucoup aux Québécois et que, hormis certaines traditions, ils vivent à peu près comme eux.

Rappelez aux élèves que l'Autriche est le pays d'origine de Mozart (*Guide d'enseignement* du module 6, page 69). Faites situer la ville où est né ce célèbre compositeur (Salzbourg) et celle où il est décédé (Vienne).

Faites lire aux élèves le titre du conte et demandez-leur d'en identifier les deux éléments : un personnage et un lieu (un fantôme et un château de sable).

Invitez les élèves à observer l'illustration des pages 124 et 125 du manuel pour y retrouver ces éléments. Faites découvrir un autre personnage du conte : la Lune.

Mentionnez aux élèves qu'un «conte contemporain» (page 123 du manuel, au-dessus de la carte géographique) est un conte de notre époque.

Réalisation

• Demandez aux élèves de fermer leur manuel et de s'installer confortablement pour écouter le conte *Le petit fantôme du château de sable.*

Lisez le texte jusqu'à «Tu ferais mieux de déménager, dit la Lune.» (page 125 du manuel, ligne 10)

Demandez aux élèves pourquoi la Lune parle ainsi au petit fantôme. Demandez-leur aussi ce qu'ils feraient à la place du petit fantôme et d'en donner les raisons.

Poursuivez la lecture du conte jusqu'à la fin.

Intégration et réinvestissement

• Invitez les élèves à exprimer leurs idées, leurs sentiments à la suite de l'écoute de ce conte. *Est-ce un conte intéressant ? ennuyeux ? Seriez-vous intéressés à lire*

individuellement ce conte ? Laissez chacun et chacune s'exprimer et justifier son point de vue.

Vérifiez la compréhension des élèves en leur posant quelques questions. Voici quelques suggestions : *Quelle pourrait être la taille du petit fantôme ?* (Il est petit, car le château est de la taille d'un sac à dos et que le fantôme hante cet espace.) *Il y a un fossé autour du château ; les vrais châteaux sont-ils ainsi entourés ?* (Oui, le fossé normalement rempli d'eau servait de défense contre l'invasion des ennemis. Pour entrer, il fallait passer par le pont-levis. Ce moyen de défense existait autour de plusieurs châteaux.) *Qu'est-ce qu'un donjon ?* (C'est une tour d'où l'on peut surveiller l'arrivée d'un éventuel ennemi.) *La Lune est-elle un ennemi du fantôme ?* (Non, elle apparaît la nuit pour éclairer la Terre.) *Quels sont les ennemis qui, selon la Lune, vont détruire le château ?* (Il s'agit du soleil, du vent et de la marée). *Avez-vous déjà construit des châteaux de sable ? Si oui, qu'en est-il advenu ?* (Sans doute les élèves diront-ils avoir construit des châteaux qui ont été détruits par le soleil, la pluie, etc.) *Quels éléments sont absolument essentiels pour construire un château de sable ?* (Il faut un mélange de sable et d'eau.) *Pourquoi le petit fantôme conseille-t-il à la Lune de déménager dans un château en pierre ?* (Parce qu'il croit que quelqu'un la grignote : elle change de taille chaque soir.) *Pourquoi le petit fantôme ne veut-il pas aller hanter d'autres châteaux de sable ?* (Il dit que le sien est le plus beau, même si on ne le voit plus. Il ajoute que son château est toujours là.) *Pourquoi le petit fantôme dit-il à la Lune qu'elle ne peut le comprendre ?* (Parce que, selon lui, elle est trop grande.)

Invitez les élèves à prendre conscience de la fidélité du fantôme envers son château.

Racontez brièvement aux élèves comment le Petit Prince avait découvert que l'essentiel est invisible pour les yeux. Faites-leur établir un lien entre cette idée (la valeur d'une personne ne se

découvre pas avec les yeux) et celle du petit fantôme (la beauté réelle du château ne se voit pas avec les yeux).

Remplissez avec les élèves le tableau littéraire (feuille reproductible 20.3) et faites établir des liens avec les livres déjà lus dans le cadre de ce module. Amenez les élèves à relever les ressemblances et les différences entre les livres qui ont été lus à voix haute au cours de ce module et ceux qui sont présentés dans la rubrique *Activités d'animation littéraire*, à la page 46 du présent module.

Invitez les élèves à identifier l'histoire qu'ils préfèrent et à justifier leur choix.

Demandez aux élèves de relever quelques mots ou expressions qu'ils ont retenus lors de ces lectures.

Faites remarquer aux élèves qu'au début du module on parle d'un endroit de villégiature, la montagne, et qu'à la fin on parle d'un autre endroit fort populaire pour les vacances, la mer.

Profitez-en pour aborder le thème des vacances et invitez les élèves à parler de ce qu'ils projettent de faire pendant les vacances. (camp de jour, colonie de vacances, chalet, campagne, montagne, mer, visite chez les grands-parents, oncles ou tantes, voyages, activités à la maison, etc.)

Demandez aux élèves d'établir un lien entre le plaisir qu'on éprouve à anticiper un projet et celui qu'on éprouve à le réaliser.

Notes personnelles

_____

_____

_____

_____

_____

_____

_____

_____

_____

_____

_____

_____

_____

_____

_____

_____

_____

_____

_____

_____

À l'ordinateur avec Marilou

Le module 20 comprend quatre activités distinctes :

- une activité de création
  – *Le chat bleu* ;

- une activité de sondage
  – Un *sondage sur les vacances* ;

- une activité de clavardage
  – *Le clavardage* ;

- une activité continue
  – *Tu grandis*.

Activité 1

LE CHAT BLEU

- Cette activité de création est directement liée au texte de la page 120 du manuel *Je suis un chat bleu*. Elle favorise le développement d'une compétence d'ordre intellectuel (mettre en œuvre sa pensée créatrice) et d'une compétence disciplinaire (français – lecture et écriture). Toutes les directives sont données en mode écrit.

- Vous trouverez la démarche proposée pour réaliser l'activité 1 dans le dossier *MODULE 20* du cédérom qui accompagne le guide d'enseignement.

- Il faut prévoir environ **20** min par élève pour réaliser cette activité.

TYPE D'ACTIVITÉ
Activité simple, autonome

MATÉRIEL NÉCESSAIRE
Dossier MODULE 20 du cédérom

TEMPS SUGGÉRÉ
Environ 20 min par élève

Activité 2

UN SONDAGE SUR LES VACANCES

- Cette activité de sondage est axée sur la collecte et la compilation d'informations. Elle favorise le développement de deux compétences d'ordre intellectuel (collecter, compiler) et d'une compétence d'ordre méthodologique (utiliser un tableur et un grapheur). Elle permet également d'aborder des connaissances relevant d'une discipline (mathématique - interprétation de graphiques) sans toutefois viser le développement de compétences. Toutes les directives sont données en mode écrit. L'élève est invité ou invitée à s'informer auprès de ses pairs pour connaître leurs projets de vacances.

- Vous trouverez la démarche proposée pour réaliser l'activité 2 dans le dossier *MODULE 20* du cédérom qui accompagne le guide d'enseignement.

- Il faut prévoir de 15 à **20** min par élève pour réaliser cette activité.

TYPE D'ACTIVITÉ
Activité moyenne, autonome

MATÉRIEL NÉCESSAIRE
Dossier MODULE 20 du cédérom

TEMPS SUGGÉRÉ
De 15 à 20 min par élève

Activité 3

LE CLAVARDAGE

- Cette activité de clavardage favorise le développement d'une compétence d'ordre intellectuel (exercer son jugement critique), d'une compétence d'ordre communicationnel (communiquer de façon appropriée) et d'une compétence disciplinaire (français). On demande à l'élève de voir son enseignant ou enseignante pour connaître la démarche à suivre. Cette activité peut être réalisée de différentes façons. Il faut dans un premier temps trouver une autre classe qui est prête à participer au projet de clavardage. Il faudra ensuite déterminer avec quel type d'application sera faite l'activité.

- Il existe des applications en mode IRC (*Internet Relay Chanels*). Sur ordinateur PC, l'application la plus utilisée est MIRC ; sur Macintosh, c'est IRCLE qui a la faveur populaire. Ce type d'application n'est cependant pas bien adapté à des jeunes de cet âge.

- Il y a aussi des canaux de clavardage en mode Palace. Cette application a un mode de représentation graphique qui est agréable. Il existe un Palace adapté aux jeunes : le palace de l'école Tourterelle. Il est possible de télécharger l'application Palace à l'adresse URL suivante : www.thepalace.com

- Enfin, il y a une application très répandue qui possède un module de clavardage. Il s'agit d'ICQ. Il est possible de télécharger ICQ à l'adresse URL suivante : www.icq.com

  Il est préférable que les élèves reçoivent une certaine préparation avant de participer à leur séance de clavardage. Une activité enrichissante consiste à avoir un invité mystère qui répond aux questions des participants, alors que ceux-ci tentent de découvrir son identité.

- Le temps pour réaliser cette activité peut varier.

Activité 4

TU GRANDIS

- L'élève est invité ou invitée à mettre à jour le fichier de son profil physique. Cette activité vise le développement d'une compétence d'ordre intellectuel (exploiter l'information) et d'une compétence d'ordre méthodologique (exploiter les TIC). Elle permet également d'aborder des connaissances relevant d'une discipline (mathématique) sans toutefois viser le développement de compétences. La tâche est quelque peu complexe et demande que l'élève soit accompagné ou accompagnée d'un ou d'une élève plus âgé ou agée.

- L'élève aura à se faire mesurer pour une dernière fois (longueur des bras et des jambes, grandeur), puis à consigner les résultats sur sa fiche statistique, ce qui lui permettra de visualiser sa croissance depuis la première saisie de données. (L'activité est ici répétée pour une troisième fois.)

- Vous trouverez le document qui permet la réalisation de l'activité 4 dans le dossier personnel de chaque élève.

- Il faut prévoir environ 30 min par élève pour réaliser cette activité.

Activités d'animation littéraire

Activité 1 – jour 2

UN CHAT BIEN FUTÉ !

Préparation

Séance 1 (avant-midi)

- Animez une discussion à l'aide de questions dont voici des exemples : *Trouvez-vous que certains animaux sont particulièrement intelligents, malins, futés, doués ? Expliquez pourquoi. Racontez une anecdote qui relate un bon coup ou un exploit de votre animal préféré ou d'un animal dont vous avez entendu parler, et qui démontre qu'il est vraiment malin.* (chat, chien, souris, hamster, perruche, canari, cheval, etc.) *Connaissez-vous des histoire, tirées d'autres sources, qui racontent les exploits exceptionnels d'un animal ? D'où tenez-vous ces histoires ?* (livres, films, vidéos, bulletins d'informations, émissions de télévision, etc.) *Si possible, donnez le titre de vos références et racontez brièvement l'histoire.*

Invitez les élèves à se remémorer le conte de Charles Perrault, *Le Chat botté* (1697).

Guidez la réflexion des élèves avec quelques questions du genre : *Comment l'histoire commence-t-elle ? Quels en sont les personnages les plus importants ? Où cette histoire se passe-t-elle ? Quand se déroule-t-elle ? Que s'y passe-t-il ? Comment se termine-t-elle ? Quel est votre moment préféré de cette histoire ?* Notez les divers événements, puis ensuite classez-les dans l'ordre chronologique en les numérotant.

Indiquez ces informations sur le premier tableau littéraire (feuilles reproductibles 20.3 et 20.4 retranscrites sur de grandes feuilles) que vous comparerez par la suite avec un deuxième du même genre, qui sera rempli après la lecture du conte *Le Chat botté à New York*.

ou Réalisation

- Formez des équipes de quatre ou de cinq élèves. Distribuez à chacune d'elles une des diverses adaptations du conte *Le Chat botté* de Charles Perrault (sauf celle du *Chat botté à New York*) proposées dans la bibliographie.

Demandez aux coéquipiers d'observer les illustrations du conte dans le livre qui leur a été remis afin de pouvoir remplir le premier tableau littéraire. Allouez-leur environ cinq minutes pour faire cette observation.

Invitez un ou une porte-parole de chaque équipe à faire part des informations susceptibles d'être ajoutées au premier tableau littéraire.

Invitez ensuite les élèves à entendre une adaptation de Marie Eykel qui ressemble beaucoup au conte de Charles Perrault. (Si vous utilisez la cassette sonore, prévenez les élèves qu'ils entendront des clochettes signifiant aux jeunes lecteurs le moment où ils doivent tourner la page du livre.)

Demandez aux élèves s'ils ont retenu, dans le conte qu'ils viennent d'entendre, de nouveaux éléments qui pourraient être ajoutés au premier tableau littéraire.

Informez les élèves qu'en après-midi ils entendront une autre adaptation du conte qui, elle, se passe dans une très grande ville.

Deuxième séance (après-midi)

Revenez sur les termes «adaptation d'un conte» et «version d'un conte». Demandez aux élèves de donner le sens de ces expressions. (Ils se souviendront sûrement de leurs expériences quand ils ont

BUTS

- *Se remémorer le conte* Le Chat botté *(1697) de Charles Perrault.*

- *Écouter deux adaptations du conte.*

- *Remplir collectivement deux tableaux littéraires.*

- *Choisir sa version préférée du conte.*

- *Dessiner son passage favori du conte.*

- *Faire connaître son intérêt pour des adaptations du conte* Le Chat botté *ainsi que pour d'autres histoires de félins.*

- *Sélectionner et emprunter un livre dans le but de le lire en classe.*

ORGANISATION DE LA CLASSE

Collectif, équipes de quatre ou cinq, individuel

MATÉRIEL NÉCESSAIRE

Pour la classe :

- *Adaptations du conte* Le Chat botté, *de Charles Perrault :*

- Le Chat botté à New York, *adapté par André Marois, Laval, Les 400 coups, 32 p. (Monstres, sorcières et autres féeries)*

- Le Chat botté, *adapté par Marie Eykel, Carignan, Coffragants, 1995, 34 p. [cassette sonore]*

- Le Chat botté, *adapté par Marie-France Floury, Paris, Rouge et or, 1997, 29 p. (Les petits cailloux)*

- Le Chat botté, *adapté par Tony Ross, Paris, Gallimard, 1981, 45 p. (Folio Benjamin) [Publié aussi dans 5 contes pour les enfants d'aujourd'hui, Paris, Gallimard, 1995, 164 p. (La Bibliothèque de Benjamin)]*

- *Adaptations proposées dans la bibliographie, section Un chat bien futé !*

- *Adaptations empruntées aux bibliothèques municipale et scolaire*

- *Deux grands cartons pour les tableaux littéraires (feuilles reproductibles 20.3 et 20.4), carte de l'Amérique du Nord ou globe terrestre*

joué une version du conte *Le Petit Chaperon rouge* en 1ʳᵉ année du premier cycle, et de l'adaptation qu'ils ont écrite du conte de Marie-Louise Gay, *Magie d'un jour de pluie*, en 2ᵉ année du premier cycle.)

Expliquez le but de l'activité de l'après-midi : tenter d'identifier ce qui changera dans l'histoire si elle se déroule dans une grande ville, puis écouter une autre version du *Chat botté*.

Montrez aux élèves où se situe leur municipalité sur le globe terrestre ou la carte géographique, ensuite où se situent Montréal et New York. Faites observer que ces deux villes sont situées près d'un important cours d'eau.

Animez un échange à partir des questions suivantes : *D'après vous, les principaux personnages seront-ils tous là ? Quel métier exercera le père ? Que laissera-t-il en héritage à ses deux fils aînés ? Par quelles personnes les paysans seront-ils remplacés ? Dans quel genre d'habitation l'ogre logera-t-il ? Où ce jeune homme se baignera-t-il ?*

Montrez aux élèves la couverture du livre *Le Chat botté à New York*. Faites-leur lire le titre et établir un lien avec l'illustration de la couverture. Dites-leur ensuite que vous leur lirez cette version sans interruption après qu'ils auront observé les illustrations du livre.

NOTE : Si vous jugez que le sens d'un mot est inconnu de l'ensemble des élèves, lisez-le quand même. Ensuite, reprenez la lecture du groupe sémantique en remplaçant ce mot par un synonyme ou une expression que les élèves connaissent, ou bien mimez-le. Par exemple, à la fin de la page 18, après « de peur de l'écorcher », ajoutez « de peur de mal prononcer son nom ». À la page 20, vous pourriez mimer la « révérence » en inclinant le corps pour saluer les élèves ; l'ajout d'un grand geste du bras droit de haut en bas en traçant une courbe dans l'espace accentuerait la déférence.

Après la lecture, faites remplir le deuxième tableau littéraire. Une telle activité favorise le développement du vocabulaire et fait établir des liens entre les textes lus. Reproduisez le tableau sur de grands cartons ou de grandes feuilles de façon à avoir assez d'exemplaires pour toutes les activités du module.

Intégration et réinvestissement

- Placez les deux livres (l'adaptation de Marie Eykel et celle d'André Marois) dans des coins opposés de la classe. Proposez aux élèves de se diriger dans le coin où se trouve leur adaptation préférée du conte. Nommez ou faites nommer un ou une porte-parole pour chaque groupe. Invitez les élèves à trouver des arguments pour justifier leurs choix. Demandez aux porte-parole de faire connaître le point de vue de leur groupe.

Invitez les élèves à faire connaître leur « coup de cœur » pour ce conte et à en conserver une trace dans leur *Album souvenirs de mes lectures* ou dans leur florilège. Suggérez-leur d'emprunter d'autres adaptations du conte, des histoires de chats ou autres félins proposées dans la bibliographie.

Lorsqu'un ou une élève vous rapporte un livre, proposez-lui de vous parler de sa lecture (sentiments éprouvés, opinion d'ensemble, niveau d'appréciation des illustrations, des personnages, caractéristiques de l'histoire, du récit, etc.). Invitez-le ou invitez-la à faire connaître son « coup de cœur » – un des derniers – dans son *Album souvenirs de mes lectures*. Rappelez-lui d'y inscrire le titre du livre, le nom de l'auteur ou de l'auteure ainsi que celui de l'illustrateur ou de l'illustratrice, et de justifier brièvement son appréciation. Demandez-lui quelles traces il ou elle aimerait conserver de cette lecture dans son *Album souvenirs de mes lectures* (le dessin d'un personnage, un passage drôle, triste, captivant, énervant, des mots dont il ou elle ne connaissait pas le sens, un court commentaire personnel, etc.).

LIEU ET TEMPS

En classe, les élèves, en équipes, sont assis par terre ou à leur bureau. Cette activité devrait idéalement être répartie en deux séances de 40 min, une l'avant-midi, l'autre l'après-midi.

Après l'animation littéraire ou au moment que vous jugez opportun, proposez une période de lecture personnelle. Assurez-vous que chaque élève dispose d'un livre de lecture. Vous pourriez aussi faire la promotion d'un livre ou inviter un ou une élève à la faire.

Allouez aux élèves le temps nécessaire pour inscrire un nouveau souvenir dans leur florilège (s'ils n'en ont pas, distribuez-leur la feuille reproductible 20.9,

Lecture personnelle) que vous aurez pris soin de photocopier en plusieurs exemplaires car elle devra servir tout au long du module). Faites-y aussi inscrire d'autres beaux souvenirs de lecture, leur appréciation de livres qu'ils ont lus ailleurs qu'à l'école.

Profitez des dernières consignations des élèves pour observer comment chacun et chacune réagit à une histoire et comprendre comment il ou elle évolue.

Notes personnelles

_____

_____

_____

_____

_____

_____

_____

_____

_____

_____

_____

_____

_____

_____

_____

_____

_____

_____

_____

_____

_____

_____

_____

_____

_____

_____

_____

Préparation

- Sélectionnez de trois à cinq poèmes sur le chat ou autres félins.

 Réalisation

- Annoncez aux élèves qu'ils auront à illustrer un poème et à préparer ensemble un récital de poésie, fête de l'ima-ginaire, de la fantaisie et du langage poétique.

Séance 1 : Illustration des poèmes (le matin)

Conviez les élèves à être très attentifs lors de la lecture des poèmes ; conseil-lez-leur de les visualiser. Après la lec-ture à haute voix de chaque poème, demandez-leur de visualiser de nouveau un mot, un vers, un passage plus long du poème ou tout le poème. Ensuite, demandez si certains sont intéressés à illustrer le poème, entièrement ou en partie. Mentionnez-leur qu'ils pourront emprunter le poème pour le relire avant de réaliser le dessin. Faites remplir le un tableau poésie.

Après la lecture du second poème rem-plissez un nouveau tableau poésie, puis, demandez aux élèves celui qu'ils préfè-rent, le premier ou celui qui vient d'être lu. Faites-leur justifier brièvement leur choix (images, rimes, rythmes, mots, expressions, etc.). Puis reprenez la dé-marche mentionnée précédemment pour les troisième, quatrième et cinquième poèmes.

À la fin des lectures, posez des questions pour connaître le poème préféré de l'en-semble des élèves. Relisez-le en deman-dant aux élèves de bien le visualiser à nouveau. Ensuite, remplissez avec eux le tableau littéraire en leur demandant les raisons qui motivent leur choix (images, rimes, rythmes, mots, expressions, etc.).

Mettez les poèmes à la disposition des élèves afin qu'ils puissent s'y référer avant d'en dessiner un passage.

Si plusieurs élèves ont apprécié le même poème, invitez chacun ou chacune à en illustrer une partie. Informez-les qu'ils sont libres de transcrire sous chaque dessin la partie du poème qui y cor-respond ou bien d'afficher les dessins sans y avoir ajouté de texte. Dans ce dernier cas, les élèves pourraient tenter d'associer les dessins aux poèmes.

Séance 2 : Récital de poésie (L'après-midi)

Mentionnez aux élèves que l'animation qui va suivre consiste en un récital de poésie. Présentez-leur les anthologies et les recueils de la sélection ainsi que ceux que vous avez empruntés aux bi-bliothèques scolaire et municipale. De-mandez-leur comment ils s'y prendront pour trouver des poèmes sur les chats et autres félins (feuilleter les livres et y observer les illustrations, lire les titres et les premiers vers, etc.). Informez-les qu'ils devront choisir un poème et le lire lors du récital de poésie.

Regroupez les élèves en équipes de qua-tre pour préparer cette fête des mots. Afin de rendre un hommage ultime à Astuce, suggérez-leur de tenir le récital devant leurs illustrations de poèmes et les productions de leurs projets. Jume-lez un ou une élève du troisième cycle à chacune des équipes pour guider les membres dans leur démarche et les ai-der à lire les textes.

Pour présenter l'activité, écrivez sur un grand papier blanc les rubriques suivan-tes : *Lecture du poème, Accompagnement musical* et *Costumes et accessoires*. (Lais-sez assez d'espace entre chacune pour écrire les mots clés qui pourraient gui-der les élèves lors de la préparation du récital.)

Choix du poème

Les coéquipiers lisent deux ou trois poèmes pour n'en choisir qu'un seul.

L'activité se déroule en classe, en deux séances : la première, l'écoute de la lecture des poèmes et l'illustration, se déroule le matin ; la seconde, la préparation du récital, l'après-midi.

Chacun ou chacune tente de convaincre ses camarades de choisir celui qu'il ou elle a sélectionné. Lorsque le choix du poème est fait, les élèves déterminent ensemble comment ils le présenteront. Ensuite, ils se partagent les responsabilités à assumer.

Lecture du poème

Le lecteur ou la lectrice consulte l'élève qui l'encadre, ou son enseignant ou enseignante, pour obtenir des conseils sur la façon de lire le poème. Il ou elle peut aussi demander des conseils à ses coéquipiers pour rendre le plus fidèlement possible l'émotion du texte.

Le lecteur ou la lectrice doit aussi s'entraîner à faire des gestes qui s'accordent au souffle du poème. Le texte peut être lu par plusieurs coéquipiers, soit en chœur, soit partiellement en solo, soit en duo ou en trio, soit à raison d'une strophe par élève. À cet égard, le thème du poème, le nombre de vers, leur regroupement, leur mise en pages, etc., sont autant d'indices pour guider le type de lecture à adopter.

Accompagnement musical

Le ou la responsable détermine avec ses coéquipiers la musique qui accompagnera la présentation du poème. Quels instruments de musique pourraient être empruntés au professeur ou à la professeure de musique pour rendre le mieux possible l'atmosphère ? la couleur poétique ? La musique sera-t-elle exécutée avant la lecture du poème ? pendant une partie du poème ? Qu'est-ce qui aidera à créer la musique ? une image évoquée par le poème ? une émotion ? un vers ? un mot ? Faites réfléchir les élèves responsables de cette tâche.

Costumes et accessoires

Après que les coéquipiers auront discuté du costume et des accessoires nécessaires à la présentation, le ou la responsable se chargera de les trouver ou de les créer. Il ou elle peut faire appel à la classe en faisant connaître ses besoins sur une affiche préparée à cet effet.

 **Intégration**

Après la séance 1

- Invitez les élèves à faire connaître leur « coup de cœur » pour l'un des poèmes et à en conserver une trace dans leur *Album souvenirs de mes lectures*. Mettez à leur disposition les poèmes que vous avez lus.

Allouez aux élèves le temps nécessaire pour inscrire un nouveau souvenir dans leur florilège (s'ils n'en ont pas, distribuez-leur la feuille reproductible 20.9, *Lecture personnelle*) que vous aurez pris soin de photocopier en plusieurs exemplaires car elle devra servir tout au long du module). Faites-y aussi inscrire d'autres beaux souvenirs de lecture de poèmes, leur appréciation de livres de poèmes.

Après la séance 2

Le récital pourrait être présenté devant les parents ou devant une autre classe. Suggérez aux élèves d'emprunter les anthologies et les recueils de la sélection pour lire quelques poèmes.

Lorsqu'un ou une élève vous rapporte un livre, proposez-lui de vous parler de sa lecture (sentiments éprouvés, opinion d'ensemble, niveau d'appréciation du poème préféré, d'une strophe ou d'un vers qui l'a marqué ou marquée, etc.).

Invitez-le ou invitez-la à faire connaître son « coup de cœur » – un des derniers – dans son *Album souvenirs de mes lectures*. Rappelez-lui d'y inscrire le titre du livre ainsi que celui du poème, le nom de l'auteur ou de l'auteure du poème ainsi que celui de l'illustrateur ou de l'illustratrice, et de justifier brièvement son appréciation. Demandez-lui quelle trace il ou elle aimerait conserver de cette lecture dans son *Album souvenirs de mes lectures* (un vers, une strophe, le poème en entier, un dessin, etc.).

Conviez-le ou conviez-la à lire devant la classe un poème qu'il ou elle a apprécié au cours de l'année, ou un poème qu'il ou elle vient de découvrir.

BIEN S'INFORMER, C'EST IMPORTANT !

 Préparation

- La veille de l'animation, sélectionnez dans les ouvrages proposés des renseignements sur le comportement «psychologique» du chat et d'autres aspects de ses mœurs (nourriture, naissance des petits, activités nocturnes, etc.) de manière à ce que le texte soit lisible pour l'ensemble des élèves.

La journée de l'animation, reproduisez le tableau synthèse des renseignements.

 Réalisation

Séance 1

- Animez une discussion sur l'importance de comparer ses sources de renseignements. Formez des équipes de quatre élèves. Nommez ou faites nommer un ou une porte-parole dans chaque équipe; le ou la porte-parole pourrait changer à chaque intervention. Puis proposez aux coéquipiers d'échanger à partir des questions suivantes, qui seront inscrites au tableau: *Avez-vous déjà consulté deux livres qui parlent d'un même sujet, par exemple deux ouvrages qui traitent du chat? Dans l'affirmative, dites pourquoi vous avez consulté deux de ces livres* (sujet apprécié, comparaison des renseignements, recherche de renseignements pour informer un ou une amie, etc.). *Pourquoi est-il important de consulter plusieurs sources de renseignements lorsque vous voulez vous informer sur un aspect particulier d'un sujet?* (pour les préciser, pour les compléter, pour vérifier les contradictions, etc.) *Quelles sources pouvez-vous consulter?* (livres, cédéroms, films, sites Internet, une personne spécialisée sur le sujet, par exemple un ou une vétérinaire, etc.)

De retour en grand groupe, animez la discussion; chaque porte-parole fait connaître ses réponses aux questions. Avisez les porte-parole qu'ils ne doivent pas répéter la réponse d'une autre équipe.

Distribuez à chaque équipe un ouvrage (*Voir la bibliographie, section* Bien s'informer, c'est important, *sous-section* Prendre soin de son chat). Demandez aux équipes de faire un survol de l'ouvrage: observer les illustrations, vérifier s'il y a une table des matières, un index afin d'y lire quelques mots, lire les titres et intertitres dans le corps du livre, prendre connaissance de certains passages du texte.

De retour en grand groupe, demandez aux porte-parole de faire connaître le sujet de l'ouvrage et les différents aspects qui y sont abordés (le chat, son comportement, comment en prendre soin, son alimentation, ses besoins, etc.). Certaines équipes auront remarqué que le livre reçu comporte deux textes: au début, une courte histoire qui fait connaître certaines caractéristiques de son comportement; ensuite, quelques pages qui sont réservées à des renseignements. Avisez les porte-parole qu'ils ne doivent pas répéter la réponse d'une autre équipe. Faites inscrire ces renseignements sur le tableau littéraire pour ouvrage documentaire.

Séance 2

Annoncez aux élèves que vous leur lirez des passages qui traitent de la psychologie du chat. Demandez-leur d'ouvrir leur manuel aux pages 118 et 119. Après chaque lecture d'un passage particulier d'un ouvrage, demandez aux élèves à quel aspect de leur manuel ce passage peut être associé. Ensuite, invitez-les à déterminer si le texte que vous venez de lire donne la même information, ajoute une information différente, ou la contredit. Laissez aux coéquipiers le temps de se consulter. Avisez les porte-parole qu'ils ne doivent pas répéter la réponse d'une autre équipe.

Dites aux élèves que vous leur lirez maintenant un texte qui leur fournira des informations qui portent sur des aspects différents de ceux qui apparaissent dans leur manuel. Mentionnez-leur que cette fois-ci ils devront reconnaître l'aspect traité et signaler les indices (mots clés) qui leur ont permis de le reconnaître (nourriture, naissance, activité nocturne, etc.). Après la lecture d'un aspect, laissez aux coéquipiers le temps d'en déterminer la nature et d'indiquer les indices qui leur ont permis de l'identifier. Avisez les porte-parole qu'ils ne doivent pas répéter la réponse d'une autre équipe. Inscrivez cet aspect dans un autre tableau de synthèse de renseignements.

 Intégration

- Suggérez aux élèves d'emprunter des ouvrages sur les chats ainsi que d'autres félins afin d'obtenir de nouveaux renseignements sur ces bêtes.

Lorsqu'un ou une élève vous rapporte un livre, proposez-lui de vous parler de sa lecture (opinion d'ensemble, niveau d'appréciation des renseignements et des illustrations, évaluation de l'utilité de l'ouvrage, etc.). Invitez-le ou invitez-la à faire connaître son «coup de cœur» – un des derniers – dans son *Album souvenirs de mes lectures*. Rappelez-lui d'y inscrire le titre du livre, le nom de l'auteur ou de l'auteure ainsi que celui de l'illustrateur ou de l'illustratrice, et de justifier brièvement son appréciation. Demandez-lui quelles traces il ou elle aimerait conserver de cette lecture dans son *Album souvenirs de mes lectures* (S'il ou elle n'en a pas, donnez-lui la feuille reproductible 20.9, *Lecture personnelle*)(un dessin, une information inusitée, son appréciation générale de l'ouvrage, etc.).

Allouez aux élèves le temps nécessaire pour inscrire un nouveau souvenir dans leur florilège (s'ils n'en ont pas, distribuez-leur la feuille reproductible 20.9, *Lecture personnelle*).

Notes personnelles

_____

_____

_____

_____

_____

_____

_____

_____

_____

_____

_____

_____

_____

_____

Préparation

- Présentez aux élèves le tableau littéraire que vous avez reproduit sur une grande feuille, de manière à ce que le texte soit lisible par tous.

 ou ou

Réalisation

- Animez une discussion sur la notion de fugue chez l'animal. Prenez quelques minutes pour discuter avec les élèves du sens du mot «fugue» (escapade, vouloir s'éloigner, fuir). Les élèves sentiront probablement le besoin d'établir une distinction entre «s'égarer» et «fuguer».

NOTE : La discussion qui va suivre peut se dérouler en équipes de trois ou quatre élèves. Assurez-vous que dans chaque équipe il y ait un ou une élève qui possède un animal. Avisez les élèves qu'il n'y aura pas de mise en commun.

Transcrivez les questions suivantes au tableau: *Votre animal a-t-il déjà fugué? Savez-vous pour quelles raisons il l'a fait?* (il y a trop de bruit, il se fait maltraiter, on ne le nourrit pas bien, il manque d'amour, de caresses, il est toujours seul, il s'ennuie, etc.) *L'avez-vous retrouvé? Qu'avez-vous ressenti à ce moment-là? Pourquoi? Avez-vous essayé de changer quelque chose à la maison ou dans votre comportement pour qu'il ne fugue plus? Par la suite, avez-vous senti qu'il était moins porté à fuguer? À quels indices l'avez-vous constaté?*

Annoncez ensuite aux élèves que vous leur lirez l'histoire d'un chaton qui a fait une fugue. Mentionnez-leur qu'ils devront bien écouter pour découvrir la raison ou les raisons qui ont incité le chaton à fuguer.

NOTE : Il importe, pour cette animation de la lecture, que les élèves écoutent le texte tout en observant les illustrations.

Après la lecture de la page 7, demandez aux élèves d'observer le chaton (yeux, position, pattes en action, queue relevée, etc.) et posez-leur les questions suivantes: *Quelles émotions ressentiriez-vous si vous teniez ce chaton dans vos bras? En prendriez-vous soin? Pourquoi?*

Conviez les élèves à bien observer les illustrations qui suivent le texte: elles épousent souvent des formes différentes et sont parfois plus d'une par page.

Faites observer l'illustration de la page 8 et demandez à quatre élèves de venir montrer chacun ou chacune un membre de la famille où habite Jules. Demandez-leur de décrire chacun ou chacune ce que fait un personnage. Attirez leur attention sur le chaton et demandez-leur pourquoi Yvan Pommaux l'a représenté dans cette position, de cette façon.

Après la lecture de la page 12, posez les questions suivantes : *Quelles sont les raisons qui ont incité Jules à quitter cette maison? D'après vous, quelle est la plus importante de ces raisons? Y en a-t-il qui correspondent à celles que vous avez énumérées au début de l'animation?*

Annoncez aux élèves que Jules va leur révéler un très doux souvenir qui l'aide à vivre dans cette atmosphère survoltée. Demandez-leur ce que pourrait être ce doux souvenir. Laissez-les s'exprimer librement.

Lisez les pages 13 à 17 en faisant observer aux élèves la forme des illustrations et la présence de Jules à chacune des pages.

Après la lecture de la page 17, demandez aux élèves d'expliquer pourquoi l'auteur-illustrateur n'a représenté que la tête du chaton vu de dos (sauf sur l'avant-dernière illustration).

*texte soit lisible
par l'ensemble des
élèves.*

LIEU ET TEMPS

*En classe, les élèves,
en équipes de trois
ou quatre, sont assis
par terre ou à leur
bureau. L'animation
se déroule en une
seule séance.*

Demandez ensuite aux élèves comment Jules pourrait bien s'y prendre pour fuguer. Laissez-les émettre leurs anticipations.

Après la lecture de la page 23, posez les questions suivantes : *Est-ce que le moyen qu'a utilisé Jules pour fuguer correspond à celui auquel vous aviez pensé ? Que pourrait-il bien arriver à Jules, qui est maintenant seul dans la rue ? Quels sont les dangers qui le guettent ?*

Après la lecture de la page 30, posez les questions suivantes : *Pensez-vous que Jules finira par retrouver son copain ? Comment pourrait-il s'y prendre pour le retrouver ? Qui pourrait l'aider ? Pensez-vous qu'il réussira ?*

Terminez la lecture du récit. Faites bien observer, aux pages 34 et 35, les illustrations en séquence à la manière des vignettes d'une bande dessinée. Posez ensuite des questions qui ressemblent à celles-ci : *Que va-t-il maintenant arriver aux deux amis ? Si vous trouviez un chat, que feriez-vous ?*

Faites remplir le tableau littéraire. Cette fois-ci, partagez les responsabilités : une équipe s'occupe de chaque partie du tableau. Laissez aux coéquipiers le temps d'échanger entre eux. Chaque porte-parole donne les renseignements nécessaires pour remplir le tableau. Les autres équipes peuvent compléter les renseignements, s'il y a lieu.

 ou

Regroupez les élèves en équipes de trois ou de quatre et proposez-leur de façonner un passage de l'histoire avec de la pâte à modeler. Demandez aux coéquipiers de discuter du passage qu'ils représenteront (la présentation de la famille d'adoption, la rencontre avec Léonard, les retrouvailles avec Martin dans le parc, etc.). Ensuite, invitez chaque coéquipier à déterminer l'élément ou les éléments de la production, de la composition du tableau en trois dimensions. Après la production, demandez au ou à la porte-parole de chaque équipe de faire connaître à la classe le passage de l'histoire qui a été représenté ; si certaines équipes ont choisi le même passage, faites trouver les ressemblances et les différences en insistant sur le fait que chacun ou chacune a collaboré avec la créativité qui lui est propre.

Variante : Chaque élève façonne un chat en fugue.

 Intégration

• Mettez à la disposition des élèves différents ouvrages qui traitent des soins que le jeune propriétaire d'un chat doit prodiguer à son animal (*Voir bibliographie, section* Bien s'informer, c'est important, *sous-section* Prendre soin de son chat). Suggérez-leur de les feuilleter afin de choisir celui qu'ils préfèrent ; les renseignements contenus dans un tel ouvrage sont indispensables pour ceux qui possèdent un chat, surtout s'ils n'ont pas déjà en main un manuel du genre ; ils pourraient s'avérer fort utiles pour les autres, si un jour leurs parents acceptaient de garder à la maison un chat abandonné.

Après une lecture, invitez les élèves à faire connaître leur « coup de cœur » – un des derniers – dans leur *Album souvenirs de mes lectures.*

Allouez aux élèves le temps nécessaire pour inscrire un nouveau souvenir dans leur florilège. Faites-y aussi inscrire d'autres beaux souvenirs de lecture, leur appréciation de livres qu'ils ont lus ailleurs qu'à l'école.

Profitez des dernières consignations des élèves pour observer comment chacun et chacune réagit à une histoire et comprendre comment il ou elle évolue.

BIBLIOGRAPHIE

DES HISTOIRES DE CHATS

Un chat bien futé !

Le Chat botté, Carignan, Coffragants, 1995, 34 p. (Contes traditionnels) [cassette]

Le Chat botté, Paris, Gallimard, 1981, 45 p. (Folio Benjamin)

Le Chat botté, Paris, Gründ, 1996, 32 p. (Raconte-moi l'histoire)

5 contes pour les enfants d'aujourd'hui, Paris, Gallimard, 1995, 164 p. (La Bibliothèque de Benjamin)

Aussi : *Le Chat botté*, raconté et illustré par Tony Ross (Folio Benjamin, 1981, 45 p.)

MAROIS, André, *Le Chat botté à New York*, Laval, Les 400 coups, 2000, 32 p. (Monstres, sorcières et autres féeries)

PERRAULT, Charles, *Le Chat botté*, Paris, Gallimard, 1991, 28 p.

PERRAULT, Charles, *Le Chat botté*, Paris, Gründ, 2000, 38 p. (Les petits conteurs)

PERRAULT, Charles, *Le Chat botté*, Paris, Rouge et or, 1997, 29 p. (Les petits cailloux)

PERRAULT, Charles, *Le Chat botté*, Zurich, Nord-Sud, 1999, 25 p. (Un livre d'images Nord-Sud)

D'autres histoires de chats

BARBER, Antonia, *Chaton*, Paris, Gründ, 1995, 41 p. (Grands textes illustrés)

BATTUT, Éric, *Rouge Matou*, Toulouse, Milan, 2000, 28 p.

Le Chat et le coq, Fribourg, Calligram, 1996, 27 p. (Petite bibliothèque Calligram. Conte)

DE BEER, Hans, *Plume en bateau*, Zurich, Nord-Sud, 2000, 12 p. (Un livre d'images Nord-Sud)

L'Enfant qui dessinait les chats, Paris, L'École des loisirs, 1993, 23 p.

JONAS, Anne, *Tibert et Romuald*, Laval, Les 400 coups, 1999, 27 p.

KITAMURA, Satoshi, *Moi et mon chat ?*, Paris, Gallimard jeunesse, 1999, 30 p. (Album Gallimard)

MOORE, Inga, *Les six repas du chat*, Paris, Gründ, 2000, 30 p.

POMMAUX, Yvan, *La fugue*, Paris, L'École des loisirs, 1994, 35 p.

POULIN, Stéphane, *As-tu vu Joséphine ?*, Montréal, Livres Toundra, 1986, 24 p. (Joséphine)

Aussi : *Peux-tu attraper Joséphine ?* (1987, 22 p.) ; *Pourrais-tu arrêter Joséphine ?* (1988, 24 p.)

RYLANT, Cynthia, *Clémentine, la câline*, Paris, Pocket, 2000, 1996, 40 p. (Kid Pocket. Une aventure de monsieur Victor et Clémentine)

Aussi : *Oscar, le cauchemar* (2000, 39 p.)

SAY, Allen, *Allison*, Paris, L'École des loisirs, 1998, 35 p.

SYLVESTRE, Daniel, *À chat perché*, Saint-Lambert, Dominique et compagnie, 1997, 23 p. (Juliette et Mimi)

VINCENT, Gabrielle, *Au bonheur des chats*, Tournai, Casterman, 1995, 34 p. (Les albums Duculot)

WAITE, Judy, *Gare à toi, souris !*, Namur, Mijade, 2000, 28 p.

WILSON, Gina, *Le chat-qui-rôde*, Paris, Gründ, 1994, 25 p.

Des histoires félines

BERNADETTE, *Le lion et la souris*, Zurich, Nord-Sud, 2000, 26 p. (Un livre d'images Nord-Sud) [fable]

DE BEER, Hans, *Plume au pays des tigres*, Zurich, Nord-Sud, 1999, 26 p. (Les coups de cœur des éditions Nord-Sud)

Gollo et le lion, Paris, Albin Michel jeunesse, 1994, 31 p.

Le Grand courage de Petit Babaji, Paris, Bayard, 1998, 70 p. [tigre]

La Lionne solitaire et les bébés autruches, Paris, Circonflexe, 1996, 32 p.

MŒRS, Hermann, *Hugo le bébé lion*, Zurich, Nord-sud, 2000, 28 p. (Les coups de cœur des éditions Nord-Sud)

MONCOMBLE, Gérard, *Le tigre furibard*, Toulouse, Milan, 1999, 25 p.

PAPINEAU, Lucie, *Léonardo le lionceau*, Saint-Lambert, Dominique et compagnie, 2000, 30 p. (Les amis de Gilda la girafe)

RAVINSHANKAR, Anushka, *Où est Petit-Tigre?*, Paris, Syros / Amnesty International, 1999, 29 p.

STIMSON, Joan, *Courage, petit lion, courage*, Paris, Pocket, 1999, 31 p. (Kid Pocket)

KIPLING, Rudyard, *Les taches du léopard*, Paris, L'École des loisirs, 1999, 29 p.

DES CHATS POÉTIQUES

ANDREVON, Jean-Pierre, *Chères bêtes*, Paris, Gallimard, 1994, 56 p. (Folio cadet or. Poésie)

Les Animaux et leurs poètes, Paris, Albin Michel, 1998, 58 p.

BEISNER, Monika, *Où sont cachés ces chats?*, Paris, Gallimard, 1990, 30 p.

BRADBURY, Ray, *Avec un chat pour édredon*, Paris, Gallimard jeunesse, 1998, 32 p. (Folio Benjamin)

CORAN, Pierre, *Chats qui riment et rimes à chats*, LaSalle, Hurtubise HMH, 1994, 69 p. (Collection Plus)

Crapauds et autres animaux, Montréal, La courte échelle, 1981, 20 p.

Aussi: *La Vache et d'autres animaux* (1982, 21 p.)

DESNOS, Robert, *La ménagerie de Tristan; Le parterre d'Hyacinthe*, Paris, Gallimard jeunesse, 2000, 41 p. (Enfance en poésie)

HAVEL, Jiri, *La fête chez les animaux*, Paris, Gründ, 1988, 61 p.

HION, Monique, *Comptines des bêtes à malice*, Arles, Actes Sud junior, 1998, 61 p. (Les Petits Bonheurs)

Aussi: *Comptines insolites* (1997, 61 p.)

MORVAN, Françoise, *La gavotte du mille-pattes*, Arles, Actes Sud junior, 1996, 62 p. (Les Petits Bonheurs)

Poésie poézoo, Paris, Gautier-Langauereau, 1997, 41 p.

PRÉVERT, Jacques, *Le chat et l'oiseau*, Paris, Gallimard jeunesse, 2000, 41 p. (Enfance en poésie)

Regards de chats, Paris, L'École des loisirs, 1991, 30 p. (Pastel)

ROUBAUD, Jacques, *M. Goodman rêve de chats*, Paris, Gallimard, 1994, 56 p. (Folio cadet or. Poésie)

VALLS, Dominique, *Poétines*, Paris, Père Castor Flammarion, 1994, 31 p. (Castor poche. Benjamin)

VIGEANT, André, *Le bestiaire d'Anaïs*, Montréal, Boréal, 1991, 90 p. (Boréal junior) [Pour les élèves des 2ᵉ et 3ᵉ cycles]

Pour les enseignants et les enseignantes

Le chat, Paris, Gallimard jeunesse, 1999, 13 p. (Octivius Musique) [un disque compact Octavius. Musique]

BIEN S'INFORMER, C'EST IMPORTANT

Prendre soin de son chat

BOURGOING, Pascale de, *Le chat*, Paris, Gallimard jeunesse, 1989, 31 p. (Mes premières découvertes des animaux)

Le chat, Paris, Bayard, 1997, 37 p. (Histoires d'animaux)

DA SILVA, Maggie, *Les chats*, Montréal, Grolier, 1998, 48 p. (Le Monde merveilleux des animaux)

EVANS, Mark, *Mon chat*, Paris, Seuil jeunesse, 1992, 45 p. (Animaux familiers)

FRATTINI, Stéphane, *Mon premier copain des chats*, Toulouse, Milan, 2000, 159 p. (Mon premier copain)

MORLEY, Christine, *Mon chat*, Paris, Carrousel, 1999, 31 p. (Comment être un excellent...)

MOTISI, Francesca, *Ton chaton*, Saint-Lambert, Héritage, 1992, 32 p. (Tes premiers animaux domestiques)

PIQUEMAL, Michel, *Le chat*, Paris, Nathan, 1999, 29 p. (Animalou)

ROYSTON, Angela, *Le chat*, Paris, Hachette, 1991, 21 p. (Regarde-les grandir)

SILVESTER, Hans, *Les chats s'amusent dans la nature*, Paris, La Martinière jeunesse, 1996, 41 p. (Les Chats)

STARKE, Katherine, *Je m'occupe de mon chat*, Londres, Usborne, 1999, 30 p. (Un animal chez moi)

SUN, Wan-Ling, *Le chat*, Aartselaar, Chantecler, 1996, 22 p. (Gros plan sur la nature)

Aussi : *Les chatons* (1998, 22 p.)

Mieux connaître d'autres félins

BUTTERFIELD, Moira, *Je suis féroce, qui suis-je ?*, Paris, Bilboquet, 1998, 33 p. (Qui suis-je ?) [tigre]

FRATTINI, Stéphane, *Le grand catalogue des félins du monde*, Toulouse, Milan, 1992, 57 p. (Un livre Wapiti. Le Grand Catalogue)

Le Guépard, Paris, Bayard, 1999, 37 p. (Histoires d'animaux)

Aussi : *Le tigre* (1997, 37 p.)

GUIDOUX, Valérie, *Le lion*, Paris, Nathan, 1999, 29 p. (Animalou)

HEAD, Honor, *Bébé lion*, Paris, Bilboquet, 1998, 32 p. (Une vie de...)

HUGO, Pierre de, *Le lion*, Paris, Gallimard jeunesse, 1999, 34 p. (Mes premières découvertes des animaux)

LI, Fang-Ling, *Le lion*, Aartselaar, Chanteclerc, 1998, 23 p. (Gros plan sur la nature)

PARSONS, Alexandra, *Un félin*, Paris, Gallimard, 1991, 28 p. (Les Chemins de la découverte. Qui suis-je ?)

RESNICK, Jane P., *Les chats*, Richmond Hill, Scholastic, 1996, 29 p. (Zoom nature)

STONEHOUSE, Bernard, *Les félins et les chats sauvages*, Paris, Place des Victoires, 1999, 46 p. (Grandeur nature)

THAPAR, Valmik, *Le tigre : habitat, cycle de la vie, chaîne alimentaire, menaces*, Montréal, École active, 2000, 48 p. (Zoom nature)

WALLACE, Karen, *Imagine que tu sois un tigre*, Paris, Père Castor Flammarion, 1996, 25 p. (Imagine que tu sois...)

YOSHIDA, Toshi, *La première chasse*, Paris, L'École des loisirs, 1997, 31 p. (Lutin poche)

Aussi : *L'arc-en-ciel* (1987, 32 p.) ; *Le passage du fleuve* (1987, 32 p.) ; *Partir* (1988, 32 p.) ; *Près de la termitière* (1987, 32 p.) ; *Ventre à terre* (1989, 32 p.) ; dans la collection La vie des animaux d'Afrique

HISTOIRES DE CHATS ET DE CHIENS

BRASSET, Doris, *Greta et Garbo au cirque Zanimo*, Montréal, Québec Amérique, 1999, 30 p. (Gofrette)

BROWN, Ruth, *Le chat miroir*, Paris, Gallimard, 1994, 28 p.

FRENCH, Vivian, *Le voleur de petit déjeuner*, Namur, Mijade, 1996, 25 p.

JEAN, Didier, *Zoum, chat de traîneau*, Toulouse, Milan, 1996, 33 p.

LEESON, Christine, *Fred, le délaissé*, Saint-Lambert, Héritage, 1996, 25 p. (Copain-copain)

LÉVY, Didier, *La balle*, Paris, Nathan, 1999, 27 p. (Étoile filante)

METS, Alan, *Le chat orange*, Paris, L'École des loisirs, 1995, 32 p. (Lutin poche)

RYLANT, Cynthia, *Oscar, le cauchemar*, Paris, Pocket, 2000, 39 p. (Kid Pocket)

SCOTTO, Thomas, *J'ai démasqué le facteur*, Paris, Père Castor Flammarion, 1999, 42 p. (Loup-garou)

UNGERER, Tomi, *Flix*, Paris, L'École des loisirs, 2000, 1997, 30 p.

Aussi dans la collection Lutin poche (2000, 32 p.)

WAGNER, Jenny, *John, Rose et le chat*, Paris, Deux coqs d'or, 1985, 32 p. (Contes, histoires) [un incontournable]

Notes personnelles

_____

_____

_____

_____

_____

_____

_____

_____

_____

_____

_____

_____

_____

_____

_____

_____

_____

_____

_____

_____

_____

DISCOGRAPHIE

The Jingle Cats Legend, BMG Music Canada, distribué par Columbia. Ce disque renferme des airs de Noël miaulés par des chats et parfois jappés par des... chiens !

Songs of the Cats, RCA Victor, distribué par Columbia, Garrison Keillor et Frederica Von Stade sont dirigés par Philip Brunelle.

Notes personnelles

_____

_____

_____

_____

_____

_____

_____

_____

_____

_____

_____

_____

_____

_____

_____

_____

_____

_____

_____

_____

_____

_____

_____

_____

_____